UNTAMED VIXEN

LUNA PIERCE

playlist

JOKE'S ON YOU - CHARLOTTE LAWRENCE

SILENCE - MARSHMELLO, KHALID

THE BEGINNING OF THE END - KLERGY, VALERIE
BROUSSARD

PANIC ROOM - AU/RA

WAR OF HEARTS (ACOUSTIC) - RUELLE

FEEL SOMETHING - JAYMES YOUNG

HATE U LOVE U - OLIVIA O'BRIEN

COUPLE OF KIDS - MAGGIE LINDEMANN

CASTLE - HALSEY

SO BAD - BRANDON COLBEIN

SHADOW PREACHERS - ZELLA DAY

YOU SHOULD KNOW WHERE I'M COMING FROM -
BANKS

HEARTBREAK - MDWS

MY HEART I SURRENDER - I PREVAIL

SKIN - RIHANNA

DEVIL SIDE - FOXES

PLAYGROUND - BEA MILLER

LIEBER LESER:

Der Inhalt dieses Buches enthält grafisches Material, das für ein reifes Publikum bestimmt ist. Einige Situationen und Szenen sind möglicherweise ein Trigger für dich, und ich bitte dich daher, diese Liste von Triggern durchzulesen und sicherzustellen, dass dieses Buch für dich geeignet ist.

Versuchte sexuelle Nötigung. Gezielter Tötungsakt. Ermordung. Erwähnung von häuslicher Gewalt. Tätlicher Angriff. Kidnapping. Messerstecherei. Versuchter Mord. Folter. Miterleben einer Überdosis. Erwähnung von Drogen.

Eine umfassendere Liste, WO die Auslöser zu finden sind (Spoiler), findest du unter https://www.lunapierce.com/triggerwarnings

Buchumschlaggestaltung von Opulent Swag & Design
Englisches Lektorat durch Tiffany Hernandez
Deutsche Übersetzung von Literary Queens
Deutsche Übersetzung von Ariana Lambert
Erste Auflage 2023
ISBN der gebundenen Ausgabe: 978-1-957238-09-8
ASIN des E-Books: B0C8PVHDM9

KAPITEL EINS – JUNE

*D*ie hauchdünnen Wände meiner WG bieten mir keinen Schutz vor dem dröhnenden Lärm meiner Mitbewohner. Ständig streitet sich jemand, fickt oder spielt Videogames. Das ist auch jetzt nicht anders. Ich ziehe mein Kissen unter meinem Kopf hervor und drücke es mir aufs Gesicht, um ein übertriebenes Stöhnen zu unterdrücken.

»June, mach dich locker!« Carter schlägt etwas, von dem ich nur annehmen kann, dass es seine Faust ist, gegen die kümmerliche Trockenmauer zwischen uns.

Von allen hasse ich ihn am meisten. Er steht nicht mal im Mietvertrag, aber aus irgendeinem Grund ist er jeden einzelnen verdammten Tag hier.

Der Grund ist Heather – seine Freundin. Einer der vier Namen, die auf dem Stück Papier stehen, das uns rechtlich an diese Bruchbude bindet.

Verzweiflung ist die einzige Entschuldigung dafür, warum ich hier bin. Und egal, was ich tue, es scheint kein Entkommen aus diesem Drecksloch und von den Menschen, die hier leben, zu geben. Zum Teufel, ich kann nicht einmal mir selbst entkommen.

Ich kann es mir nicht leisten, auszuziehen, und selbst wenn ich könnte, gibt es nicht viele andere Möglichkeiten. Es ist nahezu unmöglich, einen Vermieter zu finden, der an eine alleinstehende Einundzwanzigjährige mit lückenhaftem Lebenslauf vermieten möchte. Außerdem ist es nicht so, dass ich in nächster Zeit zu einer großen Summe Geld kommen werde.

Für die absehbare Zukunft sitze ich also hier fest, es sei denn, ich finde einen Kreuzungsdämon, dem ich meine Seele für ein bisschen Frieden und verdammte Ruhe verkaufen kann.

Ich werfe das Kissen zur Seite, ziehe meine Beine von der Bettkante, knalle übertrieben mit den Füßen auf den kalten, harten Boden und stürme zur Tür. Ich schwinge sie weit auf und starre ihn an.

Er zuckt bei meinem plötzlichen Erscheinen zusammen.

»Eine verdammte Stunde«, sage ich mit zusammengebissenen Zähnen. »Das ist alles, worum ich dich gebeten habe. Kannst du mir nicht einmal das gönnen?«

Carter blickt auf sein nacktes Handgelenk. »Tut mir leid, J., die Jungs spielen ein Live-Match.«

Denn anscheinend sind seine Spielesessions wichtiger, als dass ich vor einer weiteren Nachtschicht in der Bar schlafen kann.

»Du bist ein Arschloch.«

Carter zuckt mit den Schultern und drückt weiter auf die Tasten seines Controllers. »Ich kann deinen Zeitplan nicht im Auge behalten. Es ist nicht meine Schuld, dass du zwei Jobs hast.«

»Drei«, korrigiere ich ihn.

Wenn ich eine Chance haben will, jemals genug Geld zu verdienen, um aus diesem Loch herauszukommen, muss ich mir ein Semester von der Schule freinehmen und mich auf die Arbeit konzentrieren, daher der zusätzliche Job, den ich angenommen habe. Ich sage mir immer wieder, dass es nur das eine übersprungene Semester ist, aber bei dem Tempo, das ich vorlege, habe ich keine Ahnung, wann ich wieder zur Uni gehen kann. Die meisten meiner wachen Stunden verbringe ich mit verschiedenen Jobs und schlafe zwischendurch nur kurz. Aber bei dem hohen Arbeitspensum kann ich mich nicht erinnern, wann ich mich das letzte Mal wirklich ausgeruht habe.

Carter schaut vom Flachbildschirm wieder zu mir. »Oh, du bist immer noch hier.« Er lässt seinen Blick an meinem Körper auf und ab gleiten. »Hör zu, wenn du willst, dass ich dich zum Schreien bringe …«

Ich schneide ihm das Wort ab. »Friss Scheiße und stirb!« Ich drehe mich auf dem Absatz um, gehe zurück in mein Zimmer und knalle die Tür so hart zu, dass ich mir verdammt noch mal wünsche, dass der Fernseher von der verdammten Wand fällt.

Carter murmelt ein paar Flüche, aber ich blende sie aus und gönne ihm keine weitere Sekunde meiner Zeit.

Was Heather an ihm findet, werde ich verdammt noch mal nie verstehen. Er ist ein Kind, das herumsitzt, Videospiele spielt und sich von ihr von vorn bis hinten bedienen lässt. Sie hat mir sogar erzählt, wie schlecht er fickt. Die ganze Situation ergibt keinen Sinn. Sie ist eine erwachsene Frau, und wen sie um sich hat, ist ihre Sache, aber mit jedem Tag wird es mehr und mehr auch mein Problem.

Der einzige Grund, warum ich herkomme, ist, um zu schlafen und zu duschen, also kann ich auch das tun, da ich zum Schlafen offenbar nicht kommen werde. Wenn ich Glück habe, kann ich meine Schicht früher beginnen und ein paar Dollar dazuverdienen.

Ich wühle mich durch einen Stapel Klamotten, der sich auf einem Stuhl in der Ecke meines Zimmers stapelt, und mache den Schnuppertest, um zu entscheiden, ob ich sie noch einmal anziehen kann. Sobald ich ein anständiges Outfit gefunden habe, hole ich meine Kosmetiktasche von der Kommode. Mein Spiegelbild starrt mich an, während ich überlege, wann ich mein tiefschwarzes Haar das letzte Mal gewaschen habe.

War das gestern? Vielleicht am Tag davor? Jeder Tag geht in den nächsten über.

Ich fahre mit den Fingern über meine Kopfhaut und stelle fest, dass mein Haar gar nicht so fettig ist. Mit ein wenig Trockenshampoo werde ich so gut wie neu sein. Ich arbeite in einer Bar. Die Typen sind zu betrunken, um ihre Augen lange genug von meinen Titten abzuwenden, um mein Haar zu bemerken.

Was mich daran erinnert, dass ich, wenn ich heute Abend Trinkgeld haben will, mein Shirt gegen etwas Freizügigeres tauschen muss. Es ist nicht der nobelste aller Karrierewege, aber er bezahlt die Rechnungen, und im Moment ist das alles, was zählt.

Nach einer schnellen Dusche, etwas Rouge und Wimperntusche und genug Eyeliner, um gefährlicher auszusehen, als ich wirklich bin, schlüpfe ich in meine sexy und praktischen Kampfstiefel.

Ich gehe durch den Gemeinschaftsraum, ignoriere die gierigen Augen des unheimlichen Freundes meiner Mitbewohnerin und mache mich auf den Weg zur Vordertür, ohne jemandem zu sagen, wohin ich gehe. Nicht, dass es irgendjemanden von ihnen interessiert.

Vor einer gefühlten Ewigkeit waren wir alle einmal Freunde. Highschool-Schüler, die es kaum erwarten konnten, ihren Abschluss zu machen, sich eine eigene Wohnung zu suchen und gemeinsam aufs College zu gehen. Seitdem haben wir uns aber alle auseinandergelebt. Auf drastische Weise. Ob es nun am Alkohol, an den Drogen oder an schlechten Entscheidungen lag, wir haben alle nicht mehr viel gemeinsam, und abgesehen von der gelegentlichen Übergabe des Mietschecks oder dem erzwungenen Small Talk beim Kommen und Gehen sprechen wir nicht wirklich miteinander.

Wenn ich ehrlich bin, stört mich das nicht im Geringsten. Es sind nicht meine Leute. Sie sind nur die Menschen, mit denen ich derzeit zusammenlebe. Ich habe hier und da andere Freunde gefunden – Cora ist die Einzige, die mir nicht auf die Nerven geht –, aber normalerweise verbringe ich die meiste Zeit außerhalb von Arbeit und Uni entweder allein, oder ich befriedige mein Bedürfnis nach Körperkontakt mit einem Fremden. Mit all dem habe ich kein Problem. Es passt zu mir. Und ich habe gelernt, dass man nicht verlassen werden kann, wenn man derjenige ist, der verlässt. Nicht, dass ich jemals das Bedürfnis gehabt hätte, zu bleiben. Niemand hat jemals meine Aufmerksamkeit lange genug gefesselt, als dass ich es auch nur in Erwägung gezogen hätte.

Ich mache mich auf den Weg zu der beschissenen Spelunke, in der ich in letzter Zeit die meisten meiner Abende verbracht habe. Sie ist heruntergekommen und die Bezahlung ist mies, aber ab und zu kommt ein Aufschneider vorbei und macht alles mit einem guten Trinkgeld wieder wett. Beim Betreten des verrauchten Etablissements scanne ich die Gäste und bemerke die wenigen Stammgäste und die neuen Gesichter, die hier herumlungern.

»Du bist früh dran«, sagt Jack von seinem Platz hinter der Bar aus. Er hört auf, die Kasse zu zählen, und reckt den Hals, um einen Blick auf die Uhr neben dem Regal mit dem Schnaps zu werfen.

Ich beiße mir auf die Lippe und neige den Kopf in meinem schwachen Versuch, Freundlichkeit vorzutäuschen. »Ich dachte, du könntest Hilfe gebrauchen.«

»Ich könnte dir etwas zu tun geben«, lallt ein betrunkener Mann von seinem Platz an der Bar.

Jack ignoriert ihn und rollt mit den Augen. »Genau.« Er seufzt und nickt zu dem Getränk, das Sarah gerade neben ihn gestellt hatte, als ich hereinkam. »Ecktisch.«

»Danke, Jack.« Ich atme aus und nehme das Glas von der Theke. Sofort bemerke ich das Aroma des erstklassigen Bourbons, was nur eines bedeuten kann …

Ich nehme die Person ins Visier, die ihn bestellt hat.

Derselbe Typ, der in den letzten Wochen unzählige Stunden bei uns verbracht hat – den gleichen teuren Schnaps trinkend. Immer allein. Mit niemandem sprechend. Nur in seiner eigenen kleinen Zone grübelnd, ohne sich um die Welt um ihn herum zu kümmern.

Ich nähere mich ihm und betrachte seine breiten Schultern und seinen gebügelten schwarzen Anzug, das Sakko ordentlich gefaltet über der Stuhllehne. Seine Manschetten sind aufgeknöpft, die Ärmel sind das Unordentlichste an ihm. Sein aschblondes Haar ist ordentlich nach hinten gekämmt und oben lang, an den Seiten aber kurz. Ein etwas zu langer, aber gepflegter Bart passt perfekt zu ihm.

Er ist wesentlich älter als ich, aber ich kann nicht leugnen, dass er verdammt gut aussieht.

Der Mann nimmt den letzten Schluck des dunklen, honigfarbenen Getränks und hält mir das Glas hin, damit ich es durch ein neues ersetzen kann. Ich tue mein Bestes, um nicht auf seine Lippen zu starren, während er mit der Zunge darüber leckt.

»Kann ich dir noch etwas bringen?« Ich weiß genau, dass ich keinen Small Talk halten sollte.

Er war schon so oft hier, dass mir klar ist, dass er anders ist als der Rest der Leute, die herkommen. Er pöbelt nicht herum. Er behandelt mich nicht so, wie es jeder andere Depp in dieser Bar tut. Er starrt nicht auf meine Titten und ich spüre seine Blicke auch nicht, wenn ich mich umdrehe und gehe. Er ist einfach nur … er. Wir lassen uns gegenseitig in Ruhe. Ich mache meinen Job, er zahlt seine Getränke und lässt immer ein großzügiges Trinkgeld liegen. Und das war's. Ich genieße seine Anwesenheit, denn sie ist nichts im Vergleich zu dem, womit ich sonst täglich zu tun habe.

Vielleicht sollte ich mich darüber ärgern, denn ich lege eigentlich Wert darauf, meinen Körper für ein gutes Trinkgeld zu zeigen, aber das tue ich nicht. Nicht bei ihm. Er kommt her, um vor etwas zu flüchten, und genau das gewähre ich ihm.

Sarah hat mir vor ein paar Tagen gesagt, dass ich sein Liebling sei, aber ich habe nur gelacht und gesagt, dass sie nicht ganz richtig im Kopf ist. Er spricht kaum mit mir. Ihr zufolge ist das irgendwie viel mehr Aufmerksamkeit, als er jedem anderen schenkt, der ihn bedient.

»Du kannst mir was bringen, Süße«, ruft der Betrunkene hinter mir.

Ich ignoriere ihn und konzentriere mich auf den dunklen und geheimnisvollen älteren Mann vor mir, wobei ich genau darauf achte, wie sich seine Kiefer leicht anspannen, als der andere spricht.

Der geheimnisvolle Mann neigt langsam den Kopf zu mir, seine dunkelbraunen Augen durchbohren mich. »Das wäre dann alles. Danke.« Sein Blick schwankt nicht, gleitet nicht an meinem Körper hinunter, sondern fixiert direkt meinen.

Das sollte der Moment sein, in dem ich mich eingeschüchtert fühle, den Augenkontakt abbreche, irgendetwas anderes tue, als die Intensität seines Blicks zu erwidern. Aber ich tue es nicht. Ich lasse die Welle des Adrenalins über mich hereinbrechen und genieße die glückliche Dekadenz.

Er wendet seinen Blick zuerst ab und konzentriert sich wieder auf den leeren Platz ihm gegenüber.

Ich unterdrücke das Grinsen, das sich auf mein Gesicht schleichen will, und gehe zu Jack, um zu sehen, ob ich noch etwas tun kann, bevor ich meinen üblichen Platz hinter der Bar einnehme.

Eine laute Gruppe von Jungs im Collegealter kommt herein und zieht die Aufmerksamkeit auf sich.

»Ich muss eure Ausweise sehen«, meint Jack, sobald sie vor ihm stehen.

Die Jungs lachen, klatschen sich gegenseitig ab und machen eine so simple Angelegenheit zu einer größeren und dramatischeren, als sie es sein müsste. Zwei von ihnen lassen ihre Geldbörsen fallen, brechen in Gelächter aus und schlagen sich die Köpfe an, als sie sich gleichzeitig nach unten bücken.

Es ist schwer zu sagen, ob sie alle betrunken sind oder einfach nur verdammt dumm.

Ich stoße einen Seufzer aus und wartete darauf, dass sie endlich die Ausweise zeigen.

»Heute ist der Einundzwanzigste meines Kumpels«, sagt einer der Jungs. Er packt seinen Freund an der Schulter und schüttelt ihn. »Eine Runde Kurze für alle auf mich.«

Das führt dazu, dass alle Gäste nicht mehr genervt, sondern fasziniert von den Neuankömmlingen sind. Jeder liebt kostenlosen Schnaps. Na ja, alle außer du weißt schon wer.

Mister groß, dunkel und gut aussehend schenkt ihnen nicht einmal einen Hauch von Interesse. Währenddessen drängen sich die meisten anderen Gäste um die Jungs herum und warten darauf, dass ihnen die Getränke serviert werden.

Ich schlüpfe hinter die Theke und tue mein Bestes, um Jack und Sarah zu helfen, Ordnung in das neu entstandene Chaos um uns herum zu bringen. Ich zähle die Köpfe, die auftauchen, greife unter die Theke und hole Gläser hervor.

»Bar oder mit Karte?«, fragt Jack den jungen Mann, der vor ihm steht.

Der Kerl zieht seine Brieftasche heraus und wedelt ein paar Hundert-Dollar-Scheinen. »Keine Sorge, ich übernehm' das.«

Die Anspannung in Jacks Schultern löst sich und er geht aus dem Weg, um mich und Sarah unser Ding machen zu lassen.

Ich drücke dem unausstehlichen Betrunkenen, der mich Schätzchen genannt hat, einen Kurzen in die Hand.

Irgendwie, wahrscheinlich durch den flüssigen Mut, hat er die Dreistigkeit, meine Hand zu ergreifen und sie festzuhalten. Er zwingt mich, ihn anzuschauen, seine Augen sind rot und glasig. »Trink einen mit mir!«

»Nein, danke. Ich trinke nicht während der Arbeit.« Es ist alles, was ich tun kann, ohne ihn nicht gleich hier und jetzt eine reinzuhauen. Aber ich kann es mir nicht leisten, gefeuert zu werden, weil ich einen Kunden geschlagen habe.

Einer der wilden Jungs klammert sich an die Schultern des Betrunkenen und lenkt ihn von mir ab, sodass er seinen Griff lockert und ich mich zurückziehen kann.

»Komm schon, Mann, komm zu uns!«, sagt das Geburtstagskind.

Der Betrunkene beäugt mich, beschließt aber, sich auf den Spaß einzulassen, weil er wahrscheinlich weiß, dass ich die Mühe nicht wert bin.

Ich sehe, wie sich einer der Jungs aus der Gruppe dem mysteriösen Mann nähert, eine Sekunde später hebt er beide Hände und weicht zurück, als hätte er tatsächlich Angst vor ihm. Ich schmunzle über die endlosen Möglichkeiten, die er gesagt haben könnte.

Jack beugt sich zu mir und flüstert mir ins Ohr. »Hey, wenn die sich beruhigt haben, kannst du zur Damentoilette gehen? Der Automat hat keine Stecker mehr.«

Ich schüttle den Kopf und stoße ihn sanft mit dem Ellbogen. »Tampons, Jack, die heißen Tampons.«

Nachdem alle ein paar Minuten laut gefeiert haben, kehren sie zu ihren jeweiligen Tischen zurück, und die Jungs suchen sich eine eigene Ecke.

Ich helfe Sarah schnell dabei, das riesige Chaos aufzuräumen und sauberzumachen, das von verschüttetem Alkohol auf der Theke entstanden ist. Sobald ich sicher bin, dass sie alles unter Kontrolle hat, verschwinde ich nach hinten und gehe zum Abstellraum.

Ich fummle viel zu lange herum, um die Schachtel mit den Tampons zu finden, die auf dem obersten Regal steht, das ich kaum erreichen kann. Ich stelle mich auf die Zehenspitzen und benutze meinen Bleistift, um das Ding näher an mich heranzuziehen, damit ich es greifen kann.

»Lass mich das für dich machen!«

9

Meine Haut kribbelt, als ich die Stimme des Betrunkenen höre und seinen Atem nah an meinem Nacken spüre.

Die Musik aus der Jukebox wird lauter, und eine kleine Menschenmenge bildet sich um die provisorische Tanzfläche.

»Ich hab's schon.« Ich schnappe mir die Schachtel, gehe schnell von ihm weg und biege in den schwach beleuchteten Flur ein, in dem sich die Toiletten befinden, und hoffe zum millionsten Mal, dass er den Wink verstanden hat und mich in Ruhe lässt.

Typen wie er sind allerdings etwas langsam, und egal, wie viele Nein-danke-Mahnungen man ausstößt, sie kapieren es einfach nicht.

Ich ignoriere ihn und marschiere direkt zur Damentoilette, in dem verzweifelten Versuch, ihm aus dem Weg zu gehen.

Nur eine Sekunde später folgt er mir nach drinnen, schiebt den Riegel vor und blockiert mir mit seinem Körper den Ausgang.

»Hör mal, wenn du einen Tampon brauchst, hättest du einfach fragen können.« Ich versuche, die Situation locker zu nehmen, da ich nicht weiß, in welche Richtung er die Sache lenken wird.

Er tritt vor und gewährt mir einen ungehinderten Blick auf seine Statur. Er ist breit, aber auf eine *Ich-gehe-zu-viel-ins-Fitnessstudio*-Art. Das steroidbedingte Testosteron fließt mit seiner Arroganz aus ihm heraus. »Ich würde dich auch während deiner Periode ficken, Baby.«

»Ähm, nein danke.«

»Grant, du kannst mich Grant nennen.« Die Worte poltern träge über seine Zunge.

»Grant.« Ich öffne die Schachtel und versuche, mich wieder an meine Arbeit zu machen. »Ich bin ja für Geschlechterfreiheit, aber ich bin mir nicht sicher, ob du auf der Damentoilette sein solltest.«

Grant greift nach meinem Arm und zieht mich zu sich

heran. »Ich bin ganz Mann, Baby.« Er stößt mit seinem Unterleib gegen meinen und versucht, meine Hand auf ihn zu legen.

»Nimm deine verdammten schmutzigen Hände von mir!« Ich zucke vergeblich mit dem Arm.

Sein Griff wird fester und er starrt mich mit seinem verschwommenen Blick an. Der Gestank des Alkohols strömt aus ihm heraus, während seine Worte sich überschlagen. »Du weißt, dass du es auch willst.«

Ich schlucke und versuche, einen Ausweg aus dieser Situation zu finden.

Grant nimmt seine freie Hand und fährt mit seinen Fingern meinen Oberschenkel hinauf und fährt unter den Saum meines Rocks. »Du würdest dich nicht so anziehen, wenn dir das nicht gefallen würde.«

Wenn er nur wüsste, dass ich mich für sein Geld so anziehe, nicht für seinen widerlichen Schwanz.

Die Tür scheppert, ein Klopfen folgt. Sicher kommt Sarah, um nachzusehen, warum ich so lange brauche. Aber ihre Stimme folgt nicht, um zu fragen, ob alles in Ordnung sei.

Grant streicht seine Hand über mein Gesicht und tritt näher heran. »So eine Porzellanhaut.« Sein Finger fährt über meine Unterlippe. »Und ein fickbarer Mund.«

Das ist so ziemlich das Widerlichste, was ich mir gerade vorstellen kann, und in dem Moment, als er seinen Finger in meine Nähe bringt, weiß ich, dass ich etwas unternehmen muss. Deshalb schließe ich meine Zähne um seinen Finger, beiße zu, so fest ich kann, und schlage ihm mit der Hand gegen seinen Hals.

Zur gleichen Zeit fliegt die Tür zum Badezimmer mit Wucht auf und ein großer Mann erscheint aus dem Schatten. Er wendet sich zu mir und Grant, seine Augen fixieren mich nur eine Sekunde lang, bevor er sich nähert, Grant am Kragen packt und von mir wegzieht.

Er spricht kein Wort, sondern schleudert Grant quer durch den Raum und gegen die Tür, die zuschlägt.

Ich stehe wie erstarrt da und beobachte, wie dieser völlig undurchschaubare Mann diesen Möchtegernverführer wie eine Stoffpuppe durch die Gegend wirft.

Grant stöhnt. »Ach, komm schon Mann, ich teile sie. Wir können uns abwechseln.« Er hievt sich auf die Beine. »Ich bin sicher, ihre Muschi ist …«

Mein Retter lässt ihn nicht ausreden. Stattdessen legt er seine große Hand um Grants Kehle und zieht ihn zu sich heran. Seine andere Hand formt eine Faust, und innerhalb einer Sekunde landet sie in Grants blödem Scheißgesicht.

Wieder und wieder und wieder.

So oft, dass das Blut bei jedem Schlag spritzt. Bis er schließlich aufhört und Grants schlaffen Körper auf den schmutzigen Badezimmerboden fallen lässt.

Langsam dreht er sich zu mir um, sein Gesicht ist rot und irgendwie sieht er heißer aus als je zuvor.

Schließlich trete ich von der Wand weg und achte darauf, mich nicht zu schnell zu bewegen. Nicht weil ich Angst habe, sondern weil ich ihn nicht erschrecken will.

Sein dunkler Blick verengt sich, als ob er versuche, meine Gedanken zu lesen und herauszufinden, was ich wohl denke, nachdem ich gesehen habe, wie er diesem Fremden, der sich mir aufdrängen wollte, die Scheiße aus dem Leib geprügelt hat.

Das Einzige, was ich sicher weiß, ist, dass ich diesen Mann vor mir haben will.

Das will ich, seit er vor einigen Wochen seinen Fuß in diese Bar gesetzt hat.

Also tue ich das, was ich immer tue, wenn ich etwas sehe, das ich haben möchte – ich nehme es mir.

Und im Gegensatz zu dem Mann, der hier besinnungslos am Boden liegt, biete ich mich nur denjenigen an, die mich auch wollen. Der Blick in den Augen dieses geheimnisvollen Mannes sagt mir genau, was ich wissen muss.

Ich schließe die Lücke zwischen uns, indem ich seine Hand in meine nehme, seine blutigen und geschwollenen Knöchel studiere und dann in sein strenges Gesicht aufschaue.

Ich sollte Angst haben. Ich weiß, dass ich das sollte. Das ist einer dieser Momente, in denen ein Reh in die Höhle des Löwen läuft, aber egal wie gefährlich und furchteinflößend dieser Mann vor mir ist, ich spüre in meinem Bauch, dass er mir nicht wehtun würde. Es sei denn, ich würde es wollen. Und verdammt, ich will es.

Seine Lippen spitzen sich, als wolle er etwas sagen, wahrscheinlich eine Warnung, dass ich mich fernhalten solle, dass ich so sicherer sei, aber ich war noch nie ein Mädchen, das vor einer kleinen Gefahr zurückschreckt, vor allem, wenn sie so gut aussieht.

Anstatt ihn sich herausreden zu lassen, strecke ich mich nach oben, greife in seinen Nacken und ziehe ihn zu mir herunter, um seine Lippen auf meine zu pressen, wobei ich das Blut in seinem Gesicht völlig außer Acht lasse. In der Sekunde, in der sich unsere Münder berühren, bricht seine Entschlossenheit völlig zusammen, und sein Körper verschmilzt mit meinem, als hätten wir diesen Tanz schon eine Million Mal getanzt.

Seine Handfläche breitet sich auf meinem Rücken aus und zieht mich enger an sich. Unsere Zungen gleiten fieberhaft aneinander vorbei und verraten mir, dass er diese Erleichterung vielleicht genauso dringend braucht wie ich. Eine Sekunde später legt er seinen Arm um meine Taille, hebt mich vom Boden auf und zieht mich an seinen Körper.

Ich schlinge meine Beine um seinen starken Oberkörper und fahre mit den Fingern an seinem Hals entlang und in sein gepflegtes Haar.

Seine Hände fahren über meinen Hintern, über nackte Haut, da ich einen kurzen Rock trage.

Er stößt mich gegen die Wand, und ich nutze den zusätzlichen Halt, um meine Hand über seine wachsende Erektion gleiten zu lassen.

Er unterdrückt ein Stöhnen an meinen Lippen, zieht sich zurück und atmet schwer. »Wir können doch nicht.«

Ich umklammere seinen Schwanz fester und starre ihn an. Die roten Spritzer auf seinen Wangen machen seine dunklen Augen nur noch dunkler. »Willst du es?«

Seine Kiefer krampfen sich zusammen und er seufzt. »Ja.«

»Dann fick mich!« Ich gebe ihm das kleinste Zeitfenster, sich zurückzuziehen, aber er überrascht mich, indem er seine Lippen auf meine presst und mich gierig küsst.

»Wie ist es mit einem …«

Bevor er fortfahren kann, schneide ich ihm mit meinem Mund das Wort ab.

Ich krame in meiner Tasche und ziehe ein Kondompäckchen heraus, das ich für Notfälle wie diesen aufbewahre. Man weiß ja nie, wann man mal vögeln will, und mich schwängern zu lassen, steht nicht auf meiner To-do-Liste.

Während eine seiner Hände mich festhält, knöpfen wir gemeinsam seine Hose auf und schieben sie über seine pochende Erektion. Sein Schwanz springt frei und ich schnappe nach Luft, weil er so groß ist, wahrscheinlich der größte, den ich je gesehen habe. Ich gleite mit meiner Hand an ihm entlang, umkreise ihn und verteile die Feuchtigkeit an der Kuppe. Was würde ich dafür geben, jetzt auf die Knie zu fallen und ihn in den Mund zu nehmen, aber bei dem Tempo, das wir vorlegen, ist es unsere oberste Priorität, zur Sache zu kommen.

Er küsst mich weiter, während er das Kondom nimmt, das ich für ihn öffne, und schiebt es sich über, dann schiebt er seine Hand an meiner Taille entlang, reißt mir buchstäblich das

Höschen vom Leib und wirft es auf den Boden neben den immer noch bewusstlosen Kerl.

Er hält inne, seine Hand umschließt seinen Schwanz und lässt ihn durch meine feuchte und gierige Falte gleiten. »Bist du sicher?«

Und das ist alles, was es braucht, meine Damen und Herren. Drei verdammte Worte zur Bestätigung der Zustimmung. Wenn dieser verdammt brutale Mann das kann, während ich praktisch darum bettle, gefickt zu werden, dann kann das jeder Mann.

Ich halte ihn fest und führe ihn zu meinem Eingang.

Er hält mich davon ab, weiterzugehen. »Sag es!« Sein Blick wird ernst, seine Stimme ein wenig kantig.

»Ich bin mir sicher.«

Ein Hauch von Zufriedenheit huscht über sein Gesicht. »Braves Mädchen.«

Was er nicht weiß, ist, dass ich weit davon entfernt bin, ein solches zu sein.

Er dringt langsam in mich ein, dehnt mich mit Leichtigkeit, bis er mich mit seiner ganzen Länge ausfüllt. Dann bewegt er seine Hüften und stößt seinen Schaft hinein und wieder heraus. Meine Titten hüpfen, befreien sich fast aus dem freizügigen Oberteil.

Lust und Schmerz verzehren mich, wenn er mich auf eine Art und Weise öffnet, wie ich es noch nie erlebt habe. Ich fahre weiter auf dieser Achterbahnfahrt, wohin sie mich auch führt.

Er zieht uns von der Wand zurück, und ein wenig Enttäuschung überkommt mich, als ich befürchte, dass das Ganze viel zu schnell vorbei ist. Er lässt meinen Hintern auf die kalte Arbeitsplatte plumpsen und stützt meine Füße auf den Kanten ab. Er packt mich an der Taille und zieht mich zu sich heran, während er weiter in mich hineinstößt, bis zum Anschlag.

Als ich instinktiv meine Beine bewege, grunzt er, packt meine beiden Knöchel und spreizt mich weit.

Mein Kopf kippt nach hinten und prallt gegen den Spiegel, meine Augen rollen zurück, weil er mich so gut im Griff hat.

Er schwingt seine Hüften auf die beste Art und Weise, trifft jeden einzelnen Nerv, als wäre er ein Profi im Ficken. Als er langsamer wird und sich zurückzieht, verliere ich fast meine Ruhe.

»Fuck, Mann!«

»Schhh …« Er ersetzt seinen Schwanz durch seine Hand, gleitet mit drei Fingern an meinem Schlitz entlang und stößt sie dann in mich hinein. Er kniet sich hin, bringt sein Gesicht zu meiner Muschi und lässt seine Zunge über meinen Kitzler gleiten.

»Sag mir nicht, ich soll schhh …« Ich ziehe meinen Fuß hoch und schiebe ihn sanft, aber bestimmt von mir weg, springe von der Theke und drehe mich zum Spiegel. Ich beuge mich nach vorn, stütze mich auf meine Ellbogen und wölbe ihm meinen Hintern entgegen. »Komm schon!«

Er verengt seinen Blick, fast ungläubig darüber, dass ich die Kontrolle wiedererlangt habe. Er schiebt seinen exquisit teuren Schuh zwischen meine Füße und stößt sie auseinander, lässt sich noch einmal zwischen meine Beine fallen, um mich von hinten zu kosten. Er leckt mit seiner Zunge von vorn bis hinten und benutzt seine Finger, um mich mit jedem Zentimeter, den er sich bewegt, auseinanderzudrücken. Er reizt mich mit seinen Daumen, beide auf jeder Seite, streichelt und massiert mein Loch.

Ich wiege meinen Körper ihm entgegen und will unbedingt spüren, wie er mich noch einmal ausfüllt.

Er gehorcht, steht auf und kennt keine Gnade, als er seinen Schwanz mit einer Kraft in mich stößt, die mich von meinen Ellbogen fallen lässt.

Ich breite meine Arme über den Tresen aus, um mich für ihn zu stabilisieren und zu drehen.

Er fährt mit seiner großen Hand an meinem Hintern entlang, meinen Rücken hinauf und in mein Haar, streicht mit den Fingern über meine Kopfhaut und packt eine Handvoll meines Haars. Er reißt meinen Kopf hoch, aber auf eine Weise, die fast nur aus Vergnügen besteht, nicht aus Schmerz.

»Härter!«, sage ich mit zusammengebissenen Zähnen und spüre, wie mein Höhepunkt mit jedem Stoß seines Schwanzes naht.

Die meisten Männer denken bei dem Wort *härter* an schneller, aber nein, dieser Mann ohne Namen weiß genau, was ich meine, als er anfängt, tiefer und in einem anderen Tempo zu stoßen, was mich in eine Spirale des Vergessens versetzt.

»Das ist es!«, stöhnt er, stößt in mich hinein und spritzt seine Ladung in mein pulsierendes Loch.

Mein Körper zittert von dem wahnsinnigen Lustrausch, meine Muschi zieht sich um seinen pochenden Schwanz zusammen, als unsere Orgasmen gemeinsam abklingen. Ich liege da, auf die kalte Theke gelehnt, keuchend und versuche zu Atem zu kommen. Ich schließe meine Augen und schwelge in der puren Glückseligkeit, wohl wissend, dass die Realität bald eintreten wird.

Langsam zieht er sich aus mir heraus, und dem Geräusch nach zu urteilen, zieht er das Kondom von seinem Schwanz und wirft es in den Mülleimer zu meiner Linken. Als Nächstes höre ich seinen Reißverschluss, aber dann etwas, das ich nicht erwartet habe. Er beugt sich hinter mich und bläst kühle Luft auf meine entblößte Stelle.

Ich traue mich nicht, die Augen zu öffnen, und hoffe inständig, dass ich diesen Traum so lange wie möglich aufrechterhalten kann.

Er überrascht mich schon wieder, indem er nach vorn greift und seine Handfläche an meinem Kitzler reibt. Er knabbert mit seinen Zähnen an der Rückseite meines Oberschenkels und hinterlässt mit seiner Zunge eine feuchte Spur bis zu meiner Falte. Er presst seine Lippen auf mich, saugt und beißt und reizt mich erneut.

Ich stöhne und wölbe mich ihm entgegen, bereit für alles, was er mir zu geben bereit ist.

Wie ist es möglich, so unglaublich erfüllt zu sein, aber noch mehr zu wollen?

Mehr zu *brauchen*.

Er schiebt einige Finger in mich hinein, während ein anderer sanft meine Klitoris umkreist, sein Daumen ruht in der Nähe meines Arschlochs. Er verschwendet keine Zeit und steigert sein Tempo. Er achtet genau darauf, wie mein Körper auf ihn reagiert und steigert meine Lust, als könnte er meine Gedanken lesen.

Sein Bart kratzt über die Haut meines Beins und er bläst mir noch mehr Luft zu, dann taucht er wieder ein, um noch einmal zu kosten. »Jetzt!«, ist alles, was er sagt.

Die Art und Weise, wie die Vibration seiner Stimme auf mich wirkt, und die schiere Macht, die er über meinen Körper hat, führen dazu, dass ich seiner schönen Qual erliege und zum zweiten Mal einen Höhepunkt erklimme.

Ich führe meine Hand zum Mund, um das Wimmern zu unterdrücken, das meine Lippen zu verlassen droht, und zittere weiter gegen seinen Griff.

Er hält mich fest, bis er sicher ist, dass ich fertig bin, dann zieht er sich zurück, steht auf und wäscht sich die Hände im Waschbecken neben mir.

Da fällt mir ein, dass er voller Blut ist. Zum Glück hat er mich mit der sauberen Hand gefickt.

»Bist du beidhändig?«, frage ich.

Er dreht den Wasserhahn zu, nimmt ein Papierhandtuch aus dem Halter, trocknet sich die Hände und sieht mich an. »Was?«

Ich trete näher, nehme ihm das halbfeuchte Tuch ab und

tupfe ihm das Blut von der Wange. »Du weißt schon, kannst du deine linke und rechte Hand benutzen ...«

Er unterbricht mich. »Ich weiß, was es bedeutet.«

»Oh!« Ich mache weiter, sein Gesicht zu reinigen. Das ist das Mindeste, was ich nach dem überwältigenden Doppelorgasmus tun kann.

Er ergreift meine Hand und hält mich fest. Er starrt mir in die Augen mit seinem wirklich tiefen, dunklen Blick. »Ich mach das schon.« Er nickt hinter mich in Richtung Tür. »Du solltest wieder an die Arbeit gehen.«

Ich werfe einen Blick über meine Schulter auf den schlaffen Körper auf dem Boden. »Was ist damit?«

»Ich kümmere mich darum.«

»Ich kann helfen.«

»Du hast genug getan.« Seine Entschlossenheit lässt kaum nach, und er führt seine Hand zu meinem Gesicht und streichelt sanft meine Unterlippe. Er mustert meine Gesichtszüge, und ich frage mich, was zum Teufel er wohl denkt. Doch im nächsten Moment verhärten sich seine Züge. »Das darf nicht wieder passieren.«

Ich schnaufe und grinse. »Mach dir keine Sorgen! So ein Mädchen bin ich nicht.« Ich werfe das benutzte Papiertuch in den Mülleimer und drehe mich auf dem Absatz um, bereit, das zu tun, was ich immer tue – mich nicht zu binden.

KAPITEL ZWEI – DOMINIC

»*D*ominic, hallo, hörst du mir überhaupt zu?«« Bryant wedelt mit seiner tätowierten Hand vor meinem Gesicht.

Ich blinzle und schaue ihn an, um mich in diese schreckliche Realität zurückzuholen. »Ja, du verdammter Idiot.« Ich schlage seinen Arm weg, richte den Ärmel meines Hemdes und drehe meinen Körper zu ihm hin. »Die Sendungen laufen langsamer. Die Zahlen sind rückläufig. Totale Anarchie. Ich hab's kapiert.« Ich atme genervt ein. »Sag mir etwas, das ich noch nicht weiß. Was können wir tun, um dieses Chaos zu beheben?«

Bryant schaut zu Hayes. Hayes zieht die Augenbrauen hoch und zuckt mit den Schultern.

Ich reibe mir die Schläfe. »Wozu seid ihr zwei eigentlich gut?«

Hayes meldet sich zu Wort. »Ihr wisst nicht, wie es da draußen ist. Die Jungs sind verängstigt. Sie wissen nicht, für welche Seite sie sich entscheiden sollen.«

Ich unterbreche ihn. »Dann male eine Linie in den Sand! Zwinge sie in die Knie! Wenn sie sich für Beckett entscheiden, schieß ihnen eine Kugel zwischen die Augen.«

Bryant beäugt Hayes von der Seite, offensichtlich skeptisch gegenüber meinem Befehl. »Du willst, dass wir jeden töten, der sich wehrt?«

»Stottere ich etwa?«

Für jemanden, dessen Haut von Kopf bis Fuß mit Tinte bedeckt ist und der wie ein knallharter Typ aussieht, ist Bryant ein verdammter Softie. Hätte ich das von Anfang an gewusst, hätte ich es mir zweimal überlegt, ob ich ihn einstelle. In unserer Branche gibt es keinen Platz für Schwäche. Alles, was mit richtig und falsch zu tun hat, verschwimmt, und plötzlich versteht man, dass es da draußen eine Welt gibt, in der jeder jeden verschlingt. Und wenn man überleben und florieren will, muss man rücksichtsloser sein als die anderen.

Das allein ist der Grund, warum ich immer den Sieg davontragen werde – warum ich diesen Krieg gewinnen und den Thron für mich beanspruchen werde.

Es hätte einfach sein sollen. Ein einfacher Übergang.

Unser Anführer wurde ausgeschaltet, und ich sollte von seiner Frau, die den Betrieb nicht mehr leiten will, zum Nachfolger ernannt werden. Die offensichtliche Wahl. Darauf habe ich die meiste Zeit meines Lebens hingearbeitet. Für diese Karriere habe ich alles geopfert. Ich habe kein Leben außerhalb dieser Karriere geführt, meine Bedürfnisse nie über dieses Ziel gestellt. Aber bei dem ganzen hungrigen Nachwuchs ist es keine Überraschung, dass die normale Ordnung infrage gestellt wurde. Nicht von einem, sondern von vielen. Mit den meisten bin ich fertig geworden, aber es gibt immer noch ein paar, die mir das wegzunehmen drohen, was mir rechtmäßig gehört.

Simon Beckett ist meine größte Sorge.

Er ist ein Kind. Kaum volljährig, und irgendwie wagt er es, anzunehmen, dass er an meiner Stelle die Führung des größten kriminellen Unternehmens an der Westküste übernehmen sollte.

Ich kenne das Innenleben unserer Organisation besser als

jeder andere, vielleicht sogar besser als unser früherer Leiter. Ich war sein Lehrling und habe oft die Führung übernommen, wenn er geschäftlich verreist war. Die Leute kennen mich, respektieren mich.

Was weiß Beckett schon, außer dass er ein arroganter, verwöhnter kleiner Junge ist? Er verbringt die meiste Zeit damit, in seinem Lamborghini herumzufahren, mit seinem Geld zu protzen und in Nachtclubs herumzuhängen. Wie könnte er für diese Position besser gerüstet sein als ich? Sein Status beruht auf seiner Blutsverwandtschaft mit einigen unserer Leute, nicht auf seinen Managementfähigkeiten.

Warum sollte jemand, der bei Verstand ist, wollen, dass *er* die Dinge überwacht?

»Wenn der Boss das will, dann bekommt er es auch.« Hayes ergreift schließlich das Wort.

Ich neige meinen Kopf und umfasse mein Kinn. Dieselbe Hand, die ich in dieser Frau in der Bar hatte. Schade, dass ich seitdem zahlreiche Leichen aus dem Weg geräumt habe, sonst hätte ich vielleicht noch ihren Geruch an mir.

Ich schlucke den Kloß im Hals hinunter und spiele das Ereignis in Gedanken noch einmal durch.

Ich war mir sicher, dass sie ausflippen würde. Ich war fest davon überzeugt, dass es ihr Angst machte, dass ich diesen Mann fast zu Tode geprügelt habe, aber stattdessen lief sie mir direkt in die Arme und tat etwas, was noch nie ein Mensch zuvor getan hat. Sie hat mich als den brutalen und kranken Mann gesehen, der ich bin – und ist nicht weggelaufen.

Ich hätte mich nicht einmischen sollen. Ich hätte die Dinge einfach laufen lassen sollen, aber ich konnte mich nicht zurück- lehnen und zusehen, wie dieses Stück Scheiße sie zu einem Objekt degradierte. Ich habe das schon zu oft gesehen. In den letzten Wochen habe ich mehr Nächte in dieser Spelunke verbracht, als ich zählen kann – mein spärlicher Versuch, dem Chaos zu entkommen und einen klaren Kopf zu bekommen. So wurde ich Zeuge, wie zahllose Kerle versuchten, sie aufzureißen, aber nicht ein einziges Mal ließ sie sich auf deren plumpe Art ein.

Ich konnte ihr Selbstvertrauen spüren, und obwohl ich immer wieder eingreifen wollte, wusste ich, dass sie auch allein zurechtkam. Erst als dieser Idiot ihr ins Badezimmer folgte, war ich mir sicher, dass er es zu weit treiben würde.

Und das konnte ich nicht zulassen. Nicht bei ihr.

Ich war mir so sicher, dass mein Einschreiten das Bild, das sie von mir hatte, zerstören würde. Dass sie mich endlich als den verrückten Mann ansehen und fürchten würde, der ich nun mal bin. Aber die Erwartungen blieben weit hinter dem, was tatsächlich geschehen ist.

Ich hätte es dabei belassen sollen. Sie aus dem Bad gehen lassen und das Chaos, das ich angerichtet hatte, aufräumen – aber nein. Ich habe die Kontrolle verloren und sie gefickt, als gäbe es kein Morgen. Ich bin sogar so weit gegangen, dass ich sie ein zweites Mal zum Höhepunkt gebracht habe, nur weil ich es konnte.

Gott, was würde ich tun, um mein Gesicht zwischen ihren Beinen zu vergraben und an ihr zu ersticken in ihrer engen, kleinen …

»Dom, Kumpel. Wo zum Teufel bist du?« Bryant schnippt mit den Fingern vor mir.

»Ich hacke dir die verdammte Hand ab, wenn du sie mir noch einmal ins Gesicht hältst«, schnauze ich ihn an.

Er drückt seine Hand an die Brust und schmollt. »Mann, das ist eine schöne Hand. Jetzt komm schon!«

Hayes lehnt sich auf seinem Stuhl zurück, verschränkt die Finger und stützt sie hinter seinem Kopf ab. »Das würde ich gern sehen. Ich denke an eine Machete. Was ist mit dir, Dom? Was wäre die Waffe deiner Wahl?«

Ich traue es Hayes durchaus zu, dass er tatsächlich davon träumt, jemanden zu verstümmeln.

»Ihr seid beide verdammte Psychos.« Bryant blickt uns beide an.

Hayes zeigt sein hübsches Jungengrinsen. »Danke, ich weiß das zu schätzen.«

Bryant macht langsam einen Schritt rückwärts. »Ich schlafe heute Nacht mit einem offenen Auge.«

»Nur heute Abend?« Hayes legt den Kopf schief.

»Ich hasse dich im Moment so sehr.« Bryant schlägt gegen die Wand hinter ihm. »Ich werde jetzt alle Waffen verstecken.«

Hayes atmet dramatisch aus. »Die werde ich schon finden. Glaub mir! Ich kann kreativ werden, wenn es sein muss.«

»Könnt ihr euch bitte darauf konzentrieren, diesen Krieg zu gewinnen, anstatt euch gegenseitig zu verarschen? Wenn wir die Führung an Beckett verlieren …« Ich stoppe mich selbst und denke an die endlosen Szenarien, die folgen werden, falls er die ultimative Kontrolle erlangen würde. Die Dinge sind so schon schwierig genug, ich könnte nicht sagen, wie schnell wir unter seinen Händen auseinanderfallen würden. »Glaubt mir, es wäre schlimm.«

Wir werden aus allen Richtungen hart angegriffen. Der Osten übt enormen Druck auf uns aus, seit sie unseren Anführer ausgeschaltet haben. Es ist immer noch nicht ganz klar, was genau passiert ist, aber als wir erfuhren, dass er tot ist, brach das Chaos aus. Ehrlich gesagt ist das ein genialer Plan von ihnen – sich zurücklehnen und zusehen, wie unser Imperium zerfällt, und dann, wenn sich der Staub gelegt hat, die Macht an sich reißen. Sie würden die beiden größten Märkte im Osten und im Westen beherrschen und hätten einen soliden Ausgangspunkt, wenn sie in eine andere Richtung drängen wollten.

Mein einziger Lichtblick ist, dass auch ihr Anführer ausgeschaltet wurde. Das führt auf beiden Seiten zu der Frage, wer die Zügel in die Hand nimmt und die totale Vernichtung verhindert. Ich weiß nicht, wie schlimm es auf ihrer Seite aussieht, aber wenn es so ist wie bei uns, dann genügt es, um sie eine Weile zu beschäftigen, während ich hier meine Autorität zurückgewinne.

Ich würde gern glauben, dass ich gut gerüstet bin, um alles zu bewältigen, was mir in den Weg gestellt wird, aber ich bewältige lieber ein massives Problem nach dem anderen als zwei auf einmal.

Beides sieht mit jedem Tag mehr und mehr nach meinem Untergang aus.

»Sie haben Angst vor dir«, fügt Bryant hinzu, der mittlerweile weiter weg von mir steht.

»Worauf willst du hinaus?«

Bevor er etwas sagen kann, ertönt der Summer unserer Haustür.

Ich schaue sofort zu Hayes und warte darauf, dass er mir sagt, wer vor der Tür steht.

Hektisch fummelt er an seinem Telefon und lässt es beinahe fallen. »Tut mir leid, ich hatte es auf lautlos gestellt.«

Ich werfe ihm einen strengen Blick zu. »Du bist der führende Kopf in Sachen Sicherheit, Hayes. Muss ich dich daran erinnern, dass, wenn du deine Arbeit nicht machst …«

Bryant drückt auf den Knopf für unser Tor und lässt denjenigen herein. »Kommen Sie hoch!« Er dreht sich zu uns. »Es ist nur der Lieferservice. Beruhigt euch!«

Ich seufze, fahre mir mit der Hand durch das Haar und überlege ernsthaft, warum ich diese beiden Idioten überhaupt an meiner Seite habe.

Loyalität, erinnere ich mich selbst.

Ein schwer zu findender Charakterzug. Uneingeschränkte, absolute Loyalität.

Sie können mir auf die Nerven gehen, den dümmsten Scheiß überhaupt machen, aber ich würde nicht ein einziges Mal daran zweifeln, dass sie mir den Rücken freihalten. Und das ist in diesem Beruf eine Seltenheit. Ich bin ihr Chef, aber wir sind ein

Team. Ein dysfunktionales Team, aber eine hocheffektive Einheit, die es geschafft hat, aufzusteigen und sich nicht ein einziges Mal infrage zu stellen.

Ich klopfe mit den Fingern auf den Tisch und schaue auf die Uhr.

Hayes springt von seinem Platz auf und eilt zu Bryant hinüber, um ihm die Tüten zu entreißen. »Was hast du bestellt, Kumpel? Ich bin am Verhungern.«

»Ihr zwei seid immer hungrig.«

Wie Kleinkinder. Oder ein Rudel wilder Hunde.

Bryant greift in die Tüte und holt etwas heraus. »Aufgepasst!« Er wirft mir etwas zu. »Hähnchenwrap, extra Speck, ohne Zwiebeln.«

Wenigstens ist er für etwas gut.

Mein Magen knurrt auch, aber ich gönne Bryant nicht die Genugtuung zu wissen, dass ich auch noch nicht zu Mittag gegessen habe. »Danke.«

Ich gehe ein paar Meter weiter in die Küche des ersten Stocks, um mir die Hände zu waschen. Als ich den Kühlschrank öffne, stelle ich fest, dass meine Getränke noch in der Küche im zweiten Stock sind. Der einzige Nachteil, wenn man in einem so großen Haus wohnt, ist, dass man vergisst, wo man seine Sachen abgestellt hat. Das ist der Preis, den man zahlt, wenn man seine Privatsphäre und gleichzeitig seine engsten Mitarbeiter um sich herum haben will. Der Grund, warum wir als Team so gut funktionieren, ist, dass wir praktisch eine Erweiterung des anderen sind. Jeder von uns hat seine Rolle und wir halten uns daran, damit alles reibungslos läuft. Nun ja, zum größten Teil.

Es war nicht immer so, unser Zusammenleben. Aber vor ein paar Jahren hatte es sich ergeben und war die logische Konsequenz, wenn wir unseren Weg an die Spitze fortsetzen wollten. Es war ja nicht so, dass einer von uns andere Familienmitglieder oder Freunde hätte, die von einer veränderten Dynamik betroffen wären. Wir sind alle Einzelgänger ... mehr noch, wir sind uns alle bewusst, dass diese Art von Beziehungen nur das zu zerstören drohen, wofür wir hart gearbeitet haben.

Als ich mich umdrehe, stellt Bryant gerade drei Flaschen auf den Tisch.

Okay, er ist für zwei Dinge gut.

»Du wolltest was sagen.« Ich mache da weiter, wo wir vor der Unterbrechung aufgehört haben.

Wir setzen uns an den großen Eichentisch im Esszimmer.

»Zeit, dein Gesicht zu zeigen«, fügt Hayes hinzu.

Ich ziehe eine Augenbraue hoch und wünsche mir, dass einer von ihnen endlich mal was sagt.

Hayes beißt ein Stück von seinem Hamburger ab, kaut es schnell und nickt, als ob er dadurch schneller fertig würde.

»Ja«, fährt Bryant fort und steckt sich ein Kartoffelstäbchen in den Mund. »Wenn die Leute sehen, dass du draußen im Einsatz bist, Köpfe einschlägst und dich durchsetzt, dann glaube ich, dass sie dir folgen würden. Eine durch Angst ausgelöste Wahl.«

»Ich schlage viele Köpfe ein«, bemerkte ich. Heute waren es sogar zwei.

»Unauffällig. Denn das ist dein Ding, du bist wie ein Schatten. Ein Gespenst. Sie haben Angst vor der Vorstellung von dir, nicht unbedingt vor dir. Gib ihnen einen Grund, sich zurückzuziehen.« Bryant greift in die Tüte und holt ein Päckchen Ketchup heraus.

Ich hasse es, Dinge zu verändern. Eine andere Version von mir selbst zu sein. Ich weiche von dem ab, was sich seit unzähligen Jahren bewährt hat. Aber wenn ich nichts unternehme, könnte ich alles verlieren. Und das kann ich mir nicht leisten.

Hayes zuckt mit den Schultern. »Einen Versuch ist es wert.«

»Meinst du, das wird Unterstützung finden?« Ich schaue zwischen ihnen hin und her, nehme ihre Energien und die kleinsten Signale, die sie aussenden. Ich bin zwar der Chef, aber letzten Endes schätze ich ihren Beitrag, denn der hat uns so weit gebracht.

»Wenn sie dich in Aktion sehen und es sich herumspricht, werden sie zweifellos entweder weglaufen oder sich verbeugen und dir ihre Treue schwören. Bryant hat recht.«

»Du sagtest, wir sollen eine Linie in den Sand malen«, erinnert mich Hayes.

Also werde ich genau das tun. Aus der Dunkelheit heraustreten und allen zeigen, wie brutal und rücksichtslos ich sein kann.

---

*H*ayes und ich betreten Seite an Seite den schwach beleuchteten Flur des Verpackungslagers, in dem die heutige Lieferung bearbeitet wird.

Das Sicherheitspersonal meldete mögliche Schwierigkeiten, und ich dachte mir, es gibt keinen besseren Zeitpunkt, um die neue Theorie zu testen.

Die Spannung steigt in dem Moment, in dem wir den Raum betreten. Köpfe drehen sich in unsere Richtung, Augen weiten sich und starren uns an und wenden sich sofort wieder ab, sobald sie merken, dass sie entdeckt wurden. Alle stellen sich in einer Reihe auf, um keine unerwünschte Aufmerksamkeit auf sich zu ziehen. Zu groß ist die Angst, dass das, was sie über mich gehört haben, wahr werden könnte.

Sie kennen mich und haben die Geschichten gehört, dass mir Zerstörung und Tod folgen, wohin ich auch gehe. Normalerweise wird nur geflüstert, und niemand hat es jemals aus erster Hand erfahren. Denn normalerweise geht niemand lebend, wenn ich unerwartet auftauche.

Es müssen dreißig von ihnen sein, in Fünferreihen oder so, die die Produkte wiegen und eintüten, sie in Kartons legen, die von den Arbeitern abgeholt werden, die darauf warten, überprüft und für den Versand verschlossen zu werden.

An der Nord- und Südmauer sind bewaffnete Wachen postiert, die Gewehre über die Schultern gehängt.

Ich gehe auf den Mann zu, der für das heutige Target verantwortlich ist. Ein pummeliger Kerl mit dicker Brille und Tränensäcken unter den Augen. Er riecht nach Kaffee und Nikotin. Sein Gesicht glänzt und er tut sein Bestes, um sich mit einem Taschentuch über die Stirn zu wischen.

Hayes wechselt ein paar diskrete Worte mit ihm, während ich die Gruppe der Männer bei der Arbeit vor mir mustere. Von knapp volljährig bis Mitte sechzig ist alles vertreten. Jeder von ihnen hat eine andere Körperform und Größe. Das Einzige, was sie gemeinsam haben, ist der Blick des Schreckens, den sie alle zu verbergen versuchen.

Ein Mann schwitzt etwas mehr als die anderen, und ohne etwas von dem Gespräch hinter mir mitbekommen zu haben, weiß ich, dass das der Mann ist, wegen dem ich hier bin. Ich starre ihn an und bemerke, wie sich seine Kiefer anspannen und seine Hände zittern.

Ich frage mich, ob die Menschen spüren können, wenn ihr Ende naht? Wenn ihre Zeit fast abgelaufen ist.

Ich knöpfe mein Jackett auf, streife es von den Armen und falte es in der Mitte. Es hat ein hübsches Sümmchen gekostet, und ich weigere mich, es wegen eines kleinen Berufsrisikos leiden zu lassen. So geht man mit schönen Dingen um, man pflegt sie. Wenige wissen echte italienische Handwerkskunst zu schätzen.

Ich starre mein Ziel fest an, während ich die Jacke ablege und durch den Raum gleite. Ich bleibe vor ihm stehen und kremple die Ärmel meines Hemdes hoch. »Steh still!«, befehle ich ihm.

Stumme Tränen kullern über seine Wangen und sagen mir alles, was ich über seine Schuld wissen muss.

»Leere deine Taschen aus!«

Er wuselt mit den Händen in seinen Taschen, zieht sie wieder heraus und dreht sie um, um sie mir zu zeigen.

Bei ihrer Ankunft müssen sie alle ihre Habseligkeiten in einen ihnen zugewiesenen Behälter legen. Sie erhalten alles erst wieder zurück, wenn sie sich für den Tag abgemeldet haben. Sie werden durchsucht, verrichten ihre Arbeit und werden vor dem Verlassen des Gebäudes erneut kontrolliert. Auf diese Weise begrenzen wir die Verluste der Produkte auf ein Minimum. Aber manchmal fallen Dinge durch die Maschen. Die Arbeiter werden schlauer und denken sich neue Verstecke aus, an denen sie die gestohlenen Waren verbergen, um sie hinauszuschmuggeln.

»Zieh deine Hose aus!«, sage ich ruhig. Ein bisschen zu ruhig, wenn man bedenkt, worum es geht.

Der Unterkiefer des Mannes klappt auf. »Was?«

Jemand ruft hinter mir. »Du hast ihn gehört.«

Der Mann lässt seinen Blick schweifen, als ob er eine andere Möglichkeit hätte, als sich zu fügen. Er entscheidet sich weise, greift in den Bund seiner billigen Jeans, knöpft sie auf und lässt sie zu Boden fallen. Er zittert, bleibt aber fest an seinem Platz.

»Und die auch.« Ich zeige auf seine Boxershorts, ohne darauf zu achten, dass wir uns in einem Raum voller Menschen befinden.

»Wie bitte?«

Ich stoße einen verärgerten Seufzer aus, greife in meinen eigenen Hosenbund und ziehe eine der Waffen heraus, die ich strategisch an meinem Körper platziert habe. Ich greife den Schlitten, ziehe ihn zurück und lade eine Kugel in die Kammer.

Die Demonstration scheint den Mann zur Kooperation zu bewegen. Sobald seine Augen meine Waffe erblicken, fängt er an zu flennen und zu wimmern, wobei etwas von seiner Pisse auf den Betonboden tropft.

Die Männer um uns herum sind angespannt, bleiben aber

auf ihren Plätzen. Aus gutem Grund, denn in meiner zunehmenden Verärgerung würde ich jetzt alles und jeden erschießen, was sich bewegt, nur aus Spaß.

Mein Verdacht bestätigt sich, als der Mann sich entblößt. Sein verschrumpelter Schwanz und seine Eier bedecken nur unzureichend einige kleine Tüten, die an seinen Oberschenkel geklebt sind.

Wir haben einen Tipp bekommen, dass jemand heute Abend besonders unruhig auf seinem Platz war. Dieser Mann und seine gestohlenen Waren waren zweifellos derjenige.

»Ich kann es erklären.«

Ich ziehe die Augenbrauen hoch. »Ach, kannst du?« Ich verschränke die Arme vor der Brust und warte darauf, dass er mir erzählt, wie das Produkt an seinen Unterleib gelangt ist.

»Nun, ähm …«

Wenn es einen legitimen Grund gäbe, hätte er ihn schon längst genannt. Also beschließe ich, keine Zeit mehr mit dieser erbärmlichen Ausrede für einen Menschen zu verschwenden. Bevor er ein weiteres Wort sagen kann, löse ich meine Arme aus der Verschränkung, strecke den Arm mit der Waffe aus, richte sie auf ihn und drücke ab.

Seine dunklen Augen weiten sich und seine Gesichtszüge frieren ein, als die Kugel aus meiner Waffe austritt und in seiner Stirn stecken bleibt.

Blut spritzt und sein Körper fällt zurück auf den Tisch hinter ihm. Ein kollektives Aufatmen erfüllt den Raum.

Ich stecke die Waffe in das Holster auf der Rückseite meiner maßgeschneiderten Hose. »Kann das mal jemand aufräumen?«

Die Menschen bewegen sich in meinem Umkreis und beginnen mit der Arbeit.

Ich schlendere durch die Halle und räuspere mich, um die leichte Unruhe zum Schweigen zu bringen. Ich werfe einen Blick auf Hayes, der ein sadistisches Grinsen im Gesicht hat.

»Diebstahl wird nicht geduldet. Unehrlichkeit. Untreue. Das

gehört nicht zu unserem Geschäftsmotto.« Ich drehe mich um und blicke in die verängstigten Gesichter. »Die Bezahlung ist großzügig. Nicht wahr?« Ich neige meinen Kopf zu einem jungen Mann in der ersten Reihe.

Er vermeidet den Blickkontakt, als könnte ich ihn mit einem Blick töten. »Ja, Sir.«

»Ich bin kein unvernünftiger Mann. Wenn du etwas brauchst, erwarte ich, dass du zu mir kommst. Aber das hier werde ich nicht hinnehmen …« Ich winke mit der Hand in Richtung der Szene, um die sich gerade gekümmert wird. »Verrat.«

Hayes stellt sich an meine Seite, als wolle er seine Unterstützung für meine Worte bekunden.

Ich fahre fort: »Wenn ihr mit meinen Methoden nicht einverstanden seid.« Ich zeige auf die Tür. »Wenn ihr euch der gegnerischen Seite anschließen wollt. Geht! Niemand hält euch davon ab.« Ich lasse meinen Blick über sie huschen und spüre eine kleine Verschiebung der Aura.

Ein Mann aus der dritten Reihe bewegt sich, tritt um seine Mitspieler herum und murmelt etwas vor sich hin. »So eine Scheiße! Beckett hat nicht …«

Ich verstehe nicht, was er sagt, aber das ist auch egal. Er hat diese Linie im Sand überschritten und sein eigenes Schicksal besiegelt.

Mit einer schnellen Bewegung ziehe ich meine Waffe wieder heraus und jage ihm eine Kugel in den Kopf, bevor er überhaupt begreifen kann, was ihn getroffen hat.

Sein Körper schlägt mit einem dumpfen Aufprall auf dem Beton auf, und in der Sekunde, in der das Keuchen der Männer endet, könnte man eine Stecknadel fallen hören, so still wird der Raum.

Ich stecke meine Waffe wieder weg. »Habe ich mich klar ausgedrückt?«

KAPITEL DREI – JUNE

Wurdest du schon einmal so gut gefickt, dass du nur noch daran denken konntest, es noch einmal zu tun? Ich spreche davon, dass du nicht auf Wolke sieben schwebst, sondern auf dem Wolkenschwanz-Zug fährst. Ein Schwanz, der dich zwischen den Beinen schmerzen lässt, sowohl von der Erfahrung selbst, als auch von dem Wunsch, ihn wieder zu spüren. Es macht alles, was du tust, zu einem potenziellen Fick. Den Abwasch machen? Wie wär's, wenn du währenddessen von hinten gevögelt wirst? Eine Dusche nehmen? Gegen die Duschwand geschleudert werden. Die Post durchsehen? Wie wäre es mit ein wenig Exhibitionismus? Ich wache auf und denke an diesen dicken, saftigen Schwanz, und ich schlafe mit dem Wunsch ein, ihn in meinem begierigen Inneren zu spüren.

Ich wische durch die Treffer auf meinem Handy, aber keiner der Männer strahlt die Art von Schwingungen aus, auf die ich scharf bin. Ich erhöhe sogar die Altersparameter, in der Hoffnung, dass ich auf den Kerl aus der Bar treffe. Nicht, dass ich jemals der Typ gewesen wäre, der so einer Nummer nachjagt, aber verzweifelte Zeiten verlangen nach verzweifelten

Maßnahmen. Und wenn ich nur an das Adrenalin denke, das ich in dieser Nacht gespürt habe, vermischt mit dem wahnsinnigen Vergnügen, dann würde ich fast alles tun, um diesen Nervenkitzel noch einmal zu fühlen.

Eine Woche ist seit dem Abend vergangen. Sieben Tage, in denen ich mehrfach arbeiten war, ich mich mit meinen idiotischen Mitbewohnern herumschlagen musste, und ich habe den geheimnisvollen Mann nicht ein einziges Mal gesehen. Jeden Abend wische ich die Tische ab und werfe einen Blick in die Ecke, in der er normalerweise sitzt, und frage mich, wo zum Teufel er steckt. Nicht, weil ich Gefühle für ihn entwickelt hätte oder so etwas. Mir ist es wichtig, die Dinge streng professionell zu halten, auf eine Art und Weise, die nicht jugendfrei ist. Es ist klar, dass ihn etwas abgeschreckt hat. Er kam ein paar Mal pro Woche in die Bar und jetzt gar nicht mehr.

Ich brauche nicht einmal seinen Namen. Ich komme mit der Anonymität gut zurecht.

Bereut er, dass er sich mit mir eingelassen hat? Was ist, wenn er im Gefängnis sitzt, weil er den Typen verprügelt hat?

Stattdessen begnüge ich mich mit der Erinnerung an eine zufällige Begegnung und hoffe, dass sie ausreicht, um mein Verlangen zu stillen.

»Willst du früher gehen?«, fragt Jack. Er stützt sich mit den Ellbogen auf den Tresen. »Ziemlich ruhig gerade, und es sieht nicht so aus, als würde es in nächster Zeit besser werden.«

Ich richte mich auf und schaue mich um. »Ich meine, du bist der Boss.« Eine Fünfundvierzig-Minuten-Schicht reicht nicht aus, um mein ohnehin schon marginales Bankkonto aufzubessern, und die Wahrscheinlichkeit, dass einer der Gäste mir Trinkgeld gibt, ist gering bis nicht vorhanden.

»Ja, verschwinde hier.« Er nickt in Richtung Küchenbereich. »Ich kann von dort Hilfe kriegen, falls ich sie brauche.«

»Danke.« Ich rutsche vom Hocker, schnappe mir die Flasche

mit dem Wodka und stelle sie zu ihren Brüdern und Schwestern ins Regal zurück.

»Wir sehen uns morgen, June.« Jack wirft den Lappen, mit dem er die Theke abgewischt hat, über seine Schulter.

Er ist ein anständiger Mann. Ein bisschen unbeholfen, wenn es um die Menstruation geht, aber welcher Mann ist das nicht? Er war so freundlich, mich einzustellen, als ich einen Job brauchte, und er war so rücksichtsvoll, mir flexible Arbeitszeiten zu ermöglichen, wenn meine beiden anderen Jobs mehr Zeit in Anspruch nahmen. Diese beschissene Spelunke ist genau das, ein beschissenes Loch, aber es ist mein Lieblingsarbeitsplatz, und glaub mir, ich bin schon viel herumgekommen.

Wortwörtlich.

Ich mache mich auf den Weg zur Vordertür und weiche einem Pärchen aus, das betrunken vorbeiläuft und mich fast umrennt.

Die beiden hängen aneinander und schwärmen davon, wie sehr sie sich lieben.

Ich schüttle den Kopf und drehe mich in die Richtung, aus der sie gekommen sind. Das *Haven*-Viertel.

Das bedeutet eine Unmenge von Bars in einem Stadtteil, in dem Alkohol in offenen Bechern hin- und hergetragen wird.

Bleib im Haven, und Alkohol ist dein Bro. Verlässt du Haven, ist er ein No-Go.

Ich hole mein Handy heraus und schicke eine kurze Nachricht an mein potenzielles Date für heute Abend, in der ich ihm mitteile, dass ich früher Feierabend habe und ihn eher früher als später treffen kann.

Ich drücke die Daumen, dass es mit uns klappt, denn ich bin bereit, mir die letzte Nummer und damit hoffentlich auch seinen Schwanz aus dem Kopf ficken zu lassen.

Ich hätte auch Cora eine SMS schreiben und fragen können, ob sie etwas mit mir unternehmen möchte, aber da in letzter Zeit meine Gedanken nur in eine Richtung wandern, möchte ich sie nicht verärgern, wenn ich sie dann für einen Kerl abserviere. Ich habe sowieso vor, mich morgen Abend mit ihr zu treffen.

»Entschuldigung«, sage ich zu einer Gruppe von Männern, die in der Nähe des Eingangs der Bar stehen, in die ich will. Als sie sich nicht rühren, spreche ich noch lauter. »Geht mir verdammt noch mal aus dem Weg!«

Ihre Augen weiten sich und sie starren mich kollektiv an. Ein gemurmeltes »Entschuldigung«, dann das Schlurfen der Füße, als sie meiner Aufforderung nachkommen.

»Schlampe!«, sagt einer von ihnen.

Ich bleibe stehen, und in meinem Kopf spielen sich verschiedene Szenarien ab.

Sie sind zu fünft. Ich bin allein. Sie sind sturzbetrunken. Ich bin zu nüchtern.

Ich könnte leicht einem oder zwei von ihnen einen Kinnhaken verpassen, bevor die anderen sich einmischen. Aber das würde ein Chaos auslösen und möglicherweise meine Chancen, heute Abend Sex zu haben, zunichtemachen. Ich seufze und entscheide mich für die sicherste Option – ich greife nach dem Griff, schwinge die Tür auf und stoße sie gegen einen von ihnen. »Ups!«, sage ich, als wäre es nur ein Versehen gewesen. Ich mache mir nicht die Mühe, dem Rest zu lauschen, den sie von sich geben, und betrete die dröhnende Bar.

Ich schlängele mich durch die Menge, lasse diese Idioten hinter mir und bete im Stillen, dass der Typ, mit dem ich verabredet bin, nicht so ein Vollidiot ist.

Es dauert eine beschissene Ewigkeit, bis ich die Bar erreiche, mich schließlich in eine freie Lücke zwänge und versuche, die Aufmerksamkeit des nächstbesten Barkeepers auf mich zu ziehen.

Eine Person stößt mich von hinten an und schubst mich gegen einen Gast, der an der Bar sitzt. »Scheiße, das tut mir leid.« Diesmal war es ein Versehen.

Ich strecke meine Hände aus, um mich abzustützen, und mein Opfer greift nach mir, um zu verhindern, dass ich völlig umfalle.

»Geht es dir gut?« Seine kobaltblauen Augen blicken mich durch seine dunklen Wimpern an, und sie haben etwas so verdammt Vertrautes an sich. Das ist etwas Vertrautes an ihm.

Mein Blick wandert hinunter zu seinen Lippen, zu einer kaum sichtbaren Sommersprosse über seinem Kinn.

Nein, das kann nicht sein. Es ist nicht möglich.

Ich erinnere mich noch gut an den Sommer vor der siebten Klasse. Ich war vielleicht zwölf Jahre alt. Ich konnte mir nicht vorstellen, die Junior High School zu beginnen, ohne meinen ersten Kuss bekommen zu haben. Ich dachte, die Leute würden es irgendwie merken. Sie würden mich als das Mädchen sehen, das noch nie geküsst worden war. Und dann kam der süßeste und aufmerksamste Junge, den ich je kennengelernt hatte. Wir waren schon seit unserer Kindheit beste Freunde, aber als ich ihm von meinen Sorgen um meine jungfräulichen Lippen erzählte, überwanden wir gemeinsam diese Grenze und brachten unsere Freundschaft auf die nächste Stufe. Ich war verliebt. Völlig verknallt in ihn. Den ganzen Sommer über schlichen wir uns aus dem Haus, knutschten unter dem Nachthimmel, brachen in die örtliche Eisdiele ein, um uns um Mitternacht einen Becher Java Chip zu holen, und tanzten im Regen.

Es war die Scheiße, die man in Filmen sieht. Ursprünglich. Echt. Unschuldig.

Und es war im Handumdrehen vorbei.

An einem Tag hielten wir auf dem Dach unserer Lieblingspizzeria Händchen, am nächsten verabschiedeten wir uns durch das Fenster des heruntergekommenen Lastwagens seines Vaters, als der davonfuhr.

Ich werde diesen Moment nie vergessen. Zu sehen, wie der blöde Pick-up stotterte und mit jedem Zentimeter, den er sich von mir entfernte, Schotter und Dreck aufwirbelte. Ich konnte den Sog meines Herzens spüren, die Verbindung, die ich mit ihm hatte, wurde unterbrochen, je größer der Abstand zwischen uns wurde.

Er schaute aus dem Beifahrerfenster zurück, bis sein Vater ihn ins Innere zog. Dann sah ich nur noch, wie er seine Hand gegen die Heckscheibe drückte.

Ich habe nie wieder etwas von ihm gehört. Und mit jedem Tag, der verging, wurde mein Herz kalt angesichts der verlorenen Liebe. Ich kenne Geschichten über Liebeskummer. Geflüster über einen Schmerz wie kein anderer. Aber bis zu diesem Moment wusste ich nicht, was es bedeutet, ein gebrochenes Herz zu haben. Es fühlte sich grausam, unbarmherzig und unversöhnlich an. Es kam ohne Vorwarnung und drängte sich ohne Rücksicht auf. Das war das erste und letzte Mal, dass ich mir erlaubte, verletzlich genug zu sein, um so etwas zu fühlen. Ich wusste, die einzige Möglichkeit, dieses schreckliche Gefühl zu überwinden, war, den Schalter umzulegen und durchzuhalten. Und genau das habe ich getan. Ich bin auf die andere Seite gelangt und habe seitdem nicht mehr zurückgeblickt.

Ich habe seit Jahren nicht mehr an ihn gedacht. Bis jetzt, während ich mit meinem Blick die Form seiner Gesichtszüge nachzeichne und mich frage, ob überhaupt Zeit vergangen ist.

»Coen?« Sein Name liegt wie eine Frage auf meiner Zunge, obwohl ich mir sicher bin, dass er es ist, der sich an meiner Schulter festhält, um mich zu beruhigen.

Er zieht die Brauen zusammen. »J?« Er nennt mich bei dem Spitznamen, den er vor all den Jahren benutzt hat.

In diesem Moment erwache ich aus meiner Benommenheit, schüttle seine Hand ab und stelle mich fest auf beide Füße.

»June.«

Er ist nicht mehr dieselbe Person, die ich nachts am Strand unter den Sternen geküsst habe. Denn ich bin nicht mehr dasselbe Mädchen, das tagelang geweint hat, als er aus seinem Leben verschwand.

Dieser Coen und diese June sind vor fast zehn Jahren gestorben, und ich weigere mich, diese Teile von mir jemals wieder aufleben zu lassen.

Das machte es mir damals leichter, im Herbst wieder in die Schule zu gehen, als sich alle sicher waren, dass ich weit mehr als nur meinen ersten Kuss an diesen Jungen verloren hätte, der auch noch ein paar Jahre älter war als ich. Meine Sorge, dass man mich für unerfahren halten könnte, änderte sich plötzlich dahin, andere davon zu überzeugen, dass ich meine Jungfräulichkeit noch hatte. Das wurde zu einer fruchtlosen Anstrengung, und schließlich beschloss ich, dass ich genauso gut das Mädchen sein könnte, für das mich alle hielten.

Das erwies sich als gar nicht so schwer, wenn man bedenkt, dass alle Jungs mir viel mehr Aufmerksamkeit schenkten als den anderen Mädchen. Ganz zu schweigen davon, dass ich schnell merkte, wie verdammt lustvoll Sex sein kann. Ich hatte auch schon einige schlechte Erfahrungen gemacht, aber ich entdeckte schnell, wie sehr es mir gefiel, meine Sexualität zu erforschen. Und solange beide einverstanden sind und sich schützen, spricht nichts dagegen, seine wilde Seite zu entdecken.

»Du siehst gut aus«, sagt Coen.

Das weiß ich natürlich. Immerhin trage ich mein *Her mit dem guten Trinkgeld*-Outfit an.

»Du auch.« Ich versuche, so wenig neugierig wie möglich zu wirken.

Natürlich sieht er immer noch umwerfend aus – langes zotteliges blondes Haar eines Surfers und dämliche blaue Augen. Seine Gesichtszüge sind natürlich ausgeprägter, nach all der Zeit, die vergangen ist. Obwohl er sitzt, erkenne ich, dass er größer und breiter ist und feste Muskeln an den richtigen

Stellen hat, die sich an sein schlichtes marineblaues T-Shirt schmiegen.

Hätten wir keine gemeinsame Vergangenheit, würde ich ihn auf jeden Fall in die engere Auswahl der möglichen Kandidaten für meine Fick-Therapie aufnehmen. Aber wir haben eine, also muss ich mein Gesicht wahren und darf ihn nicht sehen lassen, wie sehr mich seine Anwesenheit verunsichert.

Sein Blick wandert zu seinem Glas, dann zu mir. »Trink etwas mit mir!«

Ich schlucke, ein wenig überrascht von seiner Einladung. Von dieser ganzen verdammten Interaktion. »Ich bin mit jemandem verabredet.«

»Dann eben bis deine Verabredung kommt.« Er macht eine Pause und fügt dann hinzu: »Bitte!«

Ich tappe direkt in seine Falle. Ich kann seiner verlockenden Anziehungskraft nicht widerstehen. Es ist ja nicht so, dass sich mein Date schon hätte blicken lassen, und ich könnte wirklich, wirklich, wirklich einen kleinen Schnaps gebrauchen. Vielleicht hat er mehr Glück dabei, den Barkeeper auf sich aufmerksam zu machen als ich. Und es ist nur ein Drink. Es steht mir frei, jederzeit zu gehen.

Was ist das Schlimmste, was passieren könnte? Berühmte letzte Worte ... und irgendwie lasse ich sie mir durch den Kopf gehen und mich davon überzeugen, dass alles völlig harmlos ist.

»Gut, aber viel Glück dabei, die ...«

In dem Moment, in dem er die Finger in die Luft streckt, kommt die fröhliche Frau mit dem roten Gesicht herüber. »Bereit für noch einen?«

Ich neige meinen Kopf zu ihm, mustere ihn und frage mich, ob er in all den Jahren unserer Trennung magische Kräfte entwickelt hat.

»Noch nicht.« Er grinst und konzentriert sich auf mich. »Was auch immer sie nimmt.«

Ach ja, richtig. Hm. »Bourbon. Zwei Finger. Einen Schluck. Etwas Billiges.«

Coen streckt seine Hand aus, um die Frau davon abzuhalten, nach der Flasche zu greifen, die sie bereits im Blick hat. »Nein. Gib ihr, was ich trinke!«

Sie hebt eine Augenbraue. »Wenn du das sagst.« Sie holt eine kurze, breite Flasche unter dem Tresen hervor, in der eine goldene Flüssigkeit schwappt.

Ich entdecke das schwarze Etikett und schaue mir den Namen an. Mein Herz stottert, als ich die Insignien erkenne – Double Hawks Mark. Tausend Dollar allein für eine Flasche. Der Preis pro Shot liegt bei etwa hundert.

Wir haben die gleiche Sorte in unserer beschissenen Spelunke, nur in einer anders geformten Flasche, die für einen sehr schwer fassbaren und exklusiven Kunden reserviert ist.

»Nein, wirklich, ich bin zufrieden mit dem einfachen Zeug.« Ich zeige auf das Regal mit den Spirituosen hinter ihr.

Coen stützt seine Hand auf meinen Unterarm. »Ich bestehe darauf. Wirklich. Das ist das Mindeste, was ich tun kann.«

Weil du mich verlassen und mir das Herz gebrochen hast? Ja! Ja, du hast recht. Ein Zweihundert-Dollar-Drink ist das Mindeste, was du tun kannst.

Ich gebe nach und ziehe das Glas zu mir, nachdem die Barkeeperin es auf den Tresen gestellt hat. »Danke.« Ich führe das Glas an meine Nase, um das herrliche Aroma einzuatmen. Dick und stark und ein bisschen süß.

Ein Mädchen schreit hinter mir, als ob sie angegriffen würde.

Als ich mich umdrehe, schreit sie zu ihrer Freundin: »Das ist mein absoluter Favorit!«

Coen nimmt sein eigenes Glas in die Hand und dreht sich auf seinem Stuhl so, dass er mich von der Seite ansieht. »Prost?«

Ich kichere. »Ja? Worauf stoßen wir an?«

Coen seufzt, und auf seinen Schultern scheint ein seltsames

Gewicht zu liegen, das sich gleichzeitig hebt und senkt. »Ist es zu klischeehaft, auf das Schicksal zu trinken?«

Das Schicksal – die kranke Schlampe!

»Auf jeden Fall«, sage ich. »Aber ich habe das Gefühl, dass dich das nicht aufhalten kann.«

»Du kennst mich zu gut.« Coen streckt mir sein Glas entgegen. »Auf das Schicksal!«

Irgendwann habe ich mal gedacht, dass ich ihn kenne, aber als er ging und sich nie wieder meldete, bewies er, dass es falsch war, und bestärkte mich in der Überzeugung, dass die einzige Person, auf die ich zählen konnte, ich selbst war.

»Auf das Schicksal!«, sage ich trotzdem und stoße mein Glas mit seinem an. »Wusstest du, dass du zu sieben Jahren schlechtem Sex verflucht bist, wenn du während des Anstoßens den Augenkontakt abbrichst?«

Coen grinst, sein Blick bleibt an meinem hängen. »Das können wir jetzt nicht gebrauchen, oder?«

Wir nehmen beide einen Schluck von unserem Bourbon und ich halte inne, um den Geschmack auf mich wirken zu lassen. Ein Hauch von Vanille mit einer Prise von etwas anderem.

»Muskatnuss«, sagt Coen zu mir, als könne er meine Gedanken lesen.

»Er ist köstlich.« Und teuer.

Er klopft auf den leeren Sitz neben sich. »Setz dich!«

Ich drehe mich um und werfe einen Blick in die dichte Menge der lärmenden Menschen. Mein Telefon hat immer noch nicht geklingelt, also gibt es keinen wirklichen Grund, warum ich mich nicht für eine Weile zu ihm setzen kann. Seufzend füge ich mich, klettere auf den Hocker und mache es mir gemütlich.

Coen lässt mich nicht aus den Augen, fast so, als hätte er Angst, ich könnte mich in Luft auflösen.

»Also.« Ich drehe mein Glas und warte darauf, dass er etwas sagt, irgendetwas. Vielleicht entschuldigt er sich dafür, dass er aus meinem Leben verschwunden ist. Aber selbst wenn, was würde das nützen? Ich glaube nicht, dass ich ihm verzeihen könnte.

»Tut mir leid, ich bin nur ...« Er legt seine Hand in den Nacken und reibt ihn. »Ich kann nicht glauben, dass du es bist.«

Ich zucke mit den Schultern und nehme einen weiteren langsamen Schluck von der dekadenten Flüssigkeit. »Überraschung«, murmle ich wenig begeistert.

»Erzähl mir von dir!« Er schnippt mit den Fingern. »Du bist Schauspielerin, richtig?«

Ich lache und drehe mich zu ihm. »Ich war zwölf, als ich das sagte.«

»Ja, aber du warst so leidenschaftlich dabei. Ich war mir sicher, dass du es schaffen würdest.«

Und auch ich war mir der Dinge sicher. Aber die Zeit hat uns beide eines Besseren belehrt.

»Nö, Hauptfach Wirtschaft.« Ich lasse den Teil mit dem Studienabbruch weg. Er muss nicht wissen, dass ich versagt habe.

»Ekelhaft. Das klingt grauenhaft. Praktisch, aber grauenvoll.«

»Und du? Du kommst mir nicht gerade wie ein Typ vor, der in einem Wohnwagen lebt und durch das Land reist.«

Coen atmet aus. »Ich glaube, wir haben beide nicht gewusst, was wir werden wollen, wenn wir erwachsen sind.«

Ich stütze meine Stiefel auf das Metall des Sitzhockers. »Was machst du dann?«

»Security.«

»Wie für ein Einkaufszentrum?« Wie kann er sich diesen Bourbon mit so einem Gehalt leisten?

Coen schüttelt den Kopf. »Nein, privater Sicherheitsdienst.«

Der süße, unschuldige Coen macht einen potenziell gefährlichen Job? Das kann ich nur schwer glauben.

Wenn mich aus den Erfahrungen mit meinem Coens aus der

Vergangenheit etwas gelernt habe, dann, dass er mir nicht die vollständige Wahrheit sagt. Zum Glück für ihn bin ich nicht in der Stimmung, neugierig zu sein. Wenn er wollte, dass ich alles weiß, würde er sagen, was er offensichtlich nicht sagt.

Coen holt sein Handy aus der Tasche, drückt eine Reihe von Tasten und schiebt es dann wieder zurück. »Tut mir leid, Arbeitssache.«

»Richtig.« Dieser peinliche Small Talk wird von Minute zu Minute zäher. »Wie geht es deinem Vater?«

Er verzieht keine Miene. »Tot.«

»Warte, was?« Habe ich ihn wegen der lauten Musik falsch verstanden?

»Ja, nicht lange nachdem wir umgezogen sind.«

Vor all diesen Jahren?

»Mein Gott, Co, es tut mir leid.« Hätte ich das gewusst, hätte ich nicht gefragt.

Coen hebt sein Glas und führt es an seine Lippen. »Es ist in Ordnung, wirklich.«

Eine weitere Lüge.

Vorsichtig stellt er das Glas ab, seine Stimme ist kaum zu hören. »Ich glaube, ich war wütend auf ihn, weil …« Coen lässt seinen Blick zu mir hinübergleiten. »Du weißt schon.« Er seufzt. »Sodass es mir schwerfiel, über seinen Tod traurig zu sein. Um ihn richtig zu trauern.«

Endlich eine Wahrheit. Eine, die sich in meiner Seele frisst.

Er schiebt wieder eine Wand vor sein Gesicht und sein ganzes Verhalten ändert sich in einem Augenblick. »Aber das ist doch Vergangenheit. Wo gehst du denn zur Schule?«

»Co …«

Plötzlich ist es nicht mehr die heutige Version von ihm, die vor mir sitzt, sondern der zehnjährige Junge, den ich auf dem Friedhof getroffen habe, als er Löwenzahn pflückte, um ihn auf das Grab seiner Mutter zu legen.

»Tu das nicht!«

»Was tun?«

»So tun, als hätte ich nicht alles ruiniert.«

»Hey«, ruft jemand. Eine Hand packt meine Schulter und zieht mich von Coen weg.

Bevor ich ganz begreifen kann, was passiert ist, ist Coen schon auf den Beinen. Er greift den Arm des Armes, verdreht ihn hinter dem Rücken und knallt ihn mit dem Gesicht auf den Tresen.

»Scheiße, Mann, was soll das?«, ruft der Typ. »Lass mich los!«

Coen, mit wilden Augen, wie ich sie von ihm nicht kenne, wendet sich mir zu. »Kennst du den Kerl?«

Ich blinzle, um den Kerl mit dem zertrümmerten Gesicht besser sehen zu können. Ich nicke langsam, verblüfft über seine reflexartige Reaktion. »Ja. Er ist mein Date.«

»Oh!« Coen lässt den Kerl sofort los. »Mein Fehler.« Er glättet die Falten im Hemd seines Opfers. »Tut mir leid. Ehrlich.«

Der Typ reibt sich das Handgelenk und schaut Coen verblüfft von der Seite an. »Psycho.« Er konzentriert sich auf mich. »Ist er dein Freund oder so? Ich stehe nicht darauf, nur Zuschauer zu sein.«

»Nein«, versichere ich ihm. »Er ist ein alter Freund. Wir haben uns nur ein wenig unterhalten.«

»Bist du fertig oder soll ich dir noch eine Minute geben?«

Jason, glaube ich, ist sein Name. Ich muss meine Nachrichten noch einmal überprüfen.

Coen meldet sich zu Wort. »Nein, das wird nicht nötig sein.« Er greift nach seinem Getränk, kippt es in den Ausguss und stellt das leere Glas auf den Tresen. Er hebt den Finger Richtung Barkeeperin. »Was auch immer die beiden nehmen, geht auf mich. Gib dir selbst das übliche Trinkgeld.«

»Das ist nicht nötig«, wirft Jason ein.

Die Frau hinter der Bar nickt und lächelt. »Danke, ich weiß das zu schätzen.«

»Natürlich.« Coen weicht Jason aus und stellt sich vor mich. Er ergreift meine Schultern und sieht mir tief in die Augen, bevor er mich in eine unerwartete Umarmung zieht.

Ich stehe da wie eine Statue, völlig ungläubig darüber, dass sein warmer Körper mich umhüllt. In meiner Brust, die ich gewöhnlich fest verschlossen halte, brodelt es und sie droht bei seiner Berührung aufzubrechen.

Coen drückt seine Lippen kurz auf meine Wange. »Amüsier dich, J., du hast es verdient.«

Und ohne dass ich meine Gedanken sammeln und eine angemessene Antwort formulieren konnte, dreht er sich um und verschwindet in der Menge. Mein Herz tut weh, als wäre ich wieder auf dieser Straße vor zehn Jahren und würde zusehen, wie der alte Pick-up auf Nimmerwiedersehen davonfährt.

»June!« Jason wedelt mit der Hand vor meiner Nase.

Ich blinzle und sehe ihn an. »Jason.«

Er seufzt und schüttelt den Kopf. »Jeremy.«

»Oh, richtig. Ja, das wusste ich. Tut mir leid.« Das habe ich davon, weil ich seinen Namen nicht noch einmal überprüft habe, bevor ich meinen Mund aufgemacht habe. »Seltsame Nacht.«

»Kann man wohl sagen.« Er deutet auf die beiden freien Plätze. »Sollen wir uns setzen?«

»Klar.« Ich fahre mir mit den Fingern durch mein Haar, streiche es mir hinter die Ohren und schaue zu der Stelle, an der Coen verschwunden ist.

Wie ist es möglich, dass er nach all der Zeit, die vergangen ist, so viele Emotionen mit einer solchen Leichtigkeit wecken konnte?

Ein starker Teil von mir möchte ihn hassen, denn so fühle ich mich schon seit einiger Zeit, aber da ist auch diese anhaltende Traurigkeit, ein dumpfer Schmerz, der mir sagt, dass mehr hinter der Geschichte steckt, als ich mir überhaupt vorstellen kann.

Ich nehme einen langen Schluck von dem Bourbon, den Coen für mich bestellt hat, und stelle fest, wie seltsam es ist, dass die beiden Männer, die mir nicht aus dem Kopf gehen, das Gleiche trinken. Das kann doch kein Zufall sein, oder? Aber wie groß ist die Wahrscheinlichkeit, dass sie sich kennen? Coen ist ein paar Jahre älter als ich, und der geheimnisvolle Kerl, der mich auf der Toilette gefickt hat, war locker doppelt so alt wie ich.

»Also, studierst du, oder …?« Jeremy nimmt eine Flasche billigen Biers vom Tresen, ich muss verpasst haben, dass er sich etwas bestellt hat, nimmt einen großen Schluck und sieht sich um.

Seine Gesichtszüge sind weich. Attraktiv. Aber ein bisschen langweilig. Und wenn ich ehrlich bin, bin ich mir nicht sicher, warum ich ihn angeklickt habe. Vielleicht, weil er nett aussah. Vielleicht suchte ich unbewusst nach dem direkten Gegenteil des geheimnisvollen Mannes, in der Hoffnung, dass ich ihn dadurch loswerde.

Was immer ich auch gedacht habe, es funktioniert nicht, denn meine Gedanken sind überall, nur nicht bei dem anständigen Kerl, der neben mir sitzt.

»Ja«, antworte ich. »Nun, nein. Ich nehme mir ein Semester frei.«

»Aha!« Er nickt. »Was studierst du?«

»Wirtschaft.«

Dieses Gespräch ist so trocken wie die Stelle zwischen meinen Beinen.

»Abgefahren, ich studiere auch Wirtschaft.«

Ich nehme mein Glas in die Hand, drehe es in meiner Hand und merke, wie sinnlos das alles ist. »Hör zu, Ja … Jeremy.« Das wäre beinahe danebengegangen. Ich drehe mich zu ihm um. »Du scheinst nett zu sein und so, aber das«, ich deute auf den

Raum zwischen uns, »wird nicht funktionieren.« Ich kippe den restlichen Bourbon in einem Zug hinunter.

Jeremy öffnet den Mund, um zu widersprechen, unterbricht sich aber selbst, als ob er seine Niederlage akzeptiere.

Ich springe vom Hocker und halte inne. »Viel Glück!«

Und mit diesen Abschiedsworten lasse ich ihn zurück, bahne mir einen Weg durch die Menge und zur Tür hinaus, ohne auch nur eine Sekunde lang meine Entscheidung zu bereuen – die Suche nach einem Fremden, der mir hilft, einen anderen Fremden zu vergessen, für heute Abend zu beenden.

Es dauert ein paar Minuten, bis ich aus *The Haven* herauskomme, und meine Lungen sind dankbar, die frische, klare Nachtluft einzuatmen, sobald ich weit genug von dem Chaos entfernt bin.

Ich seufze, schaue auf meinem Handy nach der Uhrzeit und freue mich wahnsinnig auf meine Wohnung voller ungeliebter Mitbewohner, in die ich jetzt gehen muss. Ich habe mich darauf verlassen, heute Nacht bei meiner neuen Bekanntschaft zu pennen, damit ich mich wenigstens für ein paar Stunden nicht mit diesen Idioten herumschlagen muss. Ich dachte, wenn ich eine Nacht irgendwo anders gut schlafen würde, könnte ich meine Batterien ausreichend aufladen, um das Wochenende zu überstehen.

Es ist wirklich erbärmlich, dass ich keine Lust habe, nach Hause zu gehen, aber sie machen das Leben dort fast unerträglich. Sie sind schlampig, laut, unausstehlich, rücksichts-los. Es ist unmöglich, in ihrer Gegenwart auch nur ein bisschen Privatsphäre oder Ruhe zu haben. Und so wie ich im Moment drauf bin, kann ich es mir nicht leisten, in der Nähe dieser chaotischen Energie zu sein.

Deshalb bin ich jetzt hier, in einem kleinen Park am Stad-trand, der friedlich genug ist, um mir in diesem verrückten Sturm, den man Leben nennt, ein wenig Ruhe zu verschaffen. Wahrscheinlich sollte ich so spät und im Dunkeln nicht herkommen, wenn man bedenkt, dass ich im Grunde genommen die Kulisse für einen Horrorfilm darstellen könnte. Aber ich tue es trotzdem. Und ich tue es oft. Ungefähr einmal pro Woche komme ich hierher und sitze einfach nur da. Ich ertrinke in der Gelassenheit. Ich lausche der Musik der Natur und genieße die Tatsache, dass kein einziger anderer Mensch da ist, der mich stört.

Ich sitze immer auf derselben Bank, auf der ich schon so oft gesessen habe, lehne meinen Kopf zurück, schließe die Augen und atme tief ein und aus, um mich im Hier und Jetzt zu verankern.

Wenn ich klar denken kann, wird mir das Universum vielleicht einen Hinweis darauf geben, was in meinem Leben vor sich geht.

KAPITEL VIER – JUNE

»*V*ielleicht ist sie tot«, flüstert jemand.

»Hier, nimm den Stock!«, meldet sich eine andere Person zu Wort.

Ich öffne ein Auge und blinzle gegen das grelle Sonnenlicht. Wie konnte ich das nur übersehen?

Ein junges Mädchen keucht und tritt zurück. »Entschuldigung, wir …«

Ich reibe mir die Augen, setze mich auf, strecke mich und gähne. »Wie spät ist es?«

Der Junge mit dem Stock in der Hand zeigt auf die Bank, auf der ich sitze. »Hast du die ganze Nacht hier draußen geschlafen?«

»Nein, ich bin wirklich früh aufgestanden, um herzukommen und ein Nickerchen zu machen.« Ich stehe auf, ziehe mein Handy aus der Tasche und drücke auf den Touchscreen. Na toll. Es ist tot. »Wonach sieht es denn aus?«

Die beiden tauschen einen vorsichtigen Blick.

»Bist du … obdachlos?« Er betont das letzte Wort, als ob er davon Läuse bekommen könnte.

»Sehe ich obdachlos aus?« Ich deute auf meinen Körper und dann auf das überteuerte Telefon in meiner Hand.

»Ich meine, du hast auf einer Bank geschlafen ... in einem Park ...« Er verschränkt die Arme. »Bist du auf Drogen?«

»Ja. Die Scheiße, die einen dazu bringt, dumme Kinder zu töten, die einem nicht sagen wollen, wie spät es ist.« Ich lasse meinen Blick in Richtung des Weges huschen. »Es ist niemand hier, der eure Hilfeschreie hören könnte.«

»Tommy«, das Mädchen zerrt den Jungen am Arm. »Lass uns von hier verschwinden!«

»Entspann dich, Lizzy!« Er lässt sie abblitzen und schaut auf seine Smartwatch. »Zehn nach sieben.«

»Scheiße«, murmle ich. Meine Schicht im Diner beginnt in weniger als einer Stunde, und die Wahrscheinlichkeit, dass ich vorher noch Zeit zum Duschen habe, sinkt mit jeder Sekunde.

Wie zum Teufel habe ich es geschafft, die ganze Nacht auf dieser harten Bank zu schlafen? Und wieso wurde ich nicht von einem Spinner ermordet, der es auf dumme Mädchen abgesehen hat, die in Parks ohnmächtig werden? Versteh mich nicht falsch, ich bin ziemlich leichtsinnig, aber das hebt meine Sorglosigkeit auf ein ganz neues Niveau.

Abgesehen davon, wenn ich gewusst hätte, dass es so einfach ist, sich richtig auszuruhen, hätte ich schon lange mein Kissen und meine Decke mitgebracht.

*I*ch stecke meinen Schlüssel ins Schloss und fürchte mich vor dem drohenden Unheil, das mich erwartet, wenn ich meine Wohnung betrete. Es ist halb acht und es spielt bereits Musik. Selbstgemachter Rockmüll von Carter und seinen lahmen Kumpels. Ich bin ja für Kreativität und dafür, seinen Träumen zu folgen, aber das Zeug, das sie produzieren, hört sich an, als würden sie von Waschbären angegriffen, die sie mit ihren Instrumenten verscheuchen wollen. Zuerst dachte ich, dass ich vielleicht zu kritisch bin, dass ich Carter zu sehr hasse und er meine Fähigkeit blockiert, unvoreingenommen zuzuhören. Aber nein, die einzigen Leute, die so tun, als ob ihnen diese traurige Entschuldigung für Musik gefalle, sind Heather und Carters Drecksack-Freunde.

Das Wasser in der Dusche geht aus, und jemand wuselt im Badezimmer herum.

Ich setze meinen Weg in mein Schlafzimmer fort, um meine Waschsachen zu holen, und hoffe, dass derjenige im Bad sich verdammt noch mal beeilt.

Eine Sekunde später wird meine Tür aufgestoßen und Carter steht da, das Handtuch locker um seine Taille geschlungen. Überall auf seinem Körper perlt Wasser, als hätte er sich gar nicht die Mühe gemacht, sich abzutrocknen. Wie ich ihn kenne, hat er das wahrscheinlich auch nicht. Ich bezweifle sogar, dass er sich hinter den Ohren wäscht, geschweige denn an den Eiern.

Ich rümpfe die Nase bei dem Gedanken an seine ekligen Geschlechtsteile.

»Was willst du, Carter?« Ich wühle mich durch meinen Kleiderstapel und schnappe mir ein sauberes Top aus dem oberen Regal.

Er lehnt sich gegen den Rahmen der Tür und mustert mich von oben bis unten. »Dich und mich.« Carter lässt seinen Blick kurz hinter sich schweifen, als würde es ihn einen Scheiß interessieren, ob jemand – zum Beispiel Heather – ihn hört. »Was denkst du denn? Ich habe Bedürfnisse. Du hast Bedürfnisse.« Er seufzt und leckt sich über die Lippen.

»Du bist widerlich, wenn du glaubst, dass ich jemals Sex mit dir in Betracht ziehen würde.«

»Sei nicht so gemein, J.« Carter verschränkt die Arme vor der Brust. »Ich weiß, dass du die meisten deiner Nächte so verbringst. Im Bett mit einem x-beliebigen Fremden.«

»Was ich tue und mit wem ich es tue, geht dich nichts an.«
Ich sammle meine letzten Sachen ein und gehe auf ihn zu.

Er stellt sich mir in den Weg und hindert mich daran, weiterzugehen. »Denk darüber nach!«

»Nein. Und jetzt geh mir aus dem Weg, bevor ich zu spät zur Arbeit komme.«

»June«, ruft Heather hinter ihm.

Und damit ändert er sein Verhalten und tritt zur Seite.

»Ja?«, frage ich und dränge mich an ihm vorbei.

Sie reibt sich die verschlafenen Augen und gähnt. »Ich brauche deinen Anteil an der Miete.«

Ich bleibe stehen und drehe mich zu ihr um. »Was?«

Heather zieht ihre braune Strickjacke fester an sich. »Er war schon vor ein paar Tagen fällig. Du bist spät dran.«

Ich blinzle und erinnere mich daran, wie ich mein Geld in denselben Umschlag gesteckt habe, den ich jeden Monat benutze, und ihn an denselben Platz legte, an dem er immer liegt. »Nein. Ich habe letzte Woche gezahlt.«

Sie seufzt und schüttelt den Kopf. »Du musst es vergessen haben, das Geld war nicht da.« Heather macht eine Pause und fügt dann hinzu: »Du warst schon mal zu spät.«

»Ein einziges Mal, weil ich eine Lebensmittelvergiftung hatte.«

Carter schlendert um mich herum, geht zu Heather und legt seinen Arm um ihre Schultern.

Sie lässt ihn abblitzen. »Bäh, du bist nass.«

»Wenn ich dir aushelfen soll …«, schlägt Carter vor.

Ich werfe ihm einen strengen Blick zu, denn ich weiß genau, dass es seine kleptomanischen Finger waren, die das Geld für meine Miete gestohlen haben. Leider kann ich es nicht beweisen. Es würde nur sein Wort gegen meins stehen, und da er Heather um den kleinen Finger gewickelt hat, würde sie nie mir mehr glauben als ihm. Es waren die Energien nicht wert, es überhaupt zu versuchen.

Ich werde mich an Carter rächen, aber im Moment ist das größere Problem die Frage, wie ich an einem Tag sechshundert Dollar aufbringen soll, wenn ich kaum genug verdiene, um mich selbst zu ernähren.

»Nein, Carter, das kriege ich schon hin.« Ich gehe ins Bad und schließe die Tür hinter mir ab.

»Ich brauche es bis morgen, um die Verspätungszinsen zu vermeiden«, ruft Heather so laut, dass ich es durch die Tür hören kann.

»Alles klar.« Aber ist es das? Wie zur Hölle soll ich das durchziehen? Es war schon so schwierig genug, das Geld zusammenzukratzen, geschweige denn es noch einmal zu schaffen. Und selbst wenn ich es hinbekomme, muss ich auch noch die Miete für den nächsten Monat zusammenkratzen.

Ich arbeite mir den Arsch ab und habe so schon kaum Zeit zwischen den Jobs. Es muss doch etwas geben, was ich tun kann, das etwas besser bezahlt wird als die Teilzeitjobs, die ich jetzt habe.

Vielleicht könnte ich Cora bitten, mir etwas Geld zu leihen, nur bis ich mein Geld bekomme. Sie lebt zu Hause bei ihren Eltern, und nach dem, was sie mir erzählt hat, verfügt sie über einen beachtlichen Notgroschen, den sie seit ihrer Kindheit hütet. Ich spreche es nur ungern an, aber wenn sich nicht in den nächsten zwölf Stunden eine großartige Gelegenheit ergibt, bin ich mir nicht sicher, wie ich so schnell so viel Geld auftreiben kann.

Das sollte ich nicht tun müssen. Der Herr mit den klebrigen Fingern da draußen sollte sich zu seinem Verbrechen bekennen, aber ich hätte bessere Chancen, einen wilden Geparden zu zähmen, als Carter dazu zu bringen, die Verantwortung für etwas zu übernehmen, was er verbockt hat.

Ich werde es schon schaffen. Wie immer. Im Moment muss ich mich darauf konzentrieren, die schnellste Dusche meines

Lebens zu nehmen und meinen Hintern zu meinem ersten Job des Tages zu bewegen.

Ich drehe den Wasserhahn auf, ziehe mich aus und warte ungeduldig darauf, dass das Wasser warm wird. Aber das tut es nicht. Stattdessen läuft es kalt, kaum lauwarm, was mir sagt, dass Carter wahrscheinlich den Rest des heißen Wassers verbraucht hat. Denn warum sollte er etwas anderes tun, als jeden Aspekt meines Lebens zu ruinieren?

»*D*u bist spät dran«, sagt Rosco, ohne von seiner Morgenzeitung aufzublicken.

»Es tut mir leid, Sir. Da war ein …«

Er hebt seine Hand, um mich aufzuhalten. »Ich will deine Ausreden nicht hören. Ich will, dass du pünktlich kommst.«

»Ich verstehe. Wird nicht wieder vorkommen.« Den Satz hört er nicht zum ersten Mal von mir. Es ist nicht so, dass ich so eine schlechte Angestellte sein will, es ist nur verdammt hart, abends spät in der Bar zu schließen und am nächsten Morgen früh die Bäckerei zu öffnen.

Obwohl das Einschlafen auf einer Parkbank und der Stress mit einem idiotischen Mitbewohner nicht unbedingt zu meiner Pünktlichkeit beitragen. Außerdem gehe ich gelegentlich mit Freunden aus. Ist es ein Verbrechen, ein soziales Leben zu haben?

»Du hast recht. Das wird es nicht.« Rosco sieht mich schließlich an und starrt mir tief in die Augen. »Du bist gefeuert.«

Es ist, als hätte ich einen Schlag in die Magengrube bekommen, der mir den Wind aus den Segeln nimmt und die Wahrscheinlichkeit, dass ich rechtzeitig genug Geld verdiene, völlig zunichtemacht.

Ich trete vor, und mein Verstand sagt mir halb, dass ich auf die Knie fallen und um Vergebung bitten soll. »Sir, bitte. Nur noch eine Chance. Ich brauche den Job.«

»Wenn du ihn bräuchtest, wärst du schon vor zehn Minuten hier gewesen, anstatt zu spät zu kommen.« Er streckt mir seine Hand entgegen. »Wie du aussiehst.« Er atmet aus. »Und jetzt geh, bevor du noch mehr meiner Zeit verschwendest.«

Mir bleibt der Mund offen stehen, ich kann die Worte nicht richtig formen.

Kann dieser Tag noch schlimmer werden?

Ich trete hinaus in die Morgenluft, schlucke den Kloß in meinem Hals herunter und schaue in beide Richtungen, um mich zu fragen, wohin zum Teufel ich jetzt gehen soll. Die Pizzeria, in der ich tagsüber arbeite, öffnet erst in ein paar Stunden, und die Bar macht erst heute Abend auf. Es wäre sinnlos, nach Hause zu gehen, wenn man bedenkt, wie sehr ich diesen Ort hasse und dass die Vorstellung, den Rest meines Lebens im Gefängnis zu verbringen, weil ich Carter ermordet habe, auch nicht gerade verlockend klingt.

Also wandere ich umher und lasse mich von meinen Füßen Richtung Westen tragen, in der Hoffnung, dass das Universum aufhört, so grausam zu sein, und mir ausnahmsweise einen Knochen zuwirft. In nur wenigen Minuten komme ich an der Universität vorbei, die ich eigentlich besuchen sollte, und beobachte die Studenten, die zwischen den Gebäuden hindurchgehen und ihrem Collegeleben nachgehen.

Es ist nicht so, dass ich Spaß an der Schule habe, denn wer bei klarem Verstand hat das schon? Aber ich habe auf etwas hingearbeitet. Ein Ziel. Einem Sinn. Eine potenzielle Möglichkeit, mich weiterzuentwickeln und aus dieser beschissenen Situation herauszukommen, in der ich mich befinde. Aber niemand bereitet einen wirklich darauf vor, wie teuer es ist, auf sich allein gestellt zu sein. Und der Versuch, den Lebensunterhalt und die Studiengebühren ohne fremde Hilfe zu bestreiten, ist verdammt hart.

Manche Menschen haben Eltern, Partner, Stipendien oder sogar staatliche Unterstützung. Ich? Ich habe nichts, außer dem, was ich selbst aufbringen kann. Und, Junge, ich bin verdammt arm dran.

Das geht so weit, dass ich mir Sorgen mache, dass ich vielleicht anfangen muss, ein bisschen mehr wie Carter zu sein, wenn ich diese dunklen Tage überstehen will.

Ich laufe noch ein paar Blocks weiter und halte Ausschau nach Schildern, auf denen *Aushilfe gesucht* steht, in meinem verzweifelten Versuch, mich an einem kleinen Diebstahl oder dem Verkauf von Drogen zu hindern. Ich bin mir sicher, dass Carter beides tut, wenn er sich nicht gerade auf der Secondhand-Couch in unserem gemeinsamen Wohnzimmer vergnügt. Es ist ihm zuzutrauen, dass er seine Hand in eine kriminelle Keksdose schiebt.

Ein älterer Mann klettert von einer Leiter und starrt auf das Gebäude hinauf. Er blickt zu mir hinüber und lächelt freundlich. »Du siehst verloren aus.« Sein Haar ist dunkelblond, aber nicht so wie das meines geheimnisvollen Mannes von neulich Abend.

Verloren ist vielleicht die Untertreibung des Jahres. Aber das werde ich diesem Fremden nicht sagen.

»Ich habe nur …« Aber statt meinen Satz zu beenden, schweige ich.

Der Mann nickt, klappt seine Leiter zusammen und legt sie sich über die Schulter. »Ich habe schon viele solcher Morgen erlebt.« Er neigt seinen Kopf in Richtung des Diners, vor dem wir stehen. »Willst du einen Kaffee?« Und als ob er spürt, dass ich protestieren will, fügt er hinzu: »Geht aufs Haus.«

Ehrlich gesagt ist das kein schlechter Vorschlag. Ich könnte eine Minute gebrauchen, um zu verschnaufen und zu überlegen, was ich als Nächstes tun soll. Und eine kostenlose Tasse Kaffee klingt göttlich. Aber wo ist der Haken? Menschen tun keine netten Dinge, ohne eine Gegenleistung zu erwarten.

Etwas in meinem Inneren drängt mich jedoch dazu, auf sein Angebot einzugehen. Als ob das Universum mir tatsächlich den Knochen zuwerfen würde, um den ich gebeten hatte.

»Ja, das wäre nett«, sage ich schließlich.

Der Mann grinst und öffnet die Tür. Die Glocke läutet, während er sie mir aufhält und ich eintrete. Sofort strömt mir der himmlische Duft von frisch gebackenen Donuts und gebrühtem Kaffee entgegen. Ich war schon ein paar Mal hier, aber ich kann mich nicht erinnern, dass es so verdammt gut gerochen hat. Vielleicht liegt es daran, dass ich noch nicht gefrühstückt habe und für diesen chaotischen Tag dringend ein bisschen Koffein brauche.

Claire arbeitete hier in Teilzeit, bevor ihr Freund in der Gasse nebenan niedergeschossen wurde und sie alles zusammenpackte und zurück an die Ostküste zog. Ich kannte sie noch nicht lange, sie war nur einige Monate hier, aber in dieser Zeit hatten Cora und ich uns gut mit ihr verstanden.

Es war tragisch, was ihrem Freund Johnny zugestoßen ist, vor allem nach dem, was Claire mit ihrem verdammt ätzenden Ex-Freund vor ihm durchgemacht hatte. Ich glaube, der Kerl ist durchgedreht und hat versucht, sie umzubringen, und ist dabei eine Treppe hinuntergestürzt. Gerüchte verbreiteten sich in der Schule wie ein Lauffeuer, als nicht nur Johnny, sondern auch ein paar andere Schüler innerhalb kurzer Zeit mit offensichtlichen Schusswunden tot aufgefunden wurden.

Alles roch nach den Machenschaften einer Gang, aber das gemeine Volk weiß, dass man seine Nase nicht in Mafiaangelegenheiten stecken sollte, wenn man nicht das gleiche Schicksal wie die Gefallenen erleiden will.

»Nimmst du Sahne oder Zucker?«, fragt mich der alte Mann.

Ich schüttle den Kopf und setze mich auf einen freien Hocker an der Theke. »Schwarz ist gut, danke.«

Er zeigt auf die Vitrine mit den Backwaren. »Donut?«

UNTAMED VIXEN – ZÜGELLOS

»Kaffee ist genug. Ich weiß es zu schätzen.« Ganz zu schweigen davon, dass ich, wenn ich heute Abend noch mit Cora ausgehen will, jeden Cent sparen muss, um mich in Alkohol zu ertränken.

»Ich bestehe darauf«, sagt er. »Blaubeere oder normal?«

Ich versuche, meine Augen nicht zusammenzukneifen, aber seine Freundlichkeit ist mir unheimlich fremd und verdächtig.

Er lacht leise. »Ich bin harmlos, ich verspreche es. Ich bin schon lange genug dabei, um zu sehen, wenn jemand in Not ist, das ist alles.«

Na und? Ist er etwa meine gute Fee?

Ich mildere mein Benehmen. »Überrasch mich!«

Er nimmt einen Donut aus dem Schrank und legt ihn auf einen Teller neben meine dampfende Tasse Kaffee. Er streckt mir seine Hand entgegen. »Bram.«

Ich blinzle ihn an, dann lasse ich meinen Blick zu den Logos rund um das Diner wandern und füge die Puzzleteile zusammen. »Oh!« Ich schüttle ihn fest. »Du bist *der* Bram.«

Bram rollt mit den Augen. »Bei dir klingt es, als wäre ich berühmt.«

»Tut mir leid, jetzt ergibt es etwas mehr Sinn.« Mir wird klar, dass ich meinen Namen nicht genannt habe. »June.« Ich führe die Tasse an meine Lippen und gebe mich meiner eigenen Kühnheit hin, bevor ich einen vorsichtigen Schluck nehme.

»Schön, dich kennenzulernen, June.« Bram schnappt sich das Handtuch, das er sich über die Schulter geworfen hat, und wischt etwas Orangensaft von der Theke auf dem Platz zwei Plätze vor mir. »Was treibt dich heute Morgen ziellos umher?«

Ich setze die Tasse ab und drehe sie um. »Ähm, nun. Ich wurde gerade gefeuert.«

Bram nickt, als ob er das völlig verstehen würde, was überhaupt keinen Sinn ergibt. »Ich verstehe.«

»Ich bin finanziell ziemlich in der Klemme, das hat mir einen Strich durch die Rechnung gemacht. Aber ich gebe dem

Kerl nicht die Schuld. Ich war zu spät dran, und das war nicht das erste Mal. Ich habe noch zwei andere Jobs, aber die fangen erst später an, und ich habe keine Lust, nach Hause zu gehen und mich mit meinen Mitbewohnern herumzuschlagen.« Ich seufze und breche ein Stück von dem Donut ab, den mir der Mann angeboten hat. »Was uns zu dem Punkt bringt, an dem du mich gefunden hast, auf der Suche nach jemandem, der Arbeit sucht.«

Er hebt eine Augenbraue zu mir. »Du hast drei Jobs?«

Ich nicke und stecke mir das Stück Donut in den Mund. »Ich versuche, genug zu sparen, um ausziehen zu können. Aber gerade sieht es nicht danach aus.« Vor allem, wenn Carter mein hart verdientes Geld für die Miete klaut, ohne dass jemand zusieht.

»Das ist hart.« Bram verschränkt die Arme. »Kein Wunder, dass du spät dran warst. Wann schläfst du?«

»Gelegentlich.« Ich erwähne die Parkbank von gestern Abend nicht.

»Bist du Studentin?«

Ich beiße mir auf die Lippe und schäme mich ein wenig, die Wahrheit zuzugeben. »Nein. Ich nehme ein Urlaubssemester.«

Warum erzähle ich das alles einem völlig Fremden?

»Klingt, als bräuchtest du einen Job, der versteht, was du durchmachst, um auf die Beine zu kommen.«

»Ja, wäre das nicht schön?« Dem käme Jack am nächsten, aber selbst er ist manchmal ein egoistisches Arschloch.

Ein Mädchen in meinem Alter geht zur Kasse und lenkt Brams Aufmerksamkeit auf sich. »Kann ich einen großen Mokka zum Mitnehmen bekommen?«

Bram drückt ein paar Knöpfe an der Maschine. »Sonst noch etwas? Vielleicht einen Bananen-Nuss-Muffin?«

Das Mädchen lässt ihren Blick über meinen Teller schweifen. »Was isst sie?«

Ich setze mein bestes Verkäufergesicht auf. »Blaubeer-Old-Fashioned. Er ist himmlisch. Zehn von zehn Sternen.«

»Davon nehme ich auch ein halbes Dutzend. Zum Mitnehmen. Bitte.« Sie reicht Bram ein Stück Plastik, das er in das Kartenlesegerät steckt.

Ich sitze in höflichem Schweigen, esse den Rest meines Donuts und nippe an meinem Kaffee, während Bram ihre Bestellung fertigstellt. Er braucht nicht lange. Er arbeitet im Laden, als könnte er das mit geschlossenen Augen tun.

Das Mädchen geht und er füllt meinen Becher auf. »Danke für die Hilfe.«

»Ich helfe gern.« Das war das Mindeste, was ich nach seiner Großzügigkeit tun konnte.

»Ich könnte hier Hilfe gebrauchen.« Er füllt die Zucker-päckchen in der Halterung neben der Kasse nach. »Wenn du Ersatz für den Job suchst, den du heute Morgen verloren hast …«

»Du machst Witze.« Ich starre ihn völlig ungläubig an.

»Nö. Ich meine es völlig ernst. Flexible Arbeitszeiten. Du könntest Lieferungen machen, wenn du willst. Da sind ein paar anständige Trinkgelder drin. Normalerweise biete ich keine Lieferungen an, aber wenn ich es tue, sind sie ziemlich beliebt.«

Warum hört es sich so an, als würde er mir die Stelle anpreisen und nicht ich mich um die Stelle bewerben?

»Ähm, ja. Auf jeden Fall, ja. Was immer du brauchst.« Ich springe vom Hocker und bin kurz davor, diesen Mann zu umar-men, weil er mir möglicherweise den Tag gerettet hat. »Wann kann ich anfangen?«

Er wirft einen Blick auf die Uhr hinter ihm. »Wie wäre es mit … jetzt?« Bram konzentriert sich wieder auf mich. »Es sei denn, du bist beschäftigt.«

Ich muss lachen. »Überhaupt nicht.« Ich zeige auf die verbleibenden Päckchen, die in die Halterung müssen, und lasse meinen Blick über Tischen gleiten. »Soll ich die alle auffüllen?«

Bram nickt. »Ja.«

In diesem Moment bemerke ich eine gewisse Traurigkeit an ihm. Als ob etwas fehlen würde. Etwas, das im Stillen seine Seele quält und sein Herz schmerzen lässt. Ich hasse das, weil er ein zu guter Mann ist, um Schmerz zu erleiden. Zugegeben, ich kenne ihn erst seit zwanzig Minuten, aber in dieser kurzen Zeit hat er mir schon mehr Freundlichkeit entgegengebracht als die meisten anderen Menschen.

Ich erledige meine erste Aufgabe zügig, laufe durch den Raum und fülle auch die Serviettenhalter wieder auf. »Hey, gib mir mal den Besen!«, fordere ich ihn auf, als ich fertig bin, nehme ihn und fege den Dreck unter dem Tresen in der Ecke weg.

»Deine erste Lieferung.« Er stellt eine Tüte auf den Tresen. »Kannst du Fahrrad fahren?«

»Ja.«

»Gut. Ich bringe dir eins.« Er deutet zur Vordertür.

Ich schnappe mir die Tüte und treffe ihn vor der Tür. Mein Blick wird von der dunklen Seitengasse angezogen, in der schon viele gestorben sind.

Bram erscheint aus dem Schatten und schiebt ein Fahrrad neben sich her. Er lenkt seine Aufmerksamkeit kurz auf die dunklen Ecken, als würde er nach einem Geist Ausschau halten.

Ich möchte ihn danach fragen, aber ich möchte nicht aufdringlich sein. Vermutlich sind die Todesfälle in dieser Gasse für ihn persönlicher, weil sie direkt neben seinem Geschäft passiert sind, und wir kennen uns noch nicht lange genug, als dass ich neugierig sein sollte.

»Das hier ist nicht weit weg.« Er drückt mit dem Finger gegen den Korb auf der Rückseite. »Du kannst die Bestellung hier hineinlegen.« Bram reicht mir ein kleines Gerät. »Da ist die Sendungsverfolgung drauf. Es ist ziemlich selbsterklärend. Lass den Kunden einfach den Quittungsteil ausfüllen und unterschreiben. Du bekommst das volle Trinkgeld, egal ob in bar

UNTAMED VIXEN – ZÜGELLOS

oder mit Karte. Du kannst das Gerät hier anstecken, damit du während der Fahrt die Hände frei hast.« Bram kratzt sich am Kinn. »Ich glaube, das war's.«

Ich hüpfe auf den Sitz. »Und du machst dir keine Sorgen, dass ich dein Fahrrad und dein Kreditkartengerät stehlen könnte?«

Bram zuckt mit den Schultern. »Wenn du so verzweifelt bist, brauchst du den Job wahrscheinlich dringender als ich die Sachen. Die Formalitäten für die Lohnabrechnung können wir später klären.«

Ich mag eine moralisch fragwürdige Person sein, aber ich glaube nicht, dass ich mich jemals dazu durchringen könnte, diesem Mann etwas anzutun, nicht wenn er so verdammt viel Güte ausstrahlt.

»Okay, dann wünsch mir Glück!« Ich lege meine Finger um die Handbremse, um ein Gefühl dafür zu bekommen, stelle meine Füße auf die Pedale und fahre in die Richtung, die das GPS mir vorgibt.

Eine Brise streicht über meine Haut und lässt mein schwarzes Haar hinter mir her wehen. Ein neu gefundenes Gefühl der Hoffnung, das in meinem Inneren verweilt. Ein Gefühl, an das ich mich angesichts meiner Pechsträhne noch nicht so recht klammern mag.

Ich fahre an ein paar Häusern vorbei, in denen ich schon auf Partys war, weiche den anderen Leuten auf den Gehwegen aus und halte an allen roten Ampeln an. Ich komme in ein Viertel, in dem ich noch nie war, mit Häusern, die viel größer und teurer sind, als ich es mir je vorstellen könnte.

Ich brauche nicht lange, um dorthin zu gelangen, was zu Fuß ein ziemlicher Kraftakt gewesen wäre. Vor dem riesigen Haus halte ich langsam an. Ich werfe noch einmal einen Blick auf das GPS, um mich zu vergewissern, dass ich an der richtigen Stelle bin. Es sieht aus wie aus einem Katalog für moderne Architektur, mit glatten Kanten und einem klaren Design, mit schönen großen Fenstern und einem riesigen Balkon, der sich über die gesamte zweite Etage erstreckt. Die Gartenanlage ist üppig, aber gut gepflegt, was nur noch mehr bestätigt, dass der Besitzer dieses Hauses reich ist. In dieser Hitze der Westküste so viel Grün zu erhalten, ist schon eine Herausforderung für sich. Ein hoher, schwarzer Metallzaun führt um das gesamte Grundstück herum und macht es für jeden, der nicht willkommen ist, schwierig, einen Fuß hineinzusetzen.

Ich nähere mich dem Eingang und drücke den Knopf, um zu klingeln. Ich steige vom Fahrrad und fummle am Ständer herum, während ich warte.

Ein Summer ertönt, und eine Stimme ertönt aus dem Lautsprecher. »Kommen Sie hoch!«

Ein Mann. Das wundert mich überhaupt nicht.

Wahrscheinlich ein reicher Arzt oder Anwalt, der beschlossen hat, seinem Hauskoch den Vormittag freizugeben.

Ich hole die Tüte aus dem Korb und mache mich auf den Weg in dieses unbekannte Gebiet. Je näher ich komme, desto größer wird das Haus. Es ist, als würde ich gleich in einer Reality-TV-Show oder einer Folge von MTV Cribs landen.

Ich hebe die Hand und klopfe an die Eingangstür, die doppelt so groß ist wie jede andere Eingangstür.

Doch statt mit den Fingerknöcheln dagegen zu klopfen, schwingt das Ding auf und gibt nichts preis, was ich mir je hätte vorstellen können.

Das ist ein Mann, ganz sicher. Über und über mit Tattoos bedeckt. Nicht viel älter als ich. Ein Lächeln erhellt sein Gesicht.

»Ich habe noch nie jemanden gesehen, der so glücklich ist, sein Essen zu bekommen«, sage ich völlig ohne Filter.

»Nun, wenn das Liefermädchen so aussieht wie du …«

Ich verenge meinen Blick und neige den Kopf. »Aha!«

Er lehnt sich gegen den großen Türrahmen, das weiße T-Shirt spannt über seinen mit Tinte bedeckten Bizepsen.

Ich schätze, wir genießen beide einen Augenfick.

Er zieht seine Unterlippe in den Mund und lässt sie langsam an seinen Zähnen streifen, bevor er spricht. »Willst du reinkommen? Ich teile.«

Und einfach so passiert das Unmögliche, mein Verstand ordnet die Dateien neu und anstatt den geheimnisvollen Mann oder Coen aus meinem Kopf zu bekommen, nehmen alle drei Männer meine Gedanken auf einmal in Beschlag.

Schon träume ich davon, die Tüte mit dem Essen fallen zu lassen, mich mit meinen Lippen an seine zu hängen und von ihm auf dem schicken Tisch hinter ihm in seinem Foyer verwöhnen zu lassen.

Aber ich kann nicht. Nicht, weil ich nicht will, sondern weil ich es mir nicht leisten kann, diesen Job zu verlieren, wenn ich eine Chance haben will, heute genug Geld für die Miete zu verdienen.

Stattdessen seufze ich und halte ihm das Essen hin. »Vielleicht beim nächsten Mal.«

Das Lächeln verschwindet aus seinem Gesicht, aber nicht ganz. »Na gut.« Er ergreift die Tüte, seine Finger gleiten an meinen entlang. »Einen Versuch warst du wert.«

Wo war er vor zwölf Stunden, als ich versuchte, mir den anderen Mann aus dem Kopf zu schlagen?

KAPITEL FÜNF – JUNE

»Zwei-dreiundzwanzig«, sagt Bram von seinem Platz hinter dem Tresen aus. »Plus. Dein Lohn.«

»Was?« Das muss ein Irrtum sein. So viel habe ich in den paar Stunden, die ich hier bin, auf keinen Fall verdient.

Er blättert durch das kleine Gerät, das ich bei meinen Lieferungen dabeihatte. »Fünf Dollar hier, sechs dort, weitere fünf, weitere …« Er hält inne, seine Augen weiten sich. »Da haben wir's. Deine erste Lieferung. Der Kunde hat dir zweihundert Dollar Trinkgeld gegeben.«

»Dollar?« Mir bleibt der Mund offen stehen.

»Ja.«

»Das kann nicht stimmen. Er muss den falschen Knopf gedrückt haben.«

Bram hält mir den Zettel hin, damit ich ihn sehen kann. »Er hat einen Smiley neben seine Unterschrift gesetzt. Ich würde sagen, er wusste, was er tat.«

Ich richte meinen Blick auf die Zeichnung und dann auf den Namen. Magnus.

Es ist seltsam passend.

»Wie auch immer.« Bram hebt die Geldkassette aus der

Kasse und holt ein paar Scheine darunter hervor. »Du hast heute gute Arbeit geleistet.« Er hält sie mir hin.

Ich mustere das Geld und dann ihn. »Das ist mehr als das, was du mir schuldest.«

»Bei Weitem nicht.« Er fügt hinzu: »Betrachte es als Willkommensbonus.«

»Bist du sicher?« Warum fühlt sich das alles viel zu gut an, um wahr zu sein? Wurde ich letzte Nacht tatsächlich auf dieser Parkbank ermordet und lebe jetzt in einem seltsamen luziden Traum?

»Natürlich.« Er bleibt völlig ernst.

»Danke.« Obwohl dieses Wort längst nicht ausdrückt, wie dankbar ich wirklich bin.

---

*D*er Rest meines Arbeitstages verlief nicht so, wie ich es mir erhofft hatte.

Als ich heute Morgen steif und verspätet aufwachte, ahnte ich schon, dass nur Dreck passieren würde. Und mit dem Geld für die Miete, Carters Scheißaktion, der kalten Dusche, gefeuert zu werden, wurden meine Sorgen bestätigt.

Aber als ich Bram traf und mir diese einmalige Gelegenheit anbot, dachte ich, dass das Universum mir zur Abwechslung wirklich hilft. Ganz zu schweigen von der heißen tätowierten Augenweide.

In Wirklichkeit wollte es mich nur mit dem Gedanken ködern, dass ich ein Wunder vollbringen könnte, ohne dass ich wirklich eine Chance hätte, es zu schaffen.

Mein zweiter Auftritt an diesem Tag fiel flach. Normalerweise verdiene ich gutes Trinkgeld, aber wegen einer blöden Baustelle auf der Straße, die es den Gästen fast unmöglich machte, hinein- oder hinauszugelangen, gab es nur ... nichts. Ganz zu schweigen davon, dass die Kunden wahrscheinlich dachten, wir hätten geschlossen. Die einzigen Leute, die hereinkamen, waren die schmutzigen Arbeiter, die Trinkgeld wie Scheiße geben und sich nicht die Mühen machen, zu verstecken, dass sie die Kellnerinnen plump anglotzen.

Bei meinem dritten Job war ich überhaupt nicht überrascht, als Jack mich nach zwei Stunden in der Bar nach Hause schickte und mir mitteilte, dass es eine ruhige Nacht sei und er es allein schaffen würde. Zuerst war ich sauer. Aber er muss auch seine Rechnungen bezahlen, und wenn die Bar kein Geld einbringt, wird keiner von uns bezahlt. Ich habe gehofft, dass der geheimnisvolle Mann auftauchen würde, wenn schon nicht, um mich auf der Toilette zu vögeln, sondern um wie immer ein fettes Trinkgeld zu geben, und ich meinem großen Ziel ein Stück näher komme.

Das ist nicht passiert. Und jetzt bin ich hier und gehe ins *Haven*, um mich mit Cora zu treffen und diesen beschissenen Tag wegzutrinken.

Meine Probleme werden auch morgen früh noch da sein, das steht fest. Heute Abend werde ich meine Sorgen ertränken und mein Bestes tun, um sie zu vergessen, wenn auch nur vorübergehend.

»Hey, Bitch!«, begrüßt mich Cora von ihrem hohen Tisch aus. Sie hält zwei Kurze und einen Krug Bier bereit, als könne sie meine Gedanken lesen, wie sehr ich mich heute Abend besaufen möchte.

»Wo ist Steff?«, frage ich und schaue mich in der lauten Bude um, um nach der feurigen Rothaarigen Ausschau zu halten.

»Sie hat gesagt, sie kommt später, sie hat da diese *Sache*.«

Ich ziehe die Augenbrauen hoch. »Oh? Ist sie heiß?«

Cora zuckt mit den Schultern, ihr blondes Haar fällt in Wellen von ihren Schultern. »Sie macht ein großes Geheimnis um diese Person. Sie muss sie mögen.«

»Wurde auch Zeit.« Ich klettere auf den Hocker neben ihr und greife nach einem der Schnapsgläser. »Ich brauche das.«

»Das sagst du doch immer.« Cora nimmt das andere Glas und hält es mir entgegen.

»Hoch die Tassen!« Ich stoße meins an ihres und achte darauf, Augenkontakt zu halten. Ich kann mir hier keinen Fluch von schlechtem Sex leisten.

Ich kippe den Inhalt des billigen Tequilas hinunter, der in meiner Kehle und Brust kribbelt. Ich schiebe einen Becher Richtung Krug, damit Cora ihn auffüllen kann. »Wie war deine Woche?«

Wir sind nicht immer die besten Freundinnen, aber wir versuchen, uns einmal in der Woche zu treffen, um uns auszutauschen. Wir haben uns schon ein paar Mal auseinandergelebt, aber nach den Ereignissen mit den zufällig ermordeten Studenten hier in der Gegend haben wir angefangen, unsere Freundschaft mehr zu schätzen.

Cora und ich kennen uns erst seit dem ersten Studienjahr, aber ich betrachte sie als eine meiner besten Freundinnen, obwohl erst ein paar Jahre vergangen sind. Sie ist einer der wenigen Menschen, die mich nicht verurteilen – zumindest nicht offensichtlich. Sie akzeptiert mich so, wie ich bin, und versucht nicht, mich zu ändern. Es hilft definitiv, dass sie einen dunklen Sinn für Humor hat, der zu meinem passt, und mich gelegentlich unter den Tisch trinken kann.

Es herrscht eine wunderbar gebrochene Dynamik, die für uns gut funktioniert.

»Bäh!« Cora füllt ihren eigenen Becher und nimmt einen kräftigen Schluck. Sie wischt sich über die Lippen und fährt fort. »Du kannst dich glücklich schätzen, dass du dieses Semester keine Kurse belegt hast.«

Glück hatte nichts damit zu tun.

Ich gehe trotzdem darauf ein. »Darauf wette ich.«

»Wie läuft es mit der Mitbewohnersache?«

Ich schüttle den Kopf. »Schrecklich. Der Kerl hat heute Morgen versucht, mich anzubaggern.«

Cora keucht und stützt ihren Kopf in die Hand, um sich auf mich zu konzentrieren. »Carter?«

»Ja.« Den Teil, dass er mein Geld gestohlen hat, lasse ich aus. Oder zumindest denke ich, dass er es getan hat.

Welche andere Erklärung könnte es dafür geben? Heather? Oder meine anderen Mitbewohner Tommy und Sadie. Die beiden verlassen ihr Zimmer so gut wie nie, nur um zu duschen, zur Arbeit zu gehen oder sich etwas zu essen zu holen, wenn es geliefert wird. Sie bleiben unter sich, und obwohl sie nicht gerade die idealen Mitbewohner sind, sind sie doch viel besser als Carter. Ehrlich gesagt wäre Heather gar nicht so schlecht, wenn sie diesen Idioten einfach loswerden würde.

»Ekelhaft!« Cora rümpft die Nase. »So ein Schwein.«

Ich fülle meinen Becher nach und wünschte, es gäbe eine Möglichkeit, unsere Schnapsgläser auf magische Weise aufzufüllen. Meine Toleranz gegenüber Alkohol hat sich in den letzten Monaten verändert, und es braucht weit mehr als das, um auch nur im Entferntesten etwas zu bewirken.

»Ich wurde heute Morgen gefeuert«, erzähle ich lässig.

»Heilige Scheiße, J. Was ist passiert?«

»Ich bin zu spät gekommen. Es war meine Schuld.« Ich schlage meine Beine übereinander und richte mich auf. »Kennst du den Laden, in dem Claire gearbeitet hat? Bram's?«

Cora wendet ihren Blick ab, als würde sie sich an eine Erin- nerung erinnern. »Ja. Drüben, wo …«

Sie beendet ihren Satz nicht, aber ich weiß, worauf sie hinaus will. Wo diese Menschen getötet wurden.

»Ja … ich habe dort einen Job.«

»Verdammt, Mädchen. Du bist aber schnell.« Sie klettert von ihrem Stuhl. »Das muss gefeiert werden oder so.«

Cora lässt mich zurück, während sie zur Bar eilt, sich einen Platz zwischen den anderen Gästen sucht und den Barkeeper anweist. Es dauert nicht lange, und sie ist auf dem Rückweg, ein Glas in jeder Hand.

»Mehr Tequila?« Sie schiebt mir einen davon zu.

Ich nehme ihn dankbar an und bemerke die Menge. Das ist definitiv mehr als ein Doppelter.

»Auf … Neuanfänge«, ruft Cora in Richtung der lauten Musik, die gerade zu spielen beginnt.

»Wenn sich eine Tür schließt, trinke Tequila!«

Cora lacht und stößt ihr Glas an meines. »Ja, das.«

Ich genieße das Brennen, das meine Kehle hinunterfließt und lade es ein, meine Sinne zu betäuben. »Willst du Billard spielen?« Ich neige meinen Kopf zu dem freigewordenen Tisch.

»Ähm, ja.« Cora schnappt sich den Krug mit dem Bier. »Nimm du die Becher!«

Ich befolge ihre Anweisungen und folge ihr zu unserem neuen Platz. Unser alter Tisch wird schnell von einem Pärchen besetzt, das auf der Suche nach einem Platz war.

Ich krame in meiner Tasche, um einen einzigen Dollar herauszuholen und Wechselgeld aus dem Automaten zu holen. Es ist nicht viel, aber wenigstens kann ich uns mit meinem begrenzten Einkommen ein wenig Unterhaltung bieten.

»Wer stößt an?«, frage ich, während ich die vier Vierteldollarmünzen in den Schlitz schiebe und die Kugeln aus ihrer Gefangenschaft befreie.

»Ich, wenn ich eine Chance haben will, zu gewinnen.«

Ich lächle und verdrehe die Augen, greife nach dem Gestell und baue die Kugeln auf. »Das ist nur, weil Alkohol mich besser und dich schlechter macht.«

»Mmh. Klar.« Cora tastet die Stöcke an der Wand ab und entscheidet sich für einen glatten roten. Sie bestäubt die Spitze mit ein wenig Kreide und pustet die Reste weg. Sie geht in Position, senkt ihren Körper und lehnt sich über den Tisch, sodass jeder Kerl seine Augen in ihre Richtung dreht.

Ich steige auf einen Hocker und warte, dass sie ihren Stoß macht.

Cora stößt die Weiße perfekt an, sodass die Kugeln über den Filztisch wirbeln und jeweils eine in den hinteren Ecken landet. »Volltreffer!«, verkündet sie und nimmt ihr nächstes Ziel ins Visier. Sie versenkt eine weitere und verfehlt die nächste, was mir die Chance gibt, aufzuholen.

»Ich dachte schon, du wolltest mit mir den Boden aufwischen.«

Ich scanne den Tisch und überlege mir schnell einen Plan. Es gibt drei einfache Stöße, aber die kann ich jederzeit versenken. Die Leute verlieren oft beim Poolbillard, weil sie das schnelle Spiel spielen, nicht das lange. Man muss in der Lage sein, vorauszusehen, wo der Queue landen wird und was man als Nächstes tun wird. Wenn man nicht vorausschauend plant, ist die Leistung oft miserabel. Ich entscheide mich für meine Kugel, versenke sie am gegenüberliegenden Ende des Tisches und bereite mich perfekt auf meinen nächsten Stoß vor. Ich loche perfekt ein und wiederhole das Ganze noch einmal. Dann stoße ich den Queue zu stark und er landet an der falschen Stelle, sodass ich versage.

Jetzt ist mein einziger Spielzug eine reine Verteidigungsaktion, bei der ich die Kugel so platziere, dass Cora keine Angriffsmöglichkeiten hat und es ihr schwerer fällt, vorwärtszukommen. Ich tippe meine Kugel an, bewege sie kaum, habe aber technisch gesehen einen legalen Schlag ausgeführt.

»Du Miststück!«, sagt sie, als sie merkt, dass ich sie um einen anständigen Zug gebracht habe.

Ich lache und hebe die Schultern. »Es war meine einzige Möglichkeit.«

»Von wegen.«

»Das war gut, das kann ich nicht leugnen.« Auf dem Weg zu meinem Platz gebe ich ihr spielerisch einen Klaps auf den

Hintern. Ich führe meinen Becher an die Lippen und trinke ihn aus, während sie überlegt, was sie tun soll.

»Du hast mich verarscht.« Cora schmollt, während sie von einer Seite des Tisches zur anderen geht. »Na schön. Ich werde das Gleiche tun.« Sie stößt die weiße Kugel an, trifft ihre um ein Haar und bringt mich in eine ziemlich miese Lage.

Aber nicht mies genug.

»Tut mir leid, buhu!« Ich neige den Schläger zur Decke und stoße ihn nach unten, sodass die Kugel kurzzeitig vom Tisch abhebt, hoch und über ihre hinweg springt, um auf meine zu prallen und die genau dorthin zu schicken, wo ich sie haben will. Ich lehne mich über die Kante, den Schläger hinter dem Rücken, und loche die nächste Kugel ebenfalls sanft ein. Ich räume den Rest der Gestreiften ab und lasse die Acht in der Ecke liegen. Ich zeige auf die Tasche, auf die ich ziele, und ohne zu zögern, versenke ich sie in ihrem Zuhause.

»Du bist buchstäblich die Schlimmste.« Cora stemmt die Hände in die Hüften und seufzt.

Ich krame einen weiteren Dollar aus meiner Tasche und gebe ihn ihr. »Anfängerglück.«

Sie winkt ab und macht sich an die Arbeit, das Wechselgeld zu holen.

Ich lasse mich auf meinen Sitz gleiten und trinke einen Schluck Bier aus meinem Becher.

Ein Schauer läuft mir über den Rücken, als ob ich beobachtet würde. Aber nicht auf eine schlechte Art. Ich scanne die Menge, bis mein Blick auf ihm landet, diesem vertrauten Grinsen und der tintengetränkten Haut. Ich stoße einen Seufzer aus, und die Stelle zwischen meinen Beinen erwärmt sich allein bei seinem Anblick.

Er stützt sich mit dem Ellbogen auf die Theke und starrt mich direkt an.

»Kennst du den Kerl?«, fragt mich Cora.

Ich schüttle den Kopf. »Nein, nicht wirklich.«

»Sieht aus, als würde er dich kennen.« Ihre Worte lallen ein wenig.

Ich springe vom Hocker.

»Wohin gehst du?«, ruft Cora mir zu.

»Ich bin gleich wieder da«, sage ich. Ich zeige auf den Tisch. »Du bist mit dem Abräumen dran.«

Ich gehe geradewegs auf ihn zu und kümmere mich überhaupt nicht um die Gruppe von Mädchen, an denen ich mich vorbeidrängen muss und die versuchen, seine Aufmerksamkeit zu bekommen.

»Magnus.« Sein Name rollt mir auf der Zunge wie Honig.

Er grinst noch breiter. »Du kennst meinen Namen.«

»Entschuldige mal!« Eines der Groupies packt mich am Arm.

Ich schüttle sie ab. »Fass mich nicht an!« Ich bin vielleicht betrunken, aber ich mache eine Schlampe fertig, wenn sie zu handgreiflich wird.

»Unhöflich«, sagt sie leise, aber nicht leise genug.

Ich drehe mich zu ihr um und betrachte ihre spärliche Kleidung und die dicke Schicht Make-up in ihrem Gesicht. Versteh mich nicht falsch, ich bin für weibliche Selbstbestimmung, aber was hier passiert, ist pure Verzweiflung und ehrlich gesagt ist es erbärmlich.

»Unhöflich ist, dass du praktisch um die Aufmerksamkeit von jemandem bettelst, der eindeutig nicht an dir interessiert ist. Ist es der Bottleservice, hinter dem du her bist? Sein Geld?« Ich zeige auf eine Gruppe älterer Männer in der Ecke. »Da drüben hättest du mehr Glück, Schätzchen.«

»Ich … ich …« Sie versucht verzweifelt, sich eine Antwort auszudenken.

»Hör zu, ich sehe Mädchen wie dich jeden Tag …«

Aber sie lässt mich nicht ausreden. Sie schimpft, macht auf dem Absatz kehrt und stürmt in Richtung Badezimmer.

»Temperamentvoll«, sagt Magnus von hinten.

»Schon möglich.« Ich sehe ihn an.

»Ich habe von dir gesprochen, nicht von ihr.« Er lehnt weiter an der Theke, seine Augen wagen es nicht, den Blick von mir abzuwenden. »Lass mich dir einen Drink ausgeben.«

Ich lache. »Das ist nicht der Grund, warum ich hergekommen bin.«

»Warum dann?« Seine Zunge fährt heraus, um seine Unterlippe zu befeuchten, und erinnert mich daran, wie sehr ich ihn vorhin bespringen wollte.

»Um dir zu sagen, dass du vorhin zu viel bezahlt hast.«

Ein zufällig vorbeikommender Gast stößt mich an und schiebt mich näher zu Magnus.

Seine Hand landet auf meiner Taille, um mich zu stabilisieren. Sein alkoholgetränkter Atem tanzt in meinem Gesicht.

»Was trinkst du da?« Ich trete zurück und entziehe mich seinem Griff.

Er hebt seinen Becher an und hält ihn mir hin. »Hier!«

Ich nehme das Glas und halte es an meine Nase. »Hawks Mark?« *Wie groß sind die Chancen?*

»Das Mädchen erkennt ihren Bourbon.« Magnus lächelt und entblößt dabei seine schönen Zähne.

Wie ist es möglich, sich so sehr zu jemandem hingezogen zu fühlen? Da ist einfach etwas mit der sprudelnden Energie, die aus ihm herausströmt. Da ist diese Dunkelheit, der böse Junge mit all den Tattoos, dann aber wiederum eine fröhliche, glückliche Seite, die all dem widerspricht.

»Das kann man wohl sagen.« Hinzu kommt die Tatsache, dass die letzten beiden Männer, mit denen ich zu tun hatte, dieselbe, ganz bestimmte, unglaublich teure Marke getrunken haben.

»Willst du einen?« Er hebt eine Augenbraue.

»Zu teuer für meinen Geldbeutel.«

Er streckt seine Hand aus, um nach dem Barkeeper zu rufen.

»Nein, das musst du nicht tun.«

Aber es ist zu spät, er hat mir bereits einen Drink bestellt. »Ich bestehe darauf.«

»Deshalb bin ich nicht hergekommen.« Das Letzte, was ich will, ist, dass er denkt, dass ich so bin wie die anderen Mädchen, die um ihn herum lauern.

Es ist nichts falsch daran, sich von Männern einen Drink spendieren zu lassen, aber die Art und Weise, wie diese Mädchen das anstellen, wirkt, als wären sie Geier, die nur darauf warten, dass sie zuschlagen können.

»Ich weiß«, sagt er selbstbewusst.

»Wirklich?«

Er wechselt das Thema. »Ich habe deinen Namen nicht verstanden.«

»Ich habe ihn nicht gesagt.«

Magnus strahlt. »Mich arbeiten lassen. Das gefällt mir.«

»Ich muss zurück zu meiner Freundin.«

»Wie wär's mit einer Wette?« Etwas Wildes funkelt in seinen blauen Augen.

»Wie bitte?«

»Spiel mit mir!« Er nickt in die Richtung, aus der ich komme. »Wenn ich gewinne, sagst du mir deinen Namen.«

Ich kichere. »Und wenn ich gewinne?«

»Wenn du dran glaubst …« Magnus zwinkert mir zu. »Du bestimmst! Dein Wunsch wird mir Befehl sein.«

Oh, da gäbe es unzähligen Dinge, die ich liebend gern von diesem Mann haben würde.

Ich strecke meine Hand aus. »Abgemacht.«

Er schlägt ein und schüttelt meine Hand kräftig und fest. Seine Berührung ist elektrisierend und ich bin bereit, die Formalitäten zu überspringen und direkt zu dem Teil überzugehen, wo wir uns gegenseitig die Kleider vom Leib reißen.

»Hat deine Freundin den gleichen Geschmack wie du?«

Es dauert eine Sekunde, bis ich merke, dass er den Alkohol meint, nicht Männer.

Beides variiert von Zeit zu Zeit.

»Einem geschenkten Gaul …«

Cora hat vielleicht mehr Geld als ich, aber wir sind immer noch verarmte Collegestudenten, die nur billigen Alkohol trinken.

»Sehr gut.« Magnus gibt dem Barkeeper erneut ein Zeichen. »Hier.« Er gibt mir den teuren Drink, den er für mich bestellt hat. »Ich treffe dich dort drüben.«

Ich nehme sie ihm ab und mache mich auf den Weg zurück durch die Menge und zu einer ungeduldig wartenden Cora.

»Was zum Teufel sollte das?«, fragt sie mich, sobald ich nah genug bin. »Was ist das?«

»Ähm, also …« Ich halte ihr das Getränk hin. »Er lädt uns ein. Und er hat mich zu einer Partie Billard herausgefordert.«

»Was ist der Wetteinsatz?« Sie nimmt mir das Glas ab, riecht an dem Inhalt und nippt daran. »Verdammt, ist das lecker.«

Weil es hundert Dollar pro Shot kostet.

Ich werfe einen Blick über die Schulter und beobachte, wie er sich nähert. »Wenn er gewinnt, verrate ich ihm meinen Namen.«

Cora lacht. »Ernsthaft?« Sie klettert auf den Stuhl und schwenkt das Glas in ihrer Hand. »Ich bin dabei.« Sie beugt sich vor. »Was bekommst du, wenn er verliert?«

Ich lächle und vertraue darauf, dass ich ihn besiegen werde. »Ich habe mich noch nicht entschieden.«

»Oh, das wird interessant.«

»Prinzessin.« Magnus gibt mir meinen Drink.

»Wie bitte, was?« Ich schüttle den Kopf. »Auf keinen Fall.«

Er greift nach mir und wickelt eine Haarsträhne um seinen Finger. »Du willst mir deinen Namen nicht sagen, wie soll ich dich sonst nennen?« Er streicht mit dem Daumen über meine Wange. »Es ist doch passend. Findest du nicht?«

»Wohl kaum.« Ich blicke ihn unter meinen Wimpern an.

Er wendet sich an Cora. »Hallo, Freundin der Prinzessin. Ich bin Magnus.«

»Cora.« Sie hält ihr Glas hoch. »Danke für den hier. Er ist köstlich.«

»Natürlich.«

Ich beäuge das Getränk in meiner Hand. »Woher weiß ich, dass du uns nicht was ins Glas gemischt hast?«

»Tust du nicht.« Er nimmt es mir ab, presst seine Lippen auf den Rand und nippt daran. »Aber wenn ich es getan hätte, würden wir jetzt zusammen betäubt werden.«

Ich erschaudere beim Anblick seines verführerischen Mundes auf dem Glas und wünschte, er würde sich stattdessen an meinen Körper pressen.

»Sollen wir?« Er deutet zum Billardtisch.

»Hast du es eilig, dass ich dir in den Arsch trete?« Ich grinse ihn an und warte auf eine klugscheißerische Antwort, von der ich genau weiß, dass sie kommt.

»Eingebildete kleine Gans, was?«

»Hast du Angst?« Ich genieße den Geschmack des Bourbons und stelle das Glas neben das von Cora, bevor ich an ihm vorbeischreite und meinen Queue nehme.

»Niemals.«

Und mit diesem einen Wort sagt er so viel mehr. Es gibt eine Dunkelheit in ihm, die unter der Oberfläche schwebt, und ich brenne darauf, sie zu erforschen.

»Nur zu, Prinzessin.« Er geht an mir vorbei, um seinen eigenen Queue von der Wand zu greifen.

»Du wirst es noch bereuen, dass du mich so nennst«, flüstere ich, als ich um ihn herumgehe.

»Führe mich nicht in Versuchung.« Er dreht sich, um meinen ersten Stoß zu beobachten.

Ich stelle mich in Position und beobachte ihn eine Sekunde lang, bevor ich die vordere Kugel mit Kraft anstoße. Es gibt ein donnerndes Geräusch und die Kugeln fliegen über den Tisch, aber keine von ihnen landet in einer Tasche.

Fuck! Das passiert mir nie.

Wenn ich einmal wirklich gewinnen muss, spiele ich natürlich ein Scheißspiel.

Ich bleibe trotzdem ruhig, gehe zu Cora hinüber und nippe an meinem Drink.

»Was zum Teufel, J?« Sie spricht so leise, dass nur ich sie hören kann.

»Das ist schon okay.« Vielleicht beeinträchtigt der Alkohol meine Fähigkeiten wirklich negativ.

Magnus zieht eine Augenbraue hoch und grinst dümmlich, als würde er das ausnutzen wollen. »Ich werde nachsichtig mit dir sein, Prinzessin.«

»Ich wünschte, das würdest du nicht.« Oh, warte, habe ich das laut gesagt?

Er gleitet zur Seite und versenkt ohne große Anstrengung zwei von den Vollen hintereinander. Ich studiere die Formen, die sein mit Tinte verzierter Körper bei jeder Bewegung annimmt, und wünsche mir, er würde mich so halten wie diesen Tisch.

Magnus lässt sich bei der dritten Kugel Zeit, schafft es aber auch, sie zu versenken und positioniert sich perfekt für die vierte. Doch anstatt sie einzulochen, berührt der Ball den Rand der Tasche und springt zur Seite weg. Das hat er von seinem überschwänglichen Selbstbewusstsein. Seine Kiefer spannen sich an, aber viel mehr gibt er nicht preis. »Du bist dran, Prinzessin.«

Seine Beharrlichkeit mit dem Kosenamen ist ein schwacher Versuch, mir unter die Haut zu gehen. Das ärgert mich, aber nicht genug, um mir den Wunsch, ihn zu besiegen, zu nehmen.

Ich analysiere meine Optionen, spiele sie im Geiste durch und entscheide mich für die beste Strategie. Die sicherste und aggressivste, die ich anwenden kann.

Magnus tritt von hinten an mich heran, legt seine Hand auf

meine Taille und beugt sich hinunter, um mir ins Ohr zu flüstern. »Brauchst du Hilfe?«

Ich drehe mich um und schaue zu ihm auf, sein wunderschönes Gesicht ist nur einen Atemzug von meinem entfernt. »Ich könnte dich das Gleiche fragen.«

Für eine winzige Sekunde gibt es nur ihn und mich und sonst niemanden. Nicht die laute Musik, die im Hintergrund dröhnt, oder die aufdringlichen Augen der Betrunkenen. Nicht einmal Cora, von der ich weiß, dass sie uns aufmerksam von ihrem Platz aus beobachtet – nur ein paar Meter von uns und halb betrunken. Ich fühle mich auf seltsame Weise zu ihm hingezogen, und ich kann es nicht wirklich erklären.

Es entspricht nicht meiner Natur, mich in einen Mann zu verlieben. Geschweige denn in drei Männer. Und das innerhalb von ein paar Tagen.

Magnus streicht mit seinen Lippen über meine Wange. »Versuch lieber dein Schlechtestes, Prinzessin.« Er tritt zurück und lässt mir Platz, damit ich loslegen kann.

Und das tue ich.

Er dachte, er würde mich mit seiner Verführung verwirren, aber alles, was er getan hat, war, meinen Fokus zu schärfen.

Ich versenke die erste Kugel mit Leichtigkeit. Dann die zweite. Und die dritte. Jedes Mal flackert mein Blick zu ihm hinüber. Eine stille Erinnerung daran, wer hier die Hosen anhat. Ich schwebe um den Tisch herum und achte darauf, dass ich langsam mache und alles durchdenke, bevor ich handle. Die vierte loche ich ein und beobachte, wie Magnus von seinem Platz neben Cora aus blinzelt, als ob er endlich begreifen würde, dass er seinen Meister gefunden hat.

Cora lächelt wie eine stolze Mutter, die ihr Kind gewinnen sieht – was auch immer es ist, das Kinder spielen. Vielleicht ist es auch die große Menge Alkohol, die durch ihre Adern fließt, die ihre Wangen erröten lässt und ihr ein Dauergrinsen aufs Gesicht zaubert.

Ich fahre fort, meine Kugeln abzuräumen, ohne auch nur eine Sekunde an meinen Fähigkeiten zu zweifeln. »Die Acht. Ecke.« Ich spiele über die Bande. Das ist etwas provokanter, als ich normalerweise spielen würde, aber ich mache es trotzdem, einfach, weil ich es kann. Die schwarze Kugel fällt in die richtige Tasche und ich halte den Atem an, als ich sehe, wie gefährlich nahe die weiße Kugel daran ist und droht hinterherzufallen.

Die Zeit verlangsamt sich und ich warte darauf, dass sie aufhört, sich zu bewegen.

Magnus beugt sich hinunter und pustet dramatisch auf den Ball.

»Hey, das ist Betrug!« Ich packe seinen Arm und ziehe ihn weg.

»Du willst über Betrug reden?« Er zieht die Brauen hoch. »Das war eine Hoodoo-Scheiße, wie ich sie noch nie gesehen habe.«

»Ich habe fair und anständig gewonnen, und das weißt du auch. Sei kein schlechter Verlierer!«

Magnus lehnt sich gegen den Tisch und fährt sich mit den Fingern durch das Haar. Tattoos schmücken die Oberseite seiner Hände und jeden einzelnen Finger. Ich bemühe mich, sie zu erkennen, aber wenn er nicht stillhält, kann ich sie nicht genau zuordnen.

»Ich sag's dir, Prinzessin. Du könntest mit dem Billardspielen ein hübsches Sümmchen verdienen.«

Ich zeige auf das Schild in der Nähe der Queues, auf dem steht, dass Geldwetten nicht erlaubt sind. Nur Freundschaftswetten, wie zum Beispiel jemandem ein Bier ausgeben zu müssen … oder ihm seinen Namen zu sagen.

Magnus rollt mit den Augen. »Das heißt gar nichts. Es gibt viele andere Orte, an denen die Leute einen Haufen Geld setzen.«

Cora schlendert zu uns und taumelt ein wenig. »Ihr zwei

seid einfach … hinreißend. Hier!« Sie schiebt uns beide Getränke gegen die Brust und fällt dabei fast um.

Magnus und ich reichen ihr gleichzeitig die Hand, um sie zu stützen.

»Moment mal, Leichtgewicht.«

Sie lehnt ihren Kopf an meine Schulter. »Ich liebe dich, Juney B.«

Magnus neigt seinen Kopf zur Seite und sieht mich an. »Juney B?«

Ich nehme einen Schluck von meinem Bourbon und klopfe Cora auf die Schulter. »Sie ist betrunken.«

»Bin ich nicht«, protestiert Cora.

»Scchh. Na na, Süße.« Ich bemerke eine Gruppe von Mädchen, die den Billardtisch anstarren, als ob sie spielen wollten. »Hey, lass sie uns von hier wegbringen.«

Bevor ich meinen Arm um sie legen kann, übernimmt Magnus die Kontrolle und steuert sie zu dem Tisch, an dem wir saßen.

»Ich habe einen Wagen«, sagt er. »Ich könnte sie von meinem Fahrer nach Hause bringen lassen.«

»Das klingt wie der Anfang eines Horrorfilms, in dem meine beste Freundin ermordet wird und ich das nächste Opfer bin.«

»Du hast Vertrauensprobleme, was?«

»So offensichtlich?« Ich sehe den leeren Krug Bier und Coras ebenso leeres Glas. »Mädchen, hast du das alles selbst getrunken?«

Sie hebt den Kopf, ihre Augenlider hängen. »Ich war durstig.«

Kein Wunder, dass sie sturzbetrunken ist.

»Cor«, beruhige ich sie, damit sie mich anschaut. »Hast du heute schon was gegessen?«

Sie murmelt etwas Unverständliches.

»Ich muss ihr etwas zu essen geben, damit sie wieder nüchtern wird.«

Magnus nickt. »Ja, auf jeden Fall. Pizza? Wir könnten sie bei mir bestellen, da gibt es einen guten Laden, nur einen Block entfernt.«

Ich werfe ihm einen strengen Blick zu.

Er wirft seine tätowierten Arme in die Luft. »Harmlos, im Ernst. Ich versuche nur zu helfen. Du musst mir nicht mal deinen richtigen Namen sagen.«

Ich atme tief durch. Es ist ja nicht so, dass ich nicht schon wüsste, wo er wohnt. Und die Nachbarschaft ist ziemlich anständig. Was für eine Freundin wäre ich denn, wenn ich sie in diesem Zustand bei ihren Eltern abliefern würde? Und sie in meine Wohnung zu bringen, kommt auch nicht infrage. Ich würde es Carter zutrauen, dass er sich an sie ranmacht, während sie betrunken ist. Verdammter Schleimscheißer!

Die beste Option steht vor mir, einen Meter achtzig groß, ein absoluter Traummann mit babyblauen Augen und dieser unwiderstehlichen Bad-Boy-Ästhetik, der eigentlich ein charmanter Schatz ist.

»Gut«, sage ich schließlich. »Aber ich werde dir in den Arsch treten, wenn du was versuchst.« Ich sorge mich nicht um mich, sondern um Cora. Wenn ihr etwas zustößt, würde ich mir das nie verzeihen.

Ich hingegen wurde gebrochen geboren. Mich kann nichts mehr umhauen.

»Ich würde nichts anderes erwarten.« Magnus legt seinen Arm um Cora und hebt sie vom Stuhl. »Kannst du laufen?«

»Ja.« Cora stellt sich aufrecht hin, blinzelt wild und schaut sich um. »Hat da jemand Pizza gesagt?« Sie bahnt sich einen Weg durch eine Gruppe von Menschen und lässt uns zurück.

Magnus ergreift meine Hand, wickelt seine Finger um meine und zieht mich mit sich.

Es kommt mir vor, als würden die Mädchen, die gehofft hatten, ihn heute Abend abschießen zu können, kollektiv aufstöhnen. Ist ihm klar, dass er sich jede der Frauen und wahrscheinlich auch einige der Männer in dieser Bar hätte aussuchen können? Warum ist er auf mich fixiert?

Ich meine, versteh mich nicht falsch, ich bin ein heißer Feger, aber ich bin nichts Besonderes im großen Allgemeinen.

Ich folge den beiden zur Vordertür hinaus und genieße die frische Luft.

»Cora«, Magnus lässt mich los und hält sie davon ab, in die falsche Richtung zu gehen. »Hier lang!« Er führt sie sanft zurück in die richtige Richtung, zu einem wartenden verdunkelten Geländewagen.

Der Motor springt an, als wir uns ihm nähern.

»Äh, das ist überhaupt nicht unheimlich.« Ich schaue zwischen ihm und dem Fahrzeug hin und her. »Bist du bei der Mafia oder so?«

Magnus lacht. »Oder so.«

Er öffnet die Hintertür und Cora klettert ohne zu fragen hinein.

»Nach dir, Prinzessin!« Er streckt mir seine Hand entgegen.

Ich bewege mich nicht und schaue in sein furchtbar wunderschönes Gesicht. »Ich weiß, was ich mir für den Gewinn beim Billard wünsche.«

Er streicht mir eine Strähne hinters Ohr. »Alles, was du willst.«

»Hör auf, mich Prinzessin zu nennen!«

Magnus rümpft die Nase. »Alles, nur *das* nicht.«

»Wie bitte?«

»Ein Auto, ein Haus, eine Reise zum Mond, aber das bekommst du nicht.«

»Du bist ehrlich das Letzte.« Ich starre ihn an.

Seine Lippen verziehen sich zu einem Grinsen. »Und doch steigst du gerade in meinen Wagen.«

Ich klettere hinein. »Ich habe schon dümmere Dinge getan.«

»Noch mal, ich habe nichts anderes erwartet.« Magnus setzt sich neben mich und schließt die Tür. »Nach Hause«, sagt er zu dem Fahrer, der sich hinter der Trennwand versteckt. »Glaubst du, sie kotzt gleich?«

Ich sehe zu der schönen Blondine, die ihren Kopf gegen das Fenster lehnt. »Ich hoffe nicht.«

Der sexy Mann, der nur wenige Zentimeter von mir entfernt sitzt, holt sein Handy aus der Tasche und drückt ein paar Tasten. »Was willst du auf der Pizza?«

»Ananas«, verkündet Cora munter.

Magnus wiegt den Kopf und fährt mit dem Finger über den Bildschirm. »Was noch?«

»Ananas«, sagt sie wieder.

Er stößt mich mit dem Ellbogen an. »Was willst du?«

»Was immer du anzubieten hast.« Ich habe nicht beabsichtigt, es so sexuell klingen zu lassen, aber die Art und Weise, wie seine saphirfarbenen Augen meine treffen, genügt, um eine Million erotischer Gedanken auf einmal durch meinen Kopf zu jagen.

Ein kleiner Teil von mir denkt, dass er die gleichen verdammten Gedanken hat.

Wir fahren die kurze Strecke zu dem Haus, zu dem ich heute Morgen das Essen geliefert habe, nur fahren wir nicht wie ich von vorn hinein, sondern um die Rückseite herum und kommen durch einen abgegrenzten Bereich, der zu einer Garage hinter seinem Haus führt.

Ja, er wird uns definitiv umbringen. Die Frage ist, warum er sich die Mühe macht, uns ein spätabendliches Essen zu bestellen. Vielleicht ist es eine List oder ein krankes Spiel, das er spielt, bevor er seine Opfer tötet.

Na ja, es war lustig, solange es dauerte. Ich schätze, wenn ich vollgepumpt mit teurem Bourbon und fettiger Pizza durch seine Hände sterben muss, ist das keine schlechte Art zu sterben.

KAPITEL SECHS – JUNE

»Ich werde dich nicht umbringen.« Magnus stößt gegen meine Rippen.

»Was, du kannst jetzt auch Gedanken lesen?«

»Nein, aber ich lese Menschen. Und dein Kopf ist ein offenes Buch.« Er rutscht auf seinem Sitz hin und her. »Apropos, spielst du Poker?«

»Texas Hold'em?«

»Ja.«

Ich zucke mit den Schultern. »Ein wenig.«

»Oh, ich würde dich gern mal mitnehmen. Die Jungs wüssten gar nicht, wie ihnen geschieht.«

Unser Geländewagen kommt zum Stehen, die Türen entriegeln sich.

Hat er mich gerade irgendwie nach einem Date gefragt? Irgendwann in Zukunft? Ich habe nichts mit Dates oder der Zukunft am Hut. Als Freunde, vielleicht. Aber mehr nicht. Wenn er versucht, Pläne zu machen, muss ich das streng platonisch halten. Wie soll ich das hinkriegen, wenn er neben mir sitzt und *so* aussieht?

Er riecht sogar sexy, nach Zedernholz und dem Bourbon in seinem Atem.

Magnus springt seitlich heraus und hält mir die Hand hin. »Prinzessin.«

Ich schlage seine Hand weg und schüttle meine schlafende Freundin. »Cora, wach auf, wir sind da.«

Sie holt tief Luft und blickt sich wild um. »Wo ist da?«

»Magnus' Haus. Er wird uns mit Essen versorgen und uns über Nacht aufnehmen.«

»Bei dir hört sich das an, als hätte ich ein paar wilde Katzen aufgegabelt.« Magnus wartet vor der Tür auf uns, den Arm auf das Dach gestützt, sodass seine tätowierte Haut zum Vorschein kommt.

June, du schaffst das!

Ich denke sofort daran, ihm das T-Shirt über den Kopf zu ziehen und mit den Fingern über seine Brust zu fahren, um dann seine schwarze Jeans aufzuknöpfen und zu enthüllen, womit er so arbeitet.

»Oder vielleicht habe ich das sogar.« Magnus zwinkert und erinnert mich an die Sache mit dem Lesen von Menschen, die er erwähnt hat.

Ups.

»Moment, hatte nicht jemand was von Pizza gesagt?« Cora tastet nach dem Griff ihrer Tür, reißt sie auf und stolpert hinaus.

»Nimmst du immer Streuner mit nach Hause?«, frage ich Magnus, während ich Cora hinterher klettere.

»Normalerweise nicht, es ist eigentlich gegen die Hausordnung.« Er hält Cora und zeigt ihr den Weg zum Eingang seines Hauses.

Regeln sind dazu da, um gebrochen zu werden.

Magnus legt seine Hand auf meinen Rücken und führt mich ebenfalls. »Regeln sind dazu da, um gebrochen zu werden.«

Ein Schauer läuft mir über den Rücken, sowohl von seiner

Berührung als auch von der Wiederholung genau der Worte, die mir nur Sekunden vor seiner Berührung durch meinen Kopf gingen.

»Heilige Scheiße!« Coras Mund bleibt offen stehen und sie wendet sich Magnus zu. »Ich glaube, wir sind im falschen Haus.«

Er lacht nur und führt uns durch einen Flur in einen riesigen offenen Bereich. Ein gigantisches Wohnzimmer mit einer Couch, die größer ist als alles, was ich je gesehen habe, und einem Fernseher, der zum Gesamtthema passt. *Wennschon, dennschon!*

Ich bemerke Magnus' Nervosität, als wäre ihm sein Heim peinlich, und widme mich mehr ihm als der Größe seiner Wohnung.

»Diese Küche ist …«, Cora fährt mit dem Finger über eine riesige Granit- oder Marmorplatte, ich kann den Unterschied nicht erkennen, »der Traum einer jeden Hausfrau.«

»Oder jedes Hausmannes«, füge ich hinzu.

»Hauspartner.« Sie dreht sich um und nimmt alles in sich auf.

Magnus hält neben mir inne, sein Arm berührt meinen fast.

Ich lehne mich sanft an ihn und schaue in sein Gesicht, denn der Alkohol der Nacht lässt meinen Kopf ein wenig schwirren.

Aber verdammt, ist er hübsch. Auf Photoshop-Art.

Irgendwo in der Ferne ertönt ein Piepton, der mich in die Realität zurückholt.

»Bin gleich wieder da.« Magnus zeigt auf Cora. »Lasst sie nicht an die Waffen.«

»Waffen?«, rufe ich ihm hinterher.

Cora schlendert zu mir und setzt sich auf einen der Hocker, die unter dem Tresen versteckt sind. Sie stützt ihren Kopf auf ihre Hand und tätschelt den Platz neben sich.

Ich gehe zu ihr und streiche ihr die wilden Wellen hinter die Ohren. »Du bist ein Wrack.«

Sie zeigt mir ein Grinsen. »Ich weiß.«

»Was machen wir hier, Cor?«

»Hör mal, J., wenn ich nicht so betrunken wäre, würde ich wahrscheinlich das Gleiche fragen. Aber ich bin es, und es ist schön hier.« Sie dreht sich einmal um ihre eigene Achse und sieht sich um. »Bitte heirate diesen Mann!«

»Geld ist nicht alles, Cora.«

Sie dreht sich wieder zu mir und sieht mich an. »Du hast recht, das ist es nicht. Aber hast du ihn gesehen? Ihn reden gehört? Beobachtet, wie er geht? Hast du bemerkt, wie verdammt süß er zu dir ist? Er ist ein verdammter Gentleman, J. Viel besser als all die anderen Blödmänner, mit denen du deine Zeit verbringst.«

»Touché!«

»Jaja, du führst keine Beziehungen. Wie auch immer. Du wärst verrückt, wenn du ihm nicht wenigstens eine Chance gibst.«

Schritte ertönen auf dem Hartholzboden und Magnus erscheint eine Sekunde später mit zwei Kartons in der Hand.

»Das riecht himmlisch.« Cora sabbert fast beim Anblick von Essen.

»Meine Ohren haben geklingelt.« Magnus stellt die Kartons auf den Tresen und geht in die Küche, um ein paar Teller zu holen.

»Kann ich helfen?«

»Geht schon, Prinzessin. Setz dich einfach hin und mach's dir bequem!« Er öffnet die Tür des großen Kühlschranks. »Wasser, Tee, Limonade …« Magnus wirft einen Blick auf Cora und dann auf mich. »Bier?«

»Wasser ist toll. Für uns beide. Danke.«

Cora sieht mich von der Seite an, ist dann aber mehr damit beschäftigt, ein Stück Pizza aus dem Karton zu ziehen, als mit mir über die Wahl der Getränke zu streiten.

Das Mädchen braucht Flüssigkeit, nicht noch mehr Alkohol.

Magnus schiebt die Flaschen über den Tresen zu mir und nimmt den Platz zu meiner Rechten ein. Er schnappt sich einen Teller und zeigt auf die beiden offenen Kartons. »Welche willst du?«

»Ich kann mir selbst nehmen.«

»Das ist mir bewusst. Möchtest du selbst entscheiden oder soll ich?«

Ich werfe ihm einen strengen Blick zu und greife nach meinem Teller.

»Von beiden.« Magnus legt die größten Stücke aus beiden Schachteln auf meinen Teller und stellt ihn vor mich hin. »Das war doch gar nicht so schwer.«

»Sie hasst es, wenn Leute etwas für sie tun«, sagt Cora mit einem Bissen Ananas-Pizza.

»Das habe ich bemerkt.« Magnus nimmt sich von jedem ein Stück und wischt seine Finger an einer Serviette ab. »Willst du allein essen oder soll ich dich füttern?«

Ich seufze und nehme einen Bissen, wobei ich mein Bestes gebe, um zu verbergen, dass es verdammt lecker ist.

»Braves Mädchen.«

Das Gleiche hatte der geheimnisvolle Kerl zu mir im Badezimmer gesagt, bevor er mich besinnungslos gevögelt hat.

Was zum Teufel ist hier los? Warum erinnern sie mich alle auf seltsame Weise aneinander? Und warum gefällt mir das so sehr?

Das wird nicht gut enden. Nicht für mich. Nicht für sie. Für keinen von uns.

Wir essen ein paar Minuten lang schweigend, das einzige Geräusch neben unserem Kauen ist leise Musik, die im ganzen Haus erklingt.

»Was ist das?« Ich zeige auf die Decke. »Dieses Geräusch.«

Magnus schluckt den Bissen in seinem Mund hinunter, bevor er spricht. »Stimmungsmusik. Hauptsächlich Klavier. Soll ich es ändern?« Er greift nach seinem Telefon.

Ich halte ihn auf und lege meine Hand auf seinen Arm. »Nein. Es ist schön.«

»Friedlich.« Sein blauer Blick trifft den meinen.

»Ja.«

Cora räuspert sich. »Ich glaube, ich lasse euch zwei jetzt allein.« Sie deutet mit dem Daumen auf das Wohnzimmer.

»Kann ich auf der Couch schlafen?«

Magnus steht auf, sein Stuhl rutscht hinter ihm weg. »Nein, du kannst in einem der Gästezimmer schlafen.«

Natürlich hat er *mehrere.*

»Ich bin gleich wieder da, Prinzessin.«

Es hört sich langsam mehr nach einem passenden Namen für mich an als nach einer Möglichkeit, mir unter die Haut zu gehen. Ich sollte ihm einfach meinen richtigen Namen nennen, aber das würde bedeuten, ihm ein weiteres Stück von mir zu geben, das ich nicht zurücknehmen kann. Ich bin mir nicht sicher, ob ich dazu bereit bin.

Es ist nicht so, dass ich etwas dagegen hätte, ihm meinen Namen zu sagen. Ich meine, er kennt bereits einen der Orte, an denen ich arbeite, was es ihm relativ leicht machen würde, mich ausfindig zu machen, wenn er das wollte. Ich schätze, dass ich immer versuche, es den Leuten zu erschweren, mich zu finden, wenn wir unserer Wege gehen. Je weniger Informationen ich ihnen gebe, desto unwahrscheinlicher ist es, dass sie mich in den sozialen Medien finden oder mich aufspüren und versuchen, in meiner Nähe zu bleiben. Ich will nichts Langfristiges. Das habe ich nie getan. Es ist anstrengend, Leute wiederholt zu blockieren, wenn sie sich weigern, es nur platonisch zu halten.

Ladys, wenn ihr einen festen Freund wollt, tut so, als ob ihr *keinen* wollt. Dann lassen sie dich nicht in Ruhe.

Es ist eine Art Wissenschaft. Sie wollen, was sie nicht haben können.

Ich garantiere, dass sie in dem Moment, in dem ich meine

Taktik ändere, alle weglaufen würden. Ich tue also allen Beteiligten einen Gefallen, wenn ich mich unnahbar verhalte.

»Hast du mich vermisst?« Magnus rutscht wieder auf den Sitz neben mir.

»Das hättest du wohl gern.« Ich nippe an dem Wasser, das er mir gegeben hat, werfe einen Blick auf die fremde Flasche und stelle sie ab.

Es überrascht mich überhaupt nicht, dass so fancy Wasser trinkt.

»Cora hat sich eingerichtet, im *Himmel*, sagt sie.« Er verwendet sogar Anführungszeichen, um das Wort zu präzisieren.

»Sie kommt aus einfachen Verhältnissen und kann sich daher leicht für glänzende Dinge begeistern. Coras einzige Rettung ist, dass ihre Eltern noch zusammen sind, was trotz ihrer finanziellen Situation eine gewisse Stabilität in ihrem Leben bedeutet.«

Ihre Mutter ist Krankenschwester und arbeitet viel im Krankenhaus, und ihr Vater wurde vor Kurzem gefeuert, wo er wer weiß was gemacht hat. In ihrem Haus herrscht viel Stress, aber es ist trotzdem völlig anders als alles, was ich bisher kannte.

Meine Mutter starb, als ich zwei Jahre alt war. Mein Vater war ein brüllender Chaot, der seinen Kummer in jedem Laster ertränkte, das er in die Finger bekam. Er war kein Säufer, der fies wurde, aber einer, der vernachlässigte. Ich habe mich nie darauf gefreut, nach Hause zu gehen, was in Anbetracht meiner derzeitigen Lebenssituation seltsam ist. Ich fühle mich wohl zu unsicheren und unbeständigen Umgebungen hingezogen.

»Ich auch«, sagt Magnus leise. »Ich bin ohne Geld aufgewachsen, deshalb ist das hier«, er deutet mit seinem Pizzastück auf den Raum um uns herum, »seltsam für mich. Es ist schön und so, versteh mich nicht falsch. Aber es ist unheimlich ungemütlich, falls das Sinn ergibt.«

»Ja, das tut es.« Ich schiebe meinen Teller zur Seite und lege meine Serviette darauf. Ich möchte Fragen stellen, herausfinden, wie er sich zu dieser Version von sich selbst entwickelt hat, woher sein Reichtum kommt. Aber ich halte meinen Mund, denn so bleiben die Gefühle, wie sie sind. Je mehr Schichten man abschält und freilegt, desto größer ist die Chance, mit jemandem auf einer emotionaleren Ebene in Kontakt zu treten.

Die einzige Möglichkeit, dies zu vermeiden, besteht darin, diese Mauern aufrechtzuerhalten und sich zu weigern, sie jemals fallen zu lassen.

»Was ist mit dir?«

Scheiße, ich wusste, dass das kommen würde – diese ganze Sache, dass er mich kennenlernen will.

»Was ist mit mir?«

»Warum tust du das?«

Seine Frage überrascht mich. »Was tun?«

»Ablenken.«

»Ich weiß es nicht«, lüge ich und rutsche auf meinem Sitz ein wenig hin und her.

Er reibt mit dem Finger unter seinem Kinn. »Du vergisst, dass ich dich durchschauen kann.«

»Ach? Dann sag mir, was du siehst!« Ich verschränke die Arme vor der Brust.

»Das, genau das.« Er zeigt auf meine verschränkten Arme. »Ein Zeichen dafür, dass du dir Sorgen machst, ich könnte hier tatsächlich etwas herausfinden. Du hältst mich auf Abstand, auch wenn du es unbewusst tust.«

Ich löse die Arme und lege sie auf meinen Schoß. »Tue ich nicht.«

Er starrt mir in die Augen, als würde er direkt in meine Seele blicken. »Du hast eine quälende Vergangenheit, die dich bis in deine Gegenwart verfolgt. Du vertraust niemandem. Du vertraust dir selbst kaum. Wenn ich raten müsste, würde ich sagen, weil dich jemand verlassen hat. Jemand, dem du dich geöffnet hast. Und deshalb weigerst du dich, dich jemals wieder so fühlen zu lassen. Es tat weh. Und du würdest alles tun, um das nie wieder zu erleben. Selbst wenn das bedeutet, dass du alle auf Abstand hältst und Leute wegstößt.«

Mein Herz klopft wie wild in meiner Brust und ich versuche, es dazu zu bringen, sich zu beruhigen, anstatt ihm noch mehr Einblicke zu gewähren.

»Das kann ich dir nicht verübeln.« Seine Gesichtszüge und seine Stimme werden weicher. »Es ist lobenswert, wirklich. Die Willenskraft zu haben, diese Mauern zu errichten und aufrechtzuerhalten.«

Ich sage nichts. Zu groß ist die Angst, dass das, was er sagt, wahr ist. Wenn ich es nicht besser wüsste, würde ich darauf wetten, dass er aus Erfahrung spricht, aber vielleicht ist er wirklich so gut im Lesen von Menschen.

»Nicht jeder wird gehen. Nicht jeder ist ein schlechter Mensch.«

»Bei dir mache ich mir da wenig Sorgen.« Ich hasse es, dass ich die Worte nicht aufhalten kann, bevor sie meinen Mund verlassen.

»Oh, Prinzessin. Du bist weit davon entfernt, ein schlechter Mensch zu sein.«

Er kann ja nicht wissen, dass ich noch nie in meinem Leben ein guter Mensch war. »Du irrst dich«, sage ich ihm mit wenig Überzeugung.

»Beweise es!«

Wie kann ich etwas beweisen, was er bereits sieht? Warum sollte ich diesen völlig Fremden an mich heranlassen, wenn ich mich bei allen anderen immer wieder geweigert habe?

»Oder auch nicht, das ist auch in Ordnung.« Magnus bricht den Blickkontakt ab und nimmt ein kleines Stück von mir mit, das ich ihm nicht geben wollte.

Was war das? Die flüchtige Möglichkeit einer Verbindung?

Ich presse meine Kiefer zusammen und hasse mich dafür, dass ich es mir so verdammt schwermache.

»June.« Ich halte inne. »Mein Name ist June.«

Magnus wendet sich mir zu und streichelt über meine Wange.

Fuck, was habe ich getan?

»June.« Er testet meinen Namen auf seiner Zunge. »Es ist schön, dich endlich kennenzulernen.« Er streift mit dem Daumen über meine Unterlippe und zieht sanft daran. »Ich würde dich gern küssen.«

Ich beuge mich vor, um keine Zeit mehr zu verlieren, und drücke meinen Mund auf seinen. Etwas, das ich von der ersten Sekunde an tun wollte und das sich mit jedem weiteren Moment intensiviert hat.

Scheiß auf Freundschaft, ich will diesen Mann und ich will ihn jetzt.

Er schlingt seine starken Hände um meine Wangen und vertieft den Kuss, um meiner Intensität zu entsprechen.

Ich klettere von meinem Stuhl auf seinen Schoß, rittlings auf ihn und spüre, wie sehr er mich auch will. Ich lehne mich gegen ihn und drücke meinen Schritt gegen seine wachsende Erektion.

Er stöhnt in meinen Mund und zieht mich näher zu sich heran, fährt mit den Fingerspitzen über meinen Rücken, schlüpft unter mein Shirt, und seine Haut auf meiner setzt jeden Nerv in meinem Körper in Brand.

Ich greife an den Saum seines T-Shirts und ziehe es ihm mit einem Ruck über den Kopf, wobei ich den Kontakt unserer Lippen nur so lange unterbreche, dass ich ihm das Oberteil ausziehen kann, und stelle fest, dass die Tinte auch seinen gesamten Oberkörper bedeckt.

»Halt dich fest, Prinzessin!« Magnus steht mit mir auf, lässt mich auf die Kante der Theke fallen und platziert sich zwischen meinen Beinen.

Unsere Zungen tanzen in einem Rausch aus Lust und Leidenschaft.

Er bahnt sich einen Weg von meinen Lippen zu meinem Hals, knabbert an meinem Schlüsselbein und zieht mein Shirt nach unten, um einen Blick auf meinen Nippel zu erhaschen, befreit ihn, bevor er ihn zwischen seine Zähne nimmt. Magnus saugt an der empfindlichen Stelle und fährt mit seiner Hand meinen Oberschenkel hinauf, wobei er seinen Daumen unter den Stoff meiner Shorts schiebt.

Mein Körper erwacht auf eine Weise zum Leben, von der ich nicht wusste, dass ich sie nach meiner letzten sexuellen Begegnung mit dem geheimnisvollen Mann aus der Bar noch einmal erleben würde.

Ich knöpfe meine Shorts auf, weil ich unbedingt spüren will, dass er mich unter meiner Kleidung berührt.

»Lehn dich zurück!« Er greift an den Bund und zieht sie zusammen mit meinem Höschen über meinen Hintern, sodass ich völlig entblößt auf dem kalten exquisiten Stein liege.

Ich stütze mich auf die Ellbogen und beobachte, wie er von meinem Knie bis zu der Stelle leckt, an der die verblasste Linie der letztjährigen Bräune kaum noch zu sehen ist.

»Das«, er zupft an der dreieckigen Haarpartie, die ich wild wachsen lasse, »ist sexy.« Magnus wirbelt mit seiner Zunge darum herum und gleitet über meinen Kitzler.

Mein Kopf und meine Augen rollen bei dem Genuss zurück, ein Stöhnen entweicht meinen Lippen.

Er fängt gerade erst an, aber ich weiß nicht, wie lange ich das noch ertragen kann. Ich will ihn in mir haben.

»Magnus«, hauche ich.

»Ja, Prinzessin?« Er streckt seine Zunge aus und taucht sie entlang meines Schlitzes, nimmt sich Zeit, um jeden Teil von mir zu schmecken.

»Fick mich!«

»Geduld, Prinzessin.« Magnus leckt und saugt weiter an

meinem Eingang, führt einen tätowierten Finger in mich, um mich noch mehr zu reizen.

Ich bewege meinen Körper gegen seinen Finger und wünsche mir nichts sehnlicher, als dass er sich in seinen Schwanz verwandelt, der inzwischen vor Verlangen pulsieren muss. Ich reite auf der sich immer weiter aufbauenden Welle der Lust, und warte verzweifelt auf die Erlösung.

Aber sie kommt nicht, und ich auch nicht.

Magnus zieht seine Hand und sein Gesicht zurück. »Dreh dich um!« Er leckt sich über die Lippen und mein Verlangen nach ihm ist kaum noch auszuhalten.

Ich gehorche und drehe mich auf der harten Tischplatte und bringe mich in die Hündchenstellung.

Magnus berührt meinen Hintern und fährt mit dem Daumen durch meine Falten. »Du schmeckst besser, als ich es mir vorgestellt habe.« Er bringt seinen Mund wieder an meine Muschi und lässt seine Zunge durch mich gleiten.

Ich zittere bei seiner Berührung, er macht weiter und schickt mich erneut auf diesen Berg.

Diesmal gleitet er nicht mit einem, sondern mit zwei Fingern in mich hinein, krümmt sie und schaukelt sie hin und her.

Ich krampfe mich um sie, das Ende dieser schönen Qual ist so nah.

Aber als wüsste er, dass es jetzt kein Zurück mehr gibt, stoppt er seine Bewegung und zieht die Finger aus mir. Ich bin kurz davor zu protestieren, wütend zu werden und versucht, mich selbst zu berühren, aber ich höre, wie er seine Hosen aufknöpft und ein Kondom überzieht.

Wie schade, dass ich ihn nicht lecken und saugen und necken kann, so wie er es mit mir getan hat. Verdammt, ich habe nicht einmal einen Blick auf ihn geworfen.

»Runter mit dir!«

Ich halte mich an der Theke fest und steige hinunter, mit dem Rücken zu ihm.

Magnus streicht mir das Haar aus dem Nacken, küsst die Stelle und streift mit seinem Schwanz über meinen Hintern.

Ich greife nach hinten und brenne darauf, ihn endlich zu meiner Nässe zu führen. »Gib ihn mir!«

Er drückt gegen meinen Rücken und schiebt mich nach vorn, um einen besseren Zugang zu bekommen. Magnus taucht kurz beide Finger in mich und schiebt dann seinen Schwanz hinein, der mich schon ausfüllt, noch bevor er vollständig in mir ist.

»Fuck!«, stöhne ich angesichts der Fülle.

Er bewegt sich langsam, um mich weiter zu dehnen.

Schmerz und Vergnügen tanzen auf gefährliche Weise zwischen uns.

Wir bleiben noch eine Weile so, ein ruhiges Tempo unter angestrengten Atemzügen und leisem Wimmern. Wir bewegen uns kaum, und doch erklimme ich den Berg der Lust noch einmal.

Ich jage ihm nach, in der Hoffnung, dass Magnus es nicht bemerkt und mich vom Höhepunkt abhält, aber er kennt mich besser, als mir bewusst ist, zieht sich zurück und dreht mich um, sodass ich ihn ansehen kann.

»Es ist noch nicht so weit«, sagt er an meine Lippen. Magnus küsst mich und reibt sich an mir.

»Das ist frustrierend.«

Er lächelt und führt uns wieder zusammen wie zwei Puzzleteile. »Jetzt weißt du, wie ich mich bei dir fühle.«

Ich lehne mich an ihn und lasse mich von ihm ausfüllen.

Sein Handy summt auf dem Tresen und er blickt darauf hinunter. »Scheiße!« Magnus legt seinen Arm um meine Taille, hebt mich hoch – sein Schwanz noch in mir – und trägt mich aus der Küche und die Treppe hoch.

»Bist du verheiratet?« Der erste Gedanke platzt aus meinem Mund.

Er schüttelt den Kopf. »Nein. Das ist eine Sache der Arbeit.« Seine Augen treffen die meinen. »Ich schwöre.«

Und ohne einen weiteren Zweifel glaube ich ihm. Was verdammt seltsam ist.

Magnus presst seine Lippen auf meine und bringt uns über die Schwelle eines Raumes. »Ich wollte, dass das die ganze Nacht dauert.« Er lässt mich auf ein Kingsize-Bett in seinem Schlafzimmer sinken. »Ich wollte, dass du bettelst.«

Tue ich das nicht schon?

Er fixiert meine Hände über meinem Kopf mit einer seiner Hände und stößt in mich hinein und zieht sich wieder heraus. Magnus greift unter mein Shirt, nimmt meinen Nippel zwischen seine Finger und dreht ihn.

»Bitte!«, wimmere ich.

Er fickt mich härter, tiefer und küsst mich.

Als er meine Hände freigibt, fahre ich sofort mit meinen Nägeln über seinen Rücken, grabe sie in seine Muskeln und ziehe ihn näher zu mir. Ich spreize meine Beine weiter, eine offene Einladung, mir alles zu geben, was er hat.

Er reibt sich an meiner Klitoris, und die Vibrationen seines Körpers treiben mich höher und höher.

»Ich bin nah dran«, verrate ich ihm – so, als ob ich das Lob suche, das er mir vorenthalten hat. Warum ich es will, werde ich nie verstehen. Vielleicht gefällt mir das Spiel, das er spielt.

»Ich weiß.« Magnus legt seine Hand um meinen Nacken, übt sanften Druck aus und neigt dann mein Kinn, damit ich zu ihm aufschaue. »Komm für mich!«

Und mit diesen drei Worten und seinem gleichmäßigen Rhythmus komme ich stärker zum Höhepunkt als je zuvor. Ein Stöhnen entweicht mir, als meine Muschi durch die süße Erlösung um ihn herum pulsiert.

»Braves Mädchen!« Er behält mich im Auge, verändert sein

Tempo und folgt mir in seinen eigenen Orgasmus. Magnus pocht in mir, intensiviert und verlängert mein Vergnügen, bis wir gemeinsam auf der Welle bis zum Ende reiten.

Ich lasse meine Arme an die Seiten fallen und entspanne mich. »Scheiße, das war …«

Magnus grinst und drückt seine Lippen auf meine verschwitzte Wange. »Unglaublich.«

»Gelinde ausgedrückt.«

»Stell dir vor, dass das heute Morgen schon hätte passieren können.« Er klettert von mir herunter und schlendert aus dem Raum.

Ich höre, wie ein Wasserhahn aufgedreht wird und Wasser plätschert.

Magnus streckt seinen schönen Kopf aus der Tür. »Willst du duschen?«

Ich springe vom Bett und gehe zu ihm. »Ist das deine subtile Art, mir zu sagen, dass ich stinke?«

»Weit gefehlt, Prinzessin.« Er küsst meine Nase. »Ich muss los, hab' was zu erledigen. Ich dachte, ich gehe besser nicht nach Sex stinkend.«

»Ach ja, du bist ja bei der Mafia oder so.«

»Oder so.« Magnus zwinkert und geht zu dem Schrank in der Ecke, um Handtücher zu holen. »Hier sind Klamotten drin. Nimm dir, was du brauchst! Das Bett ist bequem, und wenn du nicht schlafen kannst, steht auf dem Nachttisch rechts eine Fernbedienung, mit der du den Fernseher herausfahren kannst.«

Ich betrachte das große Badezimmer mit einer Badewanne und einer Dusche, in die eine ganze Gruppe von Menschen passen würde. »Herausfahren? Wo ist er?«

»Versteckt.« Magnus tritt unter das fließende Wasser.

»Warte, musst du wirklich gehen?« Ich ziehe den Rest meiner Kleidung aus und folge ihm hinein.

Er neigt den Kopf zurück, lässt den Wasserstrahl über sein

Gesicht laufen und auf seiner tätowierten Haut glitzern. »Es wird nicht lange dauern.«

»Hast du keine Angst, dass ich dich ausrauben könnte?«

Magnus lacht und ergreift meine Hand, um mich näher zu sich zu ziehen. »Das ist die geringste meiner Sorgen.« Er presst kurz unsere Lippen aufeinander und legt seine Stirn an meine. »Ich muss mich allerdings beeilen.« Er beendet das Abspülen und küsst mich ein letztes Mal, bevor er hinausgeht und sich abtrocknet.

Ich drehe die Temperatur höher, setze mich auf den geflesten Boden und lasse das Wasser über mich strömen. Cora hat recht, das ist der Himmel, vor allem im Vergleich zu der Höllendusche von heute Morgen. Die Muskeln in meinem Körper entspannen sich, und ich genieße die momentane Erleichterung, die das mit sich bringt. Dieser Tag mag schrecklich begonnen haben, aber wenigstens endet er gut.

Und morgen geht die Scheiße weiter, da ich nur etwas mehr als die Hälfte des Geldes für die Miete habe. Ich muss über meinen Schatten springen und Cora fragen, ob sie mir den Rest leihen kann. Ich wollte das um jeden Preis vermeiden, denn dann müsste ich entweder zugeben, dass ich schlecht mit meinen Finanzen umgehe, oder ihr sagen, dass Carter das Geld gestohlen hat, das ich beiseitegelegt hatte. Aber ich habe keine anderen Möglichkeiten, es sei denn, ich finde in den nächsten zwölf Stunden jemanden, der eine Niere kaufen will.

»Prinzessin.« Magnus streckt seinen Kopf in meine dampfende Oase. »Nimm dir, was immer du brauchst, hier drinnen, aber lauf nicht zu viel herum. Ich verstecke nichts, aber … nun ja … betrachte es als mein Berufsrisiko.«

»Ich habe keine Ahnung, was das bedeutet, aber mach dir keine Sorgen. Ich werde wahrscheinlich sowieso ohnmächtig, wenn ich hier fertig bin.«

»Okay«, sagt er mit einem traurigen Lächeln. »Ich komme bald wieder.«

Ich bleibe länger unter der Dusche, als ich wahrscheinlich sollte, aber ich weiß nicht, wann ich wieder die Gelegenheit habe, mich wie eine Königin zu fühlen, also genieße ich die glorreiche Gelegenheit. Ich benutze sogar seine ausgefallenen Produkte, wasche und pflege mein Haar mit etwas, das duftet, als hätten es die Engel selbst erschaffen.

Ich trockne mich mit einem Handtuch ab, das aus flauschigen Wolken gemacht sein muss, und creme mich mit der Lotion ein, die ich in der ersten Schublade seiner Frisierkommode gefunden habe. Ich werfe einen Blick in den Schrank, aus dem ich die Kleidung holen soll, und meine Augen weiten sich angesichts seiner Größe. Ich bin mir ziemlich sicher, dass mein ganzes Schlafzimmer in meiner Wohnung hineinpassen würde.

An einer Seite hängen Reihen von weißen, schwarzen und grauen T-Shirts, darunter Jeans in verschiedenen Farben. Ich öffne eine Schublade und finde seine Boxershorts und eine weitere mit Socken. In der nächsten Schublade finde ich einige Jogginghosen. Ich nehme die erste von oben und schlüpfe hinein, nehme ein weißes Shirt und ziehe es ebenfalls an. Ich hänge mein Handtuch an einen Haken im Bad und schalte das Licht aus.

Sein Zimmer ist gemütlich, auf eine dunkle und ordentliche Art und Weise. Viele ähnliche Farben wie in seinem Kleiderschrank, aber mit einem Spritzer Grün von einer Pflanze hier oder da. Ich klettere in sein weiches Bett und schlüpfe unter die Decke, nur um festzustellen, dass ich vergessen habe, das Licht im Schlafzimmer auszumachen. Es würde mich nicht wundern, wenn er dafür einen Knopf oder einen Schalter in der Nähe hat, aber da er nicht hier ist, um ihn zu fragen, stehe ich auf und entscheide mich für den Schalter neben der Tür.

Es dauert nur eine Sekunde, bis ich wieder im Bett liege, durchatme und in Laken mit einer hohen Fadenzahl sinke.

*I*ch schlief mühelos ein und wachte nur einmal auf, als sich ein warmer Körper an mich schmiegte.

Er war ein wenig nass, als hätte er noch einmal geduscht, aber da ich gerade nicht bei der Sache war, dachte ich nicht weiter darüber nach, sondern schmolz einfach in seine Umarmung und schlief wieder ein.

Ich blinzle durch meine noch müden Augen und taste in dem nun leeren Bett herum. Das Licht, das durch das Fenster hereinfällt, verrät mir, dass es Morgen oder Nachmittag sein muss. Ich greife nach meinem Telefon, aber es ist nicht da. Ich muss es während unserer *Sexkapaden* in der Küche vergessen haben.

Ist Cora wach? Sie muss sich fragen, wo zum Teufel wir sind, wenn man bedenkt, wie besoffen sie letzte Nacht war. Verglichen mit den Kopfschmerzen, die ich habe, geht es ihr wahrscheinlich schlechter als mir.

Ich stütze mich auf meine Ellbogen und blinzle ein paar Mal, um meine Sicht zu klären, und richte meinen Blick auf das große Glas Wasser, das zusammen mit zwei Pillen auf dem Nachttisch steht. Ich rutsche hinüber, schlucke beide dankbar und seufze, wie rücksichtsvoll dieser scheinbar harte Mann ist. Ich glaube, das Sprichwort ist wirklich wahr, wenn man sagt: *Beurteile ein Buch nicht nach seinem Einband!* Grafikdesigner und Marketingteams mögen das anders sehen.

Ich schnappe mir die kleine flauschige Decke, die auf der Bettkante liegt, lege sie mir über die Schultern und mache mich auf den Weg zur Tür. Ich öffne sie so leise wie möglich und spähe hinaus in den Flur.

Soweit ich mich erinnere, könnte Cora hinter jeder dieser verschlossenen Türen sein, und das Einzige, was Magnus mir gesagt hat, war, nicht herumzulaufen. Ich schulde ihm zumindest diese Höflichkeit, nachdem er so großzügig zu mir war.

Ich trete in den Flur und versuche, kein Geräusch zu machen. Wenn ich genau hinhöre, kann ich vielleicht etwas hören und Cora so finden. Vielleicht wartet sie sogar unten auf mich, wo wir gestern Abend Pizza gegessen haben. Ich werde erst dort nachsehen, bevor ich hier oben Detektivin spiele.

Ich schleiche auf Zehenspitzen über den Teppich und bleibe in der Nähe der Treppe stehen, als ich Stimmen höre.

»Du musst aufhören, dein Essen zu bestellen«, sagt ein Mann, der definitiv nicht Magnus ist.

»Kumpel, es ist alles in Ordnung. Ich habe es unter Kontrolle. Ich bin kein Idiot«, erwidert Magnus.

»Wirklich?« Der Mann seufzt. »Es sind schwierige Zeiten, Bryant. Du wirst noch gekillt.«

Bryant? Gekillt? Von wem und was zum Teufel reden die da? Er wird von einem Lieferanten umgebracht?

Ich lehne mich an die Wand und klammere mich an die Decke, die ich um mich gewickelt habe. Ich versuche, genau hinzuhören und herauszufinden, in was ich hier geraten bin.

»Hayes sieht das genauso, du bist unvorsichtig.«

Wer ist Hayes? Und Bryant? Und der Kerl, der anscheinend das Sagen hat? Und warum kommt mir seine Stimme bekannt vor?

Ich zermartere mir das Hirn und versuche, es einer Erinnerung zuzuordnen, um herauszufinden, woher ich sie kenne. Ich habe täglich mit so vielen Menschen zu tun, dass es wirklich jeder sein könnte.

Mein Fuß rutscht ab und ich kann ihn nicht mehr rechtzeitig auffangen, bevor er gegen die Stufe knallt.

»Was zum Teufel war das?«

Bryant meldet sich zu Wort. »Alles in Ordnung, keine Sorge …«

Ein goldblonder Mann erscheint blitzschnell um die Ecke, die Hände vor sich ausgestreckt, eine Waffe direkt auf mich gerichtet. Sein Gesichtsausdruck wechselt von einer angespannten Härte zu einem weicheren Blick mit zusammengezogenen Brauen. »June?«

»Nicht schießen!« Magnus eilt in mein Blickfeld und kommt neben dem Mann mit der Waffe zum Stehen. »Warte, du kennst sie?« Er lässt seinen Blick zwischen uns hin und her huschen.

»Wer ist June?«, ruft der andere Mann auf dem Weg zu uns.

»Coen?«, frage ich den Mann, den ich einst zu kennen glaubte.

»Coen?« Magnus tut weiterhin so, als sei er verwirrt.

Der dritte Kerl kommt schließlich um die Ecke, und bei seinem Anblick dreht sich mir der Magen um.

»Scheiße!« Das Wort rutscht uns beiden gleichzeitig aus dem Mund.

Er ist es – der geheimnisvolle Mann aus der Bar, der mich so gut gefickt hat, dass ich tagelang nicht mehr klar denken konnte, der neben dem tätowierten heißen Feger steht, der mich letzte Nacht so lange am Rand eines Orgasmus gehalten hat, und dem Jungen, der mir vor vielen, vielen Jahren meinen ersten Kuss gestohlen hat.

Ich wende meinen Blick jedem von ihnen zu und zwicke mich in den Arm, in der Hoffnung, dass mich das aus diesem verdammten Alptraum aufweckt, in den ich gerade hineingeraten bin.

Aber es funktioniert nicht, und ich stehe hier und starre auf diese drei absolut umwerfenden Männer, die von der gleichen Verwirrung befallen sind wie ich.

Zu allem Überfluss knarrt hinter mir eine Tür und Coen hebt die Arme ein wenig an, um sein neues Ziel anzuvisieren.

»June?«, flüstert Cora.

»Hier unten«, antworte ich, trete vor und lege meine Hand auf Coens Handgelenk. »Bitte erschieß nicht meine beste Freundin.«

Seine blauen Augen fixieren meine, und es ist, als würde er verzweifelt versuchen, zu sprechen, mich zu fragen, was zum

Teufel hier los ist. Aber so wie ich es neulich Abend gespürt habe, als ich ihm begegnet bin, hat er sich verändert. Wir beide haben uns verändert. Die Waffe in seiner Hand ... sie bestätigt, dass der süße Junge aus meiner Kindheit verschwunden ist.

Coen steckt das Ding in seinen Hosenbund, bevor Cora die Treppe herunterkommt und sich zu diesem peinlichen Wiedersehen gesellt.

»Ich würde für Kaffee sterben«, sagt sie.

Oh, was für eine Wortwahl, Cor.

»Ja, lass uns einen Kaffee machen.« Ich verschränke meine Finger mit ihren und bin dankbar für die Flucht aus der Realität, in der ich gerade stecke.

»Hallo.« Sie lächelt und nickt den Männern höflich zu. Sie hat keine Ahnung, wer sie sind.

Ich kann auch nicht gerade behaupten, dass ich sie besser kenne. Außer der Tatsache, dass ich mit zweien von ihnen geschlafen und mit einem geknutscht habe. Okay, vielleicht kenne ich sie ein klein wenig.

»Wir haben Kaffee.«

»June«, jammert Cora. »Lass uns hierbleiben!« Sie lässt meine Hand fallen und hält sie Coen hin. »Hi, ich bin Cora.«

Coen atmet tief ein und sieht mich und die anderen Jungs an. »Coen Hayes.«

»Und du bist?« Sie wendet sich an den geheimnisvollen Mann mit dem verdammt sexy aschblonden Bart.

Seine Kiefer spannen sich an, und wenn ich mir über etwas sicher bin, dann darüber, dass er sich wünscht, sie würde einfach verschwinden.

Magnus klopft ihm auf die Schulter. »Ach, komm schon, Dom, sei nicht unhöflich!«

Dom?

»Bryant«, schimpft Dom.

»Ich dachte, dein Name sei Magnus«, melde ich mich zu Wort.

Magnus zwinkert mir zu. »Magnus Bryant.«

Bryant. Hayes. Jetzt verstehe ich es. Sie haben ihre Nachnamen benutzt.

»Dominic.« Mr. McDreamy schüttelt Coras Hand und wendet sich mir zu. »June, auf ein Wort bitte!«

Ich erinnere mich blitzartig an die Nacht in der Bar. Die Blutspritzer in seinem Gesicht. Die Gefahr, das Adrenalin, das durch meine Adern schoss und mich dazu brachte, den ersten Schritt zu machen und mich mutig auf ihn zu stürzen, was wahrscheinlich die beste Entscheidung war, die ich je getroffen habe.

Aber das war damals, und jetzt ist jetzt. Und was auch immer *das* ist, es ist viel mehr, als ich erwartet habe.

»Tut mir leid«, murmle ich und klammere mich wieder an Cora. »Wir müssen gehen ... etwas erledigen.« Ich schiebe die Decke von meinen Schultern und reiche sie Magnus. »Danke, ähm, für ... du weißt schon.«

»Warte, willst du nicht ...«, ruft Magnus, als ich Cora mit mir ziehe und wir in den großen offenen Hauptraum flüchten.

Ich entdecke mein Telefon, schnappe es mir und suche nach der Haustür. »Wo zum Teufel ist die Tür?«

»Äh, J., alles in Ordnung?« Cora folgt mir.

Die Männer murmeln etwas, aber ich mache mir nicht die Mühe, ihnen zuzuhören. Das Einzige, woran ich denken kann, ist, von hier zu verschwinden.

Ich erinnere mich, dass Magnus gestern Abend verschwunden ist, um die Pizza zu holen, und beschließe, in diese Richtung zu gehen, und seufze, als ich die Haustür sehe. Dieselbe, an der ich stand, als ich ihm das Essen von *Bram's* lieferte.

Ich ziehe Cora mit mir durch den massiven Eingang, eile die Stufen hinunter und bleibe an diesem blöden Tor stehen. »Scheiße!« Ich drehe mich zum Haus zurück, aber bevor ich um etwas bitten kann, surrt das Ding und geht krachend auf.

Ich weiß nicht, wer von ihnen mich hinausgelassen hat, aber ich bin in jedem Fall verdammt dankbar dafür.

Einen Moment lang dachte ich, ich müsste wieder hineingehen und das peinlichste Gespräch meines Lebens führen.

»Alter, ich bin viel zu verkatert, um so herumzurennen.« Cora befreit sich aus meinem Griff, als wir um die Ecke biegen und außer Sichtweite sind. »Was zum Teufel ist hier los? Und was hast du da an?«

Ich werfe einen Blick auf die geborgte Jogginghose und das T-Shirt und lache darüber, wie weit alles an mir herunterhängt. »Ich erkläre dir alles, komm einfach mit!«

Hoffentlich bleibt mir auf dem Weg zu *Bram's* genug Zeit, um es selbst herauszufinden.

KAPITEL SIEBEN – MAGNUS

»*W*as zum Teufel war das?«, schreit Dom mich an.

Das ist nie ein gutes Zeichen. Bei Dom ist das Anheben oder Senken seiner Stimme gleich schlecht. Zum Glück für mich gibt es bei uns im Haus die strikte Regel, dass wir uns nicht *gegenseitig* umbringen.

Sobald ich jedoch nach draußen gehe, ist das eine andere Geschichte.

»Ähm, das war im June.« Ich wende mich von ihm ab und gehe in die Küche, um meinen Kaffee nachzufüllen. »Und ihre Freundin Cora.« Ich rühre etwas Zucker in meine Tasse. »Nettes Mädchen.«

»Du hast sie ins Haus gelassen?« Dom folgt mir, Hayes ist ihm dicht auf den Fersen und beschattet ihn auf seltsame Art und Weise.

Er hat diesen Ich-werde-dich-gleich-umbringen-Blick, der mir ein bisschen Angst macht.

»Alles okay. Alles ist in Ordnung. Warum flippst du so aus?« Ich führe die Tasse an meine Lippen und nehme einen Schluck.

Dominics große braune Augen weiten sich. »Hast du

vergessen, dass wir uns mitten in einem *verdammten* Krieg befinden?«

»Ein verdammter Krieg, das klingt lustig.«

Er atmet aus, offensichtlich weiß er meinen Humor nicht zu schätzen, aber wie könnte er auch, wenn er den Stock so weit in seinen Arsch geschoben hat.

»Ja, Dom, ich habe es verstanden. Aber im Ernst, ich war vorsichtig.« Ich zeige auf Hayes. »Woher kennst du sie?«

Und zum Glück tut er das, denn ich hätte es ihm zugetraut, ihr und ihrer Freundin eine Kugel zu verpassen, nur weil sie bei uns zu Hause waren. Ich hätte mir das wohl überlegen sollen, aber ich habe nicht erwartet, dass sie zurückkommen, bevor sie geht, besonders nach dem Chaos, das wir gestern Abend angerichtet haben. Ich und die Jungs, nicht June und ich. Die Aufräumarbeiten hätten länger dauern sollen. Es ist eine Wissenschaft für unsere Crew, vor allem mit der steigenden Anzahl an Opfern.

Wenn ich gedacht habe, dass June Vertrauensprobleme hat, stellt Hayes sie problemlos in den Schatten. Manchmal befürchte ich, aufzuwachen und von ihm zu Tode gewürgt zu werden.

Kleiner Psycho-Scheißer.

Das ist lustig, denn alle denken, dass ich der Einschüchternde von uns bin, weil ich fast den ganzen Körper mit Tattoos bedeckt habe. Nein, es ist der süße, hübsche Surfer-boy, um den du dir Sorgen machen musst. Unterschätze aber keinen von uns, unsere Statur ist nichts, worauf wir stolz sind. In unserem Beruf gehört das nun mal dazu. Wir alle haben mehr Tote gesehen als ein Beerdigungsinstitut.

Coen lenkt die Aufmerksamkeit auf Dom. »Du schienst aber auch vertraut mit ihr zu sein.«

Toll, das Mädchen meiner Träume hat bereits die Aufmerksamkeit dieser beiden Schwachköpfe auf sich gezogen.

Das ist auch nicht weiter verwunderlich, denn wir haben einen exquisiten Geschmack für die schönen Dinge des Lebens.

»Das spielt keine Rolle.« Dom legt seine Hand auf den Tresen. »Ich verbiete jedem von uns, sie wiederzusehen.«

Ich setze meine Tasse ab und gebe mein Bestes, um die in mir aufsteigende Wut zu beruhigen. »Das kannst du nicht tun.«

Dom bläht seine Nasenflügel auf. »Das habe ich gerade.«

Ich zucke mit den Schultern und versuche, die Situation auf die leichte Schulter zu nehmen. »Nun, ich setze mich über deinen Befehl hinweg.«

Er legt den Kopf schief und starrt mich an. »Hayes.«

»Ja?«

Kleines gehorsames Schoßhündchen.

»Wenn Bryant hier auch nur die Hand nach June ausstreckt, möchte ich, dass du ihr eine Kugel in den Kopf jagst.« Dom lässt mich nicht aus den Augen, um mir zu zeigen, wie ernst er es meint. »Keiner von uns ~ und ich wiederhole, *keiner* – darf mit ihr in Kontakt treten.« Er wendet sich mit demselben strengen Blick an Hayes. »Das gilt auch für dich!« Er fährt sich mit der Hand durchs Haar, was er nur tut, wenn er sehr aufgebracht ist. »Sonst wird dieses Mädchen unser Ende sein.«

Aber da gibt es die eine Sache mit mir. Die Sache, warum die beiden mich gern in ihrer Nähe haben – abgesehen von meinem attraktiven Äußeren – ist, dass ich Menschen lesen kann, und Dom ... er blufft, verdammt!

Was auch immer er mit June hatte oder nicht, er will sie genauso wie Coen und ich.

Aber er hat nicht unrecht, sie könnte sehr wohl unser Ende sein.

Dom schiebt mir einen Pizzakarton über den Tresen zu. »Und räume dieses verdammte Chaos auf!«

Mein Blick ruht auf dem Rand der Theke, wo ich mein Gesicht in ihre dekadente enge, warme Muschi gedrückt und ihre süße Lust geschmeckt habe. Hätte ich gewusst, wie kurz

111

dieser Moment dauern würde, hätte ich innegehalten und sie noch intensiver gekostet.

Hayes erscheint an meiner Seite, seine Augen bohren sich in mich. »Hast du sie gefickt?«

Oh, und ob ich das getan habe. Mehrfach. Und was würde ich dafür geben, es wieder zu tun? Und wieder. Und immer wieder.

Wenn ich mich mit meinem Schwanz in ihr treffen würde, würde ich als glücklicher Mann sterben.

»Der Gentleman genießt und schweigt.« Ich greife nach der Schachtel, aber Coen packt mein Handgelenk, dreht es um und zieht mich zu sich heran.

»So wahr mir Gott helfe, ich werde ...«

Dom tritt zwischen uns und zwängt sich praktisch in den Raum zwischen uns. »Das reicht!«

Hayes lässt mich mit einem mörderischen Blick los.

»Siehst du, das beweist genau das, was ich meine.« Dom drückt seine Handfläche gegen unsere Oberkörper und schiebt uns voneinander weg. »Das ist erbärmlich, wegen eines Mädchens, wirklich?«

Er weiß verdammt gut, dass es nicht *irgendein* Mädchen ist. Es ist *das* Mädchen.

Ich wusste es sofort, als ich sie sah, und mein Herz sprang mir praktisch aus der Brust, als ich ihr näher kam. Und es bestätigte sich gestern Abend, als ich sie in der Bar beobachtete – wie sie einfach nur dastand. Ich wollte sie. Aber noch wichtiger war, dass ich sie brauchte, als wäre sie ein verlorenes Glied – ein Teil von mir, ohne den ich nicht mehr leben konnte. Von dem ich nicht wusste, dass ich es brauchte, bis sie mir in den Weg trat. Ich konnte ihre Seele spüren – die Dunkelheit und das Licht tanzten auf schmerzhafte Weise zusammen und passten zu meiner.

Liebe auf den ersten Blick ist eine törichte Sache, bis man sie selbst erlebt. Die Art und Weise, wie unsere Lippen perfekt miteinander verschmolzen sind, hat mich davon überzeugt, dass ich sie schon einmal in einem anderen Leben geküsst habe. Dass sie zu mir gehört. Und ich werde nichts unversucht lassen, um sie wieder zu der meinen zu machen.

Nichts wird dies verhindern.

Nicht Dominic. Nicht Hayes. Kein gottverdammter Krieg.

*W*ir fahren schweigend zu einem Lagerhaus am Rande der Stadt. Dom sitzt vorn neben dem Fahrer, Hayes und ich auf dem Rücksitz und schauen aus dem Fenster, damit wir uns nicht ansehen müssen.

Ich beuge mich vor, um die Pistole an meinem Knöchel zu justieren, eine der wenigen Waffen, die strategisch an meinem Körper angebracht sind. In Zeiten wie diesen kann man nie zu gut vorbereitet sein.

Unser Auftrag sollte einfach sein – verhören und eliminieren.

In einer normalen Situation wie dieser wäre es nicht nötig, dass wir alle anwesend sind. Aber in dem Krieg, den wir gerade führen, sind die einzigen Menschen, auf die wir uns wirklich verlassen können, wir selbst.

Seltsam, wenn man die aufkeimenden Spannungen zwischen uns bedenkt.

Hayes und ich halten Wache, während Dom sich mit dem rivalisierenden Mitglied unterhält. Sobald er alles von ihm bekommen hat, beenden wir den Job und lassen ein Aufräumkommando kommen.

Kinderleicht. Dieselbe Scheiße wie jeden Tag.

Unser Hauptziel ist es, Informationen über Becketts Versuch zu erhalten, die Kontrolle über unsere Organisation zu erlangen, um ihn dann endgültig zu eliminieren.

Warum wir ihn nicht einfach nur umbringen?

Aus genau dem gleichen Grund, aus dem er uns nicht ausschaltet. Wir sind schlau. Wir sind alle schon lange genug dabei, um stärker zu sein, als man auf den ersten Blick sieht, und wir wissen, wie wir rechtliche Grauzonen umgehen und auf der sicheren Seite bleiben. Es gibt zum Beispiel eine unausgesprochene Übereinkunft über ordentliche Hinrichtungen, die im Umkehrschluss bedeutet, dass nicht einfach jeder in eine Bar gehen kann und alle sich gegenseitig erschießen.

Wir sind rücksichtslos, aber wir haben auch ein gewisses Maß an Anstand.

Wir haben die Polizei in der Tasche und genug Macht, um den meisten Problemen aus dem Weg zu gehen, abgesehen von ein paar Dingen.

Da kommt die Ausgeglichenheit unseres kleinen Trios gerade recht. Ich lese Menschen, und die Fähigkeit, Bedrohungen zu erkennen, ist für mich selbstverständlich. Hayes ist für die Strategie und die Sicherheit zuständig und hält uns immer über die neuesten und besten Waffen auf dem Laufenden. Und Dom ist der Kopf der ganzen Operation, der besonnene Leader, der mit seinem ständigen griesgrämigen Blick und den Geschichten über seine Brutalität jeden erschreckt, an dem er vorbeigeht.

Wir sind ein Team, aber Dom macht in der Regel die Ansagen und ist somit derjenige, der die Hosen anhat. Und um ehrlich zu sein, ist das für mich in Ordnung. Ich will diese Art von Verantwortung nicht. Und ich wüsste auch nicht, was ich damit anfangen sollte, wenn ich sie hätte. Obwohl, wenn er versucht, mir vorzuschreiben, mit wem ich mich verabreden kann, könnte er mir ein wenig auf die Füße treten.

Seitdem ich die beiden kenne – was eine lange Zeit ist –, hatte keiner von uns eine Beziehung, die länger als ein paar wilde Nächte im Bett dauerte. Bis jetzt hat das auch gut funktioniert. Es gab keinen Platz für mehr. Unser Lebensstil ist gefährlich, und es wäre egoistisch, jemanden in diese Situation zu bringen. Aber was ist, wenn ich ausnahmsweise mal egoistisch sein will?

Bin ich ein Narr, weil ich mir eine menschliche Verbindung wünsche, die länger dauert als ein schneller Fick?

Bei der Ungewissheit dieses Krieges, in dem wir uns befinden, möchte ich nicht vor meinem Schöpfer stehen, ohne dem Schmerz in meiner Brust Aufmerksamkeit geschenkt zu haben und mit dieser Frau zusammen gewesen zu sein.

Aber was ist, wenn die Jagd nach diesem Phantomgefühl sie in etwas hineinzieht, dem sie nicht entkommen kann, und sie ein Schicksal ereilt, dem schon so viele andere zum Opfer gefallen sind?

Vielleicht sollte ich auf Dom hören. Und wegbleiben. Wenn auch nicht um meinetwillen, sondern um sie aus der Gefahrenzone zu halten. Wenn mir so viel an ihr liegt, wie ich glaube, bin ich ihr das schuldig.

Werden Dom und Coen in der Lage sein, auf Distanz zu bleiben?

Unser Fahrer fährt hinter einer bescheidenen viertürigen Limousine in eine enge Gasse zwischen den Fabrikgebäuden und stellt den Motor ab.

Coen und ich springen aus dem Fahrzeug und ziehen unsere Pistolen.

Er zeigt mit seiner Waffe zur Seite. »Du checkst drinnen alles, ich draußen.«

Ich nicke und mache mich gleich an meine Aufgabe. Eines ist sicher, wir sind alle verdammt gut darin, unsere Rollen zu spielen, auch wenn es zwischen uns scheiße läuft. Deshalb haben wir es geschafft, uns so weiterzuentwickeln, und deshalb werden wir diesen Krieg gewinnen und die Kontrolle über den Westküstensektor erlangen. Am Leben zu bleiben, ist nur ein zusätzlicher Bonus. Oder ein Fluch, je nachdem, wie man es sieht.

Ich behalte eine Hand an meiner Waffe und öffne mit der anderen die Tür zu dem Gebäude.

Zwei Pistolen begrüßen mich, direkt auf meine Brust gerichtet.

»Nur ihr drei?« Ich trete ein und schenke den Waffen nicht allzu viel Aufmerksamkeit. Auf mich waren schon genug Pistolenläufe gerichtet, als dass ich ins Schwitzen geraten würde, wie es vermutlich bei den meisten Menschen der Fall ist. Es ist ja nicht so, dass sie eine Bedrohung darstellen. Sie machen nur ihren Job.

»Ja, Sir«, sagt der Größere und seine Hand zittert.

Die Nerven. Die sind es, die Kids wie ihn in den Tod treiben.

Er scheint nicht viel älter als zwanzig zu sein, und seine Berufswahl ist ihm eindeutig über den Kopf gewachsen.

So ging es den meisten von uns – am Anfang. Aber dann dünnen sich die Schwachen aus – entweder mit einer Kugel im Kopf, einem Messer im Rücken oder einfach, indem sie mehr abbeißen, als sie kauen können, und mit eingezogenem Schwanz nach Hause kriechen. Dann zeigt sich ihr wahres Gesicht und entscheiden sich für das Leben und hoffen inständig, einen sauberen Abgang machen zu können.

Die beiden, die unsere Geisel bewachen, sehen aus, als wären sie noch in der Probezeit, um herauszufinden, welchen Weg sie einschlagen wollen.

Ich durchsuche das Gebäude schnell, aber gründlich, hinter den Containern und in allen möglichen Verstecken. Alle Zugänge sind verriegelt, abgesehen von der unverschlossenen Tür, durch die ich gerade gekommen bin. Ich richte meinen Blick auf den Mann, der an den Stuhl gefesselt ist. Die einzelne Glühbirne über ihm schwingt sanft und wirft ein Licht auf die blutverschmierte Stelle.

Seine Augen richten sich auf mich, die Gefäße in ihnen sind geplatzt. Seine Augenbraue ist aufgerissen und ein rotes Rinnsal tropft seitlich an seinem Gesicht hinunter.

Ich nähere mich ihm und überprüfe, ob seine Fesseln fest sitzen.

Der Mann holt tief Luft und versucht, mich anzuspucken, aber ich weiche seinem jämmerlichen Versuch aus, und die Spucke landet neben meinem Schuh auf dem Betonboden.

Ein dreifaches Klopfen ertönt an der Metallseite des Gebäudes – das Signal von Coen, dass die Luft rein ist.

Ich gehe ein paar Meter und signalisiere damit, dass wir loslegen können.

»Ihr könnt gehen«, sage ich zu den Wachen und bemerke, wie der eine sich bemüht, ruhig zu bleiben und den Blickkontakt mit mir zu vermeiden.

Es könnte durchaus sein, dass er nur eingeschüchtert ist, aber etwas ist mit ihm nicht in Ordnung.

»Du!« Ich zeige auf ihn.

Er bleibt stehen und blickt von seinem Kollegen zu mir. »Ja?«

Es ist verdammt gut, dass er mit mir spricht und nicht mit Dom oder Coen. Das Fehlen der Anrede *Sir* hätte ihnen gereicht, um ihn auf der Stelle zu erledigen. Ich bin ja für Respekt, aber die beiden sind mit ihren Forderungen ein bisschen extrem. Der Junge ist vielleicht einfach nur nervös und hat die Förmlichkeit der Hierarchien vergessen.

Ich schlendere zu ihm hinüber und bleibe nur einen Meter entfernt stehen. »Name?«

»Frankie.«

Der Größere räuspert sich und stupst ihn an, wobei sich seine Augen ein wenig wölben, als ob er versuche, über Telepathie zu kommunizieren.

»Oh! Frankie, Sir. Entschuldigung.« Er errötet, was jeder andere als Verlegenheit empfinden würde, aber für mich ist es etwas anderes. Fast so, als würde er die Scham vortäuschen, um seinen Arsch zu retten.

Die Tür öffnet sich knarrend, und ich sehe Coen und Dom

hereinkommen. Coen mit der Waffe in der Hand, nach unten gesenkt, aber jederzeit bereit, sie bei der kleinsten Bewegung einzusetzen. Dom mit seinem ewigen angepissten Gesicht, von oben herabschauend. Der Kerl ist tödlich, aber mit einer eleganten Anmut.

»Raus!«, brüllt Dom. Er holt einen glänzenden Schlagring aus seiner Tasche und streift ihn über die Finger.

Ich konzentriere mich wieder auf Frankie, scanne ihn noch einmal mit meinem mentalen Radar.

Er greift nach Doms Aufforderung, um sich vor meiner nächsten Frage zu drücken, und geht direkt zur Tür.

Coen und ich folgen den beiden nach draußen und beobachten sie aufmerksam, während sie in ein burgunderrotes Auto steigen und wegfahren.

»Was sollte das denn?«, fragt Coen.

»Ich bin mir nicht sicher. Ich hatte ein eigenartiges Gefühl.« Eines, das ich nicht ganz genau bestimmen konnte, vor allem nicht nach meiner abgebrochenen Befragung.

Aber wir haben dringendere Probleme, und Dom muss seine eigene Nachforschung durchführen, wenn wir hier hinein und wieder hinaus wollen, ohne dass einer von Becketts Team uns erwischt. Beckett sieht es nicht gerade gern, wenn wir seine Männer entführen und foltern, aber wir tun, was wir tun müssen, um zu bekommen, was wir wollen. Das sind keine Situationen, in denen man trödeln kann.

»Sollen wir es melden?« Coens Blick streift die unmittelbare Nähe.

»Es sollte in Ordnung gehen.«

»Sollte?«

»Ich weiß es nicht, Mann. O Gott! Es war nur ein *Gefühl*, verdammt noch mal!«

»Ist das nicht deine Spezialität? Bedrohungen zu erkennen.«

Es könnte durchaus sein, dass ich nicht ganz bei der Sache bin. Die Spannung zwischen uns kocht hoch und überträgt sich auf mein Berufsleben. Die Tatsache, dass mir June nicht aus dem Kopf geht, hilft mir nicht im Geringsten. Die Gedanken daran, wie sie meinen Namen stöhnt, und die Frage, ob ein paar nervöse Kids ein Risiko darstellen oder nicht, sind schwieriger zu trennen, als ich dachte.

Ich hasse es, wenn Dom tatsächlich mit einer Sache recht hat.

Es ist noch nicht viel Zeit vergangen, und schon zeige ich bei der Arbeit Schwächen.

Eine Arbeit, die mein gesamtes Leben in Anspruch nimmt und leicht darüber entscheiden könnte, ob ich einen weiteren Tag erlebe.

»Es ist nichts, womit wir nicht fertig werden könnten.« Ich drücke mein Rückgrat durch und halte mein Augenmerk auf unsere Umgebung. Meine Hand ruht einsatzbereit auf meiner Waffe.

Ein Schrei dringt aus dem Gebäude zu uns.

Dom tut das, was er am besten kann – er fügt Menschen Schmerzen zu. Es ist kein Wunder, dass er ein verdammtes Naturtalent in unserer Berufswelt ist. Er wurde geboren, um die Kontrolle zu übernehmen, um zu führen und zu dominieren. Aber die Hälfte der Zeit braucht der Kerl wirklich nur eine Umarmung. Er macht einen stabilen Eindruck, aber er ist genauso kaputt wie der Rest von uns. Im Gegensatz zu allen anderen spüre ich das aufgrund meiner besonderen Begabung. Er würde es nie zugeben und ich würde es nie ansprechen. Vielleicht hat er eine verborgene weiche Seite, aber ich werde nicht derjenige sein, der darin herumstochert.

Coen blickt aus dem Augenwinkel zu mir. »Wirst du auf ihn hören?«

»Wovon zum Teufel sprichst du?« Ich weiß genau, was er meint.

Coen atmet aus. »Zwinge mich nicht, ihren Namen zu sagen! Nicht hier.«

Ein Teil des Puzzles fehlt mir. Da ist eine Sorge um ihre Sicherheit, wie ich sie bei Coen noch nie erlebt habe. Nach außen hin ist er der süße und unschuldige Typ, aber am Ende des Tages ist er wahrscheinlich der Tödlichste von uns allen. Der Schläfer, den jeder unterschätzt. Das macht ihn zu einem großen Gewinn und zu einem verdammt großen Risiko.

»Warum ist das wichtig?« Ich weiß, dass es ihm wichtig ist, aber ich will es von ihm hören.

»Weil ich sie nicht töten will.«

»Das wirst du nicht.«

»Das weißt du nicht.«

»Das tue ich.«

»Was macht dich so verdammt sicher?« Seine Kiefer krampfen sich zusammen und verraten alle seine wütenden Emotionen.

Ein weiterer Schrei aus dem Inneren des Gebäudes, dann Dominics leises Lachen.

Dieser kranke Wichser amüsiert sich, was wiederum hoffentlich den Stress zu Hause reduziert.

»Du hast dich bereits verraten. Ein Dutzend Mal. Ich glaube, du vergisst, mit wem du hier gerade redest. Selbst die einfache Aussage: ›Ich will sie nicht töten.‹ Wann zum Teufel willst du jemals jemanden nicht umbringen?«

Coens Nasenflügel blähen sich auf, und einen Moment lang befürchte ich, dass er mich erschießen wird, nur um dieses Gespräch zu beenden, aber er lässt den Arm gesenkt und den Finger vom Abzug.

Ich sollte nicht, aber ich fahre fort. »Du wirst ihr nicht wehtun und Dom auch nicht.«

»Halte dich von ihr fern!«

»Ich werde ihr auch nicht wehtun.«

»Das ist nicht das, was ich gesagt habe. Ich sagte, du sollst dich von ihr fernhalten.«

»Ja, ich habe dich schon beim ersten Mal gehört.« Ich drehe mich zu ihm um. »Sag mir, warum! Wer ist sie für dich?«

»Das geht dich nichts an.«

»Tut es, wenn du es zu meiner Angelegenheit machst.« Ich seufze und fahre mir mit der Hand durch das Haar. »Du und Dom denkt, ihr besitzt mich. Kontrolliert mich. Ihr habt das Sagen. Ihr könnt bestimmen, wen ich ficke.«

Coens Miene verhärtet sich. »Rede nicht so über sie!«

»Ja? Und was willst du dagegen tun? Willst du mich aufhalten? Ich war schon ganz tief in diesem süßen … süßen …«

Doch bevor ich Hayes' June-Knopf drücken kann, hebt er den Arm und richtet seine Waffe direkt auf mich.

Ich starre in den Lauf, ein böses Grinsen bildet sich auf meinem Gesicht, weil ich ihn so weit getrieben habe. »Tu es, ich fordere dich heraus!« Verdammt, er würde mir einen verdammten Gefallen tun. Was bringt das noch, wenn ich nur eine Marionette in einem Spiel bin, das sich meiner Kontrolle entzieht? Wenn ich nicht einmal eine verdammte Sache verfolgen kann, die ich will, warum dann weitermachen? Wenn ich schon sterben muss, dann lieber durch Hayes als durch irgendjemand anderen.

Hayes festigt seinen Griff und drückt beim Ausatmen den Abzug.

Wie ein Feigling zucke ich zurück, schließe die Augen und lasse mich von der Vibration des Knalls durchrütteln. Ein Wind streicht an meinem Ohr vorbei, dazu ein knackendes Geräusch, dann das kurze Stöhnen eines Menschen und ein Aufprall auf dem Boden.

Ich sehe Coen durch meine halb geschlossenen Augenlider an, als er sich an mir vorbeidrängt, um einen leblosen Körper zu untersuchen.

»Heilige Scheiße, ich dachte, du würdest mich umbringen.« Ich lache humorlos in Richtung des Toten hinter mir.

In diesem Moment sehe ich, wie eine verschwommene

Gestalt um die Seite des Gebäudes herumkommt. Meine Muskeln schalten auf Autopilot, ich hebe meine Waffe, ziele und eliminiere mit einem Schlag.

»Zwei kommen von Osten.« Coen eilt herbei und drückt seinen Rücken gegen meinen.

»Und Westen.«

»Schütze den Eingang um jeden Preis.«

»Um jeden Preis«, bestätige ich.

Wir werden von beiden Seiten gestürmt, weitere bewaffnete Männer kommen eilig auf uns zu. Mein Atem wird ruhiger, als sich die Routine der Pflicht über mich legt, denn ich weiß, dass ich außer Dom niemanden anderen als Hayes in meiner Nähe haben möchte. Er mag zwar total verrückt sein, aber das bin ich auch, und wir arbeiten gut zusammen. Fast so, als wären wir eine Erweiterung des anderen – ein tödliches Duo, das sogar mich von Zeit zu Zeit ausflippen lässt.

Wir bewegen uns anmutig, schalten eine Bedrohung nach der anderen aus, weichen Kugeln aus und arbeiten uns durch diesen Angriff. Die Leichen fallen – eine nach der anderen, zusammen mit dem Echo der Schüsse, die den Nachthimmel mit einem rauchigen Dunst und dem Geruch von Schießpulver und Tod erfüllen.

»Scheiße!«, flucht Coen.

Ich lenke meinen Blick für eine Sekunde von den ankommenden Männern ab, um den winzigen Blutfleck auf seinem Oberarm zu sehen.

»Der Bastard hat mich getroffen.«

»Bist du okay?« Ich lasse das leere Magazin fallen und lade schnell nach, weil ich so wenig wie möglich Zeit verlieren will.

»Es wird mir besser gehen, wenn ich das Arschloch getötet habe.« Coen stößt sich von mir ab, bewegt sich direkt in die Schusslinie und feuert jede einzelne Kugel, die er hat, in den Mann, der ihn angeschossen hat. Er drückt auf den Auslöser, schiebt neue Munition nach und richtet sie auf das nächste Opfer.

Ich bringe noch zwei weitere Männer zu Fall, die Horde wird dünner und zieht sich von dort zurück, woher sie kommt.

»Ihr denkt, ihr könnt uns erledigen?«, schreit Coen, wobei ihm die Spucke aus dem Mund fliegt. »Da müsst ihr euch schon mehr anstrengen.«

Ich eile an seine Seite und schaue in die entgegengesetzte Richtung, damit wir alle Richtungen im Auge haben.

Leichen liegen auf dem Boden, Blut ist überall verspritzt. Ein Anblick, der mir nur allzu vertraut ist. Ein Anblick, der mich beunruhigen sollte, es aber nicht tut. Ich bin mir bewusst, wie beschissen das ist. Ich kann nichts dagegen tun, außer die Dunkelheit zu umarmen, die mich von innen heraus verzehrt.

»Wir mussten es versuchen«, ruft eine Stimme hinter mir.

»Komm raus und stell dich wie ein Mann!«, ruft Coen zurück.

Eine Gestalt erscheint vor mir. Ich lasse meinen Blick schweifen und sehe eine weitere vor Coen.

Die beiden dämlichen Kids, die unsere Geisel bewacht haben. Sie müssen die ganze Zeit für Beckett gearbeitet und ein doppeltes Spiel gespielt haben. Was für ein dämlicher Auftrag, den er ihnen erteilt hat.

Sie kommen näher, langsam, als wüssten sie, dass sie ihrem Untergang entgegengehen.

»Warum?«, frage ich den, der in meine Richtung kommt – der größere, nervösere der beiden. Dem anderen schien der Verrat leichter zu fallen, aber dieser Junge vermittelte mir ein ganz anderes Gefühl. Sicherlich schuldbewusst, aber mit etwas anderem dahinter.

»Wir mussten es tun.« Er hält die Waffe an der Seite, sein Arm liegt schlaff an ihm.

»Wen interessiert das schon?« Coen verschwendet keine Zeit, drückt ab und schaltet den Kerl aus, der sich ihm nähert.

Frankie, ich glaube, das ist sein Name, schreit.

Coen geht weiter und verpasst dem anderen zwei weitere Kugeln, die das Leben des armen Trottels beenden.

Der Junge vor mir zuckt bei jedem Schuss zusammen. »Ich hatte keine andere Wahl.« Seine Augen sind voller Tränen, die er gleich fallen werden.

»Du hättest zu uns kommen können«, sage ich ihm, meine Waffe immer noch auf seine Brust gerichtet. »Wir hätten uns etwas einfallen lassen können.«

»Ich …« Er ringt um Worte.

Beklemmung, Angst und pures Bedauern sprudeln aus ihm heraus. Er ist sich bewusst, dass er es vermasselt hat, dass er die falsche Seite gewählt hat. Er weiß, dass seine Überlebenschancen gering bis nicht existent sind. Denn wenn wir es nicht tun, wird Beckett sein Leben beenden.

»Du wirst weich.« Coen schiebt sich an mir vorbei, schneller als ich reagieren kann, und verpasst dem Jungen eine Kugel in die Brust und sicherheitshalber noch eine in den Kopf.

»Ernsthaft?« Mit weit aufgerissenen Augen atme ich aus. »Du bist manchmal so ein Arschloch.«

»Als ob es mich interessiert, was du denkst.« Coen geht ein paar Meter weiter zu einem der anderen Körper und stößt ihn mit dem Fuß an, um zu überprüfen, ob der Kerl tot ist. Er lässt seinen Blick über den ruhigen Parkplatz schweifen und sieht mich an. »Ist es nicht dein Job, das vorauszusehen?«

»Ich habe dir gesagt, dass es nichts ist, womit wir nicht umgehen können.«

Und das haben wir. Mehr als ein Dutzend Leichen in den Lachen ihres eigenen Blutes.

Coen stochert in der Wunde an seinem Arm. »Ich wurde angeschossen, verdammt.«

»Es ist nur eine Fleischwunde. Sei nicht so ein Baby!«

Die Tür zu dem Gebäude, das wir bewachen, öffnet sich knarrend. »Was macht ihr Idioten da?« Dom tritt hindurch und begutachtet das Chaos, das wir angerichtet haben. »Ihr zwei wisst wirklich, wie man eine Party schmeißt, nicht wahr?«

Ich nicke in die Richtung, aus der er kommt. »Was ist mit dir? Hattest du Spaß?«

»Nicht so viel wie du.« Dom geht zu unserem Geländewagen hinüber, lehnt sich gegen das Dach und schaut hinein. »Wirklich? Unser Fahrer?« Er seufzt, holt sein Handy aus der Tasche seiner Anzughose und dreht sich zu uns um. »Einer von euch fährt ihn weg, während ich das hier melde.«

Hayes und ich strecken unsere Fäuste aus und losen bei Schere-Stein-Papier aus, wer den Putzdienst übernimmt. Ich zeige Papier, Hayes Steine, was seine Wut auf mich nur noch verstärkt.

Wie auch immer. Vielleicht, wenn er erwachsen werden und lernen würde, wie ein verdammter Erwachsener zu kommunizieren, würde ich mehr Rücksicht auf den seltsamen Anspruch nehmen, den er auf June erhoben hat. Aber bis dahin ist sie Freiwild, und ich werde vor nichts zurückschrecken, um sie zu erobern.

KAPITEL ACHT – JUNE

»*J*ch kann immer noch nicht glauben, dass du mit beiden geschlafen hast«, flüstert Cora von ihrem Platz an der Bar aus. »Okay, nein, das kann ich durchaus. Was ich nicht glauben kann, ist, dass sie sich kennen. Dass sie miteinander *leben*.« Sie hält inne, ihre Augen werden groß. »Was, wenn es eine Vater-Sohn-ähnliche Situation ist. Das würde ich dir *nicht* zumuten.«

Ich verdrehe die Augen, trockne ein Glas ab und stelle es an seinen Platz neben den anderen.

»Ein Old Fashioned und ein *Was auch immer vom Fass*«, bellt eine rundliche Kellnerin die Bestellung eines Tisches ab.

»Wir haben sechs Sorten vom Fass.« Ich zeige auf die Auswahl.

»Sie sagten, ich solle sie überraschen.«

»Bin ich etwa ein verdammter Zauberer?« Ich nehme einen Zuckerwürfel und klaue die Flasche mit dem Magenbitter, um mit dem ersten der beiden Drinks zu beginnen. Es dauert nicht lange, bis ich fertig bin, eine Orangenscheibe darauflege und nach einem Glas greife. Ich entscheide mich für das *Flóki*, vor allem weil es mein persönlicher Favorit aus unserer Sammlung ist. Ein internationales Pilsener mit knackigem Hopfengeschmack und ausgewogener Süße. Ein solider Publikumsliebling für die meisten Gaumen.

Und wenn es irgendwelche Beschwerden gibt, können sie sich verpissen, denn sie haben mir nichts gegeben, was mir bei meiner Entscheidung helfen könnte.

Ich stelle die Getränke auf ein Tablett und mache mich an die Arbeit, das kleine Chaos, das ich angerichtet habe, aufzuräumen und die nächste Bestellung vorzubereiten.

»Hast du von ihnen gehört?« Cora greift hinüber und pflückt eine Kirsche aus dem kleinen Behälter.

Ich kneife meine Augen zusammen. »Deinetwegen werde ich noch gefeuert.«

Cora grinst. »Ich bin die geringste deiner Sorgen, Babe.«

Sie hat völlig recht. Es gibt unzählige Gründe, warum mein Arbeitsverhältnis beendet werden sollte, insbesondere wegen einer brutalen Schlägerei und wilder Sexabenteuer im Badezimmer. Ich werde in nächster Zeit nicht gerade zur Mitarbeiterin des Monats gewählt.

»Nein, habe ich nicht«, antworte ich.

»Wie lange ist es her, eine Woche?«

»Hm.« Sechs Tage, um genau zu sein.

Und sosehr ich mich auch bemühe, sosehr ich den Gedanken an jeden Einzelnen von ihnen verdränge, sie laufen in meinem Kopf in einer Dauerschleife und scheinen kein bisschen zu verblassen.

Es ist ärgerlich, wirklich. Ich habe nicht mehr so viel über einen Mann nachgedacht, geschweige denn über drei, seit ... jemals. Vor Jahren, als Coen mich verließ, war es ein trauriger, überwältigender Verlust, den ich nicht begreifen konnte. Jetzt ist es eine unbändige Lust auf ein Trio von Männern, das ich nicht haben kann. Denn wie zum Teufel sollte ich mich jemals entscheiden? Ich kann mich nicht für einen entscheiden, und ich würde es auch gar nicht wollen. Ich will nichts Dauerhaftes. So viel ist sicher. Also tue ich das, was ich am besten kann – ich gehe vorwärts, mache weiter und schiebe sie in meine Vergangenheit, wohin sie gehören.

Was ich am besten kann ... das ist ein weit gefasster Begriff, denn es fällt mir schwer, auch nur einen einzigen Gedanken zu haben, in dem keiner von ihnen vorkommt.

»Du weißt, wo sie wohnen.« Cora stützt ihr Kinn auf die Hände, die Ellbogen auf den Tresen gestützt.

»Und sie wissen, wo ich arbeite.«

»Stimmt, aber vielleicht warten sie darauf, dass du etwas unternimmst, weil du wie eine Verrückte aus dem Haus gestürmt bist.«

»Du genießt das viel zu sehr.«

Sie lächelt. »Lass mich das bitte durch dich miterleben.«

Der ältere Mann am Ende der Bar räuspert sich. »Wir sehen uns, June.« Er holt seinen Geldbeutel hervor und wühlt zwischen den Scheinen, bis er den gesuchten findet. »Behalte den Rest!«

»Danke, einen schönen Abend noch.« Ich lächle höflich und warte, bis er verschwunden ist, bevor ich zu seinem Platz hinübergehe.

»Verdammt, er hat einen Zwanziger dagelassen.«

»Ist das gut oder schlecht?«, fragt mich Cora.

»Er schuldete nur sieben-fünfzig für seinen Drink.«

Ich gebe seine Rechnung in die Kasse ein, wechsle den Betrag und gebe Cora zehn Dollar, den Rest stecke ich ein. »Damit schulde ich dir noch vierzig.«

»Du kannst warten, bis du alles hast, um es mir zurückzuzahlen.«

Ich schüttle den Kopf. »Das gibt mir das Gefühl, dass ich Fortschritte mache.« Ganz zu schweigen davon, dass ich nicht darauf vertrauen kann, dass Carter nicht in mein Zimmer einbricht und mein Geld stiehlt, wenn ich es dort verstecke. Ich laufe nicht gern mit zu viel Geld herum, für den Fall, dass ich überfallen werde. Man kann nie wissen ... Nach dem Verlust, den ich erlitten habe, und nachdem ich mich abrackern muss, um das Geld zusammenzukriegen, kann ich es mir nicht leisten, weitere unnötige Risiken einzugehen.

Ich habe es gehasst, Cora um einen Kredit zu bitten. Je eher ich meine Schulden begleichen kann, desto besser. Sie ist meine Freundin, und ich weiß, dass sie sich sorgt, aber ich werde dieses seltsame, beunruhigende Gefühl nicht los, bei jemandem in der Schuld zu stehen. Ich habe mein ganzes Leben lang niemanden um etwas gebeten, damit will ich jetzt nicht anfangen.

Carter dazu zu bringen, zuzugeben, dass er mein Geld genommen hat, steht immer noch auf meiner To-do-Liste, aber ich habe dringendere Angelegenheiten zu erledigen. Er wird früher oder später bekommen, was er verdient, und wenn es das Letzte ist, was ich tue.

»Wann ist deine Schicht zu Ende?« Cora wirbelt den Strohhalm um die Reste ihrer Wodka-Coke.

Ich werfe einen Blick auf die Uhr. »Noch eine Stunde oder so, je nachdem, ob überhaupt noch was geht heute.«

Sie dreht sich auf ihrem Sitz herum. »Sieht nicht gut aus.«

Ich scanne die armselige Menge an Leuten in der Bar. Die Wahrscheinlichkeit, heute Abend mehr Geld zu verdienen, schwindet mit jeder Minute. Gott sei Dank gibt es Trinkgeldgeber wie eben. Er war mein idealer Stammkunde. Ruhig, bleibt für sich, beäugt mich nicht auf unheimliche Weise und lässt mir mehr als sein Kleingeld da.

»Ich treffe dich dort, wenn du vorgehen willst. Es wird wahrscheinlich nicht mehr lange dauern.« Ich wische den Tresen vor Cora ab und nehme ihr das fast leere Glas ab. Die einzigen Überreste sind die letzten Eiswürfel, die zu einem ekligen Durcheinander aus Wasser mit Colageschmack und einem Hauch von Alkohol geschmolzen sind.

»Bist du sicher? Es macht mir nichts aus, zu warten.« Cora springt von ihrem Stuhl auf, als ich sie animiere zu gehen.

»Es ist sinnlos, wenn wir beide hier festsitzen.« Ich schlage mit meinem Handtuch nach ihr. »Geh, bevor ich meine Meinung ändere.«

Die Kellnerin von vorhin kommt. »Platz sechs möchte noch eine Runde.«

Ich werfe einen Blick auf ihr Namensschild, den ich mir partout nicht merken kann. Zugegeben, sie ist erst seit einer Woche hier, man sollte meinen, dass ich mich inzwischen an ihren Namen erinnern würde. »Das Gleiche?«

Jane nickt. »Ja. Und könnte ich ein Wasser für den Typen in der Ecke bekommen?«

Mein Blick schweift durch den Raum zu dem Mann. Ein unbekanntes Gesicht, obwohl das hier überhaupt nicht überraschend ist. Wir haben eine Handvoll Stammgäste, aber es gibt einen bestimmten Typus, der in dieses Lokal kommt. Ungeplante Pärchen, rüpelhafte Collegekids, die alten mürrischen Männer, die gern an der Theke sitzen, und mit Ausnahme des verdammt sexy Silberfuchses, der mich auf der Toilette um den Verstand gevögelt hat.

Dieser Typ ist nichts von alledem. Mittleres Alter. Nicht schrecklich anzuschauen, aber nichts Auffälliges. Sehr schlicht. Aber er hat die Ausstrahlung eines Ex-Polizisten. Einfache Kleidung, ein dunkles T-Shirt mit einer schwarzen Jacke darüber, ohne Aufnäher. Das Haar ist kurz geschnitten und seine Ästhetik ist ohne viel Aufwand zurechtgemacht. Er ist allein, was nicht weiter schlimm ist, aber er hat nicht ein einziges Mal auf sein Handy geschaut oder ein Buch herausgeholt oder sich mit etwas anderem beschäftigt. Er sitzt nur dort und nippt im Schneckentempo an seinem Drink. Er ist in einer Bar. Trinkt Wasser.

Es passt einfach nicht.

Aber wer bin ich, dass ich darüber urteile?

Ich mache alle drei Drinks fertig und stelle sie auf Janes Tablett. Dabei ignoriere ich den wachsamen Blick des seltsamen Mannes und schiebe es darauf, dass er mich wie all die anderen Hetero-Typen hier anschaut. Vielleicht erinnere ich ihn an jemanden. Oder es besteht die Möglichkeit, dass er gar nicht in meine Richtung schaut und ich ein bisschen zu sehr mit mir selbst beschäftigt bin, als es mir guttut. Was auch immer es ist, es geht mich nichts an. Es interessiert mich nicht, und ich habe auch keinen Platz, um es überhaupt in Betracht zu ziehen. Ich habe im Moment drei andere Männer im Kopf, und mein Versuch, den ersten aus meinen Gedanken zu verbannen, hat zu einem kompletten und massiven Versagen meinerseits geführt.

Wenn ich meine Lust auf sie loswerden will, muss ich das schaffen, ohne auf einen anderen Schwanz zu steigen.

Drei sind genug. Ich kann mir nicht vorstellen, noch mehr in meinen Kopf zu bekommen.

Jack hebt die Luke des Tresens hoch und tritt zu mir hinter die Theke. »Räumt auf, dann könnt ihr gehen. Es wird langsam leer.«

Ich wusste, dass das kommen würde. Dieser Ort ist in letzter Zeit wie eine Geisterstadt, obwohl ein paar neue Bars in der Nähe eröffnet wurden. Das Nachtleben boomt, und die meisten Investoren haben ihre Geschäfte auf das Studentenpublikum zugeschnitten. Jack hat sich nicht den neuesten Trends angepasst. Seine altmodische Kneipe mit einer abgenutzten Jukebox in der Ecke ist einfach nicht mehr zeitgemäß. Die Leute wollen frisch gezapftes Bier und Fingerfood, aber Jack weigert sich, den Trends nachzugeben, und glaubt fest daran, dass es irgendwann en mode sein wird, gegen den Strom zu schwimmen.

Er könnte einfach ein paar andere Biere anbieten, eine Indie-Live-Band engagieren und ein paar Tacos servieren, und die Leute würden in Scharen kommen und mit ihrem Geld um sich werfen. Es ist ja nicht so, dass ich ein Wirtschaftsstudium oder so absolviert hätte und eine formale Ausbildung hätte, wie man sich richtig an die veränderten Zeiten anpasst.

Ich Dummerchen.

Ich tue, worum er mich bittet, wische den Tresen ab, räume unseren Arbeitsplatz auf und vergewissere mich, dass alle Flaschen wieder an ihrem Platz stehen. Nachdem ich mir sicher bin, dass es besser aussieht als bei meiner Ankunft, werfe ich mein Handtuch zu den anderen schmutzigen Handtüchern in den Mülleimer.

»Soll ich das in die Wäscherei bringen?« Ich zeige auf die fast volle Kiste.

»Nein, ich werde Jane bitten, es mitzunehmen.«

»Okay. Kann ich sonst noch etwas für dich tun?«

»Alles gut, June, alles gut.«

»Wir sehen uns morgen Abend.« Ich mache mich auf den Weg.

Jane winkt mir von dem Tisch in der Ecke zu, den sie gerade abräumt. Der, den mein geheimnisvoller Mann wochenlang für sich beansprucht hat. Jetzt ist er nicht mehr geheimnisvoll und für immer aus meinem Leben verschwunden. Ich wünschte fast, ich könnte die Zeit zurückdrehen und diese Momente noch einmal genießen, als wir nicht mehr waren als die Kellnerin und der Kunde. Ein bisschen sexuelle Spannung zwischen uns bei wenigen Worten.

Ich gehe zur Tür hinaus und weiche einem älteren Paar aus, das gerade Jacks Laden betritt. »Entschuldigung!« Ich zwinge mich zu einem kundenfreundlichen Lächeln und setze meinen Weg fort.

Die Nachtluft ist kühl und erfrischend, eine willkommene Abwechslung zum dicken Mief der Bar. Straßenlaternen erhellen den Bürgersteig und führen mich zu meinem Ziel. Ein Kribbeln läuft meinen Rücken hinauf – ein seltsam unsicheres Gefühl durchströmt mich.

Ich drehe mich um, schaue hinter mich und beobachte

Menschen, die hierhin und dorthin gehen, und versuche, irgendetwas Seltsames auszumachen. Autos rasen vorbei, eines fährt in eine Parklücke ein paar Häuser weiter, ein anderes auf der anderen Straßenseite. Bin ich paranoid? Aber warum? Ich bin hier schon oft entlanggegangen. Warum spüre ich plötzlich etwas Seltsames?

Vielleicht bin ich hyperfixiert. Mein Verstand spielt mir Streiche in einem schwachen Versuch, mich von all den Problemen abzulenken, die in meinem Leben auftauchen. Das muss es sein. Denn was könnte es sonst sein? Jemand, der mich verfolgt? Aus welchem Grund?

Ich schüttle die Gedanken ab und gehe den Rest des Weges nach *Haven*, wo ich Cora treffen soll. Ich überquere die Straße zwischen zwei Autos und stürme in die Bar, ohne mich noch einmal umzusehen. Wenn mir wirklich jemand gefolgt ist, wird er auf mich warten müssen, denn ich habe nicht vor, so schnell wieder aus der Bar zu kommen.

Ich lasse meinen Blick über die Menge schweifen und entdecke die schöne Blondine, die sich mit einem Mann in der Nähe der Toiletten unterhält. Ihre Körpersprache verrät mir, dass sie nicht interessiert ist, aber seine zeigt, dass er noch nicht bereit ist, aufzugeben. Kerle können manchmal wirklich schwer von Begriff sein.

Ich schlängle mich durch die Menge, bis ich neben ihr stehe, und lege meine Hand um ihre Taille. »Hey, Schatz. Entschuldige, ich bin zu spät.« Ich küsse ihre Wange und konzentriere mich auf den verwirrten Mann. »Danke, dass du meinem Mädchen Gesellschaft geleistet hast, während ich auf der Arbeit aufgehalten wurde.«

Er blinzelt ein paar Mal, als ob er mich aus seinem Blickfeld vertreiben könnte, wenn er sich nur genug anstrengt. »Warte, du bist …«

Ich unterbreche ihn. »In einer festen Beziehung?« Ich nicke und klopfe ihm auf die Schulter. »Ich fürchte ja,

Kumpel. Du musst heute Abend versuchen, eine andere Tussi aufzureißen.«

»Das war mir nicht klar.« Der eher langweilige Kerl ringt nach Worten.

»Ein echter Fehler.« Ich nehme ihre linke Hand und reibe meinen Daumen an ihrem Ringfinger. »Ich muss sie wirklich zu meiner Frau machen.«

Der Mann nimmt einen Schluck von seinem Bier und geht. »Ich denke auch.«

Sobald er außer Sichtweite ist, kann Cora ihr Lachen nicht mehr unterdrücken. »Das war unglaublich. Du bist mein Lieblingsmensch auf dem ganzen Planeten. Er hat mich zehn Minuten lang in die Enge getrieben und mir von seinem Football-Club erzählt.«

Ich zwinkere ihr zu und nehme den Strohhalm ihres Getränks zwischen meine Lippen, um einen Schluck zu nehmen. »Dein Alkoholgeschmack ist allerdings ein echter Dealbreaker, Süße. Vielleicht muss ich dich zurück zu den Wölfen werfen.«

»Das würdest du nicht.« Sie schlingt ihren Arm um meinen und zieht mich zur Bar. »Holen wir dir etwas Stärkeres, meine Heldin. Das ist das Mindeste, was ich tun kann, nachdem du so getan hast, als wärst du meine Geliebte.«

»Hey, wozu sind Freunde da?« Und mit dem geliehenen Geld ist es fast so, als ob ich auch ihre Nutte wäre.

Cora bestellt für jeden von uns einen doppelten Tequila, unser Lieblingsgetränk, um sich zu betrinken, und einen Krug *Flóki*.

»Wirst du dich heute Abend zügeln oder wirst du wieder ohnmächtig?«

»Flirtest du mit einem scharfen tätowierten Hottie und machst mich zum dritten Rad?« Cora grinst und reicht mir die beiden hohen Schnapsgläser.

»Diese Tage liegen hinter mir, ich werde zölibatär leben.«

Cora verengt ihren Blick und rollt mit den Augen. »Keine Chance. Wahrscheinlich wird die Hölle vorher zufrieren.«

»Hab Vertrauen in mich!« Ich rutsche auf einen Hocker, stelle unsere Drinks auf den Tisch und schiebe ein Glas in ihre Richtung.

»Oh, das habe ich. Nur nicht in dieser Hinsicht. Vor allem, wenn du die drei auf dem Radar hast.« Sie hebt das Glas auf und hält es vor sich. »Auf Junes sexy Verehrer. Möge sie ein paar für den Rest von uns übrig lassen.«

»Darauf trinke ich nicht.«

»Das wirst du und du wirst es mögen.« Cora hebt meinen Arm und lässt die beiden Schnäpse aneinander klirren. »Runter damit, Freundin!«

Ich kippe den Tequila hinter – das Brennen zieht sich über meine Brust in meinen Bauch und breitet sich in meinem Körper aus. Billig, aber effizient. Ganz und gar nicht wie das Zeug, das Dominic, Coen und Magnus trinken. Jetzt ergibt der seltsame Zufall einen Sinn, wenn man bedenkt, dass sie sich so gut kennen.

Mitbewohner. Wenn ich es nicht mit eigenen Augen gesehen hätte, würde ich es nie glauben. Diese drei könnten nicht unterschiedlicher sein. Dominic, der Mann mit dem aschblonden Haar, der mit einem einzigen Blick töten könnte. Er ist ernst und ein totales Rätsel. Magnus, der tätowierte Bösewicht mit der übersprudelnden Persönlichkeit. Liebenswert mit einem Hauch von Dunkelheit in ihm. Und Coen, mein Schwarm aus der Vergangenheit. Ein gut aussehender Surferboy mit einer Pistole und einer dunklen Seite, die so gar nicht zu dem Jungen passt, an den ich mich erinnere.

Was war eigentlich passiert?

Nicht in einer Million Jahren hätte ich mir Coen so vorstellen können. Beschützend, sicher, aber niemals mit einer Waffe. Nicht mit etwas so … Tödlichem. Er hatte mich im Visier, bereit, zuerst zu schießen und sich später mit Fragen zu beschäftigen. Der Coen, an den ich mich erinnere, war weich und sanft und küsste mich so vorsichtig, als könnte ich zerbrechen, wenn er zu grob wäre.

Cora seufzt und stützt ihren Kopf in ihre Hände. »Von welchem träumst du? Von dem heißen älteren Kerl? Wie hieß er noch mal?«

»Dominic.«

»Gott, das ist so passend.« Sie löst sich aus der Umklammerung und schleppt den leeren Krug zum Auffüllen zur Theke. »Ich frage mich, wo ich ein Trio von so sexy Männern finden kann.«

»Dir ist schon klar, dass sie nicht meine Männer sind, oder?« Es kommt mir, als ob Cora sich ein Universum ausdenkt, in dem ich mit all diesen drei Typen zusammen bin.

»Sschh! Du ruinierst meine Fantasie.« Cora schiebt mir mein volles Glas zu.

Ich nehme es dankbar an und trinke die Hälfte davon in einem Schluck, wobei ich den aufkommenden Rülpser unterdrücke.

»Ladylike.«

»Du kennst mich.« Ich hätte als Kerl geboren werden sollen, mit meinen Manieren und meinem wahnsinnigen Sexualtrieb trinke und ficke ich so ziemlich jeden Kerl unter den Tisch. Das macht einen verdammt guten ersten Eindruck, ganz zu schweigen vom letzten, wenn man bedenkt, dass ich nie lange bleibe.

»Ich habe nachgedacht ...« Cora zieht die Augenbrauen hoch, und in ihrem Kopf formt sich eine Idee.

»Ja?« Ich schaue mich in dem lauten Raum um und konzentriere mich dann auf sie.

»Wenn wir hiermit fertig sind«, sie zeigt auf den Rest Bier im Krug, »gehen wir nach nebenan.«

Den letzten Teil lässt sie weg, aber ich weiß genau, worauf sie anspielt. »Ins *Fox Hole*?«

Cora presst ihre Handflächen zusammen und drückt sie an ihre Brust. »Bitte, bitte, bitte.« Sie geht sogar so weit, dass sie ihre Unterlippe vorschiebt.

Ich seufze und lehne mich auf meinem Stuhl zurück. »Dafür bin ich nicht betrunken genug.«

Ihre grünen Augen werden groß. »Wirklich? Wir können gehen?«

Ich schüttle den Kopf. »Wie könnte ich dir jemals etwas vorenthalten, besonders wenn du so schmollst?«

»Du bist die Beste.« Sie greift über den Tisch und drückt meinen Unterarm.

»Darüber lässt sich streiten.« Ich kippe mein Bier herunter, während ich ein stilles Gebet an das Universum richte, dass es meine hohe Toleranzgrenze aufhebt und mich ein wenig anregt.

---

*D*as *Fox Hole* ist voll, genau wie ich erwartet habe. Laute Musik dröhnt und die Körper werden auf der riesigen Tanzfläche eins.

Cora kreischt förmlich, als wir den Laden betreten, und lässt alle Vorbehalte, die ich gegen einen Besuch hier hatte, verschwinden. Sie lächeln, glücklich zu sehen, genügt, damit ich fast alles mitmache. Sie ist eine verdammt gute Freundin, und es ist das Mindeste, was ich tun kann, wenn ich sie begleite, damit sie nach Herzenslust tanzen kann. Wir haben gemeinsam dunkle Zeiten durchgestanden, da ist es nur logisch, dass wir auch einmal etwas Licht hereinlassen.

»Ich hole uns was zu trinken«, schreit Cora über den chaotischen Lärm hinweg.

»Bist du sicher?« Ich schiebe meine Hand in meine Tasche. »Ich kann diese Runde zahlen.«

Aber bevor ich ihr den Zwanziger herausziehen und ihr

geben kann, geht sie in Richtung Bar und lässt mich stehen, als hätte ich mit mir selbst geredet.

Das Lied endet und geht nahtlos in ein anderes über. Die Menschenmenge springt im Takt, der DJ tut sein Bestes, um die Menge anzuheizen.

Ich bereite mich innerlich darauf vor, mich ihnen anzuschließen. Eine von vielen zu werden, die sich in die Ekstase stürzen.

Ich ficke einen Fremden auf der Toilette, aber Tanzen in der Öffentlichkeit macht mir zu schaffen.

Es ist nicht so, dass es mir keinen Spaß macht – beides nicht –, ich bin nur lieber betrunken, wenn ich es tue. Die Tatsache, dass ich immer fragwürdige Entscheidungen treffe, wenn ich betrunken genug bin, um zu tanzen, ist der Grund dafür, dass ich eher vorsichtig sein sollte.

Cora taucht wieder neben mir auf, zwei Tequilas in der Hand. »Hier!«

»Auf schlechte Entscheidungen.« Ich stoße meins an ihres und halte die ganze Zeit über Augenkontakt mit ihr.

Wir leeren die Gläser und stellen sie auf einen Tisch zu anderen.

Cora schlingt ihre Finger um meine und zieht mich in die Runde der Tänzer.

Mein Kopf schwirrt, der Alkohol beginnt endlich zu wirken. Ein abwechselnd kühles und warmes Gefühl überkommt mich auf die beste Weise. Es ist, als ob eine vorübergehende Last von meinen Schultern genommen wird, die Sorgen meines Lebens werden in einem Zug weggetragen, der mich morgen früh mit voller Wucht mit einem Kater treffen wird. Aber im Moment genieße ich die Freiheit und die Sorglosigkeit, die sie mit sich bringt.

Mit jedem Schritt wird die Entscheidung, auf die Tanzfläche zu gehen, mehr zu meiner Entscheidung als zu Coras. Oder vielleicht ist es nur der Alkohol, der aus mir spricht. Wie auch immer, ich bin dabei.

Ich schiebe mein Handy in die Tasche meiner engen schwarzen Jeans und hoffe, dass es niemand stiehlt. Die Sorge sollte größer sein, aber mein Verstand tut das, worum ich ihn gebeten habe – sich weniger zu sorgen. Ich schiebe mich hinter Cora und passe in eine kleine Lücke zwischen ein paar anderen Leuten.

Der EDM-Beat verklingt und ein Song von Cardi B ertönt. Coras Augen leuchten auf und sie strahlt, ihr Körper bewegt sich aufreizend von einer Seite zur anderen. Sie ergreift meine Hände und zieht mich näher zu sich, kichert und grinst die ganze Zeit. Wir verlieren uns in den Klängen, in uns selbst und vergessen, dass die Welt außerhalb dieser Tanzfläche existiert. Zwei beste Freundinnen, die all ihre Probleme für einen kurzen Augenblick ausblenden.

Ein weiteres Lied, dann noch eines, bis wir außer Atem sind und in die Masse der anderen Menschen eingefügt haben – in dem Versuch unsere Körper zu bewegen, um den Geist zu befreien. Ein paar Mädchen gesellen sich zu uns, und wir drehen uns abwechselnd im Kreis umeinander. Es ist seltsam und wunderbar, wie leicht es ist, Freunde zu finden, wenn man betrunken ist. Leute, von denen man nie gedacht hätte, dass man sich mit ihnen verstehen würde, und die doch gemeinsam im Takt die Hüften schwingen.

Ganz zu schweigen davon, dass es auch in Badezimmern so abgeht. Mädchen sind Psychos, mich eingeschlossen, aber wenn man uns mit viel Alkohol in den Adern und einer vollen Blase in einen engen Raum steckt, tauschen wir Geschichten aus, flechten uns gegenseitig das Haar und verfluchen einen Typen, der Elizabeth in der dritten Klasse Unrecht getan hat.

In Anbetracht meiner typisch verschlossenen Art ist es schön, dass ich mich den typischen Frauengewohnheiten hingeben kann. Vor allem, weil es nur vorübergehend ist. Es gibt keine langfristigen Versprechen auf der Toilette eines Tanz-clubs. Keine Verpflichtungen, in Kontakt zu bleiben. Nur du und eine Fremde, eine gute Zeit und die Möglichkeit, einfach zu gehen und nicht zweimal darüber nachzudenken oder zurück-zuschauen.

Ich bin dankbar für Cora, aber sie ist alles, was ich brauche, und mehr, als ich bereit bin, an Verpflichtungen einzugehen.

Ich bin mir nicht einmal sicher, wie es dazu kam, dass wir länger als eine durchzechte Nacht durchhalten, aber wenn ich für jemanden da bin, dann für sie.

»Ich werde uns etwas Wasser holen«, rufe ich über die Musik hinweg. Ich mag zwar besoffen sein, aber ich bin keine komplette Idiotin. Dem Glanz auf unserer Haut und dem keuchenden Atem nach zu urteilen, könnten wir ein wenig Flüssigkeitszufuhr gebrauchen.

Sie nickt und tanzt weiter, ihre Energie sprudelt aus ihr heraus. Cora und eine kleine Brünette nehmen sich an den Händen und wippen zu dem Hip-Hop, der aus den Laut-sprechern dröhnt, auf und ab.

Ich schlängle mich durch die Menge und schaue hinter mich, um zu sehen, ob es irgendwelche Personen gibt, die ich mir merken kann, um den Weg zu Cora zurückzufinden. Der einzige Nachteil, wenn man sich an einem Ort wie diesem aufteilt, ist, dass man nicht weiß, wie man zu seiner Begleitung zurückkommt. Die berauschte Version von mir zuckt mit den Schultern und erinnert mich daran, dass ich diese Brücke über-queren werde, wenn ich sie erreicht habe.

Ich mache mich auf den Weg zur Toilette, bevor ich an der Bar Wasser hole. Die Schlange ist nicht allzu lang, aber sie ist immer noch beachtlich. Die Männer gehen bei ihren Toiletten ein und aus, und für den Bruchteil einer Sekunde überlege ich, ob ich mich nicht lieber dort erleichtern sollte.

Ich beschließe, stattdessen das Gespräch vor mir zu belauschen.

»Er ist so heiß.« Die größere der beiden Frauen packt die kleine Blondine am Arm und zieht sie fast zu Boden, als sie gegen die Wand stolpert. Ihre Worte lallen.

»Ja, aber das bist du auch.«

»Ähm, das seid ihr beide«, platze ich heraus, denn wie können sie es wagen, wegen eines Mannes weniger von sich zu halten.

»O mein Gott, halt die Klappe, das ist so süß!« Die Große zieht mich im wahrsten Sinne des Wortes an sich und nimmt mich in ihre Arme. »Wie heißt du? Ich bin Faith und das ist Sav. Kurz für Savannah, natürlich.«

Die Schlange bewegt sich und wir gehen ein paar Schritte auf die Tür zu.

»Ich bin June.«

»June«, keucht Sav. »Bist du Zwilling?« Sie klammert sich an mich, um mich auf Armeslänge zu halten. »Warte, sag es mir nicht!« Faith legt Daumen und Finger an ihr Kinn, ihre Augen verengen sich und mustern mich. »Ich empfange keine Zwillingsschwingungen. Nicht ganz. Ich tippe auf Fische.«

Ich schüttle den Kopf. »Nö. Ich bin ein Krebs.«

Sav weitet ihren Blick. »Du weißt, dass das FBI Krebs als den gefährlichsten aller Tierkreiszeichen einstuft.«

»Ist das wahr?« Ich lache und gehe einem Mädchen aus dem Weg, das aus der Toilette kommt. Als sie weg ist, können wir hineingehen und der lauten Umgebung entkommen.

»Ja.« Sie senkt ihre Stimme, um sich dem ruhigen, aber immer noch dumpfen Raum anzupassen. »Du bist wahrscheinlich auch Slytherin. Ich bin Hufflepuff, falls du das nicht merkst. Steinbock in Reinkultur.«

Faith nickt gehorsam und stimmt allem zu, was Sav sagt. Die beiden sind beste Freundinnen, und das merkt man.

»Hier!« Sav öffnet ihre Tasche, kramt einen Moment darin herum und holt einen zum Teil durchsichtigen Stein heraus. Sie drückt ihn mir in die Hand. »Behalte ihn bei dir!«

Ich betrachte das glitzernde blaue Ding und bewundere sein weiches, milchiges Aussehen. »Was ist es?«

»Mondstein, Dummerchen. Dein Geburtsstein. Er bringt dir Ausgeglichenheit, Klarheit und hilft dir, deine Krebs-Eigenschaften zu verstärken.«

Ich hebe eine Augenbraue. »Auch meine gefährlichen?«

Eine Kabine öffnet sich, Faith hält sich an Sav fest und zieht sie mit sich.

Ein Mädchen in einem leuchtend roten Kleid schlendert selbstbewusst aus dem nächsten und macht sich auf den Weg zum Waschbecken.

Ich stecke das glänzende Ding in meine Tasche und gehe hinein, um mich zu erleichtern. Ich beeile mich, um etwas von der Zeit zurückzugewinnen, die ich durch das Schlangestehen verloren habe. Cora geht es entweder gut, sie tanzt sich die Seele aus dem Leib oder ist besorgt und fragt sich, warum ich so lange brauche. Ich nehme Ersteres an.

Kaum stehe ich von der Toilette auf, dreht sich alles in meinem Kopf und erinnert mich daran, wie viel Alkohol ich heute Abend getrunken habe. Ich begrüße das willkommene Summen in meinem Kopf, bereit, es mit einer weiteren Runde zu intensivieren. Wie ich meine Freundin kenne, ist sie wahrscheinlich fertig für die Nacht – sie gibt sich dem Takt ihrer neuen Form von Rauschmitteln hin. Ich hingegen brauche etwas Stärkeres.

Ich verlasse die Toilette und gebe der nächsten Frau die Gelegenheit, zu pinkeln. Während ich meine Hände wasche, blicke ich hinter mich zu der Kabine, hinter der meine neuen Freundinnen verschwunden sind, und überlege, ob ich mich verabschieden solle. Ich entscheide mich dagegen, weil ich weiß, dass es keine festen Regeln gibt und die Wahrscheinlichkeit groß ist, dass sie bereits vergessen haben, wer ich überhaupt bin.

Als ich aus den Toilettenräumen komme, dröhnt die Musik

in meinen Ohren. Ich gehe direkt zur Bar und bewege mich mühelos um die beschwipsten Menschen herum, die hier kommen und gehen.

Ein gut aussehender Barkeeper kommt zu mir. »Was darf's sein?« Er wirft ein Glas zwischen seinen Händen hin und her.

»Zwei Flaschen Wasser und ein doppelter Wodka.«

Er blickt auf den Stempel auf meiner Hand und nickt. »Sonst noch etwas?«

»Nein, danke.« Ein wenig Höflichkeit kann in einer solchen Situation viel bewirken. Zu viele betrunkene, rücksichtslose Arschlöcher sind ständig unhöflich zu den Barkeepern. Da ich selbst eine Kellnerin bin, tue ich mein Bestes, um nicht diese Unhöflichkeit weiterzugeben.

Der Barkeeper verschwindet, und ich nutze die Gelegenheit, die Menge zu scannen und Cora zu suchen.

»Hier, bitte.« Er stellt das Wasser auf den Tresen und ein Glas mit goldenem Schnaps.

»Was ist das?«, frage ich ihn, obwohl ich weiß, dass ich nicht so betrunken bin. Wodka ist definitiv eine klare Flüssigkeit.

Er wendet den Kopf in die andere Richtung. »Irgendein Kerl hat deine Rechnung bezahlt. Ich soll dir sagen, dass du zu hübsch bist, um nur das übliche Zeug zu trinken.«

»Wer?« Ich schaue angestrengt über den Tresen in die Gesichter.

»Ich habe seinen Namen nicht verstanden.« Er geht ohne ein weiteres Wort wieder und bedient den nächsten Kunden ein paar Plätze weiter.

Ich seufze und habe keine Ahnung, wer meine Drinks bezahlt hat. Ich nehme das Glas in die Hand, führe es an meine Lippen und schnuppere daran.

Was ich eigentlich für Bourbon gehalten habe, ist in Wirklichkeit Tequila, was meine ursprüngliche Idee, dass es Dominic, Coen oder Magnus gewesen sein könnten, verwirft. Nur ein zufälliger Gast, der beschlossen hat, nett zu sein? Wie groß ist die Wahrscheinlichkeit, dass so etwas passiert? Vor allem, wenn sogar die wenigen Leute, die ich meine Freunde nenne, mir vorhalten, dass ich mit meinem ständig angepisst wirkenden Gesicht nicht gerade nett wirke. Ich schätze, jemand hat mich nicht angesprochen, sondern den Barkeeper als Mittelsmann benutzt. Aber warum nicht winken, hallo sagen oder mir wenigstens die Gelegenheit geben, mich zu bedanken.

Ich nehme einen Schluck, wirble den Schnaps in meinem Mund herum und lasse die Wärme durch mich fließen. Er brennt nicht so heftig wie das billige Zeug, das Cora und ich trinken, sondern ist sanft und gleichmäßig, mit einem Hauch von Zitrusfrüchten. Es ist gut, das steht fest. Aber weit jenseits meiner Preisklasse.

Und wahrscheinlich werde ich nie wieder das Privileg haben, etwas zu trinken, es sei denn, ich komme irgendwie an einen Haufen Geld. Was bei der Art und Weise, wie mein Leben verläuft, sehr unwahrscheinlich ist.

Ich trinke den Rest des Tequilas und hasse es, dass ich ihn so schnell herunterschlucken muss. Lieber würde ich mich setzen und ihn genießen, aber meine Freundin ist allein und berauscht und braucht wahrscheinlich das Wasser, das ich ihr versprochen habe.

Das nüchterne Ich hätte mehr darüber nachgedacht, wer mich mit einer solchen Spezialität verwöhnt, aber das betrunkene Ich ist bereit, wieder auf die Tanzfläche zu gehen.

Auf dem Rückweg stehe ich etwas höher und versuche, über die Menge hinweg Coras blondes Haar zu entdecken. Ich scanne die gelben Schattierungen, ohne Erfolg, bis ich mich zweimal umdrehe. Ich habe nach einer einzelnen weißen Frau gesucht, vielleicht mit ein paar anderen Mädchen um sie herum, aber nein, Cora hat es dieses Mal geschafft, sich einen Mann als Tanzpartner zu sichern.

Braves Mädchen.

Ich schlängle mich mit Leichtigkeit zwischen den Körpern

hindurch, finde Lücken, durch die ich mich drängen kann, und mache mich auf den Weg zu Cora. »Hier, trink das!«

Sie dreht den Verschluss ab und trinkt den gesamten Inhalt der kleinen Wasserflasche in einer Bewegung aus. »Danke!« Cora wischt sich die ganze Zeit über die Lippen, ohne auch nur einen Ton zu sagen.

Ich tue dasselbe und zeige auf den Kerl, der sich an ihr reibt, als ich fertig bin. »Wer ist das?«

Sie zuckt mit den Schultern und lächelt.

Ich schüttle den Kopf und kichere. Sie hat eindeutig zu viel mit mir zu tun gehabt, meine schlechten Angewohnheiten färben auf sie ab.

»Hey«, schreit mir eines der kleinen dunkelhaarigen Mädchen, mit denen wir vorhin getanzt haben, ins Ohr. »Soll ich die Flaschen mitnehmen? Ich gehe zur Toilette.«

»Ja, sicher, danke.«

»Danke«, mischt sich Cora ein und wendet sich sofort ihrem Partner zu.

Mit meinen wieder freien Händen und dem Rausch des Alkohols schließe ich mich ihnen an und wiege meinen Körper, ohne mich darum zu kümmern, wer uns beobachten könnte. Wir bleiben so für den Rest des Liedes, dann noch eines, bis die Zeit jede Bedeutung verloren hat und ich nicht sicher bin, wie lange wir schon so tanzen.

»Sieht der da aus wie Damon Salvatore oder bin ich wirklich so betrunken?«, ruft Cora mir ins Ohr.

Ich verlangsame meinen Rhythmus und kneife die Augen zusammen, um ihn besser sehen zu können, während er sich nähert.

Er grinst, als er an mir vorbeigleitet, meine Hüften ergreift und seinen Körper an meinen presst.

Träume ich, oder macht sich der Doppelgänger des Bad-Boys an mich ran?

Ich drehe mich zu ihm um und bewege mich weiter im Takt.

»Ähm, hi.«

»Hi.« Sein dunkler Blick hinterlässt eine heiße Spur von meinen Augen zu meinen Lippen, wandert hinunter zu meinen Brüsten und wieder hoch zu meinen Augen. Er ist von Kopf bis Fuß in Designerklamotten gekleidet und riecht nach teurem Alkohol und Parfüm. Tequila, um genau zu sein.

Das ruft sofort meine Spiderman-Sinne auf den Plan, die mich auf etwas aufmerksam machen, dessen ich mir noch nicht sicher bin. Zwischen seinem berauschenden Blick und dem Alkohol, der durch meine Adern fließt, kann ich nicht sagen, ob es ein gutes oder ein schlechtes Gefühl ist, das mich überkommt.

Ich möchte ihn nach seinem Namen fragen. Um herauszufinden, ob er in irgendeiner Weise mit den drei Männern zu tun hat, die mir nicht aus dem Kopf gehen. Um sicherzugehen, dass er nicht ein vierter Mitbewohner in dem seltsamen Lustdreieck ist, das mein Leben ist. Aber wenn er es nicht ist, möchte ich nicht mehr Informationen austauschen, als ich muss.

Stattdessen drehe ich mich zurück und wende mich Cora zu.

Ihre Augen sind geschlossen, ihr Arm ist über den Kopf gestreckt und um den Kerl in ihrem Nacken geschlungen. Ihre Körper wiegen sich im Takt. Seine Finger liegen an ihrer Taille und wiegen sich im Takt mit ihr.

»Du bist schon etwas Besonderes, June«, murmelt der Mann.

Ich brauche länger, als ich zugeben möchte, um zu bemerken, dass ich ihm nie meinen Namen gesagt habe. Ich drehe mich noch einmal um, um ihn anzusehen. »Wer bist du?«

Er leckt sich über die Lippen und zupft mit seinen perlweißen Zähnen an der unteren. »Nur ein Mann, der mit einem Mädchen tanzt.«

Er hat ein böses Glitzern in den Augen, und versteh mich nicht falsch, normalerweise bin ich ein verdammter Fan von Gefahr, aber das hier ... das ist etwas anderes.

»Ich habe dich etwas gefragt«, sage ich mit zusammengebissenen Zähnen.

»Und ich habe dir geantwortet.« Er streckt seine Hand aus, fährt mit dem Daumen an meinem Gesicht entlang und fasst mein Kinn an. »Ich sehe, was sie in dir sehen.«

Ich schüttle ihn ab, denn seine Berührung hat das Gegenteil von dem bewirkt, was er wollte. Oder vielleicht doch das richtige. »Wer?«

»Du weißt schon wer, June.« Er zwinkert mir zu und zwirbelt eine Strähne meines schwarzen Haares zwischen seinen Fingern, während er sich immer noch zum gleichmäßigen Wummern der dröhnenden Musik bewegt.

»Soll mich das einschüchtern oder was?« Ich nehme seine Hand, lasse sie fallen und lege meine auf seine Schulter, während ich mich zur Melodie bewege.

Er greift nach meiner Taille und zieht mich näher zu sich heran. »Du findest mich nicht bedrohlich?«

»Überhaupt nicht.« Ich neige dazu, bei jeder Gelegenheit kopfüber ins Feuer zu gehen. Meine Seele wird von der Dunkelheit gerufen.

»Und deshalb …« Er beugt sich vor, seine warme Wange gegen meine gepresst, sein Atem verweilt auf meiner Haut. »Auf die eine oder andere Weise … du wirst mir gehören.«

Das Lied hört auf, mein Herz mit ihm, die Lichter gehen blitzschnell aus und die Wärme seiner Berührung wird durch die schweißtreibende Luft auf der Tanzfläche ersetzt. Das nächste Lied setzt ein, zusammen mit den Stroboskoplichtern, die die glänzenden Gesichter der Menge beleuchten. Meine Hand schwebt dort, wo sein Körper gerade noch war. Jetzt ist er verschwunden. Er ist schneller weg, als er gekommen ist, und hinterlässt bei mir ein Pochen in der Brust, das nur eines bedeuten kann.

Die Dinge werden jetzt noch interessanter werden.

KAPITEL NEUN – JUNE

Cora und ich bleiben bis zum Ende, zusammen mit einem Haufen anderer Leute, darunter auch ihre zufällige Bekanntschaft.

Wir alle strömen auf den Bürgersteig, um uns zu verabschieden. Dutzende von Menschen gehen in jede Richtung, ein paar Nachzügler bleiben zurück.

»Bist du sicher, dass es dir gut geht?« Cora umarmt mich ganz fest und fällt fast um, als sie mich loslässt.

»Das könnte ich dich auch fragen.« Ich verenge meinen Blick auf den Kerl, der geduldig auf sie wartet. »Wenn du ihr auch nur ein Haar krümmst, werde ich dich im Stil von Liam Neeson finden und dir den Garaus machen.«

Der scheinbar schlichte, aber attraktive Mann hält die Hände hoch. »Betrunken bedeutet nicht Zustimmung.«

Vielleicht ist er gar nicht so schlecht. Aber es könnte eine Fassade sein, um mich vom Gegenteil zu überzeugen. Oder vielleicht bin ich paranoid und ein wenig überfürsorglich, wenn es um meine Freundin geht.

Ihr Taxi hält vor der Bar und er zeigt darauf. »Das ist unseres.«

Cora richtet sich auf und schaut mich an. »Kommt dein Taxi?«

»Ich bestelle mir eines, wenn ich aus dem *Haven* raus bin. Dann wird's billiger.« Ich zeige auf ein paar Gebäude weiter, wo das *Haven* endet, denn ich weiß genau, dass ich von hier aus nach Hause laufen werde. Ich habe mehr für Alkohol ausgegeben, als ich sollte, und wenn ich eine Chance haben will, mein Geld zusammenzuhalten, muss ich heute Abend auf ein Taxi verzichten.

Es ist nicht allzu weit, aber in meinem etwas betrunkenen Zustand dürfte es ein interessanter Spaziergang nach Hause werden. Ich hätte fast Lust, wieder auf dieser Parkbank zu pennen, nur damit ich mich nicht mit meinen idiotischen Mitbewohnern herumschlagen muss, wenn ich um drei Uhr morgens auftauche.

Aber so sehr ich sie auch hasse, ich liebe mein Bett mehr, und Junge, hört sich das gerade verdammt gut an. Wenn Teleportation nur möglich wäre.

Cora drückt mir einen verwischten Kuss auf die Wange. »Ich liebe dich, Schlampe.«

»Ich dich auch, Schlampe.« Ich packe sie an den Schultern und führe sie zu ihrem neuen Mann. »Kümmere dich um sie!«

»Natürlich.« Er hilft ihr sanft auf den Rücksitz, schließt die Tür hinter ihr und geht auf die andere Seite. »Schönen Abend noch.«

Das silberne Auto fährt los, und als ich mich umschaue, bin ich die Letzte, die hier steht. Der Rest der Schar flattert in alle Richtungen davon.

Ich atme tief durch und bin dankbar, nach diesem hektischen Abend endlich allein zu sein. Versteh mich nicht falsch, es hat Spaß gemacht, ziemlich viel sogar, aber jetzt bin ich ausgelaugt, geistig und körperlich, und niemanden zu haben, der mir noch mehr Energie raubt, ist ein willkommener Segen.

Ich marschiere los und verlasse das *Haven*, jeder Schritt führt mich weiter in Richtung meiner Wohnung. Es ist seltsam, dass ich es gleichzeitig eilig habe, mir aber auch Zeit lassen möchte. Ich könnte dieses Zeitfenster zwischen den menschlichen Inter-aktionen nutzen, um mich auf meine nächste Begegnung vorzu-bereiten. Von einem angenehmen Abend in dieses Höllenloch, das ich mein Zuhause nenne, zu wechseln, ist ein massiver Mindfuck.

Ein Auto nähert sich von hinten, und ich drehe mich um. Es wird langsamer, biegt in eine Gasse ein und verschwindet aus meinem Blickfeld. Ich konzentriere mich wieder auf meinen Weg, überquere die leere Straße und trete in einen weniger beleuchteten Bereich ein. Im *Haven* ist es hell und einladend und lässt alle anderen Stadtviertel viel düsterer und unattrak-tiver erscheinen.

Das ist wirklich clever. Wie für die Motte, die in die Flamme fliegen soll. Sie ziehen die Leute mit einer lebendigen Atmo-sphäre an. Obwohl es jetzt, nachdem keine Menschenseele mehr in Sicht ist, ein bisschen unheimlich ist.

Ich pflücke ein Blatt von einem Baum, an dem ich vorbeikomme, drehe das Laub zwischen den Fingern und breche kleine Stücke ab. Ich hebe meinen Arm und schnuppere an meiner Achselhöhle. Ich könnte eine Dusche gebrauchen, aber da es schon so spät ist, muss das warten, bis ich ein paar Stunden Schlaf bekommen habe. Morgen ist sowieso Waschtag. Oder besser gesagt heute, wenn wir mal ganz genau sein wollen.

Es ist der eine Tag in der Woche, an dem ich nur einen statt drei Jobs habe, sodass mir ein kleines Zeitfenster bleibt, um meine Besorgungen zu erledigen. Das ist ein finanzieller Schlag, den ich nur ungern hinnehme, aber wenn ich es nicht täte, hätte ich kaum eine Möglichkeit, irgendetwas zu erledigen. Und ehrlich gesagt brauche ich die Pause. So klein sie auch sein mag.

Ein anderes Auto fährt vorbei und reißt mich aus meiner Zerstreutheit. Ich beobachte, wie es ein paar Straßen weiter-fährt und den Blinker setzt, dann beachte ich es nicht mehr.

Ein Geräusch zu meiner Rechten erregt meine Aufmerksamkeit, aber ich reagiere zu langsam. Meine Sicht wird von etwas, das mir über den Kopf gestülpt wird, verdunkelt.

Das kann nicht real sein. Das kann nicht wahr sein.

Ich reiße die Arme hoch und stoße mit den Ellbogen gegen alles, was mir in die Quere kommt, um mich von meinem Entführer zu befreien. »Lass mich los, verdammt!«, platze ich heraus, aber es ist sinnlos.

Die Person klammert sich an mich, drückt den Stoff gegen meine Nase und meinen Mund und zwingt mich dazu, panisch das einzuatmen, was auch immer das Ding, das mein Gesicht bedeckt, beinhaltet. Ich wehre mich weiter, obwohl die Wirkung bereits einsetzt. Meine Welt wird noch verschwommener, als sie es ohnehin schon war.

Meine Knie geben nach und ich falle auf den Boden. Kieselsteine bohren sich in meine Haut, meine Handflächen schrammen über das Pflaster. Das wird einen Abdruck hinterlassen. Aber das ist angesichts der Umstände meine geringste Sorge.

Ich kämpfe gegen die unkontrollierbare Droge an, die meine Fähigkeit zu funktionieren außer Kraft setzt. Ich klammere mich an den Boden, will mich auf allen vieren halten und wegkriechen. Alles, um zu entkommen.

»Du machst es mir schwerer, als es sein muss.« Die Person spricht, greift nach unten und drückt mir den Stoff wieder ins Gesicht.

Ich halte den Atem an, aber das bringt nichts, denn es gibt kein Entrinnen aus dem mit Drogen versetzten Stoff.

Mein Kopf dreht sich und mit einem letzten Aufprall auf dem Boden wird alles schwarz.

---

*I*ch wache auf, weil ich Schreie höre.

Aber bevor ich mich darauf konzentrieren kann, wer den ganzen Lärm verursacht, stelle ich fest, dass ich es bin, die den ganzen Aufruhr erzeugt.

Ein Mann steht vor mir, einen Zigarettenstummel zwischen seinen Fingern. Er schnippt ihn auf den Boden. »Schön, dass du dich zu uns gesellst.« Er lehnt sich an die Wand und verschränkt die Arme vor der Brust.

Mein Unterarm brennt schmerzhaft. Ich sehe den runden Fleck an meinem Handgelenk, die das heiße Ding auf meiner Haut hinterlassen hat. Meine Arme sind an den Holzstuhl gefesselt, auf dem ich sitze, meine Beine nicht. Nur er ist hier mit mir in diesem schlecht beleuchteten Raum.

Ein Mann, Mitte dreißig. Dick, aber nicht übergewichtig. Braunes struppiges Haar, das zu seinem wirren Bart passt. Auf jeden Fall größer als ich, aber aus meinem niedrigeren Winkel weiß ich nicht genau, wie viel größer. Sein Gesicht ist mit Narben übersät, vor allem auf der Stirn und der Wange. Ein verblasstes, verwaschenes Tattoo lugt unter seinem Hemdärmel hervor.

»Was wollt ihr?« Ich bemühe mich, meinen Verstand auszutricksen, damit er den brennenden Schmerz des Angriffs vergisst.

»Ich dachte, wir könnten ein bisschen Spaß haben.« Er greift in seine Tasche, holt ein Springmesser heraus und klappt es auf. Er drückt es in seinen Zeigefinger und dreht es vorsichtig, sodass trotz des fehlenden Drucks ein wenig Blut an die Oberfläche kommt. »Bist du ein Fan von Halloween?« Er hebt eine Augenbraue.

Ich antworte nicht, denn ich weiß genau, worauf er mit diesem Gedankengang hinaus will. Nein, meine Gedanken sind ganz woanders, ich suche nach einem möglichen Ausweg aus dieser Folterkammer.

»Ich bin es.« Er stößt sich von der Wand ab und macht einen Schritt nach vorn. »Weißt du, was ich am liebsten mag?« Er wartet nicht auf eine Antwort von mir. »Kürbisse zu schnitzen.« Er widmet seine Aufmerksamkeit wieder der Klinge. »Es hat etwas, eine Klinge tief in frisches Fleisch zu stoßen ... immer und immer wieder ... bis man etwas Magisches schafft.«

Ich scanne mein Umfeld und bemerke die kahle Wand hinter mir. Die einzige Tür ist die vor mir, hinter dem Mann. Soweit ich es erkennen kann, scheint es ein Flur zu sein.

»Mit Menschen ist es nicht anders, weißt du?« Er fährt fort, schwebt über mir und nähert sich mit der Klinge in der Hand. »Eine frische Leinwand, die mir zur Verfügung steht und die nur verwelkt, wenn ich mit ihr fertig bin. Genau wie ein Kürbis.« Er setzt das Ding gegen meinen Wangenknochen und drückt es so lange, bis die Schärfe meine Haut durchdringt. Ich neige meinen Kopf so weit wie möglich, um aus der Gefahrenzone zu kommen, aber da ich gefesselt bin, bin ich eingeschränkt. Ich bin ihm ausgeliefert, und er weiß das. Er fährt mit der Kante über meine Haut, und mit jedem Mal bildet sich ein böses Grinsen auf seinem Gesicht. Warme Flüssigkeit läuft meinen Hals hinunter und sammelt sich an meinem Schlüsselbein.

»Warum ich?« Ich fummle an dem Seil an meinen Armen. Aber die Fesseln hindern mich daran, mich zu befreien.

Offensichtlich. Als ob das so einfach wäre.

Ich flehe das Universum um etwas an, irgendetwas, das mir aus diesem verdammten Albtraum hilft.

»Oh!« Er wischt die blutige Klinge an seiner dunklen Hose ab und begutachtet sie anschließend. »Das ist nicht mein Werk. Ich bin nur die Arbeitsbiene, die Befehle von oben befolgt.«

Das war kein zufälliger Angriff? Was bedeutet *von oben*? Ich mag eine Schlampe sein, aber ich habe keine Feinde.

Es sei denn ...

Was, wenn es der Typ war, den Dominic in der Bar verprügelt hatte? Ich konnte nie feststellen, ob er noch lebte oder nur bewusstlos war. Was, wenn er die Macht hat, das hier als ein Akt verdrehter Rache zu organisieren? Oder es könnten zahllose andere Typen sein, denen ich eine Abfuhr erteilt habe und die irgendwie sauer genug sind, um mich zu entführen und zu foltern. Carter ist die Person, mit der ich mich am meisten streite, aber ich kann mir nicht vorstellen, dass er so etwas jemals tun würde. Und er hätte auch nicht die Macht, so etwas durchzuziehen. Er mag in illegale Sachen verwickelt sein, aber er hat nicht diese Art von Autorität. Und was würde er davon haben? Er ist derjenige, der mich bestohlen hat – wenn jemand bestraft werden sollte, dann wäre er es, nicht umgekehrt.

»Wer dann?«, frage ich, obwohl ich bezweifle, dass er es mir sagen wird. Mein Stuhl knarrt unter mir, als ich mein Gewicht verlagere.

Wer auch immer die Fäden zieht, ich möchte nicht hierbleiben und es herausfinden, denn wenn ich noch viel mehr Zeit mit diesem Psychopathen verbringe, werde ich es nicht überleben, um die Geschichte zu erzählen. So viel weiß ich mit Sicherheit.

Ich setze meinen Fuß wieder auf und halte inne, lasse meinen Blick auf diesem Mann ruhen und warte auf meine Chance, mich zu bewegen. Ich könnte hier in diesem trostlosen Raum durchaus sterben, aber ich werde nicht kampflos untergehen.

»Du hast dir die falsche Seite ausgesucht, kleines Mädchen.« Er zieht eine weitere Zigarette aus seiner Schachtel und steckt sie sich zwischen die Lippen. Er tastet in seiner Tasche nach einem Feuerzeug, aber es ist nicht da.

Er dreht mir den Rücken zu, und mir wird klar, wenn ich handeln will, muss ich es jetzt tun. Dies könnte die einzige Gelegenheit sein, die ich bekomme, um einigermaßen die Oberhand zu behalten. Selbst wenn es nur die eine Sekunde gibt, in der er abgelenkt ist.

Mit dem Stuhl, an dem immer noch an meine Arme befestigt sind, hieve ich mich auf die Beine, stürme nach hinten und stoße mich mit Kraft gegen die Wand.

Der Holzstuhl knackt beim Aufprall, er knarrt und zerbricht nur knapp nicht.

»Du Schlampe«, ruft der Kerl aus. Die Zigarette fällt ihm aus dem Mund und auf den Boden. Er stürmt auf mich zu, aber ich drehe mich schnell um und schlage den Stuhl gegen ihn, von dem ich mich nicht befreien kann.

Ich stöhne laut und schlage noch einmal zu, sodass wir beide auf den Boden fallen und meine hölzernen Fesseln zerbrechen.

Er schwingt seinen Arm und versetzt mir einen Schlag gegen die Stirn, der mich auf den Hintern fallen lässt. Blut rinnt über mein Gesicht und ich wische es mit der Schulter meines Shirts ab.

In diesem Moment sehe ich die glänzende Klinge, mit der er mir die Wange aufgeschlitzt hat – weggeworfen und unbeachtet. Wir starren beide gleichzeitig darauf, werfen uns einen Blick zu und stürzen uns beide im selben Moment auf das Messer.

Ich habe mich in meinem ganzen Leben noch nie so schnell und mit so viel Intensität bewegt. Denn ich weiß genau, dass mein Überleben davon abhängt, ob ich es zuerst zur Klinge schaffe. Ich angle nach dem Griff, halte den Atem an und packe das Messer gerade so und reiße es rechtzeitig aus seiner Reichweite.

Ich ziehe meinen Arm zurück und stoße das Messer mit aller Kraft in seinen Oberschenkel. Ich stehe auf und kümmere mich nicht weiter um den antagonistischen Schrei, den er ausstößt. Ich dränge mich an ihm vorbei, nutze seinen geschwächten Zustand, um ihn umzustoßen und mich so weit wie möglich zu entfernen. Ich stürme durch die Tür, blinzle schnell, um mich an meine neue Umgebung zu gewöhnen, und suche nach einem möglichen Fluchtweg. Ich entdecke eine Tür, renne dorthin und fummle an dem Schloss herum. Ich versuche, mich zu konzentrieren, denn ich will nicht eines dieser ungeschickten Mädchen sein, die sterben, weil sie eine verdammte Tür nicht aufschließen können.

Ich drehe den Riegel und reiße die Tür auf, stürme hinaus und über den Hof, ohne einen weiteren Gedanken an das Haus oder den Mann zu verschwenden, den ich auf Distanz zu halten versuche. Ich rase die Straße hinunter, meine Sohlen knallen auf den Asphalt und werde erst ein paar Minuten später langsamer, als ich außer Atem bin und endlich weiß, wo ich bin. Ich überquere Hinterhöfe, springe über Zäune, weiche bellenden Hunden aus und setze einen Fuß vor den anderen.

Vor meinem Wohnkomplex bleibe ich stehen und laufe die Treppe hinauf, zwei Stufen auf einmal nehmend, bis ich oben ankomme. Ich stecke meinen Schlüssel in das Schloss, drehe ihn und breche das Ding fast ab. Ich ziehe ihn wieder heraus, schlüpfe in den Flur, knalle die Tür zu und lasse mich in der Sicherheit meiner Wohnung auf den Boden fallen.

»Äh!« Eine Stimme schwebt zu mir herüber. »Bist du okay?«

Ich richte meinen Blick auf Carter, der auf einem Sessel in der Ecke unseres Wohnzimmers sitzt. Der Mann, den ich verachte, den ich aber ehrlich gesagt jetzt küssen könnte. Nicht wegen irgendetwas, das er getan hat, sondern weil es bedeutet, dass ich es geschafft habe, dass ich meinem Entführer entkommen bin – dass ich in Sicherheit bin. Was immer das auch heißen mag.

»Ja.« Ich stehe auf, streife meine Hosen ab und merke, wie verrückt ich in seinen Augen aussehen muss.

»Blute nicht den Boden voll!« Carter gähnt, streckt die Arme aus, dreht sich um und schließt die Augen.

Ich hätte wahrscheinlich mit einem fehlenden Arm herkommen können und er hätte sich nicht die geringste Mühe gegeben, mir zu helfen oder sich um mich zu kümmern. Sein Hauptaugenmerk liegt einzig und allein darauf, wieder zu schlafen.

Das ist so typisch für Carter, ein egozentrisches Arschloch zu sein.

Ich nehme mir ein Papiertuch vom Tresen und wische den roten Handabdruck weg, den ich auf unserem Linoleumboden hinterlassen habe, und gehe ins Bad, wo ich mir ein sauberes Handtuch aus dem Schrank hole. Ich krame unter dem Waschtisch herum, um irgendeine Art von Erste-Hilfe-Material zu finden.

Ich stehe am Waschbecken und werfe einen Blick in den Spiegel. Die Wimperntusche um meine Augen ist verwischt, auf meiner Augenbraue befindet sich ein fetter Cut. Ein kleiner Schnitt verläuft entlang meines Kinns, wo der Kerl mich mit seiner Klinge geritzt hat.

Ich habe schon besser ausgesehen, das steht fest.

Ich strecke mein Handgelenk aus, spanne meine Kiefer an und gieße Wasserstoffperoxid über das zigarettengroße Loch in meiner Haut und auf meine zerfledderte Handfläche. Es brennt und ich kämpfe mich durch den intensiven Schmerz. Ich lasse Wasser darüber rieseln und wiederhole die Schritte noch ein paar Mal. Ich nehme ein rundes Wattepad aus Heathers Make-up-Set und tränke es mit Alkohol. Ich tupfe damit auf die Stellen in meinem Gesicht und werfe das blutverschmierte Ding in den Mülleimer. Ich bin sicher, dass es noch mehr Beulen und Kratzer an meinem Körper gibt, aber ich schaffe es, mich auf die wichtigsten zu konzentrieren.

Ich stelle die Dusche an und ziehe meine Jeans aus, streife sie über meine blutigen und geprellten Knie, reiße mein Hemd über den Kopf, bis ich komplett nackt bin und steige in die Dusche, dankbar, dass es eine anständige Menge heißes Wasser gibt. Ich lasse mich auf den Hintern sinken, ziehe meine Beine an die Brust und umarme sie, während das Wasser mich von dem befreit, was heute Nacht passiert ist.

Ich sollte ins Krankenhaus gehen. Die Bullen rufen. Irgendetwas Offizielles tun. Aber ich weiß, wie das System funktioniert. Sie werden mich fragen, was ich anhatte. Wie viel ich getrunken habe. Sie werden mich bitten, mich an die Ereignisse zu erinnern, die dazu geführt haben, und was währenddessen und danach passiert ist. Ob ich den Mann kannte. Sie werden einen Bericht schreiben. Sie nehmen meinen Namen und meine Nummer auf. Und alles, was dabei herauskommt, ist nichts weiter als eine peinliche Zeitverschwendung, die ich nicht bereit bin, zu opfern.

Stattdessen sitze ich hier, während das heiße Wasser über meine Haut rinnt, mir gleichzeitig hilft und wehtut. Die Wunden an meinem Körper senden abwechselnd Schmerzspitzen durch meinen Körper. Vom Kopf bis zu den Zehen bin ich ein einziges pochendes Wesen.

Meine Kehle schmerzt von dem markerschütternden Schrei, mit dem ich aufgewacht bin. Die Erinnerung an das Brutzeln meiner Haut und den Geruch von verbranntem Fleisch hält sich in meinem Kopf fest. Ich verdränge die Gedanken, erinnere mich daran, dass ich in Sicherheit bin, dass ich weit weg von dem Mann bin, der mich verletzt hat.

Mein nasses schwarzes Haar klebt an mir und ich bewege mich nicht, um es aus meinem Gesicht zu bekommen. Ich benutze es als Schild, als Schutzwall vor der Welt.

Das musste doch ein Irrtum sein. Vielleicht hat er mich mit jemand anderem verwechselt. Mit jemandem, der jemand anderen mit Macht verärgert hat. Jemanden, der verdient hat, was er mir angetan hat. Aber er schien sich so sicher zu sein, so überzeugt, dass ich diejenige bin, auf die er es abgesehen hat.

Ich erinnere mich an den Mann, der heute Abend in Jack's Bar war, der Mann, der dort still lauerte. War er derselbe Mann, der mich angegriffen hat? Ich erinnere mich an seine Gesichtszüge und stelle fest, dass es nicht gleichen waren wie von dem anderen Mann.

»Nein«, flüstere ich zu niemandem. Nicht dieselbe Person.

Das muss ein seltsamer Zufall gewesen sein.

Aber hatte ich nicht das Gefühl, dass mir jemand folgte, als ich die Bar verließ? Habe ich mir das nur eingebildet, oder gab es da etwas, worauf ich hätte achten müssen? Und was war mit dem Getränk, das mir spendiert wurde ... und dem neuen geheimnisvollen Mann, der mich angesprochen hat und mir sagte, ich würde ihm gehören.

War er es?

Das alles ergibt keinen Sinn.

Warum sollte mir jemand teuren Tequila kaufen und dann versuchen, mich zu töten? Und warum sollte der, der aussah wie Damon, mit mir flirten und dann befehlen, dass ich entführt und gefoltert werde?

Ist es möglich, dass es Dominic, Coen oder Magnus waren? Dass sie so wenig mit mir zu tun haben wollten, dass sie mich lieber ermorden lassen, als sich in Zukunft mit mir zu beschäftigen?

Dominic hat einen Mann fast zu Tode geprügelt, der mich bedrohte. Das bringt ihn nicht wirklich an die Spitze meiner Verdächtigenliste. Und Coen ... er würde nie einer Fliege etwas zuleide tun, geschweige denn mir.

In Anbetracht der Waffe in seiner Hand, die direkt auf mich und dann auf Cora gerichtet war, ist vielleicht alles möglich. Trotzdem kann ich nicht glauben, dass er es war, es sei denn, er war wirklich verärgert, dass ich mit Magnus geschlafen habe. Aber es ist Jahre her, welches Recht hätte er, nach all der Zeit, die vergangen ist, eine solche Behauptung aufzustellen?

Was mich zu Magnus bringt. Der dunkle und gefährliche, böse Junge mit dem weichen und sanften Inneren. Auf keinen Fall war er es, der das angeordnet hat.

Das gibt mir so gut wie keinen Einblick in die Geschehnisse, was mir die Gewissheit gibt, dass ich in den Krieg eines anderen hineingezogen wurde – dass ich niemals das Ziel einer solchen Aggression sein sollte.

Ich lehne mich zurück, stütze mich auf die Wanne und strecke meine Beine aus. Das Wasser ist trüb mit einer Mischung aus Schmutz und Blut.

Was auch immer es war, das passiert ist, es ist vorbei, und ich werde damit machen, was ich mit allem anderen mache. Ich schiebe es in ein Schubfach tief in meinem Kopf und lege es dahin, wohin es gehört – in die Vergangenheit.

KAPITEL ZEHN – MAGNUS

Es ist zu viele Tage her, dass ich sie gesehen habe.

Gestern bin ich zu ihrer Arbeit gegangen, um sie ins Visier zu nehmen, aber sie kam nicht, als ich dort war, und ich lauerte in den Schatten, um einen Blick auf ihr schönes Gesicht zu erhaschen.

Ich würde zu ihr nach Hause gehen, aber ich weiß nicht, wo sie wohnt, und wir haben ja auch keine Telefonnummern ausgetauscht. Scheiße, sie hat kaum ihren Namen verraten.

Ich könnte Coen nach weiteren Einzelheiten fragen, um sie zu finden, aber das wäre ein Verstoß gegen die von Dominic angeordnete Regel, sie in Ruhe zu lassen. Also nehme ich das bisschen, das ich über sie weiß, und nutze es, um den Schmerz in meiner Brust und das Loch in meinem Magen, das durch ihre Abwesenheit verursacht wird, zu lösen.

Ich lehne mich an das Gebäude auf der anderen Straßenseite, gerade so versteckt, dass ich in der Dunkelheit von den Passanten nicht gesehen werde. Ich warte und hoffe, dass sie heute da ist, um meine Sucht zu stillen und das Verlangen nach ihr zu unterdrücken.

Es ist gefährlich, so zu verweilen, aber ich tue es trotzdem, ohne mich darum zu kümmern, was passieren könnte.

Sie zu sehen ist irgendwie wichtiger als meine weitere Existenz.

Ein Gefühl, das ich in den ganzen zweiunddreißig Jahren meines Lebens noch nie bei einer Frau hatte und mich nur noch mehr in den Bann zieht.

Der Besitzer des Diners, Bram, ein älterer Mann mit freundlichen, aber traurigen Augen, hebt die Luke zum Tresen und tritt hindurch, eine Karaffe Kaffee in der Hand. Er gleitet zu einem Tisch, schenkt eine Tasse ein, geht zum nächsten und schenkt noch eine nach. Ein jugendlicher Kellner räumt einen Tisch ab und wischt ihn auf. *Business as usual.* Das Gleiche, was ich gestern beobachtet habe, bis ich schließlich zu meiner eigenen Arbeit gerufen wurde und das Summen meines Telefons nicht mehr ignorieren konnte.

Mein Herz schlägt mir bis zum Hals, fast so, als würde es June sehen, bevor ich sie sehe. Aber als ich sie sehe, kippt mein Magen und mein Kiefer fällt auf. Mein Puls beschleunigt sich und ich trete aus dem Schatten auf den Bürgersteig hinaus. Ich laufe auf die Straße, und ein Auto hupt, während es ins Schleudern gerät, um mir auszuweichen. Ich gehe weiter, ohne auf die Gefahr um mich herum zu achten.

Ich mustere sie, mein Blick wandert von den Verletzungen in ihrem Gesicht zu ihrem umwickelten Handgelenk und ihren Händen. Wut steigt in mir auf, wie ich sie noch nie erlebt habe. Meine Hand juckt in Richtung der Waffe an meiner Hüfte, bereit, das Leben desjenigen zu beenden, der ihr etwas angetan hat. Meine Seele wird von ihr angezogen und bettelt darum, sie zu umschlingen und vor jeder anderen Bedrohung zu schützen. Sie zu hegen und zu pflegen, während sie sich von diesem schrecklichen Angriff erholt.

Ich drücke meine Handfläche gegen das Glas und schaue in das Lokal, ohne dass sie mich bemerkt.

Sie steht neben einem Tisch, nimmt die Bestellung eines älteren Ehepaares auf und notiert die Details auf einen kleinen Block Papier. Ihre zarten Finger umklammern den Bleistift. Sie schenkt ihnen ein Lächeln und geht, zieht das Blatt ab und schiebt es über den Tresen zu Bram.

Er nickt und befestigt es an der Klammer für die Küche.

June bewegt ihre linke Hand, fast so, als würde sie einen Krampf lösen, und ich würde gern da sein, um ihr zu helfen. Aber im Moment hat in meinem Kopf nur Platz, den Grund für ihre Verzweiflung zu beseitigen.

Ich laufe den gesamten Weg nach Hause, weil es mir scheißegal ist, dass ich mich in der Öffentlichkeit befinde. Als ich ankomme, steht mir der Schweiß auf der Stirn und die Wut in mir schwillt weiter an.

Ich ziehe meinen Ausweis an der Pforte durch, um mir Zugang zu verschaffen, und eile die Treppe hinauf und ins Haus. Sofort ziehe ich die Pistole aus dem Halfter und die andere aus dem Hosenbund und halte sie mit beiden Händen hoch.

Ich stürme in die Küche und visiere meine Ziele an.

»Wow, Kumpel, was zum Teufel?« Hayes hebt seine Hände in die Luft.

»Wer von euch?« Ich schaue zwischen ihnen hin und her. »Wer war das, verdammt?«

Dom steht auf, sein Stuhl rutscht zurück. Er greift nach mir, aber ich wehre ab und richte die Waffe auf ihn.

»Ich schwöre bei Gott, ich bringe euch beide um, wenn nicht jemand anfängt zu reden.«

Wir haben eine strikte Regel, uns im Haus nicht gegenseitig umzubringen, aber die wurde für mich außer Kraft gesetzt, als sie ihr ein Haar gekrümmt haben.

»Wir können dir nichts sagen, wenn du uns nicht erklärst, was passiert ist.« Dominic verschränkt die Arme vor der Brust, und in seinen Gesichtszügen zeichnet sich eine gewisse Irritation über meine Störung ab.

»June.« Das Wort, das meinen Mund verlässt, heizt die Spannung im Raum an.

»Was ist mit ihr?« Hayes' Nasenflügel blähen sich auf, und der besitzergreifende Tonfall verrät mir, dass er unschuldig ist, zumindest wenn es um den Schaden geht, der ihr zugefügt wurde.

Ich neige meinen Kopf zu Dom, verlagere meinen Körper und schiebe beide Pistolen in seine Richtung. »Du krankes Arschloch.« In meinem Kopf dreht sich alles, mein Herz klopft wie wild.

Wir drei sind in der Vergangenheit schon oft gegeneinander angetreten, aber ich hätte nie gedacht, dass ich einmal das Leben eines dieser Männer beenden würde. Vor allem nicht das von Dom, meinem Mentor, dem Mann, der mich aufnahm und mir eine Chance gab, als es sonst niemand tat. Er hat an mich geglaubt, als ich nicht an mich selbst geglaubt habe.

Aber das ist jetzt alles egal. Nicht, wenn es um sie geht.

»Maggie.« Coen versucht, meine Aufmerksamkeit zu gewinnen. »Was ist mit June passiert?«

»Ich war bei ihr auf der Arbeit.« Ich knirsche mit den Zähnen. »Ich weiß, dass ich das nicht sollte. Ich hatte nicht vor, etwas zu sagen. Ich wollte sie nur sehen. Um zu sehen, ob es ihr gut geht.«

»Und …?«

Ich senke meinen Blick und erinnere mich an den Cut in ihrer Lippe und auf ihrer Stirn, den Bluterguss auf der Wange, den Verband, der um ihr Handgelenk und ihre Hände gewickelt war. Dieselbe intensive Wut, die ich gerade verspürte, wird immer stärker.

»Jemand.« Ich richte die Waffe in meiner linken Hand auf Dominic. »Irgendjemand hat ihr wehgetan.«

Dominics Gesichtsausdruck verändert sich, seine Arme

sinken auf den Tisch, seine Faust schlägt auf die Holzoberfläche. Ein leises Knurren entweicht ihm. »Was?«

Entweder ist er ein verdammt guter Schauspieler oder er war es nicht, der sie verletzt hat. Das sagt mir, dass jemand außerhalb des Hauses sie angegriffen hat. Was mehrere Dinge bedeuten könnte. June könnte ihre eigenen Feinde haben, oder unsere Rivalen wissen, wie wichtig sie für uns ist, und nutzen ihren leichten Zugang zu ihr zu ihrem Vorteil. Irgendwie kann das nur schlecht enden. Für sie oder für uns.

Letzteres ist in Anbetracht unserer schwierigen Lage viel wahrscheinlicher.

Aber woher hätten sie das wissen sollen?

Sie müssen unser Haus beobachtet und gesehen haben, wie June am Morgen wegging. Oder einer der Männer, die vor mir stehen, könnte gegen die Anweisung gehandelt und zu ihr gegangen sein, was sie noch mehr gefährdet hätte.

»Sag mir genau, was du gesehen hast!« Dom starrt mich mit einer Intensität an, die ich bis in die Knochen spüre.

Hayes nimmt ein Magazin aus seiner Waffe, prüft, ob es voll ist, schiebt es wieder hinein, zieht den Schlitten und legt eine Kugel in die Kammer.

Dom packt mich an der Schulter, schüttelt mich und reißt mich aus meiner Benommenheit. »Konzentrier dich, Bryant!«

»Ihr Gesicht.« Ich zeige auf meins. »Sie ist verletzt.« Ich halte meine Hände hoch, die Pistolen immer noch in den Händen. »Sie trägt Verbände an beiden Händen und am Handgelenk.« Ich lasse das Bild von ihr noch einmal in meinem Kopf ablaufen. »Sie hat gehumpelt, nichts Drastisches, aber es war deutlich zu sehen.«

Doms ganzes Äußeres verhärtet sich, er atmet aus und geht einen Schritt weg.

»Wohin gehst du?«, rufe ich ihm hinterher.

»Sie finden, herauskriegen, wer das getan hat, damit ich ihn töten kann.«

»Was ist mit der Finger-weg-von-June-Regel?«

Er schnappt sich die Waffe vom Tisch und steckt sie in sein Holster, so wie jemand seine Schlüssel nehmen würde, bevor er das Haus verlässt. »Null und nichtig. Wenn irgendjemand sie tötet, dann bin ich es.«

Ohne nachzudenken, hebe ich meine Waffe noch einmal gegen ihn. »Wage es nicht, verdammt!«

Dom schlägt nach mir, als wäre ich eine Fliege in seinem Gesicht. »Das werde ich nicht tun, du Idiot.«

»Ich komme mit«, meldet sich Hayes zu Wort.

»Wartet einen Moment!« Ich stelle mich ihnen in den Weg, damit sie nicht weitergehen können. »Erstens weiß keiner von euch, wo sie ist. Und zweitens, wie kommt ihr darauf, dass sie einen von euch sehen will?« Ich nicke Dom zu. »Sie ist neulich abgehauen, als du versucht hast, mit ihr zu reden.« Dann zu Hayes. »Und du, sie sah aus, als hätte sie einen Geist gesehen.« Ich verschränke die Arme, die Waffe immer noch in der Hand. »Wenn jemand sie zur Rede stellen sollte, dann ich. Die einzige Person, die sie nicht hasst.«

Die beiden sehen sich gegenseitig an, dann mich.

Ich füge meinen letzten Punkt hinzu. »Und zu dritt ihren Arbeitsplatz zu stürmen, klingt nicht nach einem guten Plan.«

Einmal ist Dominic sprachlos, sein Mund öffnet sich kurz und schließt sich wieder.

»Ich kenne sie am längsten«, platzt Hayes heraus.

Dominic reibt sich die Schläfe. »Zwei Monate.« Er zeigt auf mich. »Du?«

»Eine Woche.« Damit hat er mich eindeutig geschlagen.

Wir drehen uns beide zu Hayes, um zu sehen, ob er diesen Kampf gewinnen wird oder nicht.

»Mehr als zehn Jahre.«

»Was?« Ich bin mir nicht sicher, ob das von mir oder von Dom kommt.

»Ich sollte gehen.« Hayes fährt sich mit den Fingern durch

sein Surferboy-Haar. »Sie vertraut mir. Ich werde sie dazu bringen, mir zu sagen, wer ihr das angetan hat. Dann können wir sie abwechselnd foltern.«

»Sie traut dir nicht. June traut niemandem.« Denn wenn ich etwas aus meiner kurzen aber süßen Zeit mit ihr gelernt habe, dann, dass sie wahnsinnige Vertrauensprobleme hat.

»Das hier, genau hier, seht ihr!« Dom erhebt seine Stimme. »Das ist der Grund, warum wir uns nicht einmischen sollten. Wir befinden uns mitten in einem verdammten Krieg und sind völlig auf etwas anderes konzentriert.«

Hayes starrt ihn direkt an, mit einem Blick, der töten könnte. »Sie ist nicht *etwas*.«

Es ist, als ob er mir die Worte aus dem Mund genommen hätte.

»Ich weiß, verdammt noch mal, ich weiß.« Dom greift in seine Tasche und holt seine Schlüssel heraus. Er reicht sie Hayes. »Komm schnell zurück, damit wir das beenden können.«

»Was zum Teufel?« Ich stehe meinen Mann. »Ich habe da nichts zu sagen? Ich bin derjenige, der sie gefunden hat. Wenn sie mit jemandem reden wird, dann mit mir.«

»Wie wäre es damit?« Hayes packt mich an der Schulter. »Du kannst mit mir kommen und im Auto bleiben. Wenn sie mich rausschmeißt, schicke ich dich rein.«

»Könnt ihr beide endlich die Klappe halten und loslegen?« Dom schnappt sich seine Schlüssel zurück und schiebt mich aus dem Weg, um die Tür zu öffnen. Er bleibt auf der Stelle stehen. »Warte, du hast gesagt, du hast sie bei der Arbeit gesehen? Wo?«

Ich zögere, weil ich mein kostbares Geheimnis noch nicht preisgeben will. Als ob es bedeute, dass ich sie irgendwie besser kenne als die anderen, wenn ich es für mich behalte.

»Ich dachte, sie arbeitet in einer Bar.« Er blickt auf seine Uhr. »Als ich das letzte Mal nachgesehen habe, waren Bars so früh noch nicht geöffnet.«

»Es war definitiv keine Bar.« Ich beiße mir auf die Lippe

und hasse das, was ich gleich sagen werde – ein winziges Detail, das mir entgleitet. »Es ist ein Diner. *Bram's*, drüben auf …«

Dom unterbricht mich. »Ich weiß, wo das ist. Komm mit!«

»Geht doch!«, rufe ich.

»Was zum Teufel?« Hayes stapft hinter mir her.

Wir steigen in Doms Geländewagen ein – in Mercedes-AMG G 63, der ganz auf Dominics Bedürfnisse zugeschnitten ist. Obsidianschwarzer Lack, Nappaleder innen, geschwärzte Felgen und kugelsichere Akzente. Er hat eine Stange Geld gekostet, aber er ist ganz nach Doms Geschmack. Er ist schnell, er ist schnittig und er sticht heraus. Wir hätten auch eines der nicht gekennzeichneten Fahrzeuge nehmen können, aber wie ich mich gerade fühle, ist es Dom auch egal, ob uns jemand erkennt. Es ist fast so, als würde er die andere Seite einladen, den Krieg heraufzubeschwören und einen Amoklauf zu starten, bei dem er jeden in Sichtweite auslöschen kann.

Es dauert nicht lange, bis wir unser Ziel erreichen, vor allem, da Dom sämtliche Stoppschilder übersieht und in die falsche Richtung in eine Einbahnstraße fährt, um schneller zu sein.

Hayes steigt aus, sobald wir parken, schiebt seine Waffe in die Hose und zieht sein Shirt darüber.

Ich beobachte jeden seiner Schritte genau, meine Finger graben sich in meine Oberschenkel mit dem Wunsch, mit ihm zu tauschen. Derjenige zu sein, der zu June geht. Auf eine liebevolle, aber aufmerksame Art. Der Hayes, den ich kenne, ist rau, brutal und nicht der tröstliche Typ. Warum er denkt, dass er für diesen Job besser geeignet ist als ich, werde ich nie verstehen.

Zum Teufel, Dom wäre wahrscheinlich besser geeignet, und er ist ein verdammter Psycho.

Hayes behauptet, er und June kennen sich seit über zehn Jahren, aber er hat ihren Namen nie erwähnt. Sie ist wichtig genug, um eine Wut in ihm hervorzurufen und eine heftige Besitzgier, aber sie nicht aktiv in seinem Leben zu haben?

Mein Gefühl sagt mir, dass er die ganze Situation noch schlimmer machen wird, als sie ohnehin schon ist, weil er mit einer Frau wie June nicht umgehen kann.

Sie ist stark, unverwüstlich, mächtig, und wenn ich raten müsste, ist sie durchaus in der Lage, mit sich selbst fertigzuwerden. Ich meine, sie ist zurück an der Arbeit mit minimaler Ausfallzeit nach dem, was auch immer passiert ist. Noch dazu in einem Zweitjob. Und so wie es aussieht, wurde sie verdammt gefoltert. Welche andere Person, abgesehen von denen in meinem Beruf, arbeitet so?

Neben ihrer Stärke gibt es aber auch diesen zerbrochenen Teil von ihr. Das Wrack, das ihre Zähigkeit hervorgebracht und sie gezwungen hat, jeden wegzustoßen.

Sie braucht jemanden in ihrem Leben, der sie sieht. Der sie versteht. Der ihr ein bisschen Freundlichkeit zeigt und es wirklich gut meint. Der sie nicht ausnutzt oder missbraucht. Der behutsam mit ihr umgeht, ihr aber die Möglichkeit gibt, sich zu entfalten und sie wie eine Prinzessin behandelt. Und vor allem, der ihr Vertrauen nicht bricht und sie nicht verlässt, wenn sie sich endlich geöffnet hat. Vielleicht bin ich dieser Mann nicht, aber Hayes ist es ganz sicher nicht.

In diesem Moment dämmert es mir. Die Dynamik zwischen Hayes und June. Der rohe Schmerz, den ich zwischen ihnen spürte. Die tragische Geschichte, die unausgesprochen blieb und doch von meiner Seele gehört wurde.

Coen Hayes ist die Person, die June im Stich gelassen hat.

Ich klammere mich fester an meinen Oberschenkel, die Wut in mir brodelt, fast außer Kontrolle, während ich beobachte, wie er seine Hand ausstreckt und ihre Schulter berührt, um ihre Aufmerksamkeit zu gewinnen.

Nein, es war nicht Hayes, der June die jüngsten Verletzungen zugefügt hat, aber sein Schaden geht viel tiefer als jede oberflächliche Wunde. Und allein deshalb steht er ganz oben auf meiner Abschussliste.

KAPITEL ELF – COEN

»June.« Ich nähere mich ihr von hinten, während sie einen Tisch abräumt.

Sie zuckt zusammen und lässt das Tablett in ihren Händen fallen. Ein halbleerer Kaffeebecher fällt zu Boden und zerbricht. »Scheiße!«

»Fuck, es tut mir leid.« Ich gehe in die Knie und hebe die Scherben auf, ignoriere die Blicke der wenigen Gäste.

June bückt ebenfalls, aber ich halte sie auf.

»Nein, lass mich! Es ist meine Schuld. Ich hätte mich nicht anschleichen dürfen.« Ich greife nach einer Scherbe, die meine Handfläche aufschlitzt. Ich ignoriere den Schmerz und fahre fort, das Chaos aufzuräumen, das ich angerichtet habe. Wenn das Leben nur auch so einfach zu reparieren wäre. Aber leider ist es das nicht, denn die Stücke und Überreste lassen sich nie wieder so zusammenfügen, wie sie einmal waren, und oft bleiben Stücke zurück, obwohl man alles zusammenfegen will.

Aber wem mache ich etwas vor? Ich habe nicht ein einziges Mal versucht, die Dinge mit June wieder in Ordnung zu bringen. Sie war die wichtigste Person für mich, und ich konnte mich nicht dazu durchringen, ihr gegenüberzutreten. Ihr die

Wahrheit zu sagen und zu erklären, warum ich ihr gestohlen wurde und wohin ich gegangen war. Ich schämte mich. Ein großer Teil von mir dachte, dass sie es nicht verstehen würde, dass sie mir nicht verzeihen würde, dass ich ihrer nicht würdig war. Also hielt ich mich fern. Ich hielt mich auf Distanz. Ich redete mir ein, dass sie ohne mich besser dran war, weil ich das wirklich glaubte.

Aber als ich sie wiedergesehen habe, war es, als würde ich mich in diese gemeinsamen Tage zurückversetzen. Die Art und Weise, wie sie sich an meinen Mauern zu schaffen machte und mein Herz stahl, ohne dass ich sie aufhalten konnte. Wir waren Kinder, aber es war stark. Echt. Es war der Scheiß, über den sie in Filmen reden. Und ich habe mich nie auch nur im Entferntesten einem anderen Menschen so nahe gefühlt wie ihr. Ich habe es nicht einmal versucht, weil ich Angst hatte, dass es das verdirbt, was wir hatten.

Ich habe meine Beziehungen kurz und rein sexuell gehalten und nie irgendwelche Gefühle mit ihnen verbunden. Nicht nur absichtlich, sondern weil ich es nicht konnte. Ich hatte nichts mehr zu geben – meine ganze Liebe gehörte dem Mädchen mit den schönen braunen Augen und dem tiefschwarzen Haar. Das Mädchen, das geduldig und freundlich war und mich nicht verurteilte, wenn ich meine Mutter auf dem Friedhof besuchte. Sie war stark, aber gebrochen wie ich. Sie kannte den Verlust und schenkte mir trotzdem ihr Herz. Sie war zurückhaltend, wählerisch, wen sie hereinließ, aber irgendwie wählte sie mich, und ich werde für immer ein besserer Mensch sein wegen der Liebe, die sie mir schenkte.

Aber wir zerbrachen beide an dem Tag, an dem wir unfreiwillig auseinandergerissen wurden. Zerbrachen auf der Erde wie Scherben eines gefallenen Glases. Getrennt. Unwiederbringlich. Unheilbar. Für immer verändert durch eine Kraft, die wir nicht kontrollieren konnten. Wir waren jung, und es gab keinen Ausweg aus der Situation. Wenn ich das gewusst hätte,

hätte ich mich vielleicht in der Nacht davor wegschleichen können. Ich hätte zu ihr gehen, ihr sagen können, was los war, und einen Plan schmieden können, um zusammenzubleiben. Wir hätten weglaufen können.

Diese Chance bekamen wir nicht. Denn unsere Trennung war für sie genauso überraschend wie für mich. Und sie vollzog sich schneller, als ich es mir vorstellen konnte, und die sich bewegenden Teile verursachten ein Schleudertrauma, weil es so schnell ablief. Ich blinzelte und sie war weg. Ein schwacher Fleck auf der Schotterstraße, bis wir außer Sichtweite waren, und mein Herz wurde in den Händen eines Mädchens zurückgelassen, von dem ich dachte, dass ich es nie wiedersehen würde.

»Co.« June stützt meine Hände mit ihren. »Du blutest.«

Mein Blick trifft ihren und nimmt mich mit auf eine Reise zu jenem wunderschönen Sommer, den wir zusammen verbracht haben. Wir waren seit unserer Kindheit befreundet, aber in jenem Jahr, als ich ein trauriges Mädchen küsste und mein Leben für immer veränderte, erreichten wir die nächste Stufe. Die größte Veränderung aber war, dass sie mir genommen wurde. Sie verwandelte mich in eine kalte, herzlose Version meiner selbst. Eine, die zu dem dunklen und verdrehten Mann geformt wurde, der ich heute bin. Der Grund, warum ich so verdammt gut in meinem Job bin, ist die leere Grube in meiner Brust.

»Gibt es hier ein Problem?« Ein älterer Mann mit einem Besen erscheint neben uns. Er richtet seine Aufmerksamkeit auf June.

Sie steht auf und nimmt ihm den Besen ab. »Nein. Ich bin nur ein bisschen nervös. Ich habe alles unter Kontrolle.«

Er bleibt stehen und sieht mich ernst an. »Bist du sicher?«

Ich hasse es nicht, wie sehr er sie beschützt, aber seine Reaktion zeigt mir, dass es noch jemanden in ihrem Leben gibt, der sich auf potenzielle Bedrohungen einstellen kann, die entstehen könnten. Es ist nicht falsch, dass er mich anstarrt, wenn man meine Geschichte mit Tod und Gewalt bedenkt, aber er weiß nicht, dass ich lieber sterben würde, als sie auch nur anzurühren. Und ich würde jeden töten, der auch nur daran denkt, ihr etwas anzutun.

Bryant und Dominic eingeschlossen.

Sie sind vielleicht das, was für mich einer Familie am nächsten kommt, aber June übertrifft jedes Maß an Loyalität, das ich ihnen gegenüber habe.

»Ja, tut mir leid, Bram. Du kannst es von meinem Scheck abziehen.«

Ich greife in meine Tasche und ziehe meinen Geldclip heraus. Ich halte ihm einen Fünfziger hin. »Hier, das sollte reichen.«

»Das wird nicht nötig sein, junger Mann.« Bram schwenkt meine Aufmerksamkeit in Richtung June. »Wenn du jemanden entschädigen willst, dann sie.« Die beiden nehmen Blickkontakt auf. »Wenn du mich brauchst, ich mache die Bestellungen fertig. Es wird nicht lange dauern.«

Sie macht sich an die Arbeit und fegt die weggeworfenen Fragmente zusammen, die zurückbleiben. »Ich will dein Geld nicht, Coen.«

»Bitte, J. Ich habe dir mehr Arbeit gemacht. Das ist das Mindeste, was ich tun kann.«

Sie rollt mit den Augen. »Das ist ja wohl das Mindeste, was du tun kannst.«

Ich seufze und streiche mir das Haar aus der Stirn. »June.« Ich greife nach dem Besen, entreiße ihn ihrem Griff und ersetze ihn durch das Geld. »Ich bestehe darauf.« Ich nicke in Richtung der Sitzecke. »Setz dich, lass mich das machen!«

Aus irgendeinem unbekannten Grund hört sie mir zu, lässt sich auf den bequemen Sitz fallen und verschränkt die Arme vor der Brust. »Wie auch immer.«

Ich räume schnell aber effizient die eine Sauerei auf, die ich zu beseitigen in der Lage bin, und hoffe inständig, dass es nicht das Letzte ist, das ich beseitigen muss.

Zwischen uns steht eine Mauer, die mir in der Seele wehtut. Zu wissen, dass sie mich nicht mehr so ansieht, wie sie es vor all den Jahren tat. Ich mache ihr keinen Vorwurf, aber es tut trotzdem weh.

Ich stelle den Besen an die Wand und gehe zu ihr. »Können wir reden?«

»Ich bin bei der Arbeit, Coen. Das ist nicht gerade die Zeit und der Ort, um zu klären, was du auf dem Gewissen hast.« Sie lässt ihren Blick zu den wenigen Kunden im Diner und zu der anderen Kellnerin schweifen, die sich um sie kümmert.

»Du hast recht.« Es kommt nicht oft vor, dass ich diese Worte sage und sie auch so meine. »Deshalb bin ich nicht hier.«

June hebt eine Augenbraue. »Warum dann? Willst du eine Bestellung zum Mitnehmen aufgeben?«

Ich schüttle den Kopf, mein inneres Kind lacht über ihre schlaue Bemerkung, die mich an die June vor so vielen Monden erinnert. Ich greife über den Tisch und zögere, weil ich ihr nicht zu nahekommen und sie erneut erschrecken möchte. »Wer war das?«

Sie blinzelt überrascht, mit einem leeren aber erschrockenen Blick in ihrem geprellten Gesicht. »Was?«

Ich deute auf die Wunden und wiederhole meine Frage. »Wer hat das getan?«

»Ich … ich … warte! Warum?« Ihr Gesichtsausdruck verhärtet sich. »Warum willst du das wissen? Warum ist es wichtig?«

Ich tue alles, was ich kann, um nicht aus meiner Haut zu fahren und die Person zu erwürgen, die dafür verantwortlich ist. Ich sitze ihr gegenüber und kann die dunklen Flecken in ihrem Gesicht genau sehen. Den Schnitt an ihrer Wange, der nur notdürftig von einem Verband bedeckt ist, die Wunde an ihrem Kinn.

»Es ist wichtig.« Natürlich ist es das. Wie könnte sie etwas anderes denken?

Sie senkt ihre Stimme. »Du hast schon vor langer Zeit das Recht verloren, dich darum zu kümmern, was mit mir passiert, Coen.«

Ich entspreche ihrem Tonfall. »Das heißt nicht, dass ich damit aufgehört habe.«

»Du hast wirklich eine beschissene Art, das zu zeigen.«

»Es tut mir leid.« Diese Worte, die meinen Mund verlassen, bedeuten viel mehr, als sie andeuten.

June wiegt ihren Kopf langsam hin und her. »Eine Entschuldigung reicht nicht aus.«

Die einfache Tatsache, dass sie immer noch hier sitzt, gibt mir das kleine bisschen Hoffnung, das ich brauche. Die Bestätigung, dass ich, obwohl ich es so sehr vermasselt habe, vielleicht die zerbrochenen Teile von uns wieder zusammensetzen kann.

Ich kann es nur versuchen. Meine erste Aufgabe ist es, das Leben desjenigen zu beenden, der ihr das angetan hat.

»Du kannst wütend auf mich sein. Du kannst mich hassen. Du kannst mir alles Böse wünschen, was du willst. Ich akzeptiere das. Ich verdiene das. Ehrlich gesagt, das tue ich. Aber ich muss es wissen, June. Du musst es mir sagen. Wer hat dir wehgetan?«

»Du meinst, anders als du?«

Ihre Worte dringen in mich und schneiden tief in mein Fleisch. Meine Lippen trennen sich, aber ich weiß nicht, was ich sagen soll. Ich werfe ihr nicht vor, dass sie mich so behandelt, aber es wird mir nicht helfen, denjenigen Gerechtigkeit widerfahren zu lassen, die es verdient haben.

Sie greift über den Tisch und zieht eine Serviette aus dem Halter, streckt ihre Hand aus und ergreift meine. »Du blutest immer noch.«

Ich genieße die Berührung und freue mich darüber, wie süß sie ist. Vorübergehend, flüchtig und eine grelle Erinnerung daran, was ich verloren habe. Egal, wie viel Zeit vergangen ist, ich habe mich nie weniger um sie gesorgt, meine Liebe zu ihr ist nie im Geringsten geschwunden.

Ich klammerte mich verzweifelt an sie. Das letzte verbliebene Fitzelchen meiner Menschlichkeit verblasste zu Erinnerungen an eine weit zurückliegende, aber nie vergessene Zeit.

Früher habe ich gedacht, dass ich vielleicht verrückt sei. Dass sie ein Hirngespinst war, das ich mir in einem schwachen Versuch ausgedacht habe, in den dunklen Tagen meines Lebens gesund zu bleiben. Dass ich vielleicht das vollkommen unvollkommene Mädchen idealisierte, das Sonnenuntergänge den Sonnenaufgängen vorzieht, sein Gewicht in Popcorn essen könnte und dem ich das Billardspielen beigebracht habe.

Aber wenn ich sie sehe, ihre Haut an meiner spüre, in dieselben faszinierenden Augen blicke, in die ich Tag für Tag geschaut habe, wird mir klar, dass sie genau so ist, wie ich sie in Erinnerung habe – nur dass sie jetzt nicht mehr mir gehört. Nicht, dass es jemals so gewesen wäre, denn June lässt sich nicht einfangen, nicht wirklich. Sie ist eines dieser Wesen, bei denen man akzeptieren muss, dass sie wild, frei und völlig ungezähmt bleiben müssen, wenn man sie behalten will.

Ich lege meine Handfläche sanft auf den oberen Teil ihrer bandagierten Hand. »June, du musst es mir sagen.«

Ihr Blick trifft den meinen. Stetig, fragend, als würde sie versuchen, mich zu durchschauen. Die Glocke an der Eingangstür läutet, um uns auf neue Gäste aufmerksam zu machen.

»Ich muss wieder an die Arbeit.« June zieht sich zurück und schiebt sich aus der Sitzecke. Sie schenkt dem älteren Paar ein aufgesetztes Kundenservice-Lächeln. »Nehmen Sie Platz, wo immer Sie möchten.«

Sie gehen an uns vorbei und lassen sich an einem Tisch in der Nähe nieder.

June schiebt mich zur Tür. »Ich brauche dein Mitleid nicht, Co. Ich bin ein großes Mädchen. Ich komme schon so lange allein zurecht, ich brauche deine Hilfe nicht mehr.«

Aber es geht nicht um Mitleid. Es geht darum, sich zu rächen. Demjenigen, der dachte, er könne sie anfassen und damit davonkommen, den gleichen oder noch größeren Schmerz zufügen.

»J …«

»Nein.« Sie schubst mich weiter, ihre Wärme drückt durch den Stoff meines Hemdes. »Ich kann hier nicht darüber reden.« June hält inne. »Ist das dein Auto?« Sie deutet auf Doms auffälligen Geländewagen.

»Vielleicht.«

»Ist das Magnus auf dem Beifahrersitz?« Sie blinzelt, um besser sehen zu können. »Und Dominic am Steuer?«

»Ähm.«

»Los!« Sie packt die Türklinke und reißt sie auf. »Ihr alle drei. Mir geht es gut, wirklich. Ich brauche keine Hilfe von euch.«

Und mit einem letzten Schubs bin ich auf dem Bürgersteig. Allein und ohne eine Antwort auf die Fragen, wegen denen ich hergekommen bin, und mit einem Haufen weiterer Fragen, die sich auftürmen.

Sie versprüht immer noch dasselbe Feuerwerk, an das ich mich erinnere – wild entschlossen, diesen Krieg, den man Leben nennt, allein zu führen und sich auf nichts und niemanden zu verlassen.

Magnus kurbelt sein Fenster herunter, sein Kopf schaut heraus und er wartet darauf, dass ich ihn aufkläre.

Ich gehe hinüber, schaue mich vorsichtig um und überprüfe alles Verdächtige auf meinem Weg. Ich steige hinten ein, seufze und fahre mir mit beiden Händen durch das Haar.

Magnus dreht sich zu mir. »Wen dürfen wir umbringen?«

Dominic schweigt in Erwartung meiner Anweisungen, wohin er gehen soll.

»Sie wollte es mir nicht sagen.«

»Ich wusste es, verdammt!« Magnus schlägt mit der Faust gegen das Armaturenbrett. »Gott, niemand hört mir verdammt noch mal zu.« Er zeigt auf mich. »Du bist der Grund, warum sie so kalt und verschlossen ist.«

Das erregt die Aufmerksamkeit von Dominic. »Was? Was hast du mit ihr gemacht?«

Ich schüttle den Kopf und lasse ihn in meine Hände fallen. »Nichts.«

»Du lügst.« Magnus ist sich sicher, dass er weiß, wovon er spricht, und zu meinem Leidwesen ist das auch so.

Er ist ein verdammt guter Menschenkenner, der beste, den ich je kannte, aber das bedeutet, dass er auch uns lesen kann. Er ist der Meister darin, Leute auf ihren Schwachsinn anzusprechen, und genau das tut er jetzt.

»Genug, ihr zwei.« Dominic blickt mich an. »Hat sie etwas gesagt? Hat sie dir einen Hinweis gegeben, wer es getan haben könnte?«

»Nein. Kein Wort.« Ich erinnere mich an die Spuren auf ihrer Haut. Die Verfärbungen. Die schlecht versorgten Wunden, fast so, als hätte sie gar keine medizinische Versorgung in Anspruch genommen. Ich verarbeite alle Informationen, die ich erhalten habe, obwohl es nur wenige waren. Ich habe schon weniger gehabt und bin trotzdem aus allem schlau geworden, warum sollte ich mich hier davon abhalten lassen? »Ihr Kinn.«

»Was ist damit?« Das Interesse von Dom ist geweckt.

»Da war eine etwa drei Zentimeter lange, dünne Wunde.« Ich konzentriere mich auf die Details, nicht auf das Opfer, denn wenn ich mir vorstelle, dass es June ist, gerate ich außer Kontrolle und kann das Rätsel des Täters nicht mehr lösen. »Es muss eine Art Klinge gewesen sein. Wen kennen wir, der mit Messern arbeitet?«

Ein Schauer läuft mir über den Rücken, ein Gedanke, den ich bis jetzt noch nicht ganz verarbeitet habe. Wenn wir Verhöre durchführen, kommt keine einzige Person lebend heraus. Und typischerweise läuft das in unserer Branche so. Keine Rücksicht auf ein Leben. Aber wie zum Teufel konnte June mit ihrem Leben davonkommen? Bedeutet das, dass das Spiel gerade erst begonnen hat? Dass dies anstelle eines schnellen Angriffs eine lange, langwierige Tortur sein wird, nicht nur für sie, sondern auch für uns drei, die wir hier sitzen? Ist dies ein verdrehtes Spiel, um uns von dem Krieg abzulenken, den wir zu gewinnen versuchen? Eine sadistische Ablenkung, um die Oberhand zu gewinnen? Steht ihr Leben jetzt auf dem Spiel, weil wir sie unvorsichtigerweise mit einbezogen haben? Etwas, das wir nicht mehr aufhalten können, da es jetzt in Bewegung ist.

»Ich habe ein paar Leute im Kopf«, verkündet Dominic.

Ich richte meinen Blick auf Magnus. »Raus aus dem Auto!«

»Was?« Er zieht die Brauen zusammen.

»Jemand muss ein Auge auf June haben.« Und wenn man bedenkt, wie wütend sie auf mich ist, bin ich nicht der Beste für diese Aufgabe. Nein, meine Fähigkeiten sind für etwas ganz anderes besser geeignet. »Dom und ich werden das untersuchen.«

Das heißt, wir schlitzen jede Kehle in der Stadt auf, bis jemand gesteht, dass er unserem Mädchen etwas angetan hat.

KAPITEL ZWÖLF – JUNE

*W*as gibt Coen das Recht, bei meiner Arbeit aufzutauchen und mir Fragen darüber zu stellen, was mit mir passiert ist? Er ist seit Jahren verschwunden und taucht aus heiterem Himmel auf, um mich zu beschützen? Wie zum Teufel hat er es überhaupt herausgefunden?

Von den dreien ist Magnus derjenige, der weiß, dass ich bei *Bram's* arbeitete. Warum war es nicht er, der mich zur Rede stellte? Vor allem, weil er die ganze Zeit in diesem lächerlichen Geländewagen gewartet hat, während Coen bei mir war und versuchte, mich zu bemitleiden.

Ich habe es in seinen Augen gesehen, wie er mich ansah, als würde ich kaputtgehen wie diese blöde kaputte Tasse. Ich brauche weder sein Mitleid noch das von irgendjemand anderem. Ich komme allein zurecht.

Waren sie der Meinung, weil ich Coen am längsten kenne, sei er der beste Gesprächspartner für mich? Nun, sie lagen falsch. Denn keiner von ihnen passt auf diese Beschreibung.

»June.« Bram hält sich in meiner Nähe auf, während ich die Salz- und Pfefferstreuer nachfülle.

»Ja?«

Er seufzt, seine Haltung versteift sich ein wenig. »Hör zu, ich will nicht neugierig sein, und ich weiß, du hast mir schon erzählt, was passiert ist. Aber wenn noch etwas passiert, hoffe ich, dass du mir vertrauen kannst, dass ich dir helfe, wenn du es brauchst.«

Ich arbeite noch nicht lange hier, aber Bram hat seine Vertrauenswürdigkeit unter Beweis gestellt. Die Situation ist definitiv zu schön, um wahr zu sein, aber ich mache trotzdem mit, solange ich kann.

»Danke, ich weiß das zu schätzen. Aber mir geht es gut, wirklich. Nur ein einzelner Überfall, das ist alles.« Zumindest ist das die Geschichte, die ich ihm und jedem, der fragt, erzähle, denn die echte Version ist zu unglaublich, vor allem der Teil, in dem ich es geschafft habe, zu fliehen.

Bram senkt seine Stimme. »Sieh nicht hin, aber da ist ein Typ, auf der anderen Straßenseite. Er ist seit etwas mehr als einer Stunde da. Ich will dich nicht beunruhigen oder auf etwas Zufälliges aufmerksam machen, aber kennst du ihn?«

Ich lenke meine Aufmerksamkeit von der anstehenden Aufgabe auf Brams besorgtes Gesicht. »Der Mann, der vorhin hier war?«

Er schüttelt den Kopf. »Nein, größer. Ein bisschen gröber. Tätowierte Arme und Hals.«

Ich atme aus und kehre zu meiner Aufgabe zurück. »Er ist harmlos. Wahrscheinlich hat er nur ein Auge auf mich, wegen …« Ich halte meine bandagierten Hände hoch. »Dem hier.«

Er sollte nicht hier sein und in den Schatten lauern, aber besser er als der Mann, der mich entführt und gefoltert hat. Ich bin überzeugt, dass es eine zufällige Verwechslung war, aber ich bin immer noch nervös wegen der ganzen Sache. Wenigstens ist es Magnus und nicht Coen. Ich bin mir nicht sicher, wie viel mehr von seinen traurigen Blicken ich ertragen kann.

»Okay.« Bram entspannt sich ein wenig. »Dann sollte ich wohl die Bullen zurückrufen.«

»Du hast die Polizei gerufen?« Ich schaue ihn mit großen Augen an.

»Nein«, kichert er. »Sie sind aber auf der Kurzwahltaste, falls du sie mal brauchst.«

»Ich sage dir Bescheid, wenn ich meine Meinung ändere.« Ich nehme die Shaker und stelle sie auf die zugewiesenen Tische, schaue auf die Uhr und stelle fest, dass es fast Zeit ist, zu gehen.

»Du kannst gehen, wenn du willst. Ich werde die ganze Stunde notieren.« Bram wischt den Tresen ab und greift nach der Kaffeekanne. »Willst du einen zum Mitnehmen?«

»Bist du sicher?« Wo ist der Haken an der Sache? Warum ist er so verdammt nett? Es ist, als wäre es in der DNA dieses Mannes verankert, anders als bei der Mehrheit der Bevölkerung, die es vorzieht, nur dann etwas Nettes zu tun, wenn sie im Gegenzug etwas von dir bekommen kann.

»Auf jeden Fall.« Er nimmt einen Becher zum Mitnehmen vom Stapel und füllt ihn bis zum Rand.

»Kann ich noch einen haben?« Ich zeige nach draußen. »Für meinen Stalker.« Ich greife in meine Tasche. »Ich bezahle auch.«

»Auf Kosten des Hauses. Betrachte es als Dankeschön dafür, dass er sich um dich kümmert.« Bram füllt eine weitere Tasse voll und verschließt sie mit einem Deckel. »Ich mache mir Sorgen um euch Kinder.«

Ich stelle die Frage, die mir durch den Kopf geht, seit ich ihn kenne. Etwas, über das ich wahrscheinlich einfach den Mund halten sollte. Die Neugierde hat mich im Moment zu sehr gepackt. »Kanntest du sie? Die Collegestudenten, die erschossen wurden.«

Brams Schultern straffen sich, er sagt mir die Antwort ohne ein Wort. Er bestätigt sie aber trotzdem. »Ja.«

»Es tut mir so leid.« Es ist eine Sache, wenn eine Tragödie so nah vor der eigenen Haustür passiert, und eine andere, wenn sie persönlich ist.

Die Traurigkeit, die ich jedes Mal, wenn ich hier bin, in Brams Gesicht sehe, und die Last, die er täglich mit sich herumträgt, ergeben jetzt, da sich mein Verdacht bestätigt, viel mehr Sinn. Wen auch immer er in dieser verdammten Gasse neben seinem Laden verloren hat, hat ihm etwas bedeutet. Der Unfall ist etwa einen Monat her, die Wunde ist noch frisch in seinem Gedächtnis, in seinem Herzen, in seiner Seele.

»Ich war mit Claire befreundet, eine Freundin des Opfers.« Ich bin mir nicht sicher, warum ich das sage.

Ein Funke scheint in seinen Augen zu leuchten. »Wirklich?« Er versucht, sich nicht zu verletzlich zu zeigen, aber ich habe schon bei der Erwähnung von ihr die Veränderung in seinem Verhalten bemerkt. »Hast du was von ihr gehört?«

»Nein.« Es war nicht so, dass sie und ich die Typen sind, die in Kontakt bleiben. Wir sind Freundinnen durch Cora. Als ich merke, wie die minimale Helligkeit in ihm nachlässt, füge ich hinzu: »Sie kennt eine Freundin von mir. Ich könnte sie fragen, ob sie sich bei dir meldet.«

»Ja. Das wäre schön. Danke.«

Und wenn das ein Hinweis ist, dann war die Person, die Bram verloren hat, Johnny, Claires Freund. Ich frage mich, woher die beiden sich kannten. Vielleicht waren sie verwandt, oder vielleicht hat Bram Johnny unter seine Fittiche genommen, wie er es mit anderen verlorenen und gebrochenen Menschen zu tun scheint, über die er stolpert. Das Gute in seinem Herzen schwappt über und macht ihn unfähig, jemanden leiden zu sehen und nichts dagegen zu tun.

»Sie hat hier gearbeitet, richtig? Claire?«

»Die beste Hilfe, die ich je hatte«, lächelt Bram, ein echtes Lächeln. »Nichts für ungut.«

Ich lache. »Schon gut.«

Bram schiebt die beiden Tassen über den Tresen. »Ich sollte dich besser nicht länger aufhalten. Dein Leibwächter macht sich sicher schon Sorgen.«

Ich nehme sie ihm ab und bereite mich im Geiste darauf vor, was passieren wird, wenn ich nach draußen trete. Wird Magnus mich in die Mangel nehmen? Mich bemitleiden? Mich schelten, dass ich mich in eine solche Situation gebracht habe?

»Wir sehen uns morgen früh«, sage ich zu Bram.

Eine Frau mittleren Alters kommt herein und hält mir die Tür auf, damit ich durchgehen kann.

»Danke«, sage ich und trete auf den Bürgersteig hinaus. Ich stehe da und warte darauf, dass Magnus vorbeikommt, aber er tut es nicht.

Denkt er, ich wüsste nicht, dass er da ist? Versucht er so, unauffällig zu sein?

Ich stütze mich auf meine Hüfte und verlagere mein Gewicht auf eines meiner Beine. »Komm schon, Magnus!«, rufe ich in seine Richtung.

Er taucht aus dem Schatten auf, zunächst langsam, aber dann joggt er über die Straße zu mir.

Ich schiebe ihm den Kaffee zu. »Hier!«

Er sieht es mit gerunzelten Brauen an. »Ist der … für mich?«

»Wenn du ihn nicht willst, kann ich …«

Magnus unterbricht mich. »Nein, natürlich nicht.« Er nimmt mir den Becher ab. »Danke.«

Hat ihm noch nie jemand etwas geschenkt?

Ich schiebe den Deckel von meinem Getränk und lasse den Dampf herausströmen. Ich möchte einen Schluck nehmen, aber ich mag es, wenn meine Geschmacksnerven intakt bleiben. »Warum bist du hier, Magnus?«

Er geht gleich aufs Ganze, dreht den Deckel um und trinkt etwas von seinem. »Scheiße, ist das heiß.«

»Ich muss zur Arbeit.« Ich zeige in die Richtung, in die ich gehen muss.

»Arbeit?« Magnus nickt in Richtung *Bram's*. »Du kommst gerade von dort.«

Ich schüttele den Kopf. »Nein, mein anderer Job.«

»June …«

Ich spüre das Urteil, das in seinem Tonfall mitschwingt.

»Wo arbeitest du überall?«

»Heute?« Ich ziehe mein Handy aus der Tasche, um die Zeit zu überprüfen. »Bei drei Jobs.«

Er starrt mich an, als wäre mir gerade ein Horn aus der Stirn gewachsen.

»Nicht jeder kann so reich sein wie du.« Ich wollte nicht, dass es so hart klingt. Aber bei der Stimmung, in der ich bin, und den letzten Tagen, die ich hatte, entschuldige ich mich nicht.

Magnus' Gesichtsausdruck wechselt in Sekundenschnelle von Überraschung zu Besorgnis zu Verständnis. »Ich begleite dich.«

Das hatte ich nicht erwartet.

»Was? Es sind nur vier Blocks.«

»Dann sollten wir uns besser beeilen, damit du nicht zu spät kommst.« Er legt seine tätowierte Hand auf meinen Rücken und führt mich in die Richtung, in die ich angedeutet habe.

Seine Berührung ist warm und kühl zugleich. Ein seltsamer Trost, den ich nicht erwartet habe, wenn man bedenkt, wie sehr ich mich derzeit über die menschliche Rasse ärgere. Ich lasse mich von ihm begleiten, denn ich muss jetzt wirklich zur Arbeit. Ich bin schon erschöpft von der Arbeit bei *Bram's*, aber es gibt keine Ruhe für die Bösen, oder realistischer ausgedrückt für die Pleitegeier.

»Du hast mir noch nicht gesagt, warum du hier bist.«

»Was? Kann ein Mann nicht mit einem Mädchen gehen?«

Ich schaue zu ihm hinüber und ignoriere die Form seines Kiefers, die subtile Wölbung seiner Nase, die langen dunklen Wimpern, die seine schönen Augen umranden. Verdammt, er ist ein toller Anblick. »Das Lauern in der Gasse auf der anderen Straßenseite ist ein bisschen viel. Willst du wie Joe Goldberg aus der Serie *You* wirken?«

Er zieht seine buschigen Augenbrauen hoch und ein Grinsen zeichnet sich auf seinem Gesicht ab. »Der Kerl hatte es aber drauf, das kann man nicht leugnen.«

Ich atme aus und nehme einen vorsichtigen Schluck von meinem Kaffee. »Mir geht's gut, wirklich. Das habe ich Coen gesagt. Ich brauche euer Mitleid nicht, oder was auch immer es ist.«

»Du hältst das für Mitleid?«

»Was könnte es sonst sein? Coen taucht aus heiterem Himmel auf, mit diesem traurigen Blick. Dann schleichst du dich von der anderen Straßenseite heran, als könnte man mich nicht in Ruhe lassen. Was kommt als Nächstes? Taucht Dominic auch noch auf? Mein Boss hätte fast die Bullen auf dich gehetzt.«

»Es wäre richtig gewesen, ich weiß …« Sein Gedankengang ändert sich. »Vergiss es! Nein, du verstehst das falsch, June. Es ist kein Mitleid, das wir dir gegenüber empfinden. Ich meine, ja, wir hassen es, dass du in diese Sache hineingezogen wurdest. Aber was du nicht wahrnimmst, ist die Wut, der Zorn, das pure Verlangen, denjenigen, der dir das angetan hat, dafür bezahlen zu lassen.«

Ich sehe ihn aus den Augenwinkeln heraus an. Verstehe ich ihn richtig? Sie wollen Rache? Für das, was mir zugestoßen ist? Und warum? Für sie bin ich nur irgendein Mädchen. Vielleicht nicht für Coen, aber für Magnus und Dominic bin ich ein zufälliger One-Night-Stand.

Hat Coen sie dazu angestiftet, und die beiden sind gezwungen, sich auf seinen seltsamen Rachefeldzug einzulassen? Aber selbst dann, warum sollte es ihn interessieren? Er war jahrelang weg und hat sich nie darum gekümmert, was mit mir passiert ist.

»Warum?«, frage ich schließlich.

»Ob du es glaubst oder nicht, du bist uns wichtig.«

»Ihr habt wirklich eine seltsame Art, das zu zeigen. Coen

verschwindet ein Jahrzehnt lang aus meinem Leben. Dominic nach einer Nacht. Und du ...« Ich schaue ihn kurz an und erkenne den vorauseilenden Schmerz in seinem Gesicht. »Ich schätze, du bist der Einzige, der noch nicht sein wahres Gesicht gezeigt hat.«

Seine Entschlossenheit lässt nach, mein Schlag trifft ihn nicht so hart, wie ich es erwartet habe. »Es tut mir leid, im Namen von ihnen und der gesamten männlichen Bevölkerung.«

»Das ist eine schwere Last.« Ich bleibe stehen und warte darauf, dass die Ampel grün wird und uns die Erlaubnis gibt, die Straße zu überqueren. Ohne mich umzudrehen, spüre ich, wie Magnus mich anschaut.

Ich gebe es nur ungern zu, aber seine Anwesenheit hat mir den Weg zu meinem zweiten Job sehr erleichtert. Nach dem, was in der letzten Nacht passiert ist, bin ich nervös. Das war ich schon immer, aber jetzt ist es auf einem extremen Niveau. Ein höchst paranoides Niveau, das mich auf die kleinsten Dinge aufmerksam macht.

Wie auf den Mann, der auf der anderen Straßenseite steht und darauf wartet, dass die Ampel umspringt. Den anderen älteren Mann, der sich Magnus und uns von Süden her nähert. Ein Paar, das ein paar Häuser weiter aus einem Laden kommt. Und auf den Teenager, der an einem Tisch vor dem mexikanischen Lokal sitzt.

Ich nehme nicht alles wahr, aber ich hoffe, dass ich genug sehe. Genug, um mich in Sicherheit zu bringen. Genug, um zu verhindern, dass das Gleiche noch einmal passiert.

Wir gehen noch ein paar Minuten weiter, aber jetzt stumm.

»Da sind wir.« Ich zeige auf den Weg, wohin ich will.

»Du arbeitest hier? Ich liebe diese Pizzeria.«

»Ja.« Ich trödle, unsicher, wie dieser Abschied ablaufen soll, wenn alles andere auch so unsicher ist. »Danke ... dass du mich begleitet hast.«

Magnus grinst und zieht mich an seine Brust, schlingt seine

Arme um mich und hält mich fest. Er küsst meinen Kopf und sein Körper entspannt sich an mir.

»Ich muss da rein«, sage ich, nachdem eine angemessene Umarmungszeit vergangen ist. »Du musst mich loslassen.«

»Richtig. Tut mir leid.« Er lässt mich los und hält mich auf Armeslänge, seine Freude schwindet ein wenig, als sein Blick den Wunden in meinem Gesicht folgt.

Schade.

Magnus schlendert zur Tür, hält die Klinke fest und hält sie mir auf.

Ich trete ein und bleibe stehen, als er mir ins Innere folgt. »Was machst du da?«

Er reibt sich den Bauch. »Kann ein Mann nicht essen?«

Ich schnauze. »Ernsthaft? Hier? Da ist dieser mexikanische Laden, an dem wir vorbeigegangen sind.«

»Aber ich bin doch schon hier.«

Ich seufze und sehe mich um. »Setze dich, wo immer du willst. Ich nehme deine Bestellung auf, sobald ich so weit bin.«

Das Restaurant ist leer, abgesehen von uns und einem Paar an einem Tisch in der Mitte des Raums. Wir sind auch unterbesetzt, aber da kaum Kunden da sind, ist das nicht schlimm. Ich übernehme den Platz der anderen Kellnerin, die vor mir gearbeitet hat, und hoffe inständig auf eine arbeitsreiche, aber überschaubare Schicht. Ich kann das Geld gut gebrauchen, aber es ist stressig, wenn viel los ist. Die Küchenhilfe kann kaum ihre eigene Arbeit abdecken, geschweige denn mir helfen, wenn ich sie brauche.

Ich gehe durch den offenen Bereich und schenke den Gästen, die bereits sitzen, ein aufgesetztes Lächeln. Sie erschrecken ein wenig über mein Aussehen und erinnern mich zum millionsten Mal daran, wie scheiße ich aussehe.

»Wow, was ist denn mit dir passiert?«, ruft Saul, der Manager, in der Sekunde, in der ich nach hinten trete.

»Keine große Sache, ich wurde ausgeraubt.« Ich ziehe meine Zeitkarte durch das Gerät und stecke sie in den Automaten.

»Moment mal!« Er streckt seine Hand aus, um mich daran zu hindern, meine Aufgabe zu beenden.

»Was?« Der Drang, ihm an die Gurgel zu gehen, wächst mit jeder Sekunde, die er mir wegnimmt. Kann er nicht damit warten, ein Arschloch zu sein, bis ich wenigstens dafür bezahlt werde?

»Du, äh, siehst nicht so gut aus, June.«

»Ja, das ist mir bewusst.« Ich schlage meine Karte gegen seine Hand, um ihn zu bewegen. »Kann ich mich anmelden? Ich muss Bestellungen aufnehmen.«

»Geh nach Hause, June!«

Wenn er noch ein einziges Mal meinen Namen sagt …

»Was? Warum?«

Er zieht seine Hand weg, aber nicht bevor er mit seinem Finger mein Gesicht umkreist und ihn sogar auf meine Stirn drückt. »Das. Nicht gut fürs Geschäft.«

Ich stoße ihn weg. »Fass mich nicht an!«

»Hast du mich gerade geschlagen?« Echter Schock huscht über seine Züge.

Hatte er völlig vergessen, dass er mein Gesicht zuerst zu berührt hat? Als ob meine Reaktion auf einen gruseligen, pickelgesichtigen Spinner, der sich zu sehr in meinen persönlichen Raum einmischt, nicht normal wäre.

»Ja, soll ich es noch mal machen?« Das hätte ich nicht sagen sollen.

Er richtet sich auf und stellt sich ganz zwischen mich und die Zeitmaschine. »Du bist gefeuert.«

»Willst du mich verarschen?« Weil ich ihn beschimpft habe, als er ein bisschen zu handgreiflich wurde?

Seine Brust drückt gegen meinen Oberkörper und stößt mich zurück.

»Du widerliches Arschloch.« Ich werfe die Karte in meinem

Griff nach ihm. »Ich habe es sowieso gehasst, hier zu arbeiten.«
Das ist die gottverdammte Wahrheit. Der Laden ist zum Kotzen.
Entweder ist er verdammt leer oder zu voll, um ihn anständig
zu führen. Das heißt, keine Trinkgelder von den Leuten oder
kaum welche wegen meiner Unfähigkeit, zehn Tische auf
einmal zu jonglieren.

Das muss allerdings ein Rekord sein. Zweimal innerhalb
eines kurzen Zeitraums gefeuert zu werden. Was kommt als
Nächstes? Werden Bram und Jack mich auch rausschmeißen?

Dann wäre ich total am Arsch.

Ich mache auf dem Absatz kehrt, gehe den Weg zurück,
stoße die Schwingtür auf und kümmere mich nicht darum, dass
sie gegen die Wand knallt.

Magnus ist sofort auf den Beinen und eilt zu mir. »Was ist
los?«

»Komm schon! Lass uns von hier verschwinden!« Ich erreiche die Eingangstür und strecke meinen Mittelfinger in die
Luft. »Scheiß auf diesen Ort!«, rufe ich und hoffe, dass es laut
genug ist, damit Saul es hören kann.

»Was zum Teufel ist hier los?« Magnus folgt mir, obwohl er
keine Ahnung hat, warum ich hinausstürme.

Ich stürme auf den Bürgersteig und laufe wütend ein paar
Blocks, bevor die Wut in mir auch nur im Geringsten kocht.
»Scheiße!« So viel zu dem Geld, das ich zu verdienen versuche,
um aus dieser Wohnungssituation herauszukommen, in der ich
festsitze. Ich kann verdammt noch mal nicht gewinnen. Ich
fahre mir mit den Händen durch das Haar und zucke zusammen, weil es so wehtut.

»June.« Magnus streckt die Hand nach mir aus. »Hey!« Er
hält meine Schultern und zwingt mich, ihn anzuschauen.
»Atme!« Er atmet tief ein und aus, als wolle er es mir beibringen.

Ich schaue zu ihm hoch. »Warum bist du noch hier?«

»Wo sollte ich sonst sein?«

Ich zucke mit den Schultern. »Ich weiß nicht. Arbeit oder so.«

»Das hier ist wichtiger.«

»Verfolgst du mich etwa?«

Er schüttelt sanft den Kopf. »Um sicherzugehen, dass es dir gut geht.«

»Viel Glück dabei.«

»Hier, setz dich!« Magnus führt mich zu einer Bank.

Da erkenne ich, wohin ich ihn gebracht habe. In den Park. Der Park, in den ich gehe, wenn ich mich von der chaotischen Welt um mich herum entspannen will. Der Ort, an dem ich versehentlich die ganze Nacht geschlafen und ein paar Kinder erschreckt habe, die mich für tot hielten. Ich habe nie jemanden hierher mitgenommen.

Er lässt sich zuerst auf die Bank sinken und tätschelt den Platz neben sich. »Bitte!«

Ich füge mich, denn was soll ich sonst tun? Ich werde erst heute Abend bei Jack erwartet und es ist nicht so, dass ich nach Hause gehen und mich mit meinen idiotischen Mitbewohnern herumschlagen will. Ich sollte die nächsten fünf Stunden arbeiten und nicht mit Magnus im Schlepptau durch die Stadt irren.

»Was ist da gerade passiert?« Magnus lehnt sich gegen die Bank, sein Arm ruht hinter mir.

Ich habe den starken Drang, den Mund zu halten, Magnus nicht mit meinen alltäglichen Problemen zu belasten, aber ich ertappe mich dabei, wie ich trotz meiner natürlichen Tendenz, alles in mich hineinzufressen, trotzdem rede. »Offenbar war mein Auftreten schlecht fürs Geschäft.« Ich lasse den Teil aus, in dem Saul in meinen persönlichen Raum gedrungen ist.

»Moment, damit ich das richtig verstehe. Du wurdest wegen etwas gefeuert, worauf du keinen Einfluss hattest?«

»So ziemlich, ja.«

Magnus fährt sich mit der Hand durch sein Haar. »Verdammt, Prinzessin. Es tut mir leid.«

»Es ist nicht deine Schuld.« Es war meine, weil ich zur falschen Zeit am falschen Ort war. Dass ich nicht besser auf meine Umgebung geachtet habe. Dass ich betrunken nach Hause gegangen bin.

»Es könnte genauso gut meine Schuld sein.«

»Was soll das denn heißen?« Ich drehe mich zu ihm um, schlage meine Beine übereinander. Ich ignoriere den Schmerz der blauen Flecken an meinen Knien und Schienbeinen und schaue weiter in sein ernstes, aber wunderschönes Gesicht.

Er lässt seinen Blick über meine Beine huschen.

»Es ist nichts.«

»Wenn es nichts wäre, hättest du nicht gezuckt.«

»Das hast du bemerkt?« Ich dachte, ich hätte es gut genug versteckt.

»Ich bemerke alles.«

Sieht er, dass ich mir trotz meiner Verletzungen und meiner Wut über den Verlust eines weiteren Jobs immer noch die Hose vom Leib reißen und auf ihn klettern möchte, um über seinen Schaft zu gleiten, bis er tief in mir vergraben ist?

Ich breche den Blickkontakt ab und versuche, ihn nicht auf die Palme zu bringen. Keiner von uns beiden kann es sich leisten, unsere ohnehin schon intensive Verbindung noch weiter zu vertiefen.

»Was ist mit dir passiert …« Magnus berührt meine Schulter und lenkt meine Aufmerksamkeit wieder auf ihn. »Es war nicht deine Schuld.«

»Es war auch nicht deine.« Warum sind er und Coen wild entschlossen, dies zu ihrem Problem zu machen?

»Da wäre ich mir nicht so sicher.«

»Hör auf, kryptisch zu sein, und sage mir, warum du glaubst, dass es um dich geht. Ich bin nicht dein Problem.« Ich nehme einen Schluck von dem Kaffee, den ich immer noch in der Hand halte.

Magnus muss seinen in der Pizzeria vergessen haben, als ich wutentbrannt hinausgestürmt bin.

»Ich habe Feinde.«

»Haben wir die nicht alle?«

Magnus wiegt seinen Kopf hin und her. »Nicht so.« Er streicht mir sanft eine Haarsträhne hinters Ohr. »Es ist nicht sicher, dir viel mehr zu erzählen.«

»Wenn das, was du sagst, wahr ist, und es waren deine Feinde, die das getan haben.« Ich halte meine bandagierte Hand hoch und fahre mit dem Finger über mein Gesicht. »Ich bin mir ziemlich sicher, dass wir über den Punkt hinaus sind, mich in Sicherheit zu bringen.«

»Ich wollte nie, dass du verletzt wirst, ich schwöre.«

Ich will es nicht, aber ich muss lachen. »Hör auf, dir die Schuld zu geben. Es war nicht deine Schuld. Es war ein verrücktes Missverständnis, das nichts mit dir, Coen oder Dominic zu tun hatte. Wie soll das überhaupt einen Sinn ergeben? Für euch drei bin ich ein Niemand. Woher sollten sie wissen, wer ich bin, und noch besser, was zum Teufel soll das bringen? Sie könnten genauso gut deinen verdammten Zeitungsjungen entführen und foltern.«

Magnus' Kinnlade spannt sich bei diesem letzten Satz an. »Du verstehst es wirklich nicht, oder?«

»Was verstehen? Bitte sage mir, was ich hier verpasse.«

»Wie wichtig du uns bist.«

Ich kichere wieder, diesmal stehe ich von der Bank auf. »Richtig. Und ich bin die Königin von England.«

»Prinzessin«, murmelt er leise vor sich hin.

»Wie auch immer.« Ich rolle mit den Augen und verschränke die Arme vor der Brust. »Ihr habt eindeutig ein paar Probleme, die ihr lösen müsst, aber die haben nichts mit mir zu tun. Ich habe meinen Scheiß im Griff. Ich brauche keine Hilfe von euch.« Und gerade jetzt sollte ich auf der Suche nach einem neuen Job sein, nicht damit beschäftigt.

»Hältst du das für einen Scherz?« Magnus erhebt sich. »Da gibt es nichts zu lachen. Diese Männer sind gefährlich. Sie lassen dich gehen, um etwas zu beweisen, aber das heißt nicht, dass sie nicht zu Ende bringen, was sie angefangen haben, um es zu verdeutlichen.«

»Sie haben mich nicht gehen lassen«, sage ich leise.

»Was?« Sein Blick wandert in meinem Gesicht hin und her.

»Ich bin entkommen.«

»Hast du ... hast du die Person getötet? Wie viele waren es?«

»Nein. Ich habe ihm in den Oberschenkel gestochen und bin zur Tür hinaus gerannt. Es war nur einer von ihnen.«

»Mein Gott!«

»Es hatte nichts mit dir zu tun, Magnus. Hör auf, dir die Schuld zu geben. Woher hätten sie überhaupt wissen sollen, dass sie hinter mir her sind?«

»Sie müssen gesehen haben, wie du das Haus verlassen hast.«

»Ich ...« Mein Herzschlag beschleunigt sich, als mein Verstand auffängt, was er gerade gesagt hat. »Ich war nicht allein, Magnus. Ich war mit Cora zusammen.«

All die Zweifel, die ich hatte, all die Momente, in denen ich Coen und Magnus wegen ihrer übertriebenen Besorgnis, die niemals mit mir in Verbindung gebracht werden konnte, abblitzen ließ, verschwinden in einem Wimpernschlag. Wenn es stimmt, was sie sagen, und dass es ihre gefährlichen Feinde sind, die mich angegriffen haben, dann bedeutet das, dass auch Cora in Gefahr ist.

Und wenn ich sie nicht vor ihnen erreiche, hat sie vielleicht nicht so viel Glück wie ich, um den verdrehten Methoden des Mannes, der gedroht hat, mich wie einen Kürbis zu zerschneiden, zu entkommen.

KAPITEL DREIZEHN – JUNE

*G*eht es den Jungs auch so? Diese Qual in meiner Brust. Diese schmerzende Angst, die mein ganzes Wesen verzehrt bei dem Gedanken, dass jemand Cora etwas antut.

Wenn das so ist, ist es kein Wunder, dass sie so reagieren, wie sie es tun. Wenn Cora meinetwegen verletzt wird, könnte ich mir das nie verzeihen. Ich würde vor nichts zurückschrecken, um demjenigen, der sie berührt, doppelt so viel Schmerz zuzufügen.

»Wir werden sie finden«, ruft Magnus hinter mir. Er holt mich ein und streckt die Hand aus, um mich aufzuhalten. »June. Bitte!«

»Du verstehst es nicht.« Ich drehe mich zu ihm um und schaue ihn mit einem wohl wilden Gesichtsausdruck an.

Er legt den Kopf schief. »Ich weiß es, glaube mir, ich weiß es. Aber mit einer irrationalen Reaktion ist keinem von uns ein Gefallen getan.«

»Wie soll ich denn vernünftig sein?«

»Eben noch hast du mir nicht geglaubt, jetzt stürmst du überstürzt davon.«

»Glaubst du, mich kümmert es, was mit mir passiert?« Ich stelle mir Cora vor, wie sie dort sitzt, wo ich neulich Abend war. Das Messer an ihrer Wange, die Klinge in ihrem Fleisch. Auf keinen Fall werde ich zulassen, dass sie das erlebt. Aber was ist, wenn ich zu spät komme? Was, wenn der Schaden schon angerichtet ist?

»Offensichtlich weißt du es nicht. Aber ich schon. Und ich wette, Cora würde nicht wollen, dass du dich in Gefahr bringst, um sie zu retten.«

Er hat völlig recht. Cora wäre stinksauer.

»Was dann? Was soll ich tun?«

»Wo ist dein Telefon? Ruf sie an!« Magnus tätschelt meine Hosentaschen und holt das Gerät aus der hinteren heraus.

Ich klappe es auf und tippe den Button des Kontakts an, den ich zuletzt angerufen habe. Cora. Es geht direkt die Mailbox an. »Scheiße!«

»Schick ihr eine SMS!«

Ich schreibe ein paar Worte und drücke auf *Senden*, wobei der kleine Balken am oberen Rand innehält und nicht ganz durchlaufen will. Ihr Telefon ist definitiv ausgeschaltet.

»Wo sollte Cora im Moment sein?«

Ich denke zurück an das letzte Mal, als ich sie gesehen habe, als sie zu dem Typen aus der Bar ins Auto stieg. Er schien nett zu sein, aber ist das nicht die Art, wie sie dich austricksen? Sie locken dich an und ziehen dir den Teppich unter den Füßen weg, wenn du es am wenigsten erwartest. Sie hat mir am nächsten Morgen eine Nachricht geschickt, ein paar Emojis, um mir mitzuteilen, wie schlimm ihr Kater war, aber ansonsten habe ich nicht mit ihr gesprochen. Es war mir zu peinlich, zuzugeben, was mir in dieser Nacht passiert ist, nachdem ich gegangen bin. Ich habe mir Sorgen um sie gemacht, und ich war es, die sich mit einem Psychopathen eingelassen hatte.

Ich versuche, die Tage zu verarbeiten, indem ich mich an den Details orientiere, die Cora mir mitgeteilt hat, wann ihr

Unterricht stattfindet und wie und wo sie ihre sozialen Kontakte pflegt. Vielleicht ist sie zu Hause und verbringt ein paar schöne Stunden mit ihrer gestörten Familie.

Was, wenn sie an einen Stuhl gefesselt ist und auf den Boden des Hauses blutet? Das, an das ich mich nicht einmal mehr erinnern kann, weil ich in einem Selbsterhaltungstrieb war, um so schnell wie möglich von dort wegzukommen.

»Campus, lass es uns auf dem Campus versuchen!« Denn die Vorstellung, dass sie in einer langweiligen Vorlesung sitzt, ist viel verlockender als die Alternativen.

Magnus nickt, holt sein eigenes Telefon heraus und drückt ein paar Tasten. »Ich rufe uns einen Wagen.«

»Ich warte nicht auf einen Uber, Magnus.« Ich setze den Weg fort, den ich eingeschlagen hatte, bevor er mich aufhielt, und gehe durch den umzäunten Bereich hinaus auf den Bürgersteig vor dem Park.

Ein abgedunkeltes Fahrzeug nähert sich und hält neben uns an.

»Ich auch nicht.« Er packt den Griff und öffnet die Tür. »Steig ein, Prinzessin!«

Ich schlucke meinen Stolz herunter und springe auf den Rücksitz, wobei ich diesem tätowierten Mann, den ich kaum kenne, mehr Vertrauen entgegenbringe, als mir lieb ist. Verzweifelte Zeiten erfordern verzweifelte Maßnahmen, und wenn ich Cora finden will, brauche ich jede Hilfe, die ich bekommen kann.

Magnus' Telefon brummt, er geht ran und hält es an sein Ohr. »Ja?«

Ich kann das Gemurmel auf der anderen Leitung nicht verstehen.

»Sie ist bei mir.« Er lässt seinen Blick zu mir schweifen. »Es geht ihr gut. Wir versuchen, das andere Mädchen, Cora, ausfindig zu machen.« Er wartet, bis die andere Person spricht, dann fährt er fort. »Wenn sie für June wichtig ist, dann ist sie auch für uns wichtig. Ende der Diskussion.« Er unterbricht die Verbindung und richtet seinen Blick aus dem Fenster.

Wir fahren die paar Blocks durch die Stadt in die entgegengesetzte Richtung, aus der ich gekommen bin, und erreichen das Universitätsgelände.

Ich springe hinaus, bevor Magnus mich aufhalten kann, und mache mich auf den Weg über die Wiese. Es ist noch nicht allzu lange her, dass ich hier Studentin war, und doch kommt es mir wie eine Ewigkeit vor. Jeder Tag, der vergeht, ist eine größere Hürde, die mich daran erinnert, dass ich die Herausforderungen, die immer wieder auf mich zukommen, wahrscheinlich nicht bewältigen werde.

»June«, ruft Magnus. »Warte!«

Ich biege um die Ecke und mein Herz springt mir fast aus der Brust, als mein Blick auf das vertraute blonde Mädchen fällt. Ich schnappe nach Luft und halte mir die bandagierten Hände vor den Mund, um das Geräusch, das mir entweicht, zu unterdrücken.

Magnus stürmt um mich herum und zieht eine Waffe von wer weiß woher.

Ich streckte meinen Arm aus, um ihn zu stoppen und daran zu hindern, weiterzugehen.

Cora. Sie ist lebendig. Sie lächelt, lacht und hält den Arm eines anderen Mädchens fest.

Ich ziehe Magnus weg, gehe zurück hinter die Wand und lasse mich gegen sie fallen, genieße die Erleichterung, die meinen Körper durchströmt.

Cora geht es gut. Unverletzt. Und zeigt keine Anzeichen eines Traumas.

»Ist sie das?« Magnus hält die Pistole in seinem Griff, ist aber noch nicht bereit, sie in den Halfter zu stecken.

Es passt zu seinem ganzen Bad-Boy-Auftritt, aber nicht zu seiner wirklich sanften Natur. Sein ganzes Dasein ist ein Widerspruch, und irgendwie funktioniert das für ihn total.

»Ja.« Ich beruhige meinen Atem und gönne meinem Herz eine Pause vom wilden Pochen.

»Warum bist du nicht zu ihr gegangen? Um mit ihr zu reden?«

»Ich will nicht, dass sie mich so sieht.« Ich strecke meine Hände aus. »Wenn sie es nicht wissen muss, ist es mir lieber, wenn sie es nicht weiß.«

Magnus steckt schließlich die Waffe hinter seinem Rücken. »Warum wurdest du nicht richtig medizinisch versorgt?«

»Wer sagt, dass ich das nicht bin?« Gibt es irgendetwas, das er nicht mitbekommt?

»Ich bin kein Idiot. Ich habe schon viele Wunden gehabt. Die heilen wie Scheiße, wenn du sie nicht versorgen lässt.«

Ich stoße mich von der Wand ab. »Es geht mir gut.«

»Wohin gehst du?«

»Nach Hause.« Ich drehe mich zu ihm um. »Jetzt, da ich weiß, dass Cora in Sicherheit ist …«

»Nur weil es ihr jetzt gut geht, heißt das nicht, dass das, was ich gesagt habe, weniger wahr ist. Diese Leute sind nicht dumm, June.«

»Okay, je öfter ich mit dir gesehen werde, desto höher ist die Wahrscheinlichkeit, dass ich wieder entführt werde. Wäre es also nicht sinnvoll, wenn ich nach Hause ginge?« Wenn ich Glück habe, ist Carter nicht zu Hause, und ich kann vor meiner Nachtschicht in der Bar in Ruhe ein Nickerchen machen.

»Dann lass mich dich mitnehmen, dich absetzen.«

»Und sie und dich direkt dorthin führen, wo ich wohne?«

Magnus tritt vor und schließt die Lücke zwischen uns. »Verdammt noch mal, June. Ich versuche, dich zu beschützen. Verstehst du das nicht?«

Die Millionen-Dollar-Frage, die mich umtreibt: Warum?

»Kannst du dich nicht eine Sekunde lang in meine Lage versetzen? Was du gerade für Cora empfunden hast, glaubst du nicht, dass ich immer noch so fühle, und zwar seit dem

Moment, als ich dich zum ersten Mal sah? Du warst in dem Moment in Gefahr, als ich dich erblickte, und du wirst in Gefahr bleiben, bis einer von uns tot ist. Es macht mir keinen Spaß, mich mit der Sorge zu quälen. Es gibt jetzt kein Entrinnen mehr, also bitte, um alles in der Welt, glaube mir, wenn ich sage, dass ich versuche, dich zu beschützen.«

Ich studiere sein Gesicht, die Besorgnis auf seiner Stirn, die Anspannung seiner Kiefer, die eine harte Linie bilden. Seine Augen durchdringen mich, flehen mich an, zu verstehen, was er durchmacht. Vielleicht sagt er wirklich die Wahrheit. Denn warum sollte er über so etwas lügen? Was würde das für einen Sinn ergeben? Was hätte er davon, sich Zeit zu nehmen, um mich zu beobachten? Und wäre es angesichts meines Zusammenstoßes mit dem Widerling von neulich nicht klug, einen Mann mit einer Waffe im Schatten lauern zu lassen, der bereit ist, bei der kleinsten Bedrohung zuzuschlagen?

»Okay«, ist alles, was ich antworte.

Er schluckt und starrt mich weiter an. »Okay?«

Ich nicke. »Ja. Du kannst mich nach Hause bringen.« So viel schulde ich ihm, nachdem er mich hierhergebracht hat. Er hat mir geholfen, mich so weit zu beruhigen, dass ich herausfinden konnte, wo Cora ist, und die rasenden Nerven zu beruhigen, die mich fast dazu gebracht hätten, durch die Straßen dieser Stadt zu rennen, bis ich sie gefunden habe.

Er fängt an zu grinsen und muss lachen. »Ich dachte wirklich, ich müsste dich über meine Schulter werfen und zu meinem Auto tragen.«

»Ist das immer noch eine Option?« Ich hebe eine Augenbraue und zwinkere ihm zu.

»Nur, wenn du mich weiter in Versuchung führst.«

Wir gehen in einem viel langsameren Tempo zum Fahrzeug, als wir es verlassen haben. Mein Körper fühlt sich bereits leichter an, nachdem ich Cora gesehen und festgestellt habe, dass sie unversehrt ist. Es besteht immer noch die Möglichkeit, dass ihr etwas zugestoßen ist, aber angesichts der Zeit, die vergangen ist, scheint das unwahrscheinlich. Wenn sie das vorhätten, hätten sie dann nicht bald gehandelt, nachdem ich mich ihrem Zugriff entziehen konnte? Vielleicht ist Cora gar nicht auf ihrem Radar, was mich zu der Annahme führt, dass ich mit meiner ursprünglichen Idee, es handle sich um einen isolierten Unfall, richtig lag. Ein verdammter Zufall, dass ich einem Verrückten begegnet bin, der mich für jemand anderen hielt.

Hätte er nicht erwähnt, dass einer von oben die Fäden zieht, hätte ich ihn für einen kranken Spinner gehalten, der sich daran aufgeilt, Mädchen aufzuschlitzen. Aber nein, er ist ein Handlanger, der dafür bezahlt wird, verdrehte Wünsche zu erfüllen.

Magnus öffnet die Tür des schwarzen Autos und klettert hinter mir hinein. »Wohin, Prinzessin?«

Ach, Scheiße! Ich will nicht wirklich, dass er sieht, wo ich wohne. Das liegt zum Teil daran, dass ich sehr zurückgezogen lebe, zum anderen Teil daran, dass ich mich für den drastischen Unterschied zwischen seiner und meiner Wohnung schäme. Er wohnt in einer echten Villa und ich schlage mich mit einem Haufen mieser Typen herum.

»Weber und Sechste«, nenne ich ihm die nächstgelegene Kreuzung.

Es ist nicht weit von hier, aber eine Mitfahrgelegenheit ist besser, als zu Fuß zu gehen. Vor allem, wenn die Gefahr hinter jeder Ecke zu lauern scheint.

»Wann musst du wieder los?« Magnus schaut aus dem Fenster und beobachtet jede Person und jedes Gebäude, an dem wir vorbeikommen.

»In ein paar Stunden. Warum?«

»Ich hole dich ab.«

»Das wird nicht nötig sein.«

»Sicher ist es das.« Magnus' Gesichtszüge verhärten sich

wieder, als ob er sich darauf vorbereiten würde, mit mir zu kämpfen.

Ich bin kurz davor, ihm eine falsche Zeit zu nennen, aber ich traue ihm zu, dass er die ganze Stadt nach mir absucht, wenn ich nicht auftauche. Das könnte ein Kampf sein, den ich nicht gewinnen kann, wenn man bedenkt, wie tödlich ernst es ihm mit meiner Sicherheit ist. Wenn ich ihm einen Gefallen tue und ihm einen oder zwei Abende lang gebe, was er will, wird er vielleicht erkennen, dass keine Gefahr besteht, und er kann zu seinem normalen Programm zurückkehren. Und ich kann mich wieder meinem eigenen Leben und den Problemen widmen, die sich immer wieder auftürmen.

Bei dem Schreck mit Cora habe ich unterwegs nicht ange-halten und in den Schaufenstern, an denen wir vorbeikamen, nach Anzeigen für Aushilfen Ausschau gehalten. Ich habe mich mehr darauf konzentriert, meine Freundin in einem Stück und noch lebend zu finden.

»June.« Magnus unterbricht meine Konzentration.

»Ja?« Ich blinzle zu ihm hinüber.

»Der Job vorhin, in der Pizzeria.«

»Was ist damit?«

»Wie viel hättest du während der Schicht verdient?«

»Ich weiß es nicht? Warum?«

Magnus greift in seine Tasche und holt ein Bündel Bargeld heraus, das ausreicht, um eine ganze Reihe meiner Probleme zu lösen. Er blättert es durch und nimmt einige Scheine heraus. »Reichen fünf?«

»Du gibst mir fünfhundert Dollar?« Wenn ich so viel an einem Ort verdienen würde, geschweige denn an allen drei, hätte ich keine Probleme, meine Rechnungen zu bezahlen. Und ich würde ganz sicher nicht in dieser ekelhaften Absteige wohnen.

»Ist das nicht genug?« Er will mir geben, aber ich halte ihn auf.

»Nein, das ist mehr, als ich verdient hätte.« Ich schiebe seine Hand weg. »Aber das kann ich nicht annehmen.«

»Warum? Es ist meine Schuld, dass du gefeuert wurdest.«

»Wie oft muss ich es dir noch sagen? Du hattest nichts damit zu tun.« Aber ich beginne zu begreifen, dass es keinen Weg gibt, Magnus vom Gegenteil zu überzeugen.

»Und wenn es so wäre, würdest du es dann nehmen?«

»Ich will keine Almosen.«

»Ich gebe keine.«

Mit dem Geld könnte ich leicht die Schulden bei Cora begleichen und vielleicht sogar aufatmen, weil ich den Job vorher verloren habe. Es würde mir ein kleines Zeitpolster verschaffen, damit ich mich nicht in einen neuen Job stürze und vielleicht etwas finde, das ich nicht hasse. Es würde mir ein wenig Freiheit und Erleichterung verschaffen und mir eine Chance bieten, die ich ohne den Job nicht gehabt hätte. Aber es würde mich auch schwach und abhängig machen und Magnus den Eindruck vermitteln, dass ich käuflich bin, oder schlimmer noch, dass ich das von ihm erwarte.

»Ich verspreche, dass ich keine Bedingungen stelle, Prinzessin.« Er drückt mir das Geld in die Hand und faltet meine Finger darum. »Tu so, als wäre es nie passiert.«

Wie kann ich etwas vergessen, das für ihn so klein, für mich aber so groß ist? Für ihn mag es nicht viel sein, aber für mich ist es ein lebensverändernder Geldbetrag. Damit und mit den fünfzig, die Coen mir vorhin aufgedrängt hat, ist mir eine große Last von den Schultern genommen worden. Vorübergehend und doch monumental.

Man sagt, dass man mit Geld kein Glück kaufen kann, aber wenn es die Hauptursache für die meisten Probleme ist, würde ich sagen, dass es einen gigantischen Beitrag zu einem guten oder schlechten Leben leistet. Ich will keine Ferraris oder vergoldetes Geschirr, ich will nur ein Dach über dem Kopf, das nicht mit einem potenziellen drogensüchtigen Sexistenschwein verbunden ist, das das ganze heiße Wasser verbraucht und mich bei jeder Gelegenheit anmacht.

An der Kreuzung, zu der ich ihn gebeten habe, mich zu bringen, hält das Auto langsam an.

»Welches ist deins?« Magnus blickt aus dem Fenster.

»Ich kann von hier aus laufen.« Ich greife nach dem Türgriff und ziehe daran, aber die Tür lässt sich nicht öffnen. »Kindersicherung, ernsthaft?«

Magnus öffnet seine, steigt aus und hält mir seine Hand hin. »Ich begleite dich den Rest des Weges.«

»Nein, ist schon gut, es ist gleich da drüben.« Ich zeige vage in diese Richtung.

Magnus seufzt. »Lässt du mich wenigstens meine Nummer in deinem Telefon speichern, falls du mich brauchst?«

Ich sehe ihn durch meine Wimpern an und möchte nein sagen. Wie kann ich einem so schönen Mann etwas abschlagen, wenn er so eine hündische Ausstrahlung hat? Na ja, eher wie ein Wachhund.

»Gut.« Ich ziehe mein Telefon aus der Tasche, entsperre und reiche es ihm.

Er drückt eine Reihe von Tasten, woraufhin sein eigenes Gerät klingelt. »Und nur für den Fall, dass ich dich brauche.«

»Wozu brauchst du mich denn?«

Magnus zieht eine Augenbraue hoch und grinst. »Mir fallen da schon ein oder zwei Sachen ein.«

»Ich bin sicher, dass das so ist.«

Er studiert mein Gesicht, das Lächeln auf seinem Gesicht verblasst. Magnus beugt sich herunter und drückt seine Lippen sanft auf meine Wange. »Wenn du irgendetwas brauchst, ganz egal was.«

Mein Herz stottert angesichts seiner Sanftheit. »Okay.« Ich begegne seinem Blick ein letztes Mal. »Danke.«

»Wir sehen uns um …«, Magnus dreht sein Handgelenk um, um auf die Uhr zu sehen, »um acht?«

Ich muss erst um neun Uhr zur Arbeit, aber ich ertappe mich dabei, wie ich trotzdem zustimme. »Ja.«

Magnus klettert in den Wagen und zögert, bevor er die Tür schließt.

Ich winke ihm zu und gehe weiter. So wie der Wagen geparkt hat, bedeutet, dass er mir nicht folgen kann, da es sich um eine Einbahnstraße handelt und das illegal wäre. Er müsste den Block umrunden und am anderen Ende wieder herumkommen. Bis dahin bin ich längst weg.

Das Rascheln des Pflasters lässt mich wissen, dass sie wegfahren, aber ich schaue nicht zurück. Ich gehe weiter und komme diesem Höllenloch, das ich Zuhause nenne, immer näher. Es ist nicht weit, nur ein paar Häuser von dort entfernt, wo sie mich abgesetzt haben.

Ich öffne das Eingangstor und beruhige meine Atmung, um mich auf den Mist vorzubereiten, den Carter mir auftischen wird. Bei seinem nicht ganz legalen Job schwanken seine Arbeitszeiten. Das bedeutet, dass er höchstwahrscheinlich da ist, auf der Couch ausgestreckt, mit einer Tüte Chips neben sich und einer Fernbedienung in der Hand. Zweifellos liegen überall Krümel herum.

Ich betrete unser Gebäude. Es gibt vier Wohnungen, zwei auf der linken und zwei auf der rechten Seite. Auf jeder Seite eins im Obergeschoss, eins im Erdgeschoss. Wir wohnen im obersten Stockwerk auf der rechten Seite in einer Dreizimmerwohnung. Sofort bemerke ich die Aufregung auf der Treppe vor unserer Tür. Ich eile hinauf und sehe, wie mein Zeug in eine Tüte gestopft wird.

»Was zum Teufel ist hier los?« Ich reiße Carter die Klamotten aus der Hand. »Weg von meinen Sachen.«

»Du musst gehen, J.« Carter schiebt seine Hand über die Schwelle, damit ich nicht hineinkomme.

»Nenn mich nicht J, als ob wir Freunde wären, du verdammtes Arschloch.«

Heather steht hinter ihm, die Arme vor der Brust verschränkt. »Er hat recht, June.«

»Kann mir jemand erklären, warum ich rausgeschmissen werde?«

»Was ist mit deinem Gesicht passiert?«, fragt Heather, aber nicht aus Besorgnis, sondern eher, weil sie mir etwas beweisen will.

»Ich wurde überfallen, Herrgott. Und deswegen schmeißt du mich raus? Wie zum Teufel soll das einen Sinn ergeben?« Ich dachte, die beiden könnten nicht noch schlimmer werden, und irgendwie beweisen sie mir, dass ich falschlag.

»Wenn du es so nennen willst.« Heather hebt meine Duschwanne vom Boden auf und wirft sie in die Kiste mit meinen anderen Sachen. Sie stößt sie mit dem Fuß zu mir.

»In welche Schwierigkeiten du dich auch immer gebracht hast, es geht uns nichts an. Aber du machst es zu unserer Sache, wenn die Schläger, die hinter dir her sind, hier vorbeikommen und uns bedrohen.« Carter versperrt mir weiterhin den Weg. »Besonders diese Art von Typen.«

Wovon reden sie? »Jemand war hier?«

Heather blickt nervös auf den Boden und nickt. »Ja. Zum Glück war Carter auf dem Heimweg, sonst hätten sie mir wer weiß was angetan.«

Ich starre Carter an. »Du bist derjenige, der Drogen verkauft, sie waren wahrscheinlich deinetwegen hier.«

»Sie haben speziell nach dir gefragt, June.« Heather atmet aus und legt ihre Hand auf Carters Schulter. »Das können wir hier nicht gebrauchen.«

»Das kann nicht dein Ernst sein. Ich habe meine Miete bezahlt, du kannst mich nicht rauswerfen.«

»Wir können und wir werden.« Carter greift nach der Haustür und will mich ausschließen.

Ich lege meine bandagierte Handfläche dagegen. »Wo soll ich denn hin?«

Carter zuckt mit den Schultern. »Du wirst es schon herausfinden.« Er schlägt mir die Tür vor der Nase zu, ohne sich darum zu scheren, dass er mich den Wölfen zum Fraß vorwirft.

Ich greife in meine Tasche, ziehe meinen Schlüssel heraus und schiebe ihn ins Schloss. Aber er lässt sich nicht einschieben, nicht so wie früher. Die Wichser haben schon die Schlösser ausgetauscht. Ich schlage mit der Faust gegen die Tür, die Schmerzen meiner Verletzungen erinnern mich an meinen schwachen Zustand.

Schritte nähern sich mir von hinten, und als ich dieselbe Faust erhebe, um sie demjenigen, der auf mich zukommt, entgegenzuschlagen, werde ich aufgehalten.

Magnus hält mich davon ab, ihn zu schlagen. »Komm schon!«

»Was? Wie hast du …?« Diese Frage hat mehrere Bedeutungen.

»Das spielt keine Rolle.« Seine Kiefer straffen sich und er blickt auf den Ort, aus dem ich ausgesperrt wurde. »Du bist hier fertig. Es ist nicht sicher für dich.«

»Es ist nirgendwo sicher für mich.« Ich dachte, der Angriff war zufällig. Ich versuchte mein Bestes, um mich und Magnus davon zu überzeugen. Ich stieß das Messer in den Oberschenkel des Mannes und rannte wie der Teufel, um zu entkommen. Ich war sicher, dass ich nicht verfolgt wurde, dass er mich in seinem Zustand nicht hätte verfolgen können.

Vielleicht hatte Magnus ja doch recht. Denn wie hätten sie sonst herausfinden können, wo ich wohne?

Das war nicht zufällig. Und wenn sie mich hier leicht finden können, was wissen sie dann noch über mich?

Dieselbe Frage, die ich mir immer wieder gestellt habe, rüttelt an meinem Innersten.

Warum ich?

Ich betrachte die Überreste meiner Besitztümer, die ich halbherzig in eine billige Plastiktasche gestopft habe. Die Shampooflasche, die gerade auf die wenigen Klamotten ausläuft, die Heather und Carter eingepackt haben.

»Wenn es keinen sentimentalen Wert hat, lass es hier!« Magnus schiebt seine Hand unter meinen Arm. »Ich besorge dir neue Sachen.«

»Was?« Ich lasse mich von ihm eine Treppenstufe nach der anderen hinunterführen, während die ganze Situation noch immer in meinem Kopf abläuft und mir eine Fülle von Gefühlen durch den Kopf geht. Ich werfe einen Blick zurück, die letzten Dinge, die ich besaß, verschwimmen, als wir außer Sichtweite gehen. »Ich brauche meine ...« Aber ich habe keine Idee, was ich meine. Ich hatte weniger und habe überlebt, brauche ich wirklich irgendetwas aus dieser Tüte?

Magnus hält inne und hört mir zu. »Was ist los?«

»Mein Ladegerät.« Das ist das Einzige, was mir einfällt.

»Ich kann dir ein neues kaufen.« Er hilft mir weiter die Treppe hinunter. »Dein Telefon könnte auch ein Upgrade vertragen.«

»Ich will nicht ...«

Magnus legt seine Hände auf meine Schultern und zwingt mich, ihn anzuschauen. »Du bekommst ein neues Telefon, ein neues Ladegerät, eine komplett neue Garderobe und bessere Schönheitsprodukte als den Mist, den ich gerade in dieser Schachtel gesehen habe. Du wirst ein Bett haben, in dem du schlafen kannst, einen sicheren Ort, an dem du deinen schönen Kopf ausruhen kannst. Und um Himmels willen, du lässt unseren Arzt diese Wunden versorgen.«

»Ich bin nicht krankenversichert«, stoße ich hervor.

»Bist du deshalb nicht ins Krankenhaus gegangen?«

»Unter anderem.« Kann mein Peinlichkeitsgrad noch weiter steigen?

»Kein Problem. Wir kümmern uns um alles.«

»Du kannst nicht einfach ...«

»Ich kann und ich werde. Das steht nicht zur Diskussion,

Prinzessin.« Magnus lässt seine Handfläche auf meinem Rücken ruhen.

Wir treten auf den Bürgersteig hinaus, die Sonne knallt mir ins Gesicht, und die Erkenntnis, dass ich ganz von vorn anfangen muss, setzt sich in meinem Inneren fest.

Ich habe mir den Arsch aufgerissen, und wofür? Um von meiner beschissenen ehemaligen Freundin und ihrer traurigen Entschuldigung eines Freundes rausgeschmissen zu werden? Ich verstehe, dass sie um ihre eigene Sicherheit besorgt sind, aber nehmen sie wirklich keine Rücksicht auf meine? Wie kann jemand so verdammt grausam und rücksichtslos sein? Haben sie es überhaupt mit unseren anderen beiden Mitbewohnern besprochen oder haben sie selbst über mein Schicksal entschieden? Es würde mich nicht wundern, wenn das alles Carters Werk wäre. Es würde mich nicht wundern, wenn er ein paar seiner Drogenkumpel bestochen hätte, damit sie vorbeikommen und eine Szene machen, damit es so aussieht, als ob ich mehr Scheiße baue, als ich es wirklich tue. Die blauen Flecken und Schnitte am ganzen Körper machen seinen Plan, mein Leben zu ruinieren, nur noch glaubwürdiger.

Magnus öffnet die Autotür. »Komm, wir bringen dich nach Hause.«

Ich steige ein und lehne meinen Kopf an den Sitz, denn welche andere Wahl habe ich?

»Ich werde ihn umbringen«, murmle ich – und das ist mein voller Ernst.

Magnus atmet aus und tätschelt meinen Oberschenkel. »Zu gegebener Zeit, Prinzessin.«

KAPITEL VIERZEHN – DOMINIC

»*W*ir müssen ein paar Grundregeln festlegen.« Ich lenke meinen Blick zur Treppe, wo die schlafende Schönheit in unserem Gästezimmer ruht.

Als ich vor ein paar Stunden von einer Erkundungstour mit Hayes nach Hause kam, erfuhr ich, dass Bryant June zu uns nach Hause gebracht hat, mit der Absicht, sie hier wohnen zu lassen. Ob das nun vorübergehend oder dauerhaft ist, weiß ich nicht. Es war sehr spontan, aber ich habe getan, was ich konnte, um ihr ein paar Dinge zu besorgen, die ihr die Zeit etwas angenehmer machen.

Diese neue Regelung ist zum Teil gut, aber auch schlecht, so wie sich die Situation entwickelt. Einerseits bedeutet es, dass wir ein Auge auf June haben und alles für ihre Sicherheit tun können, wenn sie bei uns wohnt. Andererseits wird es all unseren Feinden offenbaren, dass sie unsere Schwäche ist, das, was möglicherweise unser Untergang sein könnte. Etwas, von dem wir uns alle einig waren, dass wir es nicht zulassen würden. Und hier sind wir nun, jeder von uns empfindet romantische Gefühle für dieselbe Frau.

Es besteht eine minimale Chance, dass dies für irgendjemanden von uns gut ausgehen wird.

Selbst wenn es uns gelingt, diesen Krieg zu gewinnen, was dann? Wir drei werden ihretwegen einen neuen anfangen.

»Die Toilettensitze müssen runtergeklappt werden.« Bryant ist der Erste, der sich zu Wort meldet.

Ich reibe mir die Schläfe. »Das habe ich nicht gemeint.«

Er pflückt eine Weintraube aus der Schale vor ihm und steckt sie sich in den Mund. »Was ist falsch an Manieren?«

»Nichts. Daran ist nichts auszusetzen. Aber ich spreche von ernsteren Dingen.« Zum Beispiel, wo sie schlafen wird, wie sehr wir unsere Privat- und Berufsleben miteinander vermischen, und die allgemeine Regel, dass wir unsere Schwänze in den Hosen lassen. Es ist nicht gut, wenn wir in Versuchung geraten, und wenn wir diese Grenze jetzt ziehen, sind wir umso besser dran.

June kommt um die Ecke und reibt sich die Augen, aber sie sieht irgendwie schöner aus als je zuvor. Irgendetwas an diesem gerade aufgewachten Blick bringt mich dazu, den Raum zwischen uns zu durchqueren, sie hochzuheben und zurück ins Bett zu bringen. Aber ich tue es nicht. Ich bleibe mit steinerner Miene und regungslos, bewege mich keinen Zentimeter in ihre Richtung.

»Redet ihr über mich?« Sie kommt barfuß die Treppe herunter und zu uns in die Küche.

Hayes löst sich von seinem Telefon und richtet seinen Blick auf sie – eine Seite von ihm, die ich noch nie gesehen habe. Nicht viel kann diesen Mann von seiner Arbeit ablenken.

Bryant kommt June auf halbem Weg entgegen, legt seinen Arm um ihre Schultern und zieht sie zu sich heran. »Hast du Hunger?«

Sie schüttelt den Kopf. »Eigentlich nicht. Hast du zufällig eine zusätzliche Zahnbürste, die ich benutzen könnte?«

»Dein Badezimmer ist voll ausgestattet«, erkläre ich.

»Bryant erwähnte, dass du deine Toilettenartikel nicht dabeihast, also habe ich alles besorgen lassen.«

»Du hast alles *besorgen* lassen?«

»Ja. Wenn es nicht deinem Geschmack entspricht, können wir besorgen, was du brauchst.« Ich kann mir allerdings nicht vorstellen, dass es dir nicht gefällt, denn ich habe unseren Fahrer das Beste besorgen lassen, was es gibt. »Ich habe mir erlaubt, deine Kleidung waschen zu lassen. Sie hängen in deinem Schrank mit ein paar anderen Sachen.«

»Ähm, ich danke dir. Ich zahle es dir zurück, sobald ich kann.«

»Nicht nötig«, sagen wir alle drei gleichzeitig.

Ich räuspere mich. »Du solltest aber etwas essen. Was möchtest du?« Ich gehe zum Kühlschrank hinüber und schaue hinein.

Es klingelt an der Tür und ich richte meine Aufmerksamkeit darauf. Bryant verlässt den Raum wortlos, und eine Minute später kommt er mit einer Tüte mit Lebensmitteln in der Hand zurück.

»Ernsthaft?« Ich starre ihn an und wünschte, ich könnte ihn irgendwie zur Vernunft bringen. »Das war's. Das letzte Mal. Nie wieder.«

»Für immer?« Er schmollt, als hätte ich sein Hündchen getreten.

»Bis das erledigt ist.«

»Bis was erledigt ist? Ich? Ich kann gehen.« June verschränkt die Arme und tritt einen vorsichtigen Schritt zurück.

»Nein, nicht du«, versichere ich ihr schwach. Wie kann ich ihr den Ernst unserer Lage begreiflich machen, ohne ihr die Wahrheit zu sagen? Das würde sie nur noch mehr in Gefahr bringen, und das will ich ihr nicht antun.

Bryant holt eine Box nach der anderen aus der Einkaufstüte.

Chinesisch. Er riskiert unser Leben wegen chinesischen Essens.

»Was dann?« Junes Blick durchbohrt mich.

»Es ist kompliziert.«

Bryant holt Teller aus dem Schrank und greift nach dem Besteck. »Was er zu sagen versucht, ist …«

Hayes gibt Bryant eine Ohrfeige, als er an ihm vorbeigeht. »Bryant, halt den Mund!«

»Wie kannst *du* nur damit einverstanden sein, mich im Dunkeln zu lassen?« June starrt Hayes an, und ich bin dankbar, dass die Aufmerksamkeit von mir abgewandt ist. Ich möchte ihr nichts vorenthalten, aber es ist das Einzige, was mir einfällt, um ihrer Sicherheit Vorrang zu geben.

»Können wir einmal in Ruhe essen?« Bryant öffnet die erste Box, in der sich gebratener Reis befindet.

»Ich habe keinen Hunger«, wiederholt June.

Hayes nähert sich dem Tisch. Er legt etwas von dem Reis, Tso's und eine Frühlingsrolle auf einen Teller. Er greift in den Kühlschrank, holt eine seiner Dr. Peppers heraus und kommt zum Esszimmertisch herüber. Er zieht den Stuhl zurück und wendet sich an June. »Iss!«

Die beiden streiten sich einen Moment, aber dann gibt sie nach. Vielleicht war ihr klar, dass es drei gegen eine stand und ihre Chancen, diesen Raum zu verlassen, ohne zu essen, gering waren. Wir mögen in vielen Dingen anderer Meinung sein, aber ihr Wohlergehen ist eines der wenigen Dinge, die wir gemeinsam haben.

Bryant schiebt einen vollen Teller über den Tresen. »Hier!«

»Danke.« Ich nicke und nehme den Teller. »Aber ich meine es ernst, das ist das letzte Mal. Du musst die Kochkurse nutzen.«

June führt ihre Serviette zum Mund und kaut auf ihrem Bissen herum, bevor sie spricht. »Du hast Kochkurse besucht?«

Hayes mischt sich ein. »Bryant hat Kurse über so ziemlich alles belegt. Kulinarik, Fotografie, Botanik, Töpfern … so ziemlich alles, was angeboten wird.«

»Ein Hansdampf in allen Gassen.« June öffnet ihre Dose und nimmt einen Schluck.

»Ein Tausendsassa, aber ohne Perfektion in einem.« Bryant rutscht auf den Sitz neben ihr.

»Besser als gar nichts zu können.« Sie stößt ihn mit dem Ellbogen und lächelt.

Ich hasse die Eifersucht, die mich durchströmt. Ich sollte so etwas nicht empfinden. Sie gehört nicht mir. Sie gehört ihnen nicht. Sie gehört niemandem. Dennoch schleicht sich der Neid in meine Adern, weil ich mir wünsche, dass dieser bewundernde Blick auf mich gerichtet ist.

Ich bemerke die Anspannung in Hayes' Kiefern, die mir verrät, dass er ähnlich empfindet. Das ist genau der Grund, warum wir die Hausregeln ernst nehmen müssen, um unserem neuesten Mitglied entgegenzukommen.

»Wie geht es deinen Wunden?«, frage ich.

Bryant sagte, dass sie nach dem Vorfall nicht medizinisch versorgt wurde und er sie von unserem privaten Arzt versorgen ließ, als sie herkamen. Ich habe das Ausmaß des Schadens nicht gesehen, aber angesichts der sichtbaren Blutergüsse und Verfärbungen war es sinnvoll, sie von einem Fachmann versorgen zu lassen.

»Besser.« Sie meidet Augenkontakt mit mir.

»Gut. Hast du irgendwelche Beschwerden?« Ich hatte noch keine Gelegenheit, mit dem Arzt über ihren Zustand zu sprechen.

»Nein, er hat mir etwas gegen die Schmerzen und die Entzündung gegeben und ein Antibiotikum. Er sagte, es würde die Heilung fördern.«

»Du solltest dich in der Zwischenzeit auch etwas ausruhen«, füge ich hinzu.

»Ich habe ein ausgiebiges Nickerchen gemacht.« Sie greift in ihre Gesäßtasche und holt ihr Handy heraus. »Ich muss gleich zur Arbeit.«

»Arbeit?« Hayes und ich sprechen zur gleichen Zeit.

Wir müssen wirklich aus den Köpfen der anderen herauskommen.

»Ja, ich muss um neun Uhr dort sein. Es ist nicht weit, ich kann von hier aus laufen.«

»Nein«, stoßen wir alle drei hervor.

»Du meinst, nein, ich solle nicht laufen, nicht ich solle gar nicht gehen.« June schiebt sich ein Stück Hühnchen in den Mund, kaut und schaut zwischen uns allen hin und her.

Ich kühle mein aufsteigendes Temperament. »Ich glaube, was wir sagen wollten, ist, dass du dir den Abend freinehmen solltest. Bleib im Bett, sieh fern oder was auch immer du gern tust. Wir haben ein hochmodernes Wohnzimmer mit allem, was du dir wünschst, alles mit einem Knopfdruck zu bedienen. Ich kann dir Essen oder Getränke bringen.«

»Ich muss zur Arbeit«, beharrt June.

»Nein!«

»Werde ich hier gefangen gehalten? Gegen meinen Willen?« Sie starrt mich über den Tisch hinweg an.

»Natürlich nicht.«

»Dann werde ich in zwanzig Minuten zur Arbeit gehen. Entweder zu Fuß oder ihr lasst mich von eurem *Fahrer* mitnehmen.« Sie betont das Wort Fahrer. »Euer Angebot, hier zu wohnen, ist absolut zu begrüßen, aber es ist nur vorübergehend. Sobald es geht, bin ich weg und belaste euch nicht mehr.«

Hayes meldet sich zu Wort. »J, du verstehst nicht, es ist nicht si...«

»Sicher?« Sie unterbricht ihn. »Da draußen ist es nicht sicher für mich? Weißt du was, Co, ich habe es ohne dich so weit geschafft, ich komme auch allein zurecht.« June atmet aus und legt ihre Serviette auf den Teller. »Ich bin euch dankbar für eure Gastfreundschaft, das bin ich wirklich. Aber ich will nicht in eurer Schuld stehen, wegen des Shitstorms, der mein Leben zerstört. Ich habe noch nie etwas von jemandem gebraucht, und ich habe nicht vor, heute damit anzufangen.«

»Darum geht es hier nicht.« Hayes steht auf, als sie es tut. »Gib ihnen nicht die Schuld für meine Fehler.«

»Dafür ist es zu spät, Co.« June stürmt davon, die Treppe hinauf und aus unserem Blickfeld.

»Alter, was zum Teufel hast du mit ihr gemacht?«, stellt Bryant die Frage, die mich selbst umtreibt.

Hayes fährt sich mit der Hand durch das Haar und lässt sich auf seinen Sitz fallen. Es ist seltsam, ihn so ... zerknirscht zu sehen. Besonders wegen einer Frau. Normalerweise ist er wütend, wenn er niemanden töten kann oder wenn es bei unserem lokalen Dealer keine Munition gibt.

»Du würdest es nicht verstehen.« Er lehnt seinen Kopf zurück und seufzt. »Sie wird mir nie verzeihen.«

»Hast du versucht ...«, Bryant streckt seinen Arm über den Stuhl, auf dem June gesessen ist, »mit ihr zu reden? Ob du es glaubst oder nicht, Kommunikation ist ziemlich wichtig.« Dann richtet er seinen Blick auf mich. »Diese ganze Geheimnistuerei vor ihr wird nicht gut für uns ausgehen. Ich denke, es ist das Beste, wenn wir einfach ehrlich sagen, was los ist.«

Ich schüttle den Kopf. »Nein!«

»Sie ist nicht wie die anderen, Dom, sie kann damit umgehen. Das Einzige, was ich über sie weiß, ist, dass sie niemandem traut.« Bryant nickt Hayes zu. »Ich schätze wegen dieses verdammten Idioten.« Er dreht sich wieder zu mir. »Wir haben ihr keinen Grund gegeben, uns zu vertrauen. Glaubst du wirklich, dass wir uns mit unserer Geheimniskrämerei einen Gefallen tun?«

»Nein, aber ...«

»Ich folge euch schon so lange, und ich würde für euch bis ans Ende der Welt gehen. Ihr beide seid für mich wie eine Familie. Und ich weiß, dass June euch beiden etwas bedeutet. Also bitte, wenn dir etwas an ihr liegt ... an uns, dann solltest du wenigstens in Betracht ziehen, dass das, was ich sage, richtig ist.« Bryant schnappt sich seinen und Junes Teller. »Ich bin der Menschenkenner, vergiss das nicht! Das ist das Einzige, in dem ich ein Meister bin. Vertrau mir!«

Ich hasse es, dass ein großer Teil von mir denkt, dass er recht hat. Dass seine Worte ein gewisses Gewicht haben und ein Geständnis gegenüber June das Beste für uns alle wäre. Aber wenn wir das tun, gibt es kein Zurück mehr. Sie könnte schlecht reagieren, abhauen und sich in noch größere Gefahr begeben, als sie ohnehin schon ist. Die Realität könnte noch hässlicher sein, als sie es sich vorstellt, und sie für immer vergraulen.

Aber warum sollte das ein Problem sein? Warum ist es wichtig, dass wir sie in der Nähe halten, wenn dies das größte Risiko überhaupt ist?

Ich bin egoistisch, weil ich sie haben will, und in unserem Beruf können wir uns diesen Luxus nicht leisten.

Ich hätte mich von ihr fernhalten sollen, als ich sie das erste Mal sah und diese Anziehungskraft spürte. Ich hätte diese Bar nie betreten dürfen. Aber June hatte etwas an sich. Etwas Dunkles, das mich anlockte. Sie hatte einen gewissen Reiz, der mich bei jeder sich bietenden Gelegenheit zu ihr in die Bar gehen ließ. Ich sagte mir, dass es in Ordnung wäre, wenn ich mich nicht auf sie einlassen würde. Und das gelang mir auch. Ich stahl mir kleine Momente, wenn sie nicht hinsah, nur um ihr nahe zu sein. Aber mit jedem Tag, der verging, und mit jeder widerlichen Schande von Männlichkeit, die sich an sie heranmachte, wuchs in mir die Wut, da zu sein, nur für den Fall.

Ich habe mir nie mehr gewünscht, mich zu irren, als in dem Moment, als ich sah, wie der Kerl ihr den Flur hinunter und ins Bad folgte. Ich konnte seine bösen Absichten riechen wie ein billiges Rasierwasser, das so stark stank, dass ich nur eins tun konnte – ihm zu zeigen, wer der Boss ist.

Ich konnte seine Worte hören, als ich den Raum betrat, dass sie einen *fickbaren Mund* habe. Eine Aussage, von der ich mit

Sicherheit wusste, dass sie in diesem Moment nicht willkommen war. Als er mir dann vorschlug, sie zu teilen – was noch mehr bewies, dass er ein Scheißkerl war –, konnte ich den Durst nach seinem Blut nicht mehr unterdrücken.

Ich verprügelte ihn, hielt mich aber zurück, weil ich wusste, dass sie da war. Dass ich sie wahrscheinlich noch mehr verängstigte, als sie es durch seine kranken Annäherungsversuche ohnehin schon war. Ich war mir sicher, dass sie sich vor mir fürchten würde, denn sie hatte allen Grund dazu. Das ist die Wirkung, die ich auf Menschen habe, die mich kennen, und auf die meisten, die nur einen flüchtigen Blick auf mich erhaschen. Unbarmherzig. Grausam. Brutal. Das sind die Worte, die ich flüstern höre, wenn ich vorbeigehe. Sollen sie doch glauben, was sie wollen, vor allem, wenn es wahr ist.

Aber als June mir in die Augen sah, war es, als ob sie darüber hinwegsehen konnte oder mich so akzeptierte, wie ich bin. Sie hatte keine Angst. Und deshalb verlor ich alle Kontrolle, als sie nach vorn trat und sich an mir festhielt, verschmolz mit ihr und wurde eins mit ihr. Ich dachte nur noch daran, ihr jedes Quäntchen Vergnügen zu bereiten, das sie verdiente. Weil ich wusste, dass ich etwas absolut Seltenes gefunden hatte, jemanden, der sich etwas so Bösem wie mir stellt und kopfüber und ohne Vorbehalte auf mich einlässt.

Und nur deshalb glaube ich Bryant, dass June vielleicht nicht abweisend auf die Wahrheit reagieren würde. Sie hat in jener Nacht viel von dem gesehen und wollte mich trotzdem, vielleicht sogar noch mehr, nachdem sie mein wahres Ich kennengelernt hat. Wenn überhaupt, dann sollte *ich* Angst vor ihr haben, weil sie gegen die normale menschliche Natur verstößt und sich in der Gegenwart einer solchen Dunkelheit nicht versteckt. Nein, sie hat sich direkt in die Schusslinie begeben, wie eine furchtlose Füchsin.

»Gut«, sage ich schließlich. »Nicht jetzt, aber später. Ich

werde sie zu ihrer Nachtschicht begleiten. In der Zwischenzeit habt ihr beide zu tun.«

Hayes wird hellhörig. »Ernsthaft?«

»Hast du etwas Besseres zu tun?«

»Nein. Ich meine, du wirst es ihr sagen? Wirklich?«

»Ja. Zumindest die Teile, die sie wissen muss.« Ich erhebe mich von meinem Platz und bringe meinen Teller in die Küche.

Bryant nimmt sie mir ab und wirft die Reste in den Mülleimer, bevor er sie in den Geschirrspüler stellt. »Ich denke, das ist eine gute Idee.«

»Natürlich, es ist ja deine Idee.« Hayes steht auf. »Ich habe alles aufgegeben. Jeden. Ich habe alles in der Vergangenheit gelassen. Und jetzt willst du mir sagen, dass ich das nicht musste? Dass ich die *ganze Zeit* mit ihr hätte zusammen sein können?«

»Wovon redest du, Alter?« Bryant wischt sich die Hände an einem Handtuch ab und wirft es auf den Tresen.

»Nichts, vergiss es, verdammt!« Hayes lässt uns stehen und geht in die gleiche Richtung wie June – sicher aber in sein Zimmer, nicht in ihres. Er ist wütend, und zwischen den beiden spielen zu viele Emotionen verrückt.

»Ich habe ihn noch nie so launisch gesehen.« Bryant schließt die Essensboxen und stellt sie in den Kühlschrank.

»Er wird schon wieder.«

Aber ein Teil von mir fragt sich, ob er das tatsächlich wird. Ich habe die Dinge gesehen, zu denen er fähig ist. Hayes wurde als guter Mensch geboren – sowohl wörtlich als auch im übertragenen Sinne. Männer wie ich kamen kalt und rücksichtslos zur Welt, es ist in unserer DNA verankert, aber Hayes wurde durch die Scheiße, die ihm das Leben zugeworfen hat, zu einem abgebrühten Psychopathen. Er erduldete einen Verlust nach dem anderen, bis er eines Tages ausrastete und etwas in ihm zerbrach, das nie wieder repariert werden konnte. Er wird von Gewalt angetrieben, und es ist nicht so, dass wir das nicht gemeinsam hätten, aber bei mir ist es einfach meine Natur, während es bei ihm bewusste Entscheidungen sind. Und in vielerlei Hinsicht ist das ein viel stärkeres Attribut.

Die Menschen fürchten mich, weil ich das pure Böse bin.

Hayes wird unterschätzt, weil er es so möchte.

Die Leute schätzen Bryant falsch ein, weil er so aussieht.

Wir drei zusammen, das ist eine tödliche Kraft, mit der sich nicht viele anzulegen wagen.

***

*A*uf der Fahrt zu Junes Arbeit ist es ruhig. Sie sitzt mir gegenüber, die Arme vor der Brust verschränkt, als ob sie schmollen würde, weil ich darauf bestanden habe, sie zu begleiten. Sie wird noch wütender sein, wenn ich mit ihr hineingehe und ihre Schicht in meiner Sitzecke beobachte.

Ich habe andere Dinge zu erledigen, Arbeit, die meine Aufmerksamkeit erfordert, aber das muss warten, bis ich sicher bin, dass sie zu Hause und in Sicherheit ist. Das ist nicht ideal – ganz sicher ist es das nicht –, aber ich tue es trotzdem, denn der Gedanke, dass ihr etwas zustoßen könnte, obwohl ich es hätte verhindern können, frisst mich auf.

Ich bin schon wütend genug auf mich selbst, dass sie überhaupt in Gefahr schwebt. Ich dachte, ich tue das Richtige, wenn ich mich von ihr fernhalte, nachdem ich diese Grenze zwischen uns überschritten habe. Aber ich wusste ja nicht, dass Bryant und Hayes auch etwas mit ihr hatten und June noch mehr in die Schusslinie brachten.

Keiner von uns hätte sich jemals einmischen dürfen.

Jetzt gibt es keinen Weg mehr zurück. Unsere Feinde würden nicht glauben, dass wir nichts mehr mit ihr zu tun haben, und würden sie dennoch als Pfand benutzen, sollte sie die Möglichkeit dazu haben. Der einzige Weg, sie zu beschützen, ist, sie in unserer Nähe zu behalten und alles zu tun, was wir können, um sie zu schützen.

»Du kommst nicht mit rein«, sagt sie, als ich aus meiner Seite des Geländewagens steige und neben ihr stehe.

»Das tue ich.«

»Nein, tust du nicht.«

»Komm schon!« Ich nehme ihren Arm und schiebe sie in Richtung der Bar.

»Ich bin kein Kind.« June befreit sich aus meinem Griff.

»Dann benimm dich nicht wie eines!«

June verengt ihren Blick und holt tief Luft. Ihre wilden Augen verraten mir, dass sie über all die Dinge nachdenkt, die sie mir gern antun würde – nur nicht auf eine spaßige Art. Obwohl, Spaß ist ein subjektiver Begriff.

Ich starre sie wieder fest an. »Bis du nicht mehr in Gefahr bist, wird jemand dich überallhin begleiten, wohin du gehst. Wenn du damit ein Problem hast, Pech gehabt! Die Alternative wird wahrscheinlich zu deinem vorzeitigen Tod führen. Gehst du nun rein oder willst du zu spät kommen?«

»Das wollte ich alles nie.«

»Ich auch nicht.«

»Natürlich tust du das, du bist derjenige, der es provoziert.«

»Entschuldige bitte, dass ich mich darum sorge, ob du lebst oder stirbst.«

»Ich werde dir beweisen, dass du dich irrst. Das ist alles ein großes Missverständnis.«

»Aha, sicher.« Ich lege meine Hand auf ihren Rücken, die andere strecke ich in Richtung des Eingangs der Spelunke aus, in der sie die meisten ihrer Nächte verbringt.

June schüttelt mich wieder ab und geht zur Tür, wobei jeder ihrer Schritte ihre wachsende Verärgerung über mich verdeutlicht.

Ich öffne ihr die Tür und folge ihr in das spärlich beleuchtete Lokal. Ohne ein weiteres Wort zu ihr zu sagen, schlendere ich zu meinem Tisch, ziehe meine Jacke aus und falte sie ordentlich in der Mitte. Ich vergewissere mich, dass der Tisch trocken und frei von anderen Verschmutzungen ist, und lege sie dann vorsichtig darauf. Dabei lausche ich dem Gespräch, das June mit dem Mann namens Jack führt, dem der Laden gehört.

»Seid ihr beide zusammen gekommen?«, fragt er.

»Nein«, antwortet sie entschlossen.

»Oh. Ich dachte, das wärt ihr.« Jack hält inne und ändert seinen Tonfall. »Was ist mit deinem Gesicht passiert?«

Sein erster Gedanke war, sie über mich zu befragen und nicht über die sichtbaren Verletzungen, die sie erlitten hatte? Was für ein Arschloch!

»Ich wurde überfallen.«

»Verdammt, das ist hart. Bist du okay?«

»Abgesehen davon, dass ich scheiße aussehe? Ja, mir geht's gut. Ich komme schon klar.«

Trotz der Blutergüsse und Schnitte auf ihrer Haut sieht June alles andere als schlecht aus. Sie macht sich nur keine Gedanken darüber, ihre eigene Schönheit zu erkennen. Es ist frustrierend, wirklich. Ihre schlichten, aber eleganten Züge. Sie ist sich dessen bewusst genug, um ihren Körper zur Schau zu stellen und ihn zu ihrem Vorteil zu nutzen, aber ich bin mir nicht sicher, ob ihr bewusst ist, wie atemberaubend sie wirklich ist, nicht nur auffällig im Sinne von *extra Trinkgeld*.

»Okay, der Tisch in der Ecke hat noch nicht bestellt, falls du ihn vor Jane haben willst. Und natürlich der Angeber da drüben.«

Ich lasse mich auf meinem Platz nieder und warte, bis sie kommt.

Ist ihm nicht klar, wie laut er spricht und dass seine Stimme in der ganzen Bar zu hören ist, sodass jeder, der ihm zuhören wollte, das auch konnte?

June bedient den anderen Tisch zuerst, obwohl sie weiß, dass ich mehr Trinkgeld gebe als jeder andere in diesem Laden.

Das stört mich aber nicht, ich ziehe es vor, dass sie tut, was sie will, solange sie in Sicherheit ist.

Sie gibt die Bestellung an der Theke ab und kommt dann zu mir. »Das Übliche?« Ihrer Stimme fehlt der übliche kokette Ton, den sie vor unserem Fick im Bad immer hatte. Er wäre wahrscheinlich immer noch da, wenn ich ihr Leben nicht völlig durcheinanderbringen würde.

»Ja.«

Ohne eine weitere Sekunde zu verschwenden, macht sie auf dem Absatz kehrt und geht zur Bar, murmelt Jack meinen Drink zu und bringt das Tablett mit den vollen Gläsern zu den anderen Gästen. Sie gibt einer einsamen Frau an einem Tisch ein weiteres Glas und schiebt sich wieder an den Tresen, um meine Bestellung zu holen.

»Danke!«, sage ich, als sie ohne mich anzusehen, geht.

Sie ist sauer und irgendwie gefällt mir das – mein Schwanz pocht in meiner Hose, weil sie mir so verdammt unter die Haut geht. Ich sollte nicht so empfinden, sie so sehr begehren, aber ich tue es, und zu glauben, dass ich die ganze Nacht hier sitzen kann, ohne etwas dagegen zu tun, ist die größte Herausforderung für meine Selbstbeherrschung, die ich je erlebt habe.

---

*D*er Abend verläuft so, dass sie zwischen den Tischen und der Theke hin und her huscht, mir immer einen neuen Drink bringt, sobald meiner zur Neige geht. Ich nippe vorsichtig an dem dekadenten Bourbon und genieße jeden einzelnen Schluck, so wie ich es mit June gern tun würde.

Ich lenke meine Gedanken zu der Erinnerung an unser gemeinsames Abenteuer hin, zu der hitzigen Leidenschaft, die wir in dem adrenalingeladenen Verlangen geteilt haben. Die Spannung hat sich seit Wochen aufgebaut, aber ich war mir nicht sicher, ob sie das Gleiche gefühlt hat, bis sie einen Schritt nach vorn gemacht und ihre Lippen auf meine gepresst hat. Ich versank völlig in sie, das Chaos der Welt fiel in einen Zeitlupenwirbel, dem ich vorübergehend entkam. In diesen flüchtigen Momenten, in denen unsere Körper eins wurden, dachte ich nur an sie. Nicht an den Krieg. Nicht an die vielen Bedrohungen. Nicht an die Möglichkeit, dass ein Mann, der halb so alt war wie ich, mir das Imperium stehlen könnte, auf das ich mein ganzes Leben lang hingearbeitet habe. Nur an sie und mich und an nichts anderes.

Ich wusste, dass ich sie nicht behalten konnte. Ich durfte sie nicht weiter verfolgen. Dass ich zu dem zurückkehren musste, was vorher war. Und doch vergingen die Tage, und der Gedanke an sie ließ mich nicht los. Ich wurde hineingesaugt, mit allem, was mich ausmacht. Völlig erschüttert von der Vorstellung, dass so etwas verdammt Seltenes existiert. Dass es möglich war, dass meine Gedanken an etwas anderes als Gewalt und Blutvergießen kreisen könnten.

Zugegeben, das war genau das, was uns zu diesem Moment geführt hat.

June war ein Engel, aber mit zerfetzten Flügeln und einem teuflischen Grinsen, einer Dunkelheit, die zu meiner passte und der ich mich nicht entziehen konnte.

Dieselbe, die heute vor mir steht, wütend und grübelnd, als ob ich mich daran stören und sie in Ruhe ließe. Merkt sie denn nicht, dass ich sie dadurch nur noch mehr begehre? Dieser Trotz, dieser Ungehorsam, diese sture Ich-kann-alles-allein-schaffen-Attitüde.

»Hör auf, mich so anzuschauen!« June steht vor mir, die Hand auf der Hüfte.

»Wie zum Beispiel?« Ich sollte die Benachrichtigungen auf meinem Handy überprüfen, anstatt sie mit meinem Blick zu verfolgen. Es war offensichtlich eine schlechte Idee, sie heute Abend zu begleiten. Ich hätte Hayes oder Bryant beauftragen sollen. Aber selbst dann … Wären sie in der Lage, ihrer verführerischen Präsenz zu widerstehen?

»Du weißt, was du tust.«

»Weiß ich das?« Ich dachte, ich wäre diskret, aber vielleicht spürt sie mein Verlangen mehr, als ich dachte.

»Entweder du fickst mich oder du lässt mich in Ruhe.«

Ich blinzle sie an, ein echter Schock macht sich in mir breit. »Wie bitte?«

»Du hast mich verstanden.« Sie bleibt still, ungerührt, todernst.

»Liegt diese Option auf dem Tisch?« Mein eigener Mund verrät mich, indem ich die Frage stelle, die ich für mich hätte behalten sollen.

June wirft einen Blick über ihre Schulter und dann wieder zu mir. »Nicht *buchstäblich* auf dem Tisch.« Sie nickt in Richtung des Küchenbereichs. »Personaltoilette. Eine Minute. Lass mich nicht warten!« Sie geht in diese Richtung und verschwindet aus dem Blickfeld.

Will sie wirklich das andeuten, was ich denke, dass sie es tut? Hier und jetzt? In diesem Moment? Nach allem, was passiert ist? Vor allem, wenn man bedenkt, wie wütend sie auf mich ist?

Wer bin ich, dass ich eine Frau infrage stelle, die weiß, was sie will?

Es wäre falsch von mir, ihre Wünsche nicht zu erfüllen, auch wenn sie gegen alles verstoßen, was ich durchzusetzen versuche. Grenzen. Regeln. Abstand.

Zur Hölle mit all dem!

Ich schlüpfe aus der Sitzecke und folge ihr, ganz im Vertrauen darauf, dass ich diesen Bereich betreten darf, der nur Angestellten vorbehalten ist. Wer würde es überhaupt wagen, mich aufzuhalten?

Ich klopfe leicht an die Badezimmertür, und Junes heilendes, aber immer noch angeschlagenes Gesicht begrüßt mich.

Sie öffnet die Tür weit genug, um mich hereinzulassen,

schließt sie hinter mir wieder ab und wendet sich mir zu. »Das hat nichts zu bedeuten. Und es bedeutet auch nicht, dass ich weniger wütend bin.«

Das ist der Moment, in dem ich die Kontrolle zurückgewinnen, hier verschwinden und das, was gleich passieren wird, aufhalten kann. Stattdessen strecke ich die Hand aus und ziehe sie zu mir heran. Ich schaue von meiner Position auf sie hinab und betrachte ihre Schönheit.

June greift nach unten, ihre Hand findet meine wachsende Erektion. Sie grinst und streckt sich nach oben, um ihre Lippen auf meine zu legen. »Mach schnell!«

»Oh, Liebes, ich bin alles andere als schnell.« Ich gleite mit meiner Hand ihren Nacken hinauf bis zu ihrer Schädelbasis, greife in ihr Haar und neige ihren Kopf, bis sie mich ansieht.

Unsere Blicke treffen sich, und mir wird klar, wenn ich einen Rückzieher machen will, ist jetzt der richtige Zeitpunkt dafür.

Sie trifft meinen Mund noch einmal mit ihrem und besiegelt damit das Schicksal, das wir bereits beschlossen haben, als ich den Fuß in diese Toilette gesetzt habe. Zum Teufel, als ich diese Bar betrat. Ich war ein Narr, dass ich jemals etwas anderes gedacht habe. June löst sich, dreht sich um, knöpft ihre Shorts auf und zieht sie über ihren köstlichen Hintern. Sie spreizt ihre Beine so weit, wie es ihre heruntergelassene Kleidung zulässt, und greift nach vorn, um sich an dem einzigen Waschbecken festzuhalten.

»Willst du mich ficken, oder soll ich es selbst tun?« June sieht mich durch den Spiegel vor ihr an.

»Das würdest du nicht.«

»Sag mir nicht, was ich tun oder lassen soll.« Sie hebt ihre rechte Hand von der Stelle, an der sie sich festgehalten hat, und führt sie zu ihrer Muschi.

Ich greife danach und halte sie fest, während sie ihren Mittelfinger in ihren Schlitz schiebt. »Meins«, knurre ich sie an.

»Dann verhalte dich auch so!«

Wie um alles in der Welt ist es möglich, dass ich ein so gefürchteter Mann bin und sie hier ist, fast einen Meter kleiner als ich, ein winziges Ding, halb so alt wie ich, und sich anhört, als ob sie das Sagen hätte?

Und warum ist das so verdammt heiß?

Ich knie mich hinter ihr hin, greife nach ihren Schenkeln und streife mit meinem Mund über ihre Nässe. Ich koste kurz und seufze, weil sie so verdammt köstlich ist. Genau so, wie ich es in Erinnerung habe.

Sie erschaudert und seufzt. »Ich habe nicht die ganze Nacht Zeit.« June hält mir ein Kondom zwischen ihren Fingern hin.

Ich nehme es ihr ab, beiße die Ecke der Verpackung ab und spucke sie auf den Boden, während ich gleichzeitig meine andere Hand nehme und zwei Finger gegen ihre Klitoris gleiten lasse, sie kreisförmig reibe und dann in ihre Muschi eintauche.

Was soll ich sagen? Ich war schon immer ziemlich gut im Multitasking.

Sobald ich es übergezogen habe, ziehe ich meine durchnässten Finger aus ihr und trete näher.

Ihr Haar streicht über mein Gesicht, ihr Duft ist eine Mischung aus Zitrusfrüchten und Honig.

Ich drücke mich in sie hinein, die Kuppe meines Schwanzes richtet sich an ihrem Eingang aus, drückt sich durch die Enge und dehnt sie, damit ich hineinpasse.

Sie stöhnt auf und zieht meine Hand zu ihrem Gesicht, um ihren Mund zu bedecken.

Die andere halte ich an ihrer Hüfte, um sie an mir zu halten.

Bei den ersten Stößen gehe ich behutsam vor, damit sich ihr Körper an die Fülle gewöhnen kann, aber sobald ich spüre, dass ihre Anspannung nachlässt, steigere ich die Intensität.

June erwidert es, lehnt sich gegen meinen Schaft und stöhnt in meine Hand.

Ein Klopfen rüttelt an der Tür und lässt uns mitten in der Bewegung anhalten.

»June, alles in Ordnung da drin?« Jack, ihr Chef.

Ich lasse meine Handfläche über ihre Lippen gleiten und lege sie an ihre Kehle.

»Ja«, ruft sie mit stockender Stimme. »Ich wechsle nur meinen Verband. Ich bin gleich wieder da.«

»Okay.« Er verweilt noch eine Sekunde. »Mister Bourbon Neat ist verschwunden, aber er hat seine Jacke zurückgelassen.«

Ihr Blick wandert zu mir in den Spiegel. »Er könnte rausgegangen sein, um zu telefonieren.«

Ich ziehe mich zurück, bis meine Kuppe kaum noch in ihr ist, und stoße dann vorwärts, bewege meinen Schwanz langsam wieder in sie hinein, will keine Sekunde mehr wegen der Unterbrechung verlieren.

June neigt ihren Kopf nach oben und genießt die erneute Reibung. Sie zieht sich um mich zusammen, ihr Höhepunkt wächst mit jeder gleichmäßigen Bewegung.

Ich gleite mit meiner Hand an ihrer Seite entlang und um ihre Vorderseite herum, schiebe sie unter ihren BH und umfasse ihre Brust. Ich drücke ihren Nippel, lege meine andere Handfläche über ihren Mund und stoße tiefer in ihre pralle Muschi, ohne mich um den Mann zu kümmern, der nur Zentimeter entfernt auf der anderen Seite der Tür steht.

Jack fügt hinzu: »Ja, du hast wahrscheinlich recht.«

June presst ihren Körper an meinen, und mein Schwanz wird immer härter. Sie schafft es, nach dem Wasserhahn zu greifen, ihn aufzudrehen und uns eine kleine akustische Mauer für unsere verbotenen Sexkapaden zu verschaffen.

Das Geräusch von Jacks Schritten verrät uns, dass er endlich gegangen ist.

Ich lehne mich zu ihr und flüstere ihr ins Ohr: »Komm für mich!« Ich verlangsame mein Tempo, aber halte die Tiefe aufrecht und schicke sie in eine Spirale des Höhepunkts, während meiner im Tandem folgt und wir gemeinsam in einem schönen Chaos explodieren. Ich reite mit ihr auf der Welle und befreie mich, ziehe das Kondom ab und werfe es in den Mülleimer.

June zieht ihre Shorts hoch, ordnet ihr Outfit und wäscht sich die Hände.

»Nun, das war unerwartet«, sage ich.

Sie dreht sich um und lässt die Papiertücher, mit denen sie sich die Hände abgetrocknet hat, auf den benutzten Gummi fallen. »Und hat nichts bedeutet.« Sie tätschelt meine Brust. »Vergiss das nicht!« June greift nach der Klinke der Tür. »Warte einen Moment, bevor du mir nach draußen folgst.« Ohne ein weiteres Wort lässt sie mich zurück, um mir zu zeigen, dass sie nicht zu bändigen ist.

Und mehr noch, dass ich sie unbedingt zu meiner machen will.

Beides ist ein Widerspruch, und doch bin ich bereit, alles zu tun, was nötig ist.

KAPITEL FÜNFZEHN – JUNE

*J*ch lebe in einem Haus mit drei Männern, mit denen ich nichts lieber täte, als sie regelmäßig zu ficken, und trotzdem darf ich mit keinem von ihnen schlafen.

»June, hast du mich gehört?« Dominic schnippt mit den Fingern vor meinem Gesicht. Mit denselben, die gestern Abend in der Personaltoilette von *Jack's Bar* knöcheltief in meiner Muschi steckten.

»Ja, ich höre. Kein Gefiske.« Ich zeige zwischen den beiden hin und her. »Zählt das für euch auch?« Teilweise sarkastisch, aber man kann sich nie zu sicher sein.

»Niemand, und ich wiederhole, niemand«, Dominic schaut uns alle an, »tauscht in diesem Haus Körperflüssigkeiten aus.«

»Aber was ist mit …«

Dom unterbricht Magnus mitten im Satz. »Aber nichts!«

Magnus runzelt die Brauen. »Ich wollte sagen, wir teilen uns die Drinks.«

Doms Kiefer spannen sich an, etwas, das er regelmäßig tut, wenn er verärgert ist. Oder frustriert. Oder so ziemlich jede Emotion durchlebt. »Du weißt, was ich meine.«

Versucht er, sich selbst oder uns zu überzeugen? Denn ich

bin mir ziemlich sicher, dass er bei dem Blödsinn von gestern Abend freiwillig mitgemacht hat. Und wenn das, was er durchzusetzen versucht, wahr ist, bedeutet das, dass es für ihn und mich okay ist, zu ficken, aber nicht für den Rest der Jungs?

Das wird ein hartes Nein von mir werden.

Es geht um alles oder nichts.

Obwohl ich Coen am liebsten erwürgen würde, weil er mich vor all den Jahren verlassen hat, würde ich zu gern sehen, ob wir immer noch die gleiche verrückte Chemie haben wie damals, als wir Kinder waren. Wir hatten nie Sex, auch wenn ich es wollte. Er war immer vorsichtig und wollte sichergehen, dass wir warten, bis ich älter bin und rationaler über eine so weitreichende Entscheidung nachdenken könnte. Stattdessen verlor ich mit fünfzehn meine Jungfräulichkeit an einen Loser, der mir egal war, und begann mein Sexualleben mit einer einminütigen Interaktion, die nicht wirklich Spaß machte. Ganz zu schweigen von einem sexuellen Hunger, der geweckt wurde und seither unstillbar ist.

Ich habe Dom zweimal und Magnus einmal gefickt, und obwohl sie die besten Liebhaber waren, die ich je hatte, fehlt mir immer noch *etwas*. Es ist ja nicht so, dass ich mir nur einen von ihnen aussuchen könnte, und ich würde es auch nicht wollen. Ich bin nicht der Typ für Solo-Partner. Ich wäre nie zufrieden, wenn ich gebunden wäre, und ich weigere mich, mich mit etwas zufriedenzugeben, das ich nicht will.

Also bleibe ich vorerst in diesem Haus und habe Sex mit jedem, der mich vögeln will, auch wenn es vor den anderen geheim bleibt.

Was sie nicht wissen, schadet ihnen nicht.

»Gut, kein Ficken. Was kommt als Nächstes?« Magnus nippt an seinem Kaffee und nimmt einen Bissen von seinem Bagel.

Die Art und Weise, wie sein tätowierter Arm sein Shirt ausbeult, entfacht ein Feuer zwischen meinen Beinen. Ich halte mich selbst davon ab, auf meiner Lippe zu kauen und ihn zu sehr anzustarren. Ich hatte gestern einen Weltklasse-Orgasmus, und irgendwie habe ich Lust auf mehr. Ich entsperre mein Handy und wische durch meine Apps, bis ich die gesuchte gefunden habe. Das Display zeigt mir an, dass es nur noch einen Tag bis zum Einsetzen meiner Periode ist, was erklärt, warum ich im Ultrageil-Modus bin.

Doms Telefon summt, aber er ignoriert es. »Ich denke, jetzt wäre der richtige Zeitpunkt, June über den Ernst der Lage zu informieren.«

Coen stellt seine Tasse etwas härter als sonst auf den Tresen. »Ist das wirklich nötig?«

Ich schaue zu ihm. »Was ist dein Problem, Co? Vertraust du mir nicht?«

Sein blauer Blick bleibt auf mir haften. »Das hat nichts mit dir zu tun, J.«

»Was dann?« Ich zeige auf die beiden anderen Männer. »Magnus und Dom haben kein Problem damit, mir die Wahrheit zu sagen. Du bist der Einzige, der sich weigert.«

»Aus gutem Grund«, fügt Dominic zu Coens Verteidigung hinzu. »Ich habe auch gezögert.«

»Was hat deine Meinung geändert?«

»Deine Sicherheit ist unser wichtigstes Anliegen.« Doms Telefon vibriert erneut. »Und die können wir nicht gewährleisten, wenn du nicht über einige Aspekte des Geschehens informiert bist.«

»Was, etwa, dass du in der Mafia bist?« Ich lache, aber keiner von ihnen macht mit.

Stattdessen zeigen ihre Gesichter eine Mischung aus Überraschung und Schock, keiner von ihnen sagt etwas.

»Oh!«, ich schaue Magnus an. »Du hast nicht gescherzt.«

Ehrlich gesagt, es ergibt Sinn. Wie sonst könnten die drei alles haben, was man sich wünscht? Mit der Villa, dem privaten Sicherheitsdienst, ihrem teuren Alkoholgeschmack und so ziemlich allem anderen, zusammen mit den anderen Details, die ich aufgeschnappt, aber nicht weiter beachtet habe. Sie haben Feinde, sie verschwinden zu jeder Tages- und Nachtzeit, ganz zu schweigen von meiner allerersten Begegnung mit Dominic. Was hatte ich noch erwartet? Dass er Lehrer ist oder so? Sie sind unglaublich geheimnisvoll, und wenn meine Aussage stimmt, dann aus gutem Grund. Man kann ja nicht einfach herumlaufen und jedem erzählen, dass man in einer gefährlichen und illegalen Branche arbeitet.

Ich zucke mit den Schultern. »Okay, und?« Denn das kann nicht die ganze große Enthüllung sein. Natürlich ist es nicht zu verachten, aber es gibt eindeutig noch eine weitere Ebene in diesem Geheimnis, die ich noch nicht entschlüsselt habe.

»Ich habe es dir verdammt noch mal gesagt.« Magnus schlägt Coen auf den Arm und starrt Dominic an.

»Wem was gesagt?« Ich schenke Magnus meine Aufmerksamkeit.

»Dass du nicht ausflippst.«

»Es braucht schon ein bisschen mehr, um mich zu überraschen.«

Coen stützt seinen Kopf in die Hände, die Ellbogen auf den Tresen. »Ich kann das nicht glauben«, murmelt er.

Ich ignoriere ihn und wiederhole meine Frage. »Aber was passiert hier eigentlich?«

»Wir befinden uns im Krieg«, meldet sich Magnus zu Wort.

Dom hebt die Hand, um Magnus zu unterbrechen. »Ja, was er sagt, ist wahr. Es hat einen Wechsel in der Führungsebene gegeben, und wir werden die Führung übernehmen. Wir bekommen Widerstand von Rivalen, die die Kontrolle an sich reißen wollen, was bedeutet, dass jeder, der mit uns in Kontakt steht, im Grunde genommen gefährdet ist.«

Ich nicke ihm zu, um fortzufahren, führe meine Tasse an die Lippen und nehme einen Schluck des starken Kaffees, den Magnus mir gemacht hat.

»Unsere Feinde sehen in dir unsere Schwäche und werden

das zu ihrem Vorteil nutzen, um uns abzulenken und die Oberhand zu gewinnen.«

»Das erklärt, was der Typ gesagt hat.« Ich erinnere mich an den Abend meiner Entführung.

Coen meldet sich zu Wort, sein Blick ist auf mich gerichtet. »Was war das?«

»Es ging darum, die falsche Seite zu wählen.«

»Einer von Becketts Lakaien«, sagt Coen.

»Was ist ein Beckett?« Ich beiße ein Stück von dem verbliebenen Speckstreifen auf meinem Teller ab, kaue es und warte darauf, dass einer von ihnen weiterredet.

»Nicht was, sondern wer.« Magnus kommt mir zu Hilfe. »Simon Beckett. Der Anführer der Gruppe, der versucht, uns zu stürzen.«

»Ohh!« Ich setze das Puzzle in meinem Kopf zusammen, wobei ein Teil davon keinen Sinn ergibt. »Was ist mit dem vorherigen Anführer passiert?«

»Tot«, sagen die drei unisono.

Dominic nimmt eine andere Haltung ein. »Ich habe fast mein ganzes Leben lang als sein wichtigster Berater an seiner Seite gearbeitet, um seine Nachfolge anzutreten, wenn er sich zur Ruhe setzt. Der Übergang sollte nahtlos sein. Wie sich herausstellte, wurde er vorher gestürzt, ziemlich abrupt. Seine Frau hat seit seinem Tod die meisten Operationen geleitet, aber sie will aussteigen.« Seine Schultern spannen sich an. »Ich hätte sein offizieller Nachfolger sein sollen, aber Beckett hat es sich zur Aufgabe gemacht, Truppen zu versammeln, um den Thron für sich zu beanspruchen.«

Es ist erstaunlich, wie viel sie gestehen, wenn sie erst einmal angefangen haben. Vor einer Sekunde waren sie noch zu angespannt, um ein Wort zu sagen, jetzt beantworten sie jede Frage, die ich ihnen stelle.

»Daher der Krieg.«

Ich schiebe meine Tasse auf dem Tresen hin und her. »Du

bist also nicht nur in der Mafia, du bist die Mafia. Okay, okay. Der Boss stirbt, du übernimmst, Simon wird es nicht zulassen.« Plötzlich dämmert mir eine Idee. »Warum bringen wir ihn dann nicht einfach um?«

Habe ich wirklich gerade vorgeschlagen, einen Mann zu ermorden, um Dominics Probleme zu beseitigen? Und warum bin ich nicht mehr schockiert darüber?

»Meinst du nicht, wir hätten das getan, wenn es so einfach wäre?« Coen fährt sich mit der Hand durch sein blondes Haar.

Ich schaue ihn an, nehme sein Äußeres auf. Die weichen Züge, die mit der Zeit verhärtet sind. Der süße, unschuldige Junge, der jetzt von einer ständigen Dunkelheit heimgesucht wird, die ich erst jetzt bemerke. Ist das der Grund, warum er nie zu mir zurückgekommen ist? War sein neues Leben wichtiger als die Versprechen, die wir uns in jenem Sommer gegeben haben? Ich schüttle den Kopf, um den Gedanken zu vertreiben. Was geschehen ist, ist geschehen, man kann nicht zurückgehen und die Vergangenheit ändern. Und wenn ich es könnte, würde ich es überhaupt wollen?

»Was Hayes sagen will«, mischt sich Magnus ein. »Die Situation ist ein bisschen komplizierter. Wir können Beckett aus denselben Gründen nicht töten, aus denen er uns nicht töten kann. Wir passen auf, wir sind klug und wir sind gefährlich. Und er ist es auch. Nun, größtenteils.«

Dominic räuspert sich. »Es geht nur um Strategie. Seine Männer dazu zu bringen, sich gegen ihn zu wenden, seine Bemühungen zu sabotieren, ihn wie eine schlechte Wahl aussehen zu lassen.«

»Wahl?«

Dom nickt. »Ja. Seine Frau, die den Laden übernommen hat, hat das letzte Wort darüber, wem sie die Zügel in die Hand geben will.«

»Das ist verdammt dumm.«

Er zuckt mit den Schultern. »Ich mache die Regeln nicht.«

»Warum ihnen dann folgen?«

Doms Telefon summt erneut und lenkt diesmal seine Aufmerksamkeit von meinem Gesicht ab. Sein Gesichtsausdruck verrät nicht, was die Benachrichtigung bedeuten könnte. Es könnte alles sein, von einem Lottogewinn bis zu einem Todesfall in der Familie, und ich würde es nicht erkennen.

»Alles gut?«, fragt Magnus.

»Ich muss gehen.« Dom schiebt das Gerät in seine Tasche.

Ich schaue auf die Uhr. »Ich auch.«

»Nein!«, knurrt Dom.

»Wie bitte?« Ich steige vom Stuhl und greife nach meinem Teller. »Ich muss arbeiten.«

»Du hast gestern Abend gearbeitet.« Er hält seinen Blick auf mich gerichtet.

»Und heute Morgen und heute Nachmittag und heute Abend. Na ja, nach dem ersten Job muss ich auf Jobsuche gehen und heute Abend bin ich wieder in der Bar. Das ist das Programm.«

»Das ist inakzeptabel.«

Ich stelle meinen Teller in die Spüle und schlendere um den Tresen herum, wobei ich Dominic auf den Rücken klopfe. »Gutes Gespräch.« Ich gehe weiter zur Treppe, drehe mich um und schaue zwischen den drei Männern hin und her, die in meine Richtung starren. »Wer von euch begleitet mich?«

Sie sehen sich gegenseitig an, ihre Mienen sind überrascht.

»Ich.« Magnus strahlt und hebt seine Hand.

Ich habe geahnt, dass er es sein würde, denn Dom hat andere Pläne und Coen hat das Gefühl, dass ich eine tickende Zeitbombe bin. Er spielt ein teuflisches Spiel und weigert sich, zu verlieren.

»Warte!« Dom konzentriert sich auf mich. »Magnus wird dich jetzt begleiten. Hayes wird heute Abend mit dir gehen. Aber ich verlange, dass du zwischen den Schichten nach Hause kommst.«

Ich verschränke die Arme vor der Brust und betrachte den umwerfenden Mann, der vor mir steht. Fast möchte ich Nein sagen, denn er ist nicht mein Chef, aber andererseits hat er mich ja nett gefragt. Und wenn ich will, dass er mich weiter so fickt wie letzte Nacht, sollte ich ihm wohl gelegentlich entgegenkommen.

Trotzdem ist es keine Option, ihm zu gehorchen. Ich muss einen anderen Job finden. »Ich kann nicht.«

»Du kannst und du wirst.« Seine Miene verhärtet sich.

»Nein.« Ich starre ihn mit der gleichen Intensität an wie er mich.

Magnus springt zwischen uns und streckt seine Hände aus. »Okay, so gern ich euch beide auch sehen würde, ihr habt beide viel zu viele Klamotten an.« Als sich keiner von uns rührt, kommt er weiter auf mich zu. »Ich werde mit ihr gehen, Dom, das wird schon gehen.«

Dominic wendet seinen eiskalten Blick langsam zu Magnus. »Das wird es nicht, und das weißt du. Du bist naiv und leichtsinnig.«

»Jaja, das ist mein zweiter Vorname.« Magnus steht neben mir, seine Hand ruht auf meinem Rücken.

Dominic tritt näher, seine Stimme wird tiefer. »Ich sagte, nicht anfassen.«

»Eigentlich hast du gesagt, dass wir keine Körperflüssigkeiten austauschen dürfen, und wenn ich nicht gerade eine Krankheit habe, von der ich nichts weiß, dann ist das nicht tabu.« Magnus zieht mich an seine Brust, wirft seine Arme um mich und erstickt mich in einer Umarmung. Eine, von der ich nicht wusste, dass ich sie brauche, bis ich in sie hineingezogen werde. Sie ist erdrückend, aber ich entspanne mich trotzdem darin und genieße sie, solange sie anhält. Eine Sekunde später lässt er mich los, und mein Körper sehnt sich wieder nach seiner Nähe.

Ich schiebe es auf die verdammten Hormone vor der Periode. Ich bin geil, voller Wut und brauche dringend Kuschelein-heiten. Alle drei Dinge sind ein völliger Widerspruch zueinander.

»Stell mich nicht auf die Probe!« Dominic ballt die Hände zu Fäusten, und ich bin mir nicht sicher, ob er sich dessen bewusst ist, dass er das tut. »Ihr zwei kommt zurück, wenn ihr fertig seid. Ende der Diskussion.«

Ich gehe um Magnus herum und stelle mich vor Dominic. »Nein, nicht Ende der Diskussion. Du bist vielleicht sein Chef, aber nicht meiner. Diese Wohnsituation ist nur vorübergehend, und ich werde mein Leben deswegen nicht auf Eis legen. Wenn ich keinen neuen Job finde, wird das meinen ganzen Plan über den Haufen werfen.«

Aber da ich keine Miete mehr zahlen muss, fällt mir das Sparen für eine eigene Wohnung etwas leichter. Ich sollte nicht so hart zu Dom sein, aber wenn ich mich nicht gegen ihn wehre, tut es niemand, und ich scheine die Einzige zu sein, vor der er zurückweicht.

»Wie viel?« Dominic schiebt seine Hand in die Tasche und holt eine Geldklammer heraus, ähnlich der, die Coen und Magnus haben. Eingraviert, ausgefallen und vollgestopft mit Bargeld. »Nenne deinen Preis und du kannst sofort aufhören zu arbeiten.«

»Das wird nicht funktionieren, ich habe es schon versucht.« Magnus umfasst meine Schultern und stützt sein Kinn auf meinen Kopf. »Du verschwendest deine Zeit, Dom.«

Ich schaue zu Coen hinüber und sehe, wie er uns schweigend beobachtet, während er an seinem Kaffee nippt.

»Vielleicht hast du nicht genug geboten.« Dominic nimmt das gesamte Bündel Geldscheine aus dem Clip und kommt zu uns herüber. »Hier!«

Ich gebe mir nicht einmal die Mühe, es anzuschauen. »Nein. Du kannst mich nicht kaufen.« Ich spüre seine Frustration und meine Schuldgefühle folgen ihm. »Aber weil meine Gebärmutter sich anfühlt, als würde sie gleich explodieren, komme ich dir mit meinem Nachmittag entgegen.« Die Vorstellung, ziellos umherzuwandern und Schaufenster nach Anzeigen abzusuchen, klingt angesichts des derzeitigen Zustands meines weiblichen Fortpflanzungssystems verdammt unattraktiv. Stattdessen werde ich die Zeit zwischen meinen Jobs vielleicht nutzen, um ein verdammtes Nickerchen zu machen oder etwas zu tun, was ich nicht oft tue – entspannen.

»Bist du eigentlich der Gefahr bewusst, in der du dich befindest?« Dom bleibt mit ausgestreckter Hand stehen, als würde ich sein Angebot tatsächlich annehmen.

Ich greife danach, auch nach dem Clip, schiebe sie wieder zusammen und stecke sie in seine Tasche. »Nicht wirklich.«

»Die Sache ist ernst, June. Diese Männer, diese Leute, sie werden dich töten und nicht zweimal darüber nachdenken.«

Vielleicht sollte ich größere Angst haben, mich von dem Leben bedroht fühlen, in das ich gestolpert bin, aber ehrlich gesagt nehme ich es so, wie es ist, denn welche andere Wahl habe ich? Ich weigere mich, sie denken zu lassen, dass sie mich verunsichert haben, dass ich nicht mit allem umgehen kann, was auf mich zukommt. Ich war noch nie jemand, der Schwäche gezeigt hat, und ich werde auch jetzt nicht damit anfangen.

»Dann sollen sie doch, sie würden uns allen damit einen Gefallen tun.« Ich wollte nicht, dass es so melodramatisch klingt, aber es ist die Wahrheit.

Wenn das Böse, vor dem sie mich immer wieder warnen wollen, mich findet, dann fiele die Last weg, auf mich aufpassen zu müssen, die Verpflichtung, die sie fühlen, um meine Sicherheit zu gewährleisten. Sie könnten ihr Leben so weiterführen, wie es vor meiner Ankunft war, und sich darauf konzentrieren, den Krieg zu gewinnen, den sie kämpfen. Es ist auch nicht so, dass ich viel zurücklassen würde, da ich kaum etwas besitze, worum es sich zu streiten lohnt. Cora wäre enttäuscht, das ist sicher, aber sie würde mit der Zeit darüber hinwegkommen.

Magnus schüttelt mich an den Schultern und dreht mich zu sich um. »Das ist nicht wahr.«

Ich erhasche einen Blick auf Dom, der die Brauen zusammenzieht.

»Glaubst du, wir machen das zum Spaß?«, fragt Dom. »Wir laden gewöhnlich keine Leute in unser Haus ein. Wir machen uns *niemals* Sorgen um jemanden. Und wir gehen gewöhnlich auch nicht so weit, um jemanden zu beschützen. Ob du es willst oder nicht, wir werden dich beschützen, dich respektieren und für dich sorgen.«

Magnus nickt bei jedem von Doms Worten mit dem Kopf. »Genau.«

»Ja«, fügt Coen hinzu.

Mein Herz schmerzt angesichts der Kälte, die sie ausstrahlen. Sie fühlt sich so ... ungewohnt an.

»Ich verstehe, dass du willst, dass diese Situation nur vorübergehend ist, June, aber das ist sie nicht.« Dominic atmet aus. »Ich ermutige dich also, sie als das zu betrachten, was sie ist. Es gibt keinen Grund, dich unnötig in Gefahr zu begeben, um ein paar Dollar zu verdienen. Was immer du dir wünschst, wir können es dir geben, ohne Frage.«

Ich begegne Magnus' Blick, und mir kommt eine Idee, etwas, wozu sie in einer Million Jahren nicht bereit wären. Etwas, das man mit Geld nicht kaufen kann.

Er scheint meine Gedanken zu lesen, denn ein Grinsen zeichnet sich auf seinem schönen Gesicht ab. »Oh, du kleine Füchsin.«

Ich kichere, schüttle den Kopf und wende mich an die anderen Jungs. »Gut. Ich werde keinen dritten Job annehmen. Aber die anderen beiden behalte ich. Ich werde nicht von einem Mann abhängig sein ... oder dreien.«

Dominics Schultern entspannen sich ein wenig. »Das ist akzeptabel, für den Moment. Obwohl ich hoffe, dass du es dir noch einmal überlegst.«

»Ich werde darüber nachdenken.« Ich starre ihn an, mein Blick verweilt auf seinen Händen, seinem Mund, seinen starken Armen. Ich erinnere mich an die privaten Momente, die wir miteinander geteilt haben. Die Zärtlichkeit und Rücksichtnahme, die er meinem Körper entgegenbrachte, trotz seines tadellosen und ernsten Äußeren. Ich sollte mich vor ihm fürchten, das weiß ich, aber stattdessen will ich ihn nur noch mehr.

»Das ist alles, was ich verlange.« Er holt sein vibrierendes Telefon wieder hervor. »Ich muss los. Wir können das später im Detail besprechen.«

Ich sollte vor jedem dieser Männer Angst haben. Sie sind alle Kriminelle, gefährliche Leute, die während ihrer Arbeitszeit Gott-weiß-was tun. Und doch bin ich hier, faszinierter denn je, widersetze mich ihnen bei jeder Gelegenheit und fühle mich mit jedem Augenblick mehr zu ihnen hingezogen.

Das allein macht mir am meisten Sorgen. Die Bindung, die ich zu ihnen habe. Die Tatsache, dass ich trotz allem, was ich sage und tue, hier sein möchte. Es ist nicht die potenzielle Gefahr für mein Leben, die mich beunruhigt, sondern die Tatsache, dass sich die Gefühle, die ich für sie habe, zu etwas entwickeln, das sich meiner Kontrolle entzieht.

---

*M*eine Schicht bei *Bram's* verläuft genau so, wie ich es erwartet habe – es ist ein bisschen unangenehm, weil Magnus in der Nähe lauert, aber im Großen und Ganzen ist es eine relativ einfache Schicht. Die Arbeit im Diner macht mir von allen meinen Jobs am meisten Spaß, vor allem wegen Bram.

Er hat etwas an sich, was meine anderen Chefs nicht haben. Freundlichkeit? Mitgefühl? Echte Rücksichtnahme seinen Mitarbeitern gegenüber? Vielleicht bin ich grundlegenden menschlichen Anstand von einem Vorgesetzten nicht gewohnt, da die meisten meiner Chefs egoistische Arschlöcher waren. Was ich durchaus verstehe, denn es ist nicht ihre Aufgabe, sich mehr um ihre Mitarbeiter zu kümmern als um den Gewinn ihres Ladens, aber es gibt einen Punkt, an dem ein paar soziale Fähigkeiten schön wären. Wie der Idiot in der Pizzeria, der mich wegen meines Gesichts gefeuert hat. Es war ihm völlig egal, dass ich verletzt war, wichtig war nur, dass es dem Geschäft schaden könnte.

Bram hingegen hat versucht, mir bezahlten Urlaub anzubieten, und er tut alles, um meine Arbeit zu erledigen, damit ich es nicht tun muss. Was buchstäblich den Zweck meiner Anwesenheit hier zunichtemacht.

Ich lasse meinen Blick durch den Laden zu Magnus schweifen, während Bram mit einer dampfenden Kanne Kaffee neben ihm steht. Die beiden unterhalten sich, und ich bin neugierig, worüber sie reden. Ich binde meine Schürze ab, hänge sie zu den anderen an den Haken und trete hinter dem Tresen hervor.

Ihr Gemurmel verstummt, als ich mich nähere – kein gutes Zeichen.

Ich lehne mich gegen die Lehne des Sitzes und verschränke die Arme. »Was habe ich verpasst?«

»Ach, nichts, was du nicht schon wüsstest.« Magnus streckt seine tätowierte Hand aus und reibt meine Schulter. »Zum Beispiel, wie stur du bist.«

Ich sehe ihn von der Seite an. »Ich nenne es gern willensstark.«

Bram lächelt. »Das war's schon.« Er reicht mir die Kanne. »Da du jetzt offiziell dienstfrei hast, möchtest du eine Tasse?«

»Zum Mitnehmen, wenn es dir nichts ausmacht.« Ich greife danach. »Ich mach schon.«

Bram schlägt mir sanft auf die Hand. »Nix da.« Er sieht zu Magnus hinüber. »Du auch?«

»Nein, trotzdem danke.« Magnus rutscht aus der Sitzecke und steht gefährlich nahe bei mir. Sein Körper streift meinen und er blickt auf mich herab. »Geht es dir gut?«

»Mmhm.« Ich zwinge mich zu einem Lächeln und trete einen Schritt zurück, um ein wenig Abstand zwischen uns zu schaffen, sonst werde ich wegen unsittlicher Entblößung gefeuert, wenn ich Magnus die Kleider vom Leib reiße.

»Komm schon, Prinzessin!« Er legt seine Finger um meine Hand und zieht mich mit sich.

Seine Berührung ist kühl und einladend, im Gegensatz zu dem Spitznamen, den er für mich gefunden hat. Ich fange an, mich an ihn zu gewöhnen, obwohl ich ihn immer noch nicht mag. Vielleicht, weil er sich so … unecht anfühlt, wenn man bedenkt, dass ich nicht annähernd eine Prinzessin bin. Wenn überhaupt, dann bin ich das genaue Gegenteil.

Eine Jungfrau in Nöten.

Magnus schiebt einen Zwanziger aus seiner Tasche über den Tresen und ersetzt ihn durch die Tasse Kaffee, die Bram mir eingeschenkt hat. »Danke, noch mal.« Er zerrt mich weg, bevor Bram sich umdreht.

»Oh, das ist nicht nötig«, sagt Bram und hält ihm das Geld hin.

Ich lächle, denn ich weiß, dass Magnus nicht zurückgehen und das Geld nehmen wird. Endlich kann jemand anderes von Magnus' scheinbar vollen Taschen profitieren. »Wir sehen uns morgen, Bram.«

»Was das angeht …«, sagt Magnus und öffnet mir die Tür. »Du hast den Tag frei. Oder besser gesagt, den Vormittag.«

Ich trete auf den Bürgersteig und bleibe stehen. »Was? Warum?«

»Bram und ich sind uns einig, dass du ein bisschen überarbeitet bist und eine kleine Pause gebrauchen könntest.«

»Aber das tue ich nicht. Es geht mir gut. Ich …«

»June.« Magnus hält mich davon ab, nach der Türklinke zu

greifen, um das Lokal wieder zu betreten. »Es ist nur eine Schicht. Genug für dich, um auszuschlafen. Ich kann dir Frühstück ans Bett bringen. Was immer du willst.«

»Hat Dom dich dazu angestiftet? Um mich zu Hause zu halten? Unter seiner Fuchtel?«

»Nein! Dom ist mir scheißegal. Ich meine, ist er nicht. Aber er hat völlig recht.« Er schüttelt den Kopf. »Aber nein, ich mache keine Witze. Bis vor ein paar Tagen hattest du drei Jobs. Du wurdest entführt und gefoltert. Und als ob das noch nicht genug wäre, hast du gesagt, dass deine Periode kommt. Ich sorge mich um dich, ob du es glaubst oder nicht.«

Ich will es nicht, aber mir stehen Tränen in den Augen. Ich weiß nicht, ob es daran liegt, dass ich wütend auf ihn bin, weil er mich hintergangen hat, oder daran, dass die Hormone mich emotional machen, aber ich tue etwas Unerwartetes. Ich greife nach ihm, ziehe an seinem weißen T-Shirt, schlinge meine Arme um ihn und lege meinen Kopf an seine Brust.

»Umarmst du ... ähm ... mich? Freiwillig?« Magnus streckt seine Arme zur Seite, ein wenig verwirrt über meine plötzliche öffentliche Zurschaustellung von Zuneigung.

»Sschh, mach einfach mit!« Ich drücke ihn etwas fester an mich, schließe die Augen und atme ihn ein.

»Richtig, ja, klar.« Er nimmt mich in den Arm, tätschelt meinen Kopf und küsst mich auf die Stirn. »Bist du sicher, dass es dir gut geht?«

Ich neige meinen Kopf zu ihm hoch. »Bist du nicht der Menschenfreund? Kannst du mich nicht einfach lesen und es herausfinden?«

Seine großen, wunderschönen blauen Augen strahlen mich an. »Du bist es nicht gewohnt, dass jemand etwas Nettes für dich tut, ohne eine Gegenleistung zu erwarten.«

Eine dumme Träne kullert über meine Wange, er fängt sie mit seinem Daumen auf und wischt sie weg.

»Bringen wir dich nach Hause.« Er drückt seine Lippen

noch einmal auf meine Stirn. Einen Moment später hält das Auto, mit dem wir gekommen sind, vor dem Diner an.

Magnus führt mich dorthin, öffnet mir die Tür und folgt mir hinein. »Der ist wahrscheinlich noch heiß.« Er will meinen Kaffee in den Becherhalter stellen, aber ich ignoriere seine Warnung und greife danach.

Ich öffne den Deckel und nehme einen vorsichtigen Schluck, erleichtert, dass er mir nicht die Zunge verbrennt. Ich habe in letzter Zeit immer einen Eiswürfel in meine Tasse getan, und wenn ich mich nicht irre, hat Bram das jetzt für mich getan. »Er ist okay.«

Magnus probiert ihn selbst und nickt. »Du hast recht.« Er streckt seinen Arm über den Sitz. »Komm her!«

Ich rutsche zu ihm, vor allem, weil seine Anwesenheit in letzter Zeit wie Balsam für meine Seele ist. Ich sollte damit aufhören, auf die andere Seite des Sitzes rücken und Abstand zwischen uns bringen, aber stattdessen lege ich meinen Kopf auf seine Schulter und ziehe meine Beine auf den Sitz.

Er zieht sie zu sich und legt sie über seine. Er seufzt und fährt mit den Fingern über mein geprelltes Knie. »Tut das weh?«

»Nicht wirklich.« Zumindest nicht mehr. Ich habe mich an den heilenden Schmerz gewöhnt, zusammen mit den anderen Verletzungen, die ich in dieser Nacht erlitten habe.

»Es tut mir leid, das hier und alles andere auch.« Magnus legt seine Handfläche auf meinen entblößten Oberschenkel. »Ich hasse es, dass du in dieses Leben gezwungen wurdest.«

»Es ist nicht deine Schuld«, versichere ich ihm. Denn letzten Endes waren es meine Entscheidungen, die mich zu ihnen geführt haben. Ich hätte nicht mit Dom schlafen müssen. Oder mit Magnus nach Hause gehen. Und ich hätte ganz sicher nicht nach der Bar allein nach Hause gehen dürfen, wenn ich an diesem Tag schon so ein schlechtes Gefühl hatte.

»Ich werde nicht zulassen, dass das noch einmal passiert. Keiner von uns wird das.«

»Das bezweifle ich nicht, wenn man bedenkt, dass mich keiner von euch aus den Augen lässt.«

Er reibt meine Schulter und zieht mich näher zu sich. »Und so wird es auch bleiben.«

Aber es geht nicht, und ich werde es nicht zulassen. Das ist nicht meine Aufgabe. Ich werde nicht bleiben.

Es ist nur eine Frage der Zeit, bis ich das tue, was ich am besten kann – gehen.

KAPITEL SECHZEHN – JUNE

*I*ch öffne die Augen und sehe einen Zettel neben mir auf dem Kissen liegen.

Es kam mir seltsam vor, einzuschlafen, ohne den Wecker zu stellen, und mir keine Sorgen zu machen, wann ich aufwachen würde. Und noch mehr, dass ich nicht siebenunddreißig-tausendmal von meinen nervigen Mitbewohnern geweckt wurde.

Wenn überhaupt, dann haben meine jetzigen Mitbewohner entweder schalldichte Wände oder sie gehen auf Zehenspitzen, um mich nicht zu stören. Eine Rücksichtnahme, die mir völlig fremd ist.

Prinzessin, schreib mir, wenn du aufwachst. In Liebe, M.

Ich steige aus dem Bett, auf den sanften Plüschteppich auf dem Boden. Ich schiebe meine Füße in die Hausschuhe, die ich gerade noch von meinen Besitztümern gerettet habe, und gehe in das große anliegende Badezimmer. Ich putze mir schnell die Zähne und spritze kühles Wasser in mein Gesicht, um mich aufzuwecken. Ich richte mich auf und spüre das vertraute Gefühl zwischen meinen Beinen.

Scheiße!

Instinktiv beginne ich, Schubladen zu öffnen, und mein Herz klopft, als die erste Schublade mit verschiedenen Damenhygieneprodukten gefüllt ist, die mir buchstäblich den Tag retten. Ich schnappe mir einen Tampon und schließe mich in dem kleinen Toilettenraum ein. Obwohl, klein ist hier gar nichts. Er ist groß, fast so groß wie das gesamte Badezimmer in meiner vorherigen Wohnung am anderen Ende der Stadt. Die, aus der ich rausgeschmissen wurde, weil Carter ein königliches Arschloch ist.

Ich mache mich fertig, wasche meine Hände und trockne mit dem dicken Handtuch ab, das aus irgendeinem Grund warm ist. Ich schlüpfe in die Jogginghose, die ich Magnus gestohlen habe, und verschränke die Arme vor der Brust. Ich könnte in den Klamotten, die sie für mich besorgt haben, nach einem Sweatshirt stöbern, aber ich brauche dringend eine Tasse Kaffee.

Als ich die Treppe hinuntergehe, höre ich ein Rascheln in der Küche. Ich biege um die Ecke und finde Magnus mit dem Rücken zu mir, der etwas auf einen Zettel schreibt.

»Morgen, du.«

Er dreht sich um, seine Augen weiten sich. »Nein! Geh wieder hoch! Du solltest mir doch eine SMS schicken. Du hattest *eine* Anweisung.«

Ich lache und gehe weiter auf ihn zu. »Du bist doch *genau hier*.«

Er schiebt seine Unterlippe vor und schmollt, zieht mich aber an seine Brust und schlingt seine Arme um mich.

Hinter mir räuspert sich jemand, der entweder seine Anwesenheit kundtut oder andeutet, dass wir uns zu nahe sind.

Beides ignoriere ich geflissentlich, umarme Magnus und schmiege mich an ihn.

»Oh, guck nicht so schroff!«, sagt Magnus zu dem Neuankömmling. Er streckt seinen Arm aus. »Brauchst du auch eine Umarmung?«

»Nein, das tue ich nicht«, sagt Dominic und geht zu der schicken Kaffeemaschine auf dem Tresen hinüber. Er drückt eine Reihe von Knöpfen und sie erwacht leise zum Leben. »Aber ich könnte deine Hilfe gebrauchen. Wir fahren in fünf Minuten los.«

»Was zum Teufel, ich dachte, ich hätte Prinzessinnen-Dienst?« Magnus drückt mich fester an sich.

Ein Grinsen legt sich auf mein Gesicht.

»*June* hat keine Arbeit, das heißt, sie wird zu Hause sein, wo sie sicher ist. Sie braucht deine Überwachung hier nicht.«

Das Lächeln verschwindet. »*Sie* steht vor dir.« Ich löse meinen Griff um Magnus und schlendere hinüber zu Dominic, der darauf wartet, dass sein Kaffee fertig ist. Kaum ist er fertig, greife ich danach. »Danke!«

Dominic blickt mich unter seinen vollen Wimpern an, bevor er eine weitere Tasse hervorholt und die Schritte wiederholt.

Magnus wendet sich ab und versucht, das Lachen zu verbergen, das aus ihm heraussprudelt. »Oh Mann, ich könnte mich daran gewöhnen, dass du hier wohnst, Prinzessin.«

»Mach dir keine zu großen Hoffnungen«, erwidere ich. »Es ist nur vorübergehend.« Obwohl ich keine Ahnung habe, was das überhaupt bedeutet. Wie lange wird ihr Krieg noch andauern? Was, wenn er nie endet? Wäre das so schlimm?

Ja, denn das widerspricht allem, was ich bin. Ich bin schon länger geblieben, als ich es normalerweise tun würde, aber unter diesen Umständen habe ich keine andere Wahl. Ich habe keine Wohnung, in die ich zurückkehren kann, und ich habe nicht genug Geld, um mir eine zu besorgen. Dazu kommt die sehr reale Möglichkeit, dass ich eine wandelnde Zielscheibe bin, die jeden Moment eliminiert werden kann, wenn ich allein nach draußen gehe. Oder vielleicht wollen sie mich genau das glauben lassen, damit ich hierbleibe.

Dominic schaut auf seine Uhr. »Noch drei Minuten.«

Magnus stöhnt und geht zum Kühlschrank. Er holt ein

Tablett mit einer schönen Auswahl an geschnittenem Obst mit Joghurt und Müsli mit verschiedenen Belägen in kleinen Glasbehältern heraus. Er stellt es neben mir auf den Tresen. »Dein Frühstück.«

Ich werfe einen Blick darauf, dann auf ihn, dann noch einmal auf ihn. Er hat das für mich gemacht!?

Ohne sich darum zu kümmern, dass Dominic zusieht, drückt Magnus seine Lippen auf meine Wange. »Wir sehen uns gleich.« Er zieht sich zurück und zwinkert mir zu. »Du siehst gut aus in meiner Jogginghose.«

Ich sehe Doms versteinerten Blick.

»Verlass das Haus nicht!«, befiehlt er mir.

»Alter, entspann dich, sie geht nirgendwohin!« Magnus klopft ihm auf die Schulter. »Stimmt's, Prinzessin?«

»Mmh.« Ich seufze, während die Schwere meiner Periode über mich hereinbricht. Wenn ich nicht so verdammt müde wäre, würde ich verschwinden, nur um diesem Mann zu trotzen, der denkt, er könne mich kontrollieren. Diesen Leichtsinn muss ich mir für einen anderen Tag aufheben. »Aber nur, weil ich nirgendwo anders sein kann.« Ich zeige auf den Raum um uns herum. »Wo ist Coen?«

»Bei einem Job.« Dominic schnappt sich die neue Tasse mit Kaffee. »Im Kühlschrank ist noch mehr Essen.« Er nickt in Richtung einer großen Doppeltür. »Und in der Speisekammer.«

Magnus geht ins Wohnzimmer und schnappt sich die Fernbedienung von dem makellos aufgeräumten Tisch. »Fernseher hier. Einer in deinem Zimmer. Der Projektor unten ist ziemlich einfach zu bedienen, aber wenn du dich mit der Technik nicht auskennst, kann ich ihn dir später zeigen.« Bei jedem Schritt, den er macht, wölben sich seine tätowierten Muskeln unter dem weißen Shirt, das er trägt. Eng anliegende schwarze Jeans betonen seinen kräftigen Körper. Es ist ein schlichter Look, und irgendwie ist er verdammt sexy.

Dominic hingegen ist das komplette Gegenteil. Er ist eher

adrett gekleidet. Ein weißes Hemd mit Kragen, das oben aufgeknöpft ist und ein paar Haare auf der Brust offenbart. Darüber eine schlichte dunkle Weste, dazu eine passende gebügelte Hose und ein perfekt poliertes Paar offensichtlich teurer Lederschuhe. Er schiebt seine dicken Arme in sein Jackett und zieht es über die Schultern. Sein Bart ist grau gesprenkelt, und sein Haar sitzt perfekt, als hätte er jeden einzelnen Aspekt seiner Erscheinung sorgfältig bedacht.

Er wirkt überheblich, aber er ist Dominic. Vollkommen passend zu seinem unglaublich ernsten Auftreten. Er ist sehr sachlich, mit dieser rauen Leg-dich-nicht-mit-mir-an-Ausstrahlung. Und doch ist das alles, was ich tun möchte – ihm nicht gehorchen.

Er tut so, als ob er es hassen würde, aber ich weiß, dass er es tief in seinem Inneren liebt, dass ich jeden seiner Schritte herausfordere. Ich habe keine Angst vor ihm, nicht so wie alle anderen, und wenn ich raten müsste, ist das der Grund, warum er sich zu mir hingezogen fühlt. Er ist es nicht gewohnt, als etwas anderes gesehen zu werden als der rücksichtslose Mann, als der er sich präsentiert.

»Wenn du mich brauchst, bin ich nur einen Anruf entfernt.« Magnus trifft Dominic an der Tür und hält inne, um mich anzuschauen.

Ich klettere auf einen Hocker am Küchentisch und ziehe das von Magnus schön zusammengestellte Tablett zu mir. »Ich komme schon klar, keine Sorge. Ich werde nicht weggehen, versprochen.«

»Braves Mädchen«, sagt Dominic, bevor er hinausgeht.

Habe ich ihn richtig verstanden?

Ich werfe einen Blick nach oben, als sie gehen, und meine Wangen erröten leicht, weil mich seine Worte ein wenig über-raschen.

Sie verschwinden und lassen mich mit meinen Gedanken und diesem köstlichen Frühstück allein in der Küche zurück.

Ich überlege, ob ich den Teller mit ins Wohnzimmer nehmen soll, aber bei meinem Glück würde ich etwas auf die teure Couch verschütten, und das ist kein Risiko, das ich eingehen will. Stattdessen sitze ich hier, nippe an dem Kaffee, den ich von Dom gestohlen habe, und rühre ein paar Beeren in den Joghurt.

Ich zwinge mich, langsamer zu essen und meine Mahlzeit bewusst zu genießen. Es ist ja nicht so, dass ich irgendwo anders sein müsste, und es ist schon eine Weile her, dass ich mich an einem Ort wirklich sicher gefühlt habe. Bei meinen alten Mitbewohnern habe ich mich nie willkommen gefühlt. Sicher, es war auch meine Wohnung, aber es war nie ein Zuhause. Es gab keinen Komfort, keine Abgeschiedenheit von der Außenwelt. Es war nur eine weitere instabile Schicht in meinem Leben. Ich war ständig auf der Hut, schaute über die Schulter und wartete auf die nächste Dummheit, die passieren könnte. Am Anfang war es nicht so, aber ich hätte die Warnsignale erkennen und aussteigen müssen, als ich konnte.

Aber wem mache ich etwas vor? Ich erkenne die roten Fahnen und mache es mir zur Aufgabe, mich kopfüber in sie stürzen. Ich fühle mich zu allem Schlechten hingezogen, vor allem zu Männern. Ehrlich gesagt ist Cora wahrscheinlich einer der wenigen guten Menschen in meinem Leben, vielleicht sogar der einzige.

Deshalb bin ich mir sicher, dass es nur eine Frage der Zeit ist, bis sich die drei Männer, bei denen ich derzeit wohne, gegen mich wenden. Sie erkennen, dass ich eine Last für ihr Leben bin. Dass ich keinen Zweck mehr erfülle und nur noch zum Negativen beitrage. Das ist es, was Menschen tun. Sie benutzen andere und werfen sie weg, wenn sie sie nicht mehr brauchen. Ich bin dessen auch schuldig. Deshalb bleibe ich auch nie lange genug, damit jemand so mit mir umgehen kann. Mit Verlust kann ich nicht gut umgehen, deshalb vermeide ich ihn um jeden Preis. Wenn man sich nicht bindet, hat man nichts zu verlieren und riskiert nicht, verletzt zu werden. Das ist ziemlich narrensicher.

Bis jetzt.

Mit jedem Tag, der vergeht, fühle ich mich mehr zu diesen Männern hingezogen. Ich fühle mich in ihrer Gegenwart immer wohler. Das ist tröstlich. Verdammt, sogar Coen, der kaum mit mir spricht, bringt mir ein gewisses Maß an Zufriedenheit. Es ist, als wäre ich auf dem Meer verloren gewesen und hätte endlich etwas, an dem ich mich festhalten kann, auch wenn es nur flüchtig ist und mit dem Sturm, den man Leben nennt, vorübergeht.

Ich muss nur vorsichtig sein, sonst werde ich zu weit hinausgezogen und schaffe es nicht mehr aus eigener Kraft zurück ans Ufer.

Nachdem ich den Rest meines Frühstücks gegessen habe, springe ich vom Hocker und schiebe mein Geschirr zur Spüle. Ich spüle es ab und räume es in den Geschirrspüler ein, wobei ich darauf achte, wie er bereits eingerichtet war. Ich will auf keinen Fall jemanden verärgern, weil ich ihn falsch eingeräumt habe. Es ist zwar unbedeutend, aber wenn ich schon in einem fremden Haus wohne, dann möchte ich nicht auch noch die Art und Weise stören, wie sie Dinge erledigen. Offenbar ist es akzeptabel, Doms Kaffee zu klauen, aber die Küche durcheinanderzubringen, ist es nicht.

Ich tue mein Bestes, um alles dort einzuräumen, wohin es meiner Meinung nach gehört, und wische den Tresen ab, ohne Spuren zu hinterlassen, dass ich jemals hier war. Ich husche durch den stillen Raum und die Treppe hinauf in vertrautes Gebiet. Ich gehe in mein vorübergehendes Schlafzimmer und nehme mein Telefon vom Nachttisch.

Es gibt ein paar verpasste Benachrichtigungen. Eine von Cora. Eine von Magnus. Der Rest ist von den sozialen Medien. Ich wische sie weg und klicke auf das Foto von Magnus.

Magnus: Vermisse dich schon xo

Ich: Du bist seit zehn Minuten weg.

Die Punkte erscheinen sofort.

Magnus: Eher dreißig, Prinzessin!

Ich schaue auf die Uhr und stelle fest, dass er wahrscheinlich recht hat. Ich habe keine Anstalten gemacht, mich zu beeilen. Ich sollte mich wohl doch nach einem neuen Job umsehen, oder vielleicht nicht von dem, den ich habe, freinehmen. Allerdings habe ich heute Abend eine Schicht in der Bar, also wird sich das schlechte Gewissen wegen des freien Vormittags vielleicht verflüchtigen, wenn ich wieder arbeite.

Ich halte das Telefon an meine Brust, meine Beine führen mich aus meinem Zimmer und den Flur hinunter. Ich drücke meine Hand gegen Magnus' Tür und sie öffnet sich knarrend. Der Duft von Magnus strömt heraus und begrüßt mich, lädt mich ein, in seinen Raum zu kommen. Ich komme dem nach, und die Vertrautheit der Nacht, die wir zusammen verbracht haben, kehrt zu mir zurück. Ich streiche mit den Fingern über seine Laken und erinnere mich daran, wie sie sich auf meiner Haut angefühlt haben. Ich klettere hinein und genieße den Komfort, den Magnus mir bietet, selbst in seiner Abwesenheit. Ich lege meinen Kopf auf sein Kissen, atme ihn ein, schließe meine Augen und entspanne mich in dem Bett, das nicht mir gehört.

Nichts von alledem tut das. Dieses Zimmer, dieses Haus, die Männer, die darin leben. Dieses Leben, verschwenderisch und gefährlich. Nichts davon gehört mir. Und die Uhr zählt weiter rückwärts und erinnert mich daran, dass es nicht ewig dauern wird. Aber was kann es schaden, es zu genießen, solange es noch da ist? Habe ich nicht so viel verdient? Ich bin durch die Hölle und wieder zurückgegangen, viele Male, sollte ich mir nicht die Dekadenz gönnen, so zu tun, als ob ausnahmsweise alles gut werden könnte?

Ich ziehe seine Decke bis zu meinem Hals und lasse mich auf

der weichen, aber dennoch festen und einladenden Matratze nieder.

Ich kann nicht alles kontrollieren und mir auch nicht den Ausgang der Zukunft aussuchen. Aber im Moment genieße ich diesen momentanen Frieden, den mir das Leben bietet. Ich habe das Gefühl, dass er wieder vorbei sein wird, bevor ich es merke.

Der Schlaf empfängt mich fast sofort, was nicht weiter verwunderlich ist, wenn man bedenkt, wie sehr ich ihm entzogen war. Wenn ich dachte, dass mein Schlummer auf der Parkbank schön war, ist das nichts im Vergleich zu Laken mit hoher Fadenzahl und dunklen Vorhängen.

Irgendwann legen sich warme Arme um mich und ein Kopf schmiegt sich hinter meinen. Lippen küssen meinen Hinterkopf und unsere Beine verschränken sich. Ich döse wieder ein und ziehe Magnus' Hand auf meine Brust. Ich sollte das alles nicht zulassen, ich sollte aus seinem Bett klettern, in meines gehen und aufhören, diesen Gefühlen zu erlauben, sich weiter aufzubauen … aber wie kann ich etwas widerstehen, das so verdammt gut ist?

*M*ein Handy vibriert auf dem Bett und weckt mich aus meinem Schlummer. Ich schiebe Magnus von mir hinunter und greife nach dem leuchtenden Ding. Ich blinzle und erkenne Jacks Nummer auf dem Display. Ich drücke die grüne Taste und halte das Gerät an mein Ohr.

»Hallo.« Meine Stimme bricht.

Magnus brummt etwas und streckt seinen tätowierten Arm nach mir aus.

»June, hey. Schläfst du schon? Es ist erst sieben Uhr.«

Ich setze mich auf und reibe mir die Augen. »Ich habe ein Nickerchen gemacht.« Ist das ein Verbrechen? »Was ist los? Ist etwas nicht in Ordnung?«

Ein dumpfes Geräusch kommt durch die Leitung. »Stell das da drüben hin!«, sagt Jack zu jemand anderem. »Nein, June. Ich tue das nur ungern, aber ich habe die Schichten heute Abend doppelt besetzt, du brauchst also nicht zu kommen.«

»Warte, was?« Ich schiebe mich unter Magnus' Arm hervor und springe vom Bett. »Wer arbeitet stattdessen?«

So wahr mir Gott helfe, wenn er Jane sagt.

Er zögert eine Sekunde lang. »Jane.«

»Sie ist seit etwa drei Wochen dabei!«

»Ich weiß.« Jack seufzt. »Ich habe sie zuerst angerufen, um ihr abzusagen, aber sie erwähnte, dass sie kündigt, und nun … Es tut mir leid, June.«

»Und was ist, wenn ich aufhöre? Hast du das nicht bedacht?«

Er deckte den Hörer wieder ab. »Nein, auf die anderen Seite!«

Magnus rollt sich auf den Rücken und zieht seinen Unterarm über seine Augen. Was für ein schöner Anblick.

Jack meldet sich zu Wort. »Ja, das habe ich, aber ich weiß, dass du es nicht tun wirst. Du hast nicht wirklich eine andere Wahl.« Er hält inne. »Ich muss weitermachen. Ich habe dich noch für morgen Abend eingetragen. Wir sehen uns dann.« Er legt auf, ohne sich darum zu kümmern, ob ich noch etwas zu sagen habe.

Ich habe keine andere Wahl. Seine Worte tun weh. Wie kann er es wagen, zu denken, dass ich in seiner beschissenen Bar arbeiten muss. Aber er hat nicht unrecht. Er weiß, dass ich total pleite bin und verzweifelt jede zusätzliche Stunde brauche, die er mir zukommen lässt. Es wäre dumm von mir, zu kündigen, vor allem, wenn ich schon einen Job verloren habe. Die Arbeit bei *Bram's* war eine Rettung, aber sie wird den Lohnverlust von zwei Jobs nicht ausgleichen. Er hat mich in eine Zwickmühle gebracht und nutzt das zu seinem Vorteil.

Und hier bin ich und spiele ein verdammtes Spiel mit drei gefährlichen Männern.

Magnus tätschelt die Stelle neben sich, auf der ich vor wenigen Augenblicken noch lag. »Komm zurück ins Bett!«

Mein Kopf dröhnt von der Mischung aus meinem neuesten Problem und dem Schlaf, den mein Körper nicht ganz gewohnt ist. »Habt ihr hier einen Medizinschrank?«

Er setzt sich auf und streicht sich mit der Hand das wirre Haar aus der Stirn. »Was ist los?«

»Nichts. Nur Kopfschmerzen.« Ich werfe einen Blick auf sein Badezimmer. »Ich kann mir was holen, wenn du mir sagst, wo es ist.«

»Ich habe was für dich, Prinzessin.« Er greift in den Nachttisch und holt ein Fläschchen heraus, öffnet den Deckel und lässt zwei Pillen auf seine Handfläche fallen. Magnus rutscht vom Bett und bringt ein Glas Wasser mit, das vor Kondenswasser trieft und auf einem Untersetzer steht. »Hier!«

Ich nehme die kleinen weißen Dinger und schlucke sie ohne Flüssigkeit. Eine Sache, die ich mir angewöhnt habe, als ich in meiner alten Wohnung mein Zimmer nicht mehr verlassen wollte, sobald ich drin war. Je weniger ich mit meinen Mitbewohnern zu tun haben musste, desto besser. Ich erinnere mich an den ganzen Kram, den ich zurückgelassen habe. Kleidung, Bücher, Schulsachen. Nichts von wirklichem Wert, aber alles, was ich besaß. Es ist erbärmlich, dass ich für die Jahre, die ich auf diesem Planeten verbracht habe, so gut wie nichts vorzuweisen habe. Selbst das Einzige, das ich besitze – mein Körper – ist in einem beschissenen Zustand. Beulen und blaue Flecken, die noch von dem Arschloch sind, das mich entführt und gefoltert hat.

Sie werden heilen, das ist sicher, aber werde ich das auch? Sollte ich nicht eher besorgt oder traumatisiert sein wegen dem, was passiert ist? Stimmt etwas nicht mit mir, weil ich es geschafft habe, es in einen Ordner in meinem Kopf zu schieben und mich seitdem nicht mehr damit zu beschäftigen? Anstelle von Schrecken oder Angst fühle ich vor allem

Wut, als ob ich mich an dem rächen wollte, der das getan hat. Aber hauptsächlich beschäftige ich mich mit der Frage, wie ich mir dieses Ding namens Leben überhaupt leisten kann. Ich hatte heute Morgen frei, nicht freiwillig, und meine Abendschicht wurde mir weggenommen. Ich habe das Geld, das Magnus und Coen mir gegeben haben, und das bisschen, das ich gespart habe, aber das ist nicht viel. Und mit jeder Stunde, die vergeht, bekomme ich Panik, wie ich das alles schaffen soll.

»Ein Penny für deine Gedanken«, sagt Magnus.

Ich kichere, denn ich bin verzweifelt genug, um auf sein Angebot einzugehen. »Du würdest es nicht verstehen.« Wie sollte er?

Er ist von allem umgeben, was er sich wünschen kann, ob er will oder nicht. Keiner dieser Jungs will das. Sie haben hart dafür gearbeitet, was sie besitzen, auch wenn sicher nicht alles koscher ist, was sie tun, und Geld ist das Letzte, was sie interessiert. Sie führen Krieg, um einen lukrativen Thron zu erobern, und ich frage mich, woher meine nächste Mahlzeit kommen soll.

»Versuch's!« Magnus streicht mir eine Strähne meines tiefschwarzen Haares hinters Ohr.

In seinem Gesichtsausdruck liegt eine Freundlichkeit, als ob er es vielleicht verstehen würde. Aber ich bin nicht bereit, ihm diesen Teil von mir zu öffnen. Nicht, wenn ich eine Chance habe, jemals wieder wegzugehen. Je mehr ich gebe, desto schwieriger wird es, wenn die Dinge ihren Lauf genommen haben. Für ihn, für mich. Das ist eine Realität, der ich mich nicht stellen will, aber ich bin mir bewusst, dass sie mit oder ohne meine Zustimmung eintreten wird.

Ein Klopfen ertönt an der Tür. »Maggie.«

»Komm rein!«, ruft Magnus.

Der Türknauf dreht sich und Coen schaut herein, sein Gesicht wirkt angespannt, als er mich sieht. »Essen ist fertig.«

Er lässt seinen Blick zu Magnus huschen. »Sie sollte nicht hier drin sein.«

»Ihr müsst ernsthaft daran arbeiten, über mich zu reden, als ob ich nicht anwesend wäre.« Ich verschränke die Arme und gehe von Magnus weg, stoße mit Coen zusammen, als ich den Raum verlasse und in mein Zimmer gehe.

»Kommst du?«, fragt Coen.

Ich mache mir nicht die Mühe, mich umzudrehen. »Ich bin in einer Minute unten, ich muss mich frischmachen.« Das heißt, ich muss meinen Tampon wechseln, weil ich aus Versehen fünf Milliarden Stunden lang geschlafen habe. Ich füge diesen Teil nicht hinzu, nicht weil ich schüchtern bin, sondern weil ich lieber möchte, dass Coen denkt, dass ich und Magnus möglicherweise rumgemacht haben.

Nachdem ich auf der Toilette war, setze ich mich auf die Bettkante und frage mich, was zum Teufel ich mit meinem Leben anfangen soll. Ich fahre mit den Fingern über meine Kopfhaut, streiche mir das Haar aus dem Gesicht und stoße einen Seufzer aus. Ich ziehe mein Handy aus der Tasche und klicke auf die SMS, die Cora mir vorhin geschickt hat.

Cora: Wann gehen wir diese Woche aus?

Unser ritualisierter Abend, auf den wir uns beide mehr freuen, als wir wahrscheinlich sollten. Ein perfektes Beispiel dafür, wie sehr wir unser Leben im Übrigen nicht mögen.

Ich streiche mir mit den Fingern über die Augenbraue und fahre zu dem Schnitt an meiner Lippe hinunter. Sie heilt, aber die Verletzung ist immer noch frischer, als ich es mir vor einem Treffen mit Cora erhofft habe. Ich will nicht, dass sie sich noch mehr Sorgen macht, als sie es ohnehin schon tut.

Ich: Wie wäre es mit Samstag?

Ich schiebe es hinaus und hoffe, dass die Verletzungen bis dahin verblasst und nicht mehr ganz so auffällig sind.

Cora: Passt bei mir, Baby. Schick mir eine SMS, wenn sich etwas ändert.

Ich: Mach ich. Geht es dir gut?

Cora: Ja, mit Aufträgen überhäuft. Und du?

Ich: Ja, mir geht's gut.

Sie reagiert mit einem Herz auf meine Antwort, und unser Gespräch ist mit den wenigen ausgetauschten Nachrichten erledigt.

Eine Gestalt erscheint in meiner Tür und wirft einen Schatten in den Raum. »Alles in Ordnung?«

Ich drehe mich um und sehe Dominic an den Rahmen gelehnt. Sein Körper nimmt praktisch den gesamten Raum ein. Er trägt keine Jacke, und seine Ärmel sind bis zu den Ellbogen hochgekrempelt, was sein ohnehin schon sexy Outfit noch heißer macht.

»Ja.« Ich stehe auf und gehe auf ihn zu, aber er bewegt sich nicht.

»Nicht sehr überzeugend.« Er studiert mein Gesicht.

»Was soll ich sagen, ich bin wohl eine schlechte Schauspielerin.« Ich bleibe vor ihm stehen, schiebe meine Hände in die Taschen der geklauten Jogginghose und warte darauf, dass er mich durchlässt.

»Kann ich etwas tun?« Sein Blick bleibt auf mir haften.

»Außer zur Seite zu treten?«

Dominic setzt einen Fuß vor, dann den anderen.

Ich neige meinen Hals, um zu ihm aufzuschauen, bleibe aber an Ort und Stelle stehen.

Er schließt die Lücke und lässt überhaupt keinen Platz mehr zwischen uns. Nicht einmal ein Haar passt zwischen unsere Körper. Er hebt seine Hand, streicht mit den Fingern über mein Gesicht und neigt es ihm zu. »Ich kann dir nicht helfen, wenn du es mir nicht sagst.«

»Wer sagt, dass ich deine Hilfe will?« Es gibt allerdings eine Million anderer Dinge, die ich von ihm will.

Dom senkt sein Gesicht, streift mit seinen Lippen meine Stirn, meine Nase hinunter und legt sie direkt auf meinen Mund. »Du weißt, dass ich dich auf mehr als nur eine Weise zufriedenstellen kann.« Seine Worte sind ein kaum gesprochenes Gemurmel.

Meine Augen schließen sich und mein Körper bittet um eine Reaktion. Meine Unterlippe streichelt über seine. Im Bruchteil einer Sekunde stelle ich mir vor, wie er mich nach hinten führt, mich auf das Bett stößt und auf mich klettert, während unsere Zungen wie wild ihren vertrauten Rhythmus tanzen. Ich reiße ihm sein weißes Hemd vom Leib, die Knöpfe fliegen, ich fahre mit meinen Händen über seine Brust und in seine Hose, greife nach seinem dicken …

Er löst sich von mir und reißt mich aus meiner Fantasie. »Aber wenn du das nicht willst.«

Wenn er nur wüsste, wie sehr ich genau das will.

Dominic lässt mich mit der weiblichen Version von blauen Eiern dastehen. Er dreht sich noch einmal um und hält sich mit der Hand an der Wand fest. »Das Essen ist fertig, man wird es dir nicht mehr sagen.«

Ich bleibe nur noch eine Sekunde, bevor ich ihm nach draußen folge, den Flur hinunter und zur Treppe. Mein Magen knurrt als Reaktion auf den Duft von etwas Köstlichem, das in meine Richtung weht.

Dominic nimmt seinen Platz am Tisch ein, gegenüber von Magnus, neben Coen, und lässt mir den Platz gegenüber von Coen und neben Magnus frei. Sie sehen zu, wie ich mich ihnen nähere, ohne ihr Essen zu berühren. Haben sie die ganze Zeit auf mich gewartet? Hätte ich das gewusst, hätte ich keine kleine Existenzkrise gehabt.

Sobald ich sitze, ist es, als würden sie zum Leben erwachen und reichen sich gegenseitig die Sachen. Magnus hält Coen seinen Teller hin, damit er ein Steak darauf legen kann, dann reicht er Dominic den Spargel und die sautierten Pilze. Zum Schluss gibt er noch einen Löffel kleiner Kartoffeln dazu, die knusprig und lecker aussehen. Magnus schiebt den leeren Teller vor mir weg und stellt einen vollen auf seinen Platz.

»Das hättest du nicht tun müssen«, sage ich.

Warum kann ich nicht einfach normal sein und akzeptieren, dass man etwas Nettes für mich tut?

Ich korrigiere mich. »Danke.«

Coen schiebt mir eine Dose Dr. Pepper zu, fast so, als wäre es ein Friedensangebot.

Wenn er doch nur den Mund aufmachen und mit mir kommunizieren würde, anstatt mich zu ignorieren oder so zu tun, als wäre ich nicht im Raum.

»Das passiert nicht oft, gewöhne dich nicht daran.« Magnus stupst mich an.

»Was denn?«, frage ich.

»Eine hausgemachte Mahlzeit, gemeinsam am Tisch, zu einer vernünftigen Zeit.«

»Oh!« Ich gable ein Stück Kartoffel auf und lasse die zahlreichen Geschmacksrichtungen auf meiner Zunge zergehen. Salzig, erdig, aber mit einem Hauch von etwas anderem, vielleicht Oregano, auf jeden Fall Knoblauch. Ja, sie sind so gut, wie ich es mir vorgestellt habe. Ich schneide in das Steak und bin erleichtert, als es innen rosa ist. Es ist auf den Punkt gegart und zart und perfekt gewürzt, was mich allerdings nicht im Geringsten überrascht. Diese drei wissen eben, wie man ein Stück Fleisch zubereitet.

Wir essen ein paar Minuten schweigend, bis Magnus das Schweigen schließlich bricht. »Wann musst du gehen?«

»Hat sich erledigt.« Ich drücke meine Serviette an den Mund und kaue den Bissen in meinem Mund zu Ende. »Jack hat angerufen und mir gesagt, ich solle nicht kommen.«

Magnus neigt seinen Kopf zu mir. »Gar nicht mehr?«

»Nein. Nur heute Abend. Ich glaube, er hat mich und ein anderes Mädchen doppelt gebucht. Am Ende hat er ihr den Vorrang vor mir gegeben.«

»Die neue Kellnerin?« Dominic nimmt einen Schluck von seinem Wasser.

»Ja.«

»Sie ist schrecklich.« Er schneidet ein Steak in Scheiben und steckt es sich in den Mund.

Ich beobachte ihn, wie sich seine Kiefer bewegen. Etwas, das nicht so sexy sein sollte.

Er schluckt und spricht weiter. »Wirklich. Ich habe gesehen, wie sie die Bestellungen von mindestens drei Tischen verwechselt hat. Sie verschüttet die Getränke. Sie ist schlampig.«

Und hier bin ich nun, ein Wrack im Vergleich zu ihr, weil Jack nicht riskieren will, dass sie aussteigt. Welchen Gefallen tut sie ihm denn, wenn sie ihn Geld kostet, weil sie eine schlechte Kellnerin ist?

»Ich könnte mit ihm reden«, fügt Dominic hinzu.

»Was? Nein.« Ich schüttle den Kopf. Ich schaue nach unten und merke, dass ich mein Messer in seine Richtung halte. Ich senke es mit meiner Stimme. »Das ist nicht nötig. Vielleicht nicht mit Jack.«

»Genauso unnötig, wie du irgendwo arbeiten musst, wo man dich nicht schätzt.« Dominics Kiefer spannen sich an.

Ich richte meine Aufmerksamkeit auf Coen, der ruhig sein Essen isst und dem die Traurigkeit ins Gesicht geschrieben steht. Magnus hingegen verzehrt sein Essen genüsslich, ihm wird bei jedem Bissen fast schwindelig. Er muss nach unserem gemeinsamen Nickerchen hungrig gewesen sein.

Magnus richtet seine Gabel auf Dom. »Du hast recht.«

»Ich kann es mir nicht leisten, zu kündigen. Und es wäre toll, wenn ich wegen dir auch nicht gefeuert werde.« Ich konzentriere mich wieder auf Dom und tue mein Bestes, um seine Züge zu lesen. Ich erinnere mich daran, wie er diesen Mann auf der Toilette brutal und rücksichtslos verprügelt hat, und ich bin mir sicher, dass er das mit Jack auch tun würde, wenn ich ihm grünes Licht gäbe. Jack steht allerdings nicht ganz oben auf meiner Liste. Der Mann, der mich angegriffen hat, tut es. Und Carter folgt dicht dahinter.

»Wann wird dir klar, dass Geld keine Rolle spielt?« Dominic blickt von seinem Teller auf und mustert mich eingehend.

»Vielleicht, wenn du merkst, dass dieses Arrangement hier nur vorübergehend ist.« Selbst wenn ich ihnen jetzt erlauben würde, mir zu helfen, wäre das nicht von Dauer. Was würde ich tun, wenn ich wieder in die Welt hinausgehe – als freie Frau? Ohne Job, ohne Einkommen, ohne etwas, das ich mein Eigen nennen kann. Ich riskiere schon zu viel, wenn ich keinen dritten bezahlten Job finde und mir die Schichten mit den anderen durch die Lappen gehen lassen.

»Okay.« Dominic tupft sich mit seiner Serviette den Mund ab und legt sie neben seinen Teller. »Wenn ich das akzeptiere, dann auch du?«

Will er mich verarschen?

Er steht vom Tisch auf, geht aus dem Raum und um eine Ecke, wo ich ihn nicht mehr sehen kann. Elektronische Geräusche dringen zu uns.

Ich schaue Magnus an, der mit den Schultern zuckt und weiter isst.

Coen bleibt peinlich still.

Dominic kommt zurück und legt einen Stapel Bargeld neben meinen Teller. Ein goldenes Band hält die Scheine zusammen und zeigt den Nennwert an. Der Stapel ist kleiner, als man sich einen solchen Betrag vorstellen würde, aber wenn man bedenkt, dass es alles Hunderter zu sein scheinen, summiert es sich. »Ein Monat. Reicht das aus?«

»Das ist nicht dein Ernst.« Ich blinzle, als könnte er verschwinden, und konzentriere mich auf Dom.

Er geht zu seinem Platz und setzt sich wieder, trinkt einen Schluck von seinem Wasser und tut überhaupt nicht so, als ob zehntausend Dollar hier auf dem Tisch liegen würden. »Es ist ein Ja oder Nein, June. Brauchst du mehr? Denn das ließe sich arrangieren.« Dom schiebt seinen Stuhl wieder beiseite.

»Nein.« Ich strecke meine Hand aus, um ihn aufzuhalten.

»Also gut.« Er nimmt ein Messer in die Hand und schneidet ein weiteres Stück von seinem Steak ab.

»Aber ich … ich kann das nicht annehmen.« Ich schaue zwischen den drei Männern hin und her, in der Hoffnung, dass einer von ihnen das Wort ergreift und Dom für seine Mätzchen zur Rede stellt.

Dom atmet aus und legt seine Hand auf den Tisch. »Was sind deine Bedenken? Ich habe kein Problem damit. Du etwa?« Er dreht sich zu Magnus um.

»Nein«, antwortet Magnus.

Dom wendet sich an Coen. »Und du?«

Coen, der den Kopf immer noch etwas gesenkt hält, sieht kurz zu mir und dann zu Dom. »Nein.«

»Dann sind wir uns alle einig. Du kannst das Geld verwenden, wie du es für richtig hältst. Allerdings würde ich dir raten, nicht alles auf einmal auszugeben oder einen großen Betrag einzuzahlen, wenn du nicht willst, dass das Finanzamt herumschnüffelt. Wenn du sonst noch etwas brauchst, lass es uns wissen, und wir werden es besorgen. Nach Ablauf unserer gemeinsamen Zeit werden wir entscheiden, wie es weitergehen soll, vorausgesetzt, deine Sicherheit ist weiterhin gewährleistet. Wenn du dich entscheidest zu gehen, erhältst du ein Stipendium, das dir die Möglichkeit gibt, eine angemessene Beschäftigung zu finden. In der Zwischenzeit ist meine einzige Bedingung, dass du bis auf Weiteres nicht mehr arbeitest.«

»Aber ich …« Mir fehlen die Worte, weil ich ehrlich gesagt nicht weiß, was ich sagen soll.

Ich möchte trotzig sein, ihnen sagen, dass sie mich nicht kontrollieren, mir nicht vorschreiben können, was ich zu tun habe. Ich möchte das Geld über den Tisch werfen und sagen, dass ich nicht käuflich bin. Aber sind wir das am Ende nicht alle? Hat nicht jeder von uns einen Preis, für den er alles tun würde? Zehntausend Dollar sind eine *Menge* Geld. Mehr als ich in einem Monat verdienen würde – oder in sechs. Der einzige Haken ist, dass ich ein paar Wochen hier leben und *nicht* arbeiten muss. Das, was mich am meisten stresst, wird mit einem Stapel knackiger Scheine einfach weggewischt. Wäre ich nicht eine Närrin, wenn ich dieses Angebot ausschlagen würde? Sie bieten mir Sicherheit, Geborgenheit und finanzielle Unterstützung, ganz zu schweigen von allem anderen, was ich mir wünschen könnte.

Und doch ist da ein Loch in meinem Bauch, das sich auftut und danach schreit, dass ich weglaufen soll. Ich bleibe nicht hier, nicht so lange, und ganz sicher nicht einen Monat. Das geht gegen alles, worauf ich hingearbeitet habe, um mich vor Verletzungen zu schützen. Der Mann, der mich am tiefsten verletzt hat, sitzt mir gegenüber und wohnt in dem sehr luxuriösen Haus, in dem ich bleiben soll. Er spricht kaum mit mir. Schaut mich kaum an. Er ist verletzt, das ist mir bewusst, aber ich bin es auch.

Trotz meiner eigenen Probleme sollte ich mich davon nicht abhalten lassen, hier Einsamkeit und Schutz zu suchen. Allerdings kann ich diesem Arrangement nur dann zustimmen, wenn ich meine eigenen Bedingungen festlege.

Dominic wartet darauf, dass ich weiteresse, wie der Gentleman, der er ist. Er ist heftig, er ist brutal, aber er hat absolut Manieren.

»Ich werde bei Jack kündigen, aber ich will bei Bram bleiben. Und ich werde mich erst nach einem anderen Job umsehen, wenn die Zeit fast abgelaufen ist.«

Dominic denkt über meine Worte nach und verarbeitet die Informationen sorgfältig.

»Bram behandelt sie gut, und ich kann dort auf sie aufpassen.« Magnus liefert einen unterstützenden Punkt, für den ich dankbar bin.

Dom kontert. »Einen Tag pro Woche.«

»Fünf«, sage ich, ohne zu zögern. *Poker immer hoch, um Verhandlungsspielraum zu haben!*

»Zwei.«

»Drei oder kein Deal.« Die Anzahl, auf die ich die ganze Zeit gehofft habe.

»Gut«, räumt Dominic ein.

»Und einmal in der Woche gehe ich mit Cora aus. Nicht verhandelbar.«

Dom presst seine Kiefer zusammen und seine Nasenlöcher blähen sich leicht. Es ist wirklich bezaubernd. »Ich brauche mindestens vierundzwanzig Stunden Vorlaufzeit.«

»Diesen Samstag. Wie wäre es mit dieser Vorankündigung?«

»Ich werde mein Bestes tun, um deiner Bitte nachzukommen.«

»Oh, und noch eine letzte Sache.« Ich achte darauf, dass meine Augen auf ihn gerichtet bleiben. »Ich tausche mit jedem in diesem Haus Körperflüssigkeiten aus, mit dem ich will, und du wirst keine Einwände haben.«

Er fährt mit der Zunge an seinen Zähnen entlang und checkt meine letzte Forderung.

Coen sitzt angespannt auf seinem Platz, als würde er ängstlich auf eine Antwort von Dominic warten.

»Na gut.« Dominic hält inne, als ob er noch etwas hinzufügen möchte, aber er behält es für sich. Er holt sein vibrierendes Handy aus der Tasche und schaut auf den Bildschirm.

Coen stößt einen Seufzer aus, steht vom Tisch auf und nimmt seinen Teller mit. Er wirft ihn in die Spüle und macht sich auf den Weg zur Treppe.

Dominic ruft ihm nach. »Hayes. Wir haben zu tun. Warte!«

Coen bleibt stehen, immer noch mit dem Rücken zu uns. Seine Schultern sind angespannt, seine Hand ballt sich zur Faust.

Ein kleiner Teil von mir möchte ihn in die Arme nehmen, so

wie ich es getan habe, als wir Kinder waren, und ihn an mich drücken und ihm sagen, dass alles gut werden wird. Mein jüngeres Ich hatte keine Ahnung, dass diese Worte eine Lüge waren. Aber ich meinte sie ernst, denn ich dachte wirklich, solange wir zusammen sind, ist alles andere unwichtig. Wir könnten alles bewältigen, was auf uns zukäme, und das taten wir auch. Zwei zerbrochene Teile, die ein unzerbrechliches Paar bildeten.

Aber Dinge, die sich unserer Kontrolle entzogen, brachten uns auseinander und zerrissen das Band, das uns verbunden hatte. Wir wurden noch mehr beschädigt, als wir es zu Beginn waren. Es veränderte uns in verschiedene Versionen von uns selbst und sorgte dafür, dass wir nie wieder dieselben wurden.

Ich kann ihn nicht einmal ansehen, ohne die letzte Erinnerung an ihn in meinem Kopf wieder aufleben zu lassen. Er schaute aus dem hinteren Fenster des Pick-ups seines Vaters, als dieser wegfuhr und außer Sichtweite geriet. Ich klammerte mich an die Hoffnung, dass Coen irgendwann zurückkehren würde. Dass er für uns kämpfen und beweisen würde, dass meine Überzeugung, jeder würde mich in meinem Leben verlassen, falsch sei. Stattdessen vergingen Tage, aus ihnen wurden Wochen, Monate, Jahre. Die gestohlenen Teile meines Herzens verhärteten sich in seiner Abwesenheit zu kalter, irreparabler Dunkelheit.

Ich hätte es nicht so persönlich nehmen sollen. Wir waren nur Kinder, betrunken von der Idee der Liebe. Aber das Gefühl erinnerte mich zu sehr an einen anderen Verlust, den ich am liebsten losgeworden wäre. Coen, der in meinem Leben war, tat genau das. Er war ein wunderschöner Verband für die klaffende Wunde in meiner Seele, der jedoch zerbrach, als er mich plötzlich verließ. Das hat mich eine wertvolle Lektion gelehrt, nämlich dass man sich nicht auf einen anderen Menschen verlassen kann, wenn es darum geht, Trost zu spenden, denn letztendlich werden die Menschen gehen, und man wird allein sein und die Scherben aufsammeln, die zurückbleiben.

Warum sollte ich ihnen überhaupt eine Chance geben?

Coen war der einzige Mann, den ich je geliebt habe. Dem ich mich jemals wirklich hingegeben habe. Ich habe mich ihm geöffnet, und er tat dasselbe im Gegenzug. Wir sahen die hässlichen Seiten des anderen und entschieden uns trotzdem, zusammen zu sein. Er liebte all die kleinen Dinge, die ich an mir selbst hasste und die ich nie jemand anderem gezeigt habe. Wir haben ineinander ein Zuhause gefunden. Es ist gefährlich, wenn man das jemandem geben kann.

Es tat weh, als er ging, aber noch mehr schmerzte es mich, zu sehen, dass es ihm gut ging, dass er sogar Erfolg hatte. Hat er nie so gefühlt wie ich? Hat er nie daran gedacht, zu mir zurückzukommen? War ich nichts für ihn, vor allem im Vergleich dazu, wie viel er mir bedeutete? Verging ein Tag, an dem er sich nicht im Entferntesten fragte, wie es mir ging? Ob es mir gut ging? Ob ich ihn vermisste? Ob ich weitergemacht hatte?

Wie konnte er so einverstanden sein mit der Art und Weise, wie die Dinge geschahen, wenn ich deswegen am Boden zerstört war?

»Brauchst du mich?«, fragt Magnus Dom.

»Nein. Bleib hier! Hayes und ich schaffen das schon.«

Ich wende meinen Blick von Coen ab und schaue auf das Essen, das vor mir steht. Ich schiebe es auf meiner Gabel hin und her und habe überhaupt keinen Hunger mehr, obwohl alles köstlich ist. Zwischen der Achterbahnfahrt der Tischgespräche und den Menstruationskrämpfen, die ich habe, wäre ich lieber waagerecht als hier unbeholfen zu sitzen.

»June.« Dominic faltet seine Serviette und legt sie auf den Tisch. »Sind wir uns einig?«

Ich denke einen Moment über seine Frage nach. »Ja.«

»Gut.« Den Teil mit dem Mädchen lässt er weg. »Du hast

vorhin etwas erwähnt. Von jemandem, mit dem du *reden* musst.«

»Was?«

Magnus beugt sich vor und flüstert: »Bist du fertig?«, während er auf meinen Teller zeigt.

Ich nicke und er nimmt es, schneidet das Steak auf und isst, was ich übrig gelassen habe.

Dom rückt den Ärmel seines Hemdes zurecht. »Ich sagte, ich würde mit Jack reden, du hast nein gesagt, aber angedeutet, dass es noch eine andere Person gibt. Wen?«

»Oh. Nichts. Niemand.«

»So gern ich es auch täte, ich kann deine Gedanken nicht lesen.« Er wendet sich dem anderen Arm zu. »Ich habe ein anderes Fachgebiet. Vertraue darauf, dass ich mich darum kümmere, wer auch immer es sein mag.«

Ich sollte es nicht tun, aber ich sage es trotzdem: »Ich meinte den Kerl, der mich entführt hat.«

Dominic hält inne und richtet seinen Blick auf Coen, der sich inzwischen umgedreht hat und an der Wand lehnt.

»Kannst du uns etwas über ihn sagen?« Coen meldet sich zuerst zu Wort, was überraschend ist, da er normalerweise alles tut, um mich zu ignorieren.

»Ähm.« Ich denke zurück an diese Nacht. Der Sack, der mir über das Gesicht gezogen wurde, die Nässe auf der Innenseite, die mich schwach und unfähig machte, mich zu befreien.

»Kein Detail ist zu unwichtig«, fügt er hinzu. »Alle Erkennungsmerkmale, Haarfarbe, Größe, Körperbau.«

»Er war ein bisschen pummelig. Auf jeden Fall nicht so durchtrainiert wie ihr.« Ich schaue jeden von ihnen an. »Braunes Haar, Bart. Er hat Zigaretten geraucht.« Ich wende meine Aufmerksamkeit meinem Handgelenk zu, wo er das heiße Ding in meine Haut gedrückt hatte. Ich reibe die Stelle und erinnere mich an das schmerzhafte Brennen, das mich aus meinem drogenbedingten Schlummer geweckt hatte. »Er hatte

Narben im ganzen Gesicht. Und eine Tätowierung auf seinem Arm.« Ich zeige auf die Stelle an meinem Arm, genau dort, wo der Ärmel meines Hemdes endet. »Ich konnte aber nicht sehen, was es war.«

Magnus legt seine Hand auf meinen Rücken und lässt sie sanft darüber gleiten.

»Gut, das ist sehr hilfreich, J.« Coen nimmt jedes Detail auf, als wäre es das Einzige, was ihn am Leben hält. »Was noch?«

Mein Finger fährt den Schnitt an meinem Kinn entlang. »Er hatte ein Springmesser. Er sprach von Halloween ... vom Kürbisschnitzen. Er sagte mir, er befolge Befehle, aber er sagte nicht, von wem, nur dass ich die falsche Seite gewählt habe.«

Ich spüre, wie sich die Energie im Raum mit jedem Detail, das wir austauschen, weiter verändert. Eine gemeinsame Wut, die sich in uns allen ausbreitet, um Rache zu nehmen.

»Ich befreite mich von dem Stuhl, an den er mich gefesselt hatte, sah eine Gelegenheit, das Messer zu schnappen, und stieß es ihm in den Oberschenkel, bevor ich mich aus dem Staub machte.«

»Weißt du noch, wo du warst?« Coen hält seinen Blick auf mich gerichtet.

Ich schüttle den Kopf. »Nein. Ich bin nur gerannt, und zwar so lange, bis ich etwas Bekanntes gesehen habe. Es war alles verschwommen.«

»Das hast du gut gemacht, J.« Coens Gesichtsausdruck bleibt hart, wird aber ein klein wenig weicher.

»Ich möchte ihn genauso aufschlitzen, wie er es mit mir vorhatte.« Ich wollte das nicht laut sagen, aber es ist mir trotzdem herausgerutscht.

»Du wirst deine Chance bekommen, keine Sorge.« Dominic schnappt sich seine Schlüssel vom Tresen. »Wir werden dafür sorgen.«

Meint er es ernst? Wie sollte er jemals den Verantwortlichen finden? Ich habe keinen Namen, keinen Ort, nichts Brauchbares außer ein paar vagen Angaben über den Psychopathen. Trotzdem glaube ich ihm, dass der Gerechtigkeit Genüge getan werden wird.

»Hayes.« Dominic deutet mit dem Kopf an, dass sie gehen. Ohne ein weiteres Wort verschwinden die beiden in der Garage und machen sich an die Arbeit, was auch immer sie heute Abend zu tun haben, und lassen mich und Magnus zurück.

Magnus sammelt die Teller ein und stapelt sie übereinander. »Wie wäre es mit einem Film?«

Ich helfe ihm, den Tisch abzuräumen, und trage, was ich kann, in die Küche. Ich stelle die Salz- und Pfefferstreuer zurück, wohin sie gehören, und wende mich den Schränken zu. »In welchem steht die Tupperware?«

Er hört auf, das Geschirr abzuspülen, und kommt zu mir herüber, während er sich die Hände an einem Handtuch abwischt. Magnus streicht mit den Fingern über meine Wange. »Ich kann das machen. Setz dich hin!«

»Eine weitere Bedingung: Ihr müsst mich Dinge tun lassen. Ich bin nicht hilflos.« Ich zeige auf die zahlreichen Schränke. »Ich werde auf den teuren Arbeitsplatten herumklettern, wenn du mir nicht sagst, wo eure Tupper stehen.«

Magnus grinst, tritt vor und öffnet einen Oberschrank. Sein Hemd schiebt sich hoch und enthüllt einen Ausschnitt eines tätowierten Vogels auf seinem Oberkörper. Ein Phönix. Er ist wunderschön, genau wie der Mann, den er permanent markiert. »Hier!«

Wir räumen schnell die Reste weg und machen die Küche sauber. Es dauert nicht lange, bis wir unseren Rhythmus gefunden haben und unsere Aufgabe in perfekter Harmonie erledigen.

»Wegen des Films ...« Als wir fertig sind, lehne ich mich gegen die Insel.

»Ja?« Magnus zieht eine Augenbraue hoch und kommt näher, bis er direkt vor mir steht. »Hast du Lust dazu?«

»Ich habe ja sonst nichts zu tun.« Da ich nicht gehen darf und meine Schicht gestrichen wurde. »Merke dir die Idee.«

Magnus legt den Kopf schief.

Ich greife in die Tasche meiner Jogginghosen und ziehe mein Handy heraus. Ich tippe auf die letzte Nummer in meiner Anruferliste und drücke die Freisprechtaste.

Es klingelt zweimal, dann wird die Verbindung hergestellt.

»June, hör zu, ich weiß, dass du verärgert bist, aber ich kann jetzt nicht reden.«

»Jack, nach reiflicher Überlegung wollte ich dir mitteilen, dass ich in der Tat kündigen werde. Betrachte dies als meine sofortige Kündigung.«

Magnus grinst und nickt. Er drückt seinen Daumen und Zeigefinger zusammen, um einen kleinen Kreis zu bilden. »Schön«, flüstert er.

»Das kann doch nicht dein Ernst sein? Du gibst mir nicht einmal zwei Wochen?«

»Ich gebe dir mehr Zeit als du mir, also wenn überhaupt, dann gern geschehen. Ich habe ein paar Stunden, du bekommst was, vierundzwanzig?«

»Das ist absurd, du kannst nicht …«

Ich unterbreche ihn. »Ich kann und ich werde. Ich mag es nicht, wenn man mich für selbstverständlich hält, Jack. Ich verstehe, dass du ein Geschäft zu führen hast, aber du hast eine beschissene Mitarbeiterin der besten vorgezogen, die du hast, und das ist deine Schuld. Ich komme am Samstag und hole meinen Scheck ab.« Ich trenne die Verbindung, ohne mich um irgendetwas anderes zu kümmern, was er vielleicht noch zu sagen hat.

»Das war … knallhart.« Magnus hebt seine Hand für ein High Five.

Ich klatsche zurück und ein Lächeln breitet sich auf meinem Gesicht aus. Verdammt, das hat sich gut angefühlt. Es kann verdammt befreiend sein, beschissene Leute aus seinem Leben zu streichen. Aber es ist auch ein bisschen beängstigend, denn ich bin auf sie angewiesen, um Geld zu verdienen, und das wiederum ist der Grund, warum die Welt sich dreht. Trotzdem schätze ich den Anflug von Freude, den es mir bringt, Jack im Grunde zu sagen, dass er mich mal kann.

»Komm, Prinzessin!« Magnus schlingt seine Finger um meine und zieht mich aus der Küche in einen Gang, in dem ich noch nicht war. Plötzlich dämmert mir, dass es so viele Teile dieses Hauses gibt, die ich noch erkunden muss, und ich habe mich verpflichtet, den nächsten Monat hier zu leben. Ich schätze, ich habe Zeit, mich mit dem Haus vertraut zu machen, vor allem, wenn ich die meiste Zeit drinnen verbringen werde.

Magnus öffnet eine Tür, legt einen Lichtschalter um und führt mich eine Treppe hinunter. Wir gehen um eine schwach beleuchtete Ecke und durch eine weitere Tür.

Meine Augen brauchen eine Sekunde, um sich daran zu gewöhnen, aber dann sehe ich die verschiedenen cremefarbenen Ledersessel und Sofas, die im Raum verteilt sind. In der hinteren Ecke befindet sich eine Bar, die wie alles andere in diesem Haus voll bestückt und aufgeräumt ist.

Er greift nach einer Fernbedienung und drückt einen Knopf, um die Deckenbeleuchtung einzuschalten. Helles weißes Licht erstrahlt, sodass ich die Liebe zum Detail, die hier an den Tag gelegt wurde, gut erkennen kann.

»Es ist eine Weile her, dass wir dieses Zimmer benutzt haben«, sagt er mir. »Nicht seit, na ja, du weißt schon.«

»Dem Krieg.«

»Ja.« Magnus drückt einen weiteren Knopf und schaltet den Projektor ein. »Wir waren ein bisschen beschäftigt.«

»Musst du gehen?« Ich zeige mit dem Daumen auf die Tür. »Lass dich von mir nicht aufhalten.«

»Es gibt nichts Dringendes, das meine Aufmerksamkeit erfordert.« Er legt seine Hand auf meinen Rücken und schubst mich zur Couch. »Du hängst mit mir fest.«

Ich muss lachen. »Ich könnte mir Schlimmeres vorstellen.«

»Kein Witz.« Er lässt sich neben mich plumpsen. »Was willst du sehen?«

Ich lasse mich in das bequeme Plüschsofa sinken und frage mich, wie viel dieses Ding wohl kostet. Es passt perfekt in den Raum und zeigt mir, dass entweder der Raum für die Möbel entworfen wurde oder umgekehrt. »Etwas Lustiges.«

Ich habe seit Ewigkeiten keinen Film mehr gesehen. Da ich in meiner alten Wohnung keinen Fernseher in meinem Schlafzimmer hatte und mein Budget nicht gerade kinofreundlich war, blieb nicht viel übrig, um einen Film zu sehen.

Er scrollt durch eine Auswahl und hält an. »Was ist mit dem neuen Ryan Reynolds?«

Ich zucke mit den Schultern und bin mir nicht ganz sicher, welchen er meint. »Passt!«

Magnus sieht mich von der Seite an. »Bist du sicher, Prinzessin?«

»Mmhmm.« Ich ziehe meine Beine auf die Couch und entspanne mich. Er könnte anmachen, was er wollte, und ich wäre zufrieden. Es ist selten, dass ich so etwas tun kann.

»Ich glaube, es wird dir gefallen. Er kommt erst in drei Wochen auf den Markt.« Magnus klickt auf eine weitere Taste und hält den Bildschirm an. »Popcorn?« Er springt über die Rückenlehne der Couch und gleitet durch den Raum zu einer altmodischen Popcornmaschine, die ich erst jetzt bemerke. »Etwas zu trinken?«

Ich seufze, lege mein Kinn auf das Kissen und beobachte, wie er sich mit Leichtigkeit bewegt. »Ich nehme das, was du nimmst.«

Er beendet die Arbeit am Automaten und geht hinüber, um einige der Flaschen zu befühlen, bis er die gesuchte findet. »Das ist kein Hawk's Mark, aber er ist ziemlich gut.«

Ich blinzle, um besser sehen zu können. »Ist das Tremblan?«

»Ja.« Er hält mir die Flasche hin. »Hast du den schon mal getrunken?«

»Einmal. Ziemlich lecker.« Nicht so teuer wie Hawk's, aber immer noch zu teuer für mein Budget.

Der Raum füllt sich mit dem Duft des mit Butter beträufelten Popcorns, während die Maschine kleine Puffs der Köstlichkeit ausspuckt. Magnus schenkt zwei Gläser mit der braunen Flüssigkeit ein und bringt sie herüber, dann geht er zurück, um einen Eimer Popcorn zu holen. Er hüpft auf die Couch und wirft sich ein Stück in den Mund.

»Bist du bereit?« Ein Ausdruck völliger Zufriedenheit legt sich auf sein Gesicht und verrät mir, dass auch er schon lange nicht mehr so viel Trost in einem so banalen Abend gefunden hat.

Ich nehme einen Schluck von meinem Getränk und nicke. »Danke.«

»Natürlich, Prinzessin. Für dich tue ich alles.« Mit einem Fingerschnippen schaltet Magnus das Licht aus und den Film an.

Es dauert nicht lange, bis wir beide unsere Snacks aufgegessen haben, vor allem wegen des Mini-Popcorn-Kriegs, den wir zu Beginn der Show hatten. Kurz darauf füllt er unsere Getränke nach und lässt sich mit ausgestrecktem Arm auf der Couch nieder, damit ich mich zu ihm setzen kann.

Ich lehne mich in seine Armbeuge und strecke meine Beine zur Seite aus. Ich lege meine Hand auf meinen Bauch und stütze sie auf meine schmerzende Gebärmutter.

Magnus küsst mich auf die Stirn und drückt mich an sich. »Geht es dir gut?«

»Periodenkrämpfe, ich werde es überleben.« Ist es seltsam, so offen zu einem Mann zu sein, den ich kaum kenne? Es ist noch nicht lange her, aber ich habe das Gefühl, dass wir den Punkt der Unbeholfenheit hinter uns gelassen haben.

»Ich habe gehört, dass Orgasmen dabei helfen.«

»Diese Couch würde das niemals überleben.«

»Couches können gereinigt oder sogar ersetzt werden.«

Das Ding sieht aus und fühlt sich an, als hätte es mehr gekostet als der Haufen Geld, den ich oben auf dem Tisch liegen gelassen habe.

»Oh, apropos, ich habe etwas für dich.« Er setzt sich auf. »Warte mal! Ich bin gleich wieder da.« Magnus unterbricht unseren Film und stürmt aus dem Zimmer. Kaum ist er aus der Tür, höre ich ihn nicht mehr. Diese Räume müssen schalldicht sein oder so.

Ich sitze da und warte, frage mich, was er mir wohl besorgt haben könnte, das mit blutigen Sofas zu tun hat.

Einen Moment später taucht er wieder auf und hält etwas in der linken Hand.

Er schnappt sich die Fernbedienung und hält sie in Richtung des Projektors, drückt eine Taste, um das Licht auf der Leinwand zu dimmen. »Vertraust du mir?« Sein blauer Blick trifft den meinen.

»Ja«, hauche ich.

Magnus beugt sich zu mir herunter und streift mit seinen Lippen über meine. Sie sind weich, sanft und begierig. Genau so, wie ich sie von unserer gemeinsamen Nacht in Erinnerung habe. Unsere Zungen tanzen im Rhythmus, schwingen mit Leichtigkeit hin und her.

Er greift zwischen meine Beine, lässt seine Hand über meinen Oberschenkel gleiten und spreizt meine Knie. Schon seine leichte Berührung lässt mir ein Stöhnen entweichen.

Magnus zieht seine Hand weg, nur um einen Moment später ein phallusförmiges Ding in der Hand zu halten. Er küsst mich weiter, drückt auf einen Knopf an der Seite und schaltet das Gerät ein. Es vibriert leise und er reibt es an mir. Auf und ab an meinen empfindlichsten Stellen.

»Fuck!«, murmle ich und meine Hüften reagieren auf die elektrischen Impulse, die mich streicheln. Ich fahre mit meinen

Fingern seinen Nacken hinauf und verwebe sie in seinem Haar, ziehe ihn näher zu mir, um unseren Kuss zu vertiefen.

Magnus drückt das Ding gegen die richtigen Stellen mit dem perfekten Druck.

Ich stoße ihn weg und klettere auf ihn.

Er hält das Ding zwischen uns, genau dort, wo sein Schwanz ist. Magnus erhöht das Tempo und reibt ihn etwas fester an mir. Seine andere Hand wandert an meinem Körper hinauf, entlang meines Nackens. Er ergreift mein Haar und zieht mich zu sich heran.

Ich löse mich von ihm, weil ich ihm das gleiche Vergnügen bereiten will, das er mir bereitet. Ich knie mich auf den Boden und greife nach seinem Hosenbund, knöpfe seine Jeans auf und ziehe sie herunter.

»Du musst nicht …«

Ich lecke mir über die Lippen und sehe zu ihm auf. »Ich möchte es.«

Dabei dreht er sich, um mir einen besseren Zugang zu ermöglichen, damit ich seine Unterhose aus dem Weg räumen kann. Er springt aus seinen Boxershorts, seine Erektion zeigt mir, dass er es auch will.

Ich umfasse den Ansatz seines Schafts, komme näher und puste auf seine Kuppe. Ich wirble mit meiner Zunge herum und schmecke die Feuchtigkeit, die sich bildet.

Magnus tätschelt die Couch neben sich.

Ich knie mich auf die Couch, damit ich immer noch Zugang zu ihm habe. Ich öffne meine Lippen um seinen Schaft und necke ihn, bevor ich ihn weiter in meinen Mund führe. Ich stöhne gegen ihn, als er den Vibrator wieder auf meine Klitoris setzt, diesmal ist mein Verlangen noch größer, als ich ihn in mir spüre.

Sein Schwanz wird härter und größer und füllt meinen Mund vollständig aus.

Ich tue, was ich kann, um meine Kiefer zu entspannen und

so viel wie möglich von ihm in mich aufzunehmen. Ich sauge ihn in den Mund und schiebe ihn hinaus und berühre mit jeder Bewegung den hinteren Teil meiner Kehle.

»Verdammt!«, wimmert er.

Ich fahre mit meiner Hand an ihm auf und ab und strecke meine Zunge aus.

Er legt den Vibrator weg und ersetzt ihn durch seine Hand, die immer noch über meiner Jogginghose ist, und reibt sie hin und her. Irgendwie ist das Gefühl noch intensiver, was meinen Aufstieg zum Orgasmus noch beschleunigt.

Magnus hält meinen Kopf fest und stößt seine Hüften sanft.

Meine Augen tränen angesichts der Fülle meines Mundes, aber ich traue mich nicht aufzuhören. Ich will es zu sehr. Ich brauche es.

Er kommt als Erster zum Höhepunkt, seine warme Ladung explodiert in meiner Kehle und setzt meinen unmittelbar danach in Bewegung.

»Genau so, Prinzessin!« Magnus bewegt seine Hand, während ich auf ihr pulsiere.

Auch ich bewege mich weiter, verlangsame den Sog und nehme jeden einzelnen Tropfen, den er mir anbietet, während ich mich an ihm reibe. Mein Körper bebt und Befriedigung durchströmt mich. Langsam ziehe ich ihn aus meinem Mund und schlucke alles herunter.

Er zieht mein Gesicht zu seinem und unsere Lippen treffen sich wieder. Magnus küsst mich, seine Zunge dringt in meinen Mund ein. Er löst sich von mir, legt seine Stirn auf meine und fährt mit dem Daumen über meine Unterlippe.

Ich grinse und lehne mich zurück, um ihm Raum zu geben, sich wieder zu sammeln.

Magnus steht auf, zieht sich die Hose über die Hüften und positioniert seinen Schwanz neu. Er zieht den Reißverschluss wieder zu und lässt sich auf die Couch fallen, den Arm wieder nach mir ausgestreckt. »Fühlst du dich jetzt besser?«

»Auf jeden Fall.« Ich nehme meinen Bourbon vom Tisch und schiebe mich zu ihm hinüber.

»Gut, dass du die Regel mit den Körperflüssigkeiten geändert hast.«

»Als ob uns das irgendwie aufgehalten hätte.« Ich nehme einen Schluck, reiche ihm das Glas und beobachte, wie er es an seine vollen Lippen führt.

Ein Gedanke geht mir durch den Kopf, der, egal wie sehr ich versuche, ihn zu ignorieren, immer wieder auftaucht. Ein Gedanke, der weiterhin alle Regeln infrage stellt, die ich aufgestellt habe, um mich zu schützen.

Daran könnte ich mich gewöhnen.

KAPITEL SIEBZEHN – COEN

*D*ie Fahrt zu unserem Ziel ist ruhig.

Ich sitze auf der rechten Seite, Dominic auf der linken. Wir schauen beide aus dem Fenster und haben wahrscheinlich das Gleiche im Kopf.

June. Der Mann, der sie verletzt hat. Und die süße Folter, die wir ihm gern zufügen würden. Nach Junes jüngstem Geständnis scheint es, als wolle Dominic diese vergnügliche Erfahrung mit ihr teilen.

Aber kann ich das zulassen? Nur weil wir an diese brutale Welt gewöhnt sind, heißt das nicht, dass sie sich ihr so sorglos anschließen sollte. Ich verstehe, dass sie auf alles, was man ihr gezeigt hat, gut reagiert hat, aber wann wird es zu viel sein? Und was dann? Wird sie uns vielleicht als die rücksichtslosen Männer sehen, die wir sind, und endlich sagen, dass es genug ist?

Ich habe sie schon einmal verloren – kann ich noch einmal damit umgehen?

Es ist besser, sie in der Nähe zu haben und mich zu hassen, als gar nicht.

Ich bin hoffnungslos, so viel ist sicher. Es gibt keine Gnade für mich. Kein noch so großes Ave-Maria und keine noch so große Buße kann meine gequälte Seele von den Dingen, die ich getan habe, erlösen. Ich war zerbrochen, als sie mich fand, June war der Leim, der mich zusammenhielt, nur um alles zum Einsturz zu bringen, als wir auseinandergerissen wurden. Sie war das Licht in der Dunkelheit, von dem ich nie dachte, dass ich es finden würde. Ein kostbares Geschenk des Universums, das ich mit mehr Anstand behandelte, als ich mir zutraute, um sie vor dieser grausamen Welt zu schützen. Sie sah mich so, wie ich war, den gebrochenen, traurigen Jungen, und half mir, wieder zu Atem zu kommen, als ich das Gefühl hatte, alles würde mir entgleiten. Ich hätte einem einzigen Menschen nicht so viel Macht geben sollen, aber ich wusste mit absoluter Sicherheit, dass sie das niemals ausnutzen würde. Ihre Absichten waren rein, so wie meine bei ihr.

In dem Moment, als sie mir entrissen wurde, fühlte es sich an, als würde mein Herz aus meiner Brust gerissen. Ich musste zu ihr zurückkehren, und ich wusste, dass es nur eine Frage der Zeit war, bis ich das schaffen würde. Mir war nicht bewusst, wie weit ich gehen würde, bis ich es bereits getan hatte.

Dominic fand mich in einem Haufen Blut sitzen, das so dick war, dass es meinen ganzen Körper bedeckte. Ich war nur ein Teenager, und doch hatte ich mehr Schaden angerichtet, als er je gesehen hatte. In dieser Woche hatte ich zehn Männer getötet. Drei ihrer Leichen lagen verstreut um mich herum, und was von ihnen übrig war, sickerte auf den Beton des Gebäudes, in dem wir uns befanden.

Seine Waffe war auf mich gerichtet, bis er merkte, dass ich unbewaffnet war. Nur ein Kind, bedeckt mit den Überresten von Menschen, die es getötet hatte. Ich war erschöpft, hatte seit Tagen nicht mehr geschlafen. Ich konnte mich nicht mehr daran erinnern, wann ich das letzte Mal etwas gegessen hatte. Mich dürstete es nur nach Rache, und genau die habe ich bekommen. Ich beendete das Leben jeder Person, die für den Tod meines

Vaters verantwortlich war. Die Menschen, die sich meiner Freiheit, meinem Weg zurück zu ihr, in den Weg stellten. Meine Suche war einfacher, als ich dachte, als ich den Schalter umlegte und zuließ, dass die Dunkelheit mich verschlang.

»Du bist jetzt in Sicherheit«, sagte Dominic.

Aber meinte er damit die Toten oder mich? Denn ich würde nie der schwarzen Wolke entkommen, die über meinem Kopf schwebte, der Wolke, die mein ganzes Leben lang da war. Die sich nur in dem einen Sommer, bevor sich alles änderte, vorübergehend verzogen hatte. Die Wolke war verschwunden, ein helles, strahlendes Licht, das von den glückseligen, perfekten Momenten mit ihr hereinkam, nur um von einem hinreißenden Sturm abgelöst zu werden, der mich für immer zerstören und ruinieren würde.

»Deine Vergangenheit«, fuhr Dominic fort. »Du behältst sie dort. Alles, was du vor diesem Augenblick wusstest, vergisst du. Du kannst nicht in dieses Leben zurückkehren. Du hast diese Entscheidung getroffen, als du diesen Amoklauf verübt hast. Ich kann dir helfen, aber du musst eine letzte Entscheidung treffen. Tod oder die Sache?«

»Was?« Ich starrte zu ihm auf und bemerkte die Härte seiner Kiefer. Der teure Anzug, den er trug. Die mühelose Stärke, die er ausstrahlte, als ob die Leute ihm zuhörten, wenn er sprach.

»Schutz hat seinen Preis. Diese Männer, die du getötet hast, es gibt noch mehr von ihnen. Und sie werden hinter dir und allen, die dir etwas bedeuten, her sein. Du magst deine Mordtour hier heute beendet haben, Junge, aber die Konsequenzen werden folgen. Wenn du dieses Gebäude allein verlässt, werden sie dich finden. Wenn du dich versteckst, werden sie dich suchen. Jeden, den du kontaktierst, werden sie verfolgen. Jeder Schritt, den du machst, wird eine Spur des Todes in deinem Kielwasser hinterlassen. Es sei denn natürlich, es gibt eine Kraft, die das verhindert. Das ist etwas, das ich dir anbieten kann.«

»Warum?« Wenn ich so eine Belastung wäre, warum nahm er mich dann überhaupt unter seine Fittiche, anstatt mich den Wölfen vorzuwerfen?

Dominics Blick war über mein Gesicht, hinunter zu meinen blutverschmierten Händen und den Leichen, die den Raum um uns herum bedeckten, gewandert. »Weil ich Potenzial erkenne, wenn ich es sehe.«

Meine Gedanken flatterten zu Junes Gesicht. Der Schmerz in meiner Brust zerrte bei dem Gedanken, sie zurückzulassen. Das war etwas, womit ich jeden Moment kämpfte, nachdem ich in den Truck meines Vaters gezwungen und weggefahren worden war, außer Sichtweite. Mir war nicht klar, dass der Mann, der das Fahrzeug fuhr, vor solchen Männern weglief, bis wir in einem Motel übernachteten, um ihnen zu entkommen. Der Gedanke, zu ihr zurückzukehren, war die einzige Rettung, die ich hatte. Es war nicht sicher, abzuhauen, nicht, wenn sie hinter mir her gewesen wären und sie das möglicherweise in Gefahr gebracht hätte. Aber als sie uns schließlich einholten und das Leben meines Vaters beendeten, wusste ich, was ich zu tun hatte.

Ich würde jeden einzelnen von ihnen töten und mich auf den Weg zurück zu ihr machen.

Erst als ich dem ersten Mann einen Dolch ins Herz stieß, wurde mir klar, wie schwerwiegend meine Tat war.

Es war leicht. Zu einfach. Und es machte mir klar, wie dunkel und verdreht ich in meinem Inneren wirklich war. Wie ich buchstäblich alles tun würde, um dies zu beenden und mit ihr zusammen zu sein.

Doch mit jeder Tötung kamen die Zweifel. Wie würde ich die fehlende Zeit erklären? Würde ich ihr sagen, was ich getan habe? Würde sie mir meine Rücksichtslosigkeit verzeihen? Würde sie mich fürchten? Doch ich konnte es nur herausfinden, wenn ich es durchzog. Und das tat ich. Ich schoss und stach zu und brach Hälse, bis ich auf dem kalten, nassen Beton in einem Haufen Blut zusammenbrach, das nicht zu mir gehörte.

Endlich konnte ich mich von diesem Leben befreien und an ihrer Seite sein.

Aber Dominic sagte mir, dass ich zu tief drinsteckte und es kein Entrinnen aus der Welt geben würde, in die ich kopfüber gestürzt war. Kein noch so großer Tod und keine noch so lange Zeit würde June vor mir und dem darauffolgenden Zorn schützen. In diesem Moment und in jedem anderen, der auf unsere Trennung folgte, wollte ich nur sie, aber sie war das Einzige, das ich nicht haben konnte. Das würde ich ihr nicht antun. Ich würde ihr Leben nicht so verdammt töricht aufs Spiel setzen. Unser schöner Sommer sollte das bleiben, eine Erinnerung, an die ich mich für den Rest meiner traurigen Existenz klammern würde.

Ich stand an diesem Tag als ein anderer Mann aus den Trümmern auf. Ich hatte die Haut eines rachsüchtigen Jungen abgestreift und war ein Mann geworden, der alles aufgeben würde, um das letzte Gute in seinem Leben zu schützen. Selbst wenn diese beiden Dinge dasselbe waren.

Ich trennte mich von ihr, weil mir gesagt wurde, dass ich das tun müsse.

Und jetzt ist sie wieder in meinem Leben, aber nicht meinetwegen, sondern wegen dieser beiden Männer, die darauf bestehen, sie in Gefahr zu bringen. Sie denkt, ich hätte sie im Stich gelassen. Dass ich sie bereitwillig gehen ließ. Doch sie zurückzulassen, war das Schwerste, was ich je tun musste.

Das kann ich ihr nicht erklären. Sie würde mir nicht glauben. Sie würde es nicht verstehen. Ich könnte ihr nicht die schrecklichen Dinge erzählen, die ich getan habe, um sicherzustellen, dass sie nie in Gefahr gerät.

Sie hasst mich, weil ich sie liebe. Diese Realität schmerzt mehr, als ich es für möglich gehalten hätte.

Ich habe mir immer eingeredet, dass es sich lohnt, sie zu

schützen, dass es eine kluge Entscheidung ist. Die noble Entscheidung.

Ich wollte dieses Leben nicht für sie. Deshalb habe ich alles in meiner Macht Stehende getan, um sicherzustellen, dass sie sich da raushält. Ich habe selbstlos gehandelt, und alles, was sie sieht, ist ein Mann, der mit wenig bis gar keiner Rücksicht auf das, was sie durchgemacht hat, weggegangen ist.

Dominic und Bryant gehen immer weiter an die Grenzen und gestehen ihr Details über unsere Arbeit, von denen ich nie wollte, dass sie sie erfährt. Dinge, die aus meinem Mund hätten kommen sollen, die ich aber zu ihrer Sicherheit verschwiegen habe.

Sie haben sie berührt. Sie waren intim mit ihr. Sie haben Dinge mit ihr geteilt, die ich nie mit ihr geteilt habe, weil sie zu verdammt unschuldig war und ich diese Reinheit bewahren wollte. Sie sind zwei der rücksichtslosesten, brutalsten Männer, die ich kenne, und sie teilen das Bett mit der einzigen Frau, der ich je mein Herz geschenkt habe. Ich zweifle nicht daran, dass sie um sie kämpfen werden, aber wie viel Gefahr werden sie mit sich bringen?

Es bringt mich verdammt noch mal um, dass sie sie mit mehr Bewunderung ansieht als mich. Dieselben Augen, in die ich in unzähligen Nächten unter den Sternen starrte und mir Geschichten über die gemeinsame Zukunft ausdachte. Hass säumt ihren Blick, wenn sie mich ins Visier nimmt. Abscheu. Verbitterung.

Und ich mache ihr keine Sekunde lang Vorwürfe. Ich habe ihr das Herz gebrochen. Ich habe ihr Schmerz bereitet.

Wie soll ich ihr gegenüberstehen und so tun, als würde ich sie weniger lieben als an dem Tag, an dem ich von ihr getrennt wurde? Mit ihr zusammenleben und sie nicht in meine Arme nehmen und festhalten und nie wieder loslassen wollen. Sie um Verzeihung bitten und versprechen, dass ich es nie wieder tun werde.

Ich möchte ihren Kuss auf meinen Lippen spüren und all die Zeit vergessen, die zwischen uns vergangen ist – dort weitermachen, wo wir aufgehört haben und von einer Zeit träumen, in der wir vor allem davonlaufen würden. Sie und ich.

Ich kann nicht mehr zählen, wie oft ich ein kleines Mädchen mit tiefschwarzem Haar ins Visier genommen habe und mir das Herz stehen blieb, weil ich dachte, sie wäre es. Jeder verdammte Fall war eine Erinnerung daran, dass ich sie nie, niemals, gehen lassen würde. Sie war ein Teil von mir. Und das würde ich mit mir herumtragen, egal wie sehr es wehtat.

Als ich sie in der Bar sah und zum ersten Mal seit Jahren mit ihr sprach, riss die halbherzige Naht, mit der ich mein gebrochenes Herz geflickt hatte, wieder auf und zerriss mich von Neuem. Sie war immer unerreichbar, eine Grausamkeit, mit der ich verflucht war, nie mit der Person zusammen sein zu können, die mir auf dieser Welt am meisten bedeutet. Ich bin gefangen in diesem Leben der Einsamkeit, ein Killer bei Tag und bei Nacht, und das Einzige, was mir die geringste Befriedigung verschafft, sind die Fesseln, die mich von ihr fernhalten. Sicher, ich habe Dom und Bryant, aber wir waren wegen unserer Fähigkeiten ein Team.

Wir teilen die Vorliebe für Blutvergießen und Bourbon, und jetzt auch für Frauen.

»Willst du darüber reden?«, fragt Dominic mich in die Stille hinein.

»Nein.« Ich umfasse den Türgriff und ziehe ihn auf, sobald das Fahrzeug fast steht. Ich springe heraus und hole gleichzeitig meine Pistole aus dem Halfter. Ich lade eine Patrone, renne die Treppe hinauf und trete die Haustür ein, ohne Zeit zu verlieren.

Dom lässt sich Zeit und folgt mir mit weniger Eile. Meine Raserei stört ihn nicht, er ist daran gewöhnt.

Es ist ein schmaler Grat zwischen Rücksichtslosigkeit und Effizienz, und ich bewege mich öfter auf diesem schmalen Grat, als ich vielleicht sollte. Ich schätze, deshalb bin ich gut in meinem Job, denn ich habe keine Angst, Risiken einzugehen. Zumindest nicht, wenn es um mich geht. Mit June ist das eine ganz andere Geschichte.

Deshalb haben wir uns bemüht, den Mann zu finden, der für die Schnitte und blauen Flecken auf ihrer Porzellanhaut verantwortlich ist. Wir haben ein Dutzend Männer getötet und werden weiter töten, bis wir sicher sind, dass sie gerächt wurde.

Beckett hat uns genau da, wo er uns haben will, nämlich auf Vergeltung statt auf den Krieg konzentriert. Das ist wirklich genial, obwohl ich bezweifle, dass er wusste, wie weit wir gehen würden, als er seinen Befehl gab. Ihn wird das gleiche Schicksal ereilen wie die anderen, es ist nur eine Frage der Zeit. Dominic hatte vor all den Jahren in einem Punkt recht: Der Tod folgt mir auf dem Fuße, und ich begrüße ihn mit offenen Armen.

»Was zum Teufel?«, ruft ein Mann von seinem Platz auf der Couch aus. Sein ekelhafter Bauch hängt aus dem unteren Teil seines Hemdes heraus. Er greift nach der Waffe auf seinem Beistelltisch, aber ich richte meine auf ihn.

»Beweg dich noch einen Zentimeter, wenn du dich traust.«

»Okay, okay. Scheiße!« Seine Augen werden groß, als er etwas hinter mir entdeckt.

Die typische Reaktion der angsteinflößenden Legende, mit der ich ein Haus teile.

Dominics Schatten wirft sich auf mich, als er im Raum erscheint. Er lässt seinen Blick über den Kerl gleiten und bleibt stehen. »Zieh die Ärmel hoch!«

»Was?«

Ich trete näher und richte den Lauf auf ihn.

»Gut, Herrgott!« Er fügt sich und enthüllt zwei blasse, behaarte Arme.

»Ist noch jemand im Haus?« Dominic kommt an meine Seite.

»Nein. Was soll das alles?« Der Mann blickt ängstlich von mir zu Dom.

»Wir suchen nach jemandem. Braunes Haar, Bart, Narben im Gesicht.« Dom schlendert durch den Raum und schaut sich alles an, was er als Hinweis finden kann. »Steht auf Messerspiele. Hat hier eine Tätowierung.« Er zeigt mit dem Zeigefinger auf die Stelle, von der June gesagt hatte, dass sie sich dort befindet.

»Vincent, ja. Was hat er getan?«

»Du kennst ihn?«

Der Mann nickt und entspannt sich ein wenig, da er davon ausgeht, dass er nicht derjenige ist, der in Schwierigkeiten steckt. »Das kann man wohl sagen. Aber warum? In welche Schwierigkeiten hat er sich gebracht?«

Dominic ignoriert seine Fragen und stellt selbst eine. »Wo ist er?«

Er zuckt mit den Schultern. »Das Letzte, was ich hörte, war, dass er sich von einer Messerwunde erholt hat. Er ist abtrünnig geworden und hat eine Schlampe entführt, die sich mit ihm angelegt hat. Verdammt witzig, wenn du mich fragst.«

Mein Herzschlag beschleunigt sich. »Welchen Teil davon findest du lustig?«

»Alles, wirklich alles.« Er kichert, dann wird seine Miene wieder ernst. »Oh, war sie deine Schlampe?«

Ohne weiter darüber nachzudenken, drücke ich ab, die Vibration des Rückstoßes dringt in mein Handgelenk, die Kugel schlägt genau zwischen den Augenbrauen des Mannes ein, genau dort, wohin ich gezielt habe.

Seine Augen weiten sich, etwas Blut spritzt umher und sein Kopf schlägt nach hinten gegen die Couch, auf der er sitzt. Rotes Blut rinnt über seine Stirn und sein Mund bleibt offen stehen.

Dominic seufzt. »Hättest du nicht vielleicht, ich weiß nicht, noch ein oder zwei Minuten warten können?«

»Wir haben alles, was wir brauchen. Einen Namen.« Mit Junes Beschreibung ihres Angreifers haben wir heute Abend die meisten Fortschritte gemacht, seit wir erfahren haben, dass sie entführt wurde. Wir sind blind herumgelaufen und haben jeden, den wir konnten, nach einem Mann gefragt, der auf Messerfolter stehen könnte. Und bei der Menge, die dafür infrage kommt, wäre das eine ganze Reihe von Leuten. Wir haben unsere Suche auf eine Handvoll Verdächtiger eingegrenzt, aber ohne ihre Hilfe, wer weiß, wie lange es noch gedauert hätte, bis wir den Schuldigen gefunden hätten.

»Ich werde es melden.« Dominic holt sein Telefon heraus, drückt eine Taste und hält es an sein Ohr.

Ich überlasse es ihm, die Einzelheiten unseres Aufenthaltsortes an unser Aufräumteam weiterzugeben – etwas, das für einen Menschen nicht so routinemäßig erscheinen sollte, für uns aber zur zweiten Natur geworden ist. Ich habe gerade einen Mann getötet, sein Blut an die Wand seines Wohnzimmers verspritzt, und ich fühle mich nicht anders als vorher. Nicht besser, nicht schlechter. Nur betäubt.

Ist etwas mit mir nicht in Ordnung, weil ich dem Tod gegenüber kalt bin und ihn achtlos anderen zufüge? Seit zehn Jahren ist das alles, was ich kenne. Das Einzige, was mich halbwegs bei Verstand hält, falls man das überhaupt noch sagen kann. Ich bin ein Mörder. Ein Killer. Ein Zerstörer des Bösen. Aber macht mich das nicht zum größten Sünder von allen?

Es ist mir egal, was mit anderen geschieht. Kein Teil von mir empfindet Schuld für das, was ich getan habe. Jedes Quäntchen Sorge in meinem schwarzen Herzen ist für eine Person reserviert – nur für sie!

Und doch will sie nichts mit mir zu tun haben. Sie hasst mich.

Dennoch werde ich meine Mission fortsetzen und alles tun, was ich kann, um sie aus diesem Leben zu retten, das mich verzehrt hat, selbst wenn ich ein Meer aus Blut vergießen muss.

KAPITEL ACHTZEHN – JUNE

*I*n den vergangenen Tagen hat sich ziemlich schnell eine Routine eingestellt.

Ich habe die Änderungen mit Bram besprochen und ihm mitgeteilt, dass ich nur noch an drei Tagen pro Woche arbeiten würde, statt an den Tagen, die er mir geben würde. Wir einigten uns auf Montag, Mittwoch und Samstag und beschlossen, dass wir sie bei Bedarf verschieben können.

Er hat sich darüber gefreut, obwohl ich mir anfangs Sorgen gemacht habe, dass er mit den reduzierten Arbeitszeiten nicht einverstanden sein könnte. Er überrascht mich immer wieder mit seiner Freundlichkeit und Rücksichtnahme auf mein Wohlbefinden. Er ist skeptisch gegenüber dem tätowierten Mann, der mir auf Schritt und Tritt folgt, aber ich glaube, er weiß, dass Magnus mich nur beschützen will.

Was einst ein seltsames Ärgernis war, hat sich in Dankbarkeit für den Schatten verwandelt, der über mich wacht.

Magnus ist beschützend, einschüchternd und ein absoluter Schatz.

Ein drastischer Unterschied zu Coen und Dominic. Sie sind beide zu sehr mit dem beschäftigt, was auch immer sie vorhaben, um mir kaum Aufmerksamkeit zu schenken. Das ist auch gut so, denn je schneller sie ihren Krieg beenden, desto schneller kann ich mich von ihrer ständigen Überwachung befreien. Wenn es doch nur etwas gäbe, was ich tun könnte, um den Prozess zu beschleunigen und ihnen bei ihrem Problem zu helfen. Das ist das Mindeste, was ich tun kann, nachdem sie mir zehn Riesen Zeit gegeben haben. Ich musste vielleicht meine Freiheit opfern, aber was genau haben sie gewonnen, außer einer Belastung?

Vorsichtig gehe ich auf meinen Absätzen die Treppe hinunter und in die Küche.

»Das ziehst du nicht an«, ist alles, was Coen sagt.

»Verdammt, Prinzessin. Du siehst verdammt gut aus.« Magnus springt von seinem Hocker auf, nimmt meine Hand und hilft mir den Rest des Weges.

»Diese Schuhe sind ein bisschen viel, findest du nicht?« Ich drehe mich zu dem Ganzkörperspiegel zwischen Küche und Wohnzimmer und betrachte mein Outfit. Ein langärmeliges schwarzes Kleid aus einem himmlischen Stoff, mit einem äußerst freizügigen Dekolleté, das fast bis zu meinem Bauchnabel reicht. Es reicht bis zur Mitte der Oberschenkel, mit einem kurzen Schlitz auf der linken Seite. Gott sei Dank ist meine Periode vorbei, sonst würde ich mir Sorgen machen, dass mehr als nur mein Hintern aus Versehen heraushängen könnte. Ketten in verschiedenen Längen säumen meinen Hals, eine bis hinunter zwischen meine Brüste, und ein paar kürzere mit passenden Steinen. Die Absätze sind nicht allzu hoch, vielleicht sieben Zentimeter, aber sie sind höher, als ich gewohnt bin zu tragen.

»Ganz und gar nicht. Ich würde sie auf jeden Fall tragen.« Magnus verschränkt seine eingefärbten Arme vor der Brust und lehnt sich gegen die Wand. Er seufzt und schüttelt den Kopf.

»Was?« Ich stecke mir mein glattes Haar hinter die Ohren und entblöße meine diamantbesetzten Ohrringe. All das befand sich in meinem Zimmer, mit freundlicher Genehmigung meines Leibwächters. Zusammen mit Make-up, das ich mir nie leisten könnte, und einer umwerfenden Lederclutch, in der ich meinen Lippenstift, mein Handy und ein paar der Hundertdollarscheine, die ich bekommen habe, verstaut habe.

Coen tritt vor. »Du musst dich umziehen.«

»Nein.« Ich starre ihn direkt an. Er hat seit Tagen nicht mit mir gesprochen und jetzt verlangt er, dass ich ein anderes Outfit anziehe?

»Ja.« Seine Kiefer spannen sich an, aber es ist mir egal, dass es ihn stört. Er hat die Möglichkeit verloren, etwas zu meinem Leben beizutragen, als er ging und nie zurückkam. Er hatte zahlreiche Gelegenheiten, den Mund aufzumachen und mit mir zu kommunizieren, doch er bleibt schmerzhaft schweigsam, was mich in meiner Überzeugung bestärkt, dass es ihm eigentlich völlig egal ist.

»Du weißt, dass es in meinem Zimmer lag. Wenn ich es nicht hätte tragen sollen, wäre es nicht da gewesen. Offensichtlich hat Magnus, Dom, jemand das genehmigt. Vielleicht dein verdammter Fahrer, ich weiß es nicht. Es ist mir auch egal. Hör auf, so zu tun, als ob es dich interessiert.«

»Glaubst du, das ist mir egal?« Coen schwächt seine Entschlossenheit ab.

»Das ist ziemlich offensichtlich, Co.« Ich kämpfe gegen die aufsteigende Wut an, die diesen potenziell guten Abend zu ruinieren droht. Er hatte reichlich Gelegenheiten, mit mir zu reden, und er entscheidet sich jetzt dafür, es zu tun? »Ich werde nicht zulassen, dass du mir den Abend ruinierst.«

Magnus holt sein klingelndes Telefon aus der Tasche. »Dom.« Er drückt auf den Knopf und nimmt den Anruf an. »Boss.« Er nickt durch das gedämpfte Sprechen, als ob Dom ihn sehen könnte. »Verstanden.« Er atmet aus und blickt zwischen mir und Coen hin und her. »Ähm, also. Eine gute und eine schlechte Nachricht.«

»Was ist die schlechte Nachricht?« Ich stütze meine Hand auf die Hüfte und warte darauf, dass er mir sagt, dass ich nicht mehr mit Cora ausgehen kann.

Er zuckt zurück, als ob ich ihm eine Ohrfeige geben würde. »Du und Hayes, ihr dürft zusammen abhängen.«

Ich verenge meinen Blick. »Und die gute Nachricht?«

»Du und Hayes, ihr dürft zusammen abhängen.« Magnus tritt vor. »Ihr zwei braucht sowieso etwas Zeit für euch. Ich muss Dom bei einer Sache helfen, das heißt, Hayes ist von der Arbeit befreit und darf dich heute Abend begleiten.«

»Warum kann ich ihm nicht helfen?« Coen fährt sich mit der Hand durch das Haar.

»Da ist mein Fachwissen gefragt, nicht deins.« Magnus zuckt mit den Schultern. »Glaub mir, ich würde lieber deinen Platz einnehmen.« Er kommt zu mir und küsst mich auf die Wange. »Bringt euch nicht gegenseitig um!« Er geht weiter zur Tür und schnappt sich einen Schlüsselbund aus einer Schale. »Mein Ernst.« Und mit einem Zwinkern ist er verschwunden.

Ich schlucke die Nachricht herunter und gebe mein Bestes, um sie zu verarbeiten. Ich wende mich an Coen und sage: »Ich werde mich nicht umziehen. Du kannst mich nicht zwingen. Wenn du nicht mitkommen willst, bleib hier, aber ich gehe.«

»June«, Coen greift nach meinem Arm.

Ich reiße ihn weg. »Du weißt genau, dass du mich nicht kontrollieren kannst, Coen.«

»Das wollte ich nicht sagen.« Er deutet auf seinen Körper. »Gib mir eine Sekunde, um aus diesen Klamotten herauszukommen.«

»Oh. Richtig. Ja, natürlich.«

Coen nickt in Richtung des Wohnzimmers. »Mach dir einen Drink, ich bin gleich wieder da.« Er verschwindet die Treppe hinauf und lässt mich zurück.

Meine Absätze klacken auf dem Boden, während ich zur Minibar schlendere, nicht weil er es mir befohlen hat, sondern weil ein bisschen Schnaps das, was ich gerade fühle, lindern könnte. Drei verschiedene Kristallkaraffen sind mit verschiedenen braunen Flüssigkeiten gefüllt. Ich nehme an, dass es sich um Bourbon handelt, denn das scheint ihr Lieblingsgetränk zu sein. Ich ziehe den Korken von einem der Gefäße und gieße etwas davon in ein kleines Glas. Ich führe es an meine Lippen, nehme das Aroma auf und nippe vorsichtig daran. Der Geschmack ist mild und entspricht dem, was sie normalerweise trinken. Teuer, soviel ist sicher.

Das Brennen rollt meine Kehle hinunter und in meine Brust. Ich schlucke einen weiteren Schluck in der Hoffnung, dass er meine rasenden Nerven beruhigt.

Auf der Treppe sind Schritte zu hören, und als ich mich umdrehe, beschleunigt sich mein Puls.

Coen taucht auf, schwarze, eng anliegende Jeans, spitze schwarze Schuhe, ein enges, weißes Hemd, das offen hängt und seinen durchtrainierten Oberkörper entblößt, während er sich abmüht, es zu schließen. Ein V-förmiger Muskel führt hinunter zu seiner Leiste. Sein goldenes Haar ist unordentlich, aber auf eine sexy Art und Weise. »Wenigstens hast du einen guten Geschmack.« Er kommt weiter auf mich zu, nimmt mir das Glas ab und nimmt einen Schluck. »Das Gleiche könnte ich über dich sagen.« Ich sollte es nicht tun, aber ich strecke meine Hände aus und knöpfe zu Ende, wo er aufgehört hat, wobei ich die oberen Knöpfe offenlasse. Ich richte seinen Kragen und streiche mit den Fingern über seine Haut. Mein Blick huscht zu ihm hinauf, und mein Herz poltert fast aus meiner Brust. Ich hole mir den Bourbon zurück und trinke den Rest in einem Schluck aus.

»Danke.« Er krempelt seinen linken Ärmel hoch. »Mmhm«, murmle ich.

Coen fummelt an der rechten Seite herum, schafft es aber allein.

Ihn zu berühren, war schon gefährlich genug, ich kann es

nicht noch einmal riskieren. Wenn ich ihm so nahe bin, drohen die Schleusen zu platzen und mich zehn Jahre in die Vergangenheit zu schicken, als unsere Liebe noch frisch und ungebrochen war.

In gewisser Weise habe ich das Gefühl, dass keine Zeit vergangen ist. Dass er immer noch der süße, unglückliche Junge ist, der jemanden braucht, der ihn versteht. Wahrscheinlich dachte er damals, dass ich ihn rette, aber er wusste nicht, dass er es war, der mich gerettet hat. Vor meiner Dunkelheit. Meiner Depression. Vor den Albträumen, die mich nachts wach hielten. Aber dann verließ er mich und warf mich in die Tiefen des Schattens – allein, beschädigt und ruiniert.

Seitdem habe ich jeden Tag daran gearbeitet, diese Mauern zu errichten. Um niemandem mehr die Macht zu geben, mich auf diese Weise zu verletzen. Um jedes Quäntchen Kontrolle über mein Leben, meinen Körper, meine Seele zu behalten. Und genau das habe ich getan. Niemals einem anderen die Chance geben, mich zu betrügen – immer zwei Schritte voraus sein, immer einen Fuß in der Tür.

Ich dachte, ich hätte es im Griff, aber nur wenige Zentimeter von ihm entfernt spüre ich, wie meine Seele nach der seinen greift und darum bettelt, die Distanz zwischen ihnen zu überwinden. Ich war wütend auf ihn, weil er mich ignoriert hat, seit ich hier bin, aber vielleicht ist es das Einzige, was wir tun können, um sicherzustellen, dass wir diesen Weg nicht wieder einschlagen.

»Bist du bereit?« Ich entferne mich von ihm und versuche, die bröckelnde Mauer wieder aufzurichten.

»Ja. Und du?« Coen spült unser gemeinsames Glas in der Spüle aus und geht zur Tür, wo er einen Schlüsselbund nimmt.

»Nehmen wir keinen Fahrer?« Ich folge ihm in die Garage und gehe vorsichtig die Treppe hinunter.

»Ich fahre.« Er drückt einen Knopf auf dem Schlüsselan-

hänger und die Scheinwerfer eines dunklen, mattgrauen Sport-
wagens leuchten auf.

Erst dann bemerke ich, wie groß die Garage tatsächlich ist,
mit mindestens einem halben Dutzend anderer Fahrzeuge, die
auf dem Platz geparkt sind. Doms Mercedes-Geländewagen, ein
schwarzer Suburban und eine passende Limousine, ein paar
Muscle-Cars, Coens Auto und zahlreiche Motorräder.

Coen schlendert hinüber, öffnet die Beifahrertür und streckt
mir seine andere Hand zur Unterstützung entgegen. »Mylady.«

Ich verdrehe die Augen, nehme seine Hilfe aber trotzdem an.
Wenn ich in diesen Schuhen Scheiße fresse, dann weil ich
betrunken bin, nicht weil ich stolpere, bevor ich ins Auto steige.

Meine Finger an seinen sind elektrisch und entfachen das
Feuer aus unserer Vergangenheit. Ich ignoriere es und lasse
mich auf dem Schalensitz nieder, wobei ich an meinem Kleid
zupfe, sobald ich in dem protzigen Ding sitze. Vier miteinander
verbundene Ringe zieren das Lenkrad und zieren auch die
Lederpolsterung.

Er klettert auf die Fahrerseite und drückt den Garagentor-
knopf, bevor er das Auto anschaltet. Das Auto erwacht zum
Leben, und in der Mitte des Armaturenbretts ist ein ziemlich
großer Bildschirm zu sehen. Coen stupst ihn an, und aus den
Lautsprechern ertönt Musik.

Ich beobachte ihn von der Seite. »Hörst du immer noch The
Broncos?«

Die sanfte Melodie erklingt. Ein wunderschönes, tragisches
Lied über Liebeskummer und Verlust. Eine der vielen Melo-
dien, zu denen wir vor einer Ewigkeit auf dem Dach einer
Pizzeria getanzt haben.

»Ja. Ich schätze, ich bin ein bisschen nostalgisch.« Er streckt
seine Hand aus, aber ich halte meine hin und stoppe ihn. »Ich
kann was anderes anmachen, wenn du willst.«

»Nein. Es ist schön.« Ich sollte nicht zulassen, dass das Lied
spielt. Ich sollte nicht zulassen, dass sich die Töne in mich

hineinschlängeln und die Schlinge um mein Herz enger ziehen. Vielleicht habe ich auch Sehnsucht nach der Vergangenheit. Ein Stück wird nicht schaden.

Coen legt den Rückwärtsgang ein und fährt rückwärts hinaus. Er schaltet in den ersten Gang und drückt mit dem Fuß auf die Kupplung, während er sich seinen Weg durch die Spuren bahnt.

Ich schaue aus dem Fenster und ignoriere seine Hand, die den Schalthebel umklammert. Etwas, von dem ich nicht wusste, dass es mich anmacht, bis er neben mir eine so banale Aufgabe erledigt. Ich ziehe mein Handy heraus und schicke Cora eine kurze SMS, um sie wissen zu lassen, dass ich auf dem Weg bin.

Cora: Bin schon da, zwei Drinks intus. Kann es nicht erwarten, deinen Arsch zu sehen!

Ich bin nicht zu spät, aber so kenne ich Cora – einfach ein bisschen frech.

Die Autofahrt dauert nicht lange, aber sobald wir den Stadtrand von *Haven* erreichen, verlangsamt sich der Verkehr.

Die Leute glotzen Coens Auto an, hauptsächlich Männer und gelegentlich ein Mädchen. Die Scheiben sind so getönt, dass sie kaum hineinsehen können, wahrscheinlich ein zusätzliches Sicherheitsmerkmal, um ihre Identität zu schützen. Obwohl es bei einem Auto, das so auffällig ist, sicher schwierig ist, nicht aufzufallen. Ich könnte mir sogar vorstellen, dass es kugelsicheres Glas hat – nur für den Fall der Fälle.

Wir halten an unserem Ziel, Coen zieht die Handbremse an und legt seine Handfläche auf meinen Oberschenkel.

»Ich mach' die Tür auf.« Er springt hinaus und geht um das Auto herum, wirft einem Parkboy seine Schlüssel zu und steckt ihm etwas Geld zu. Er fährt sich mit den Fingern durch das Haar, nähert sich meiner Seite und zieht an der Türklinke, um die Tür zu öffnen und mir erneut die Hand zu reichen.

Ich steige aus dem Auto und richte mein Kleid, das mir bis zu den Oberschenkeln hochgerutscht ist. »Sehe ich gut aus?«

Ich bin mir nicht sicher, warum ich das frage, aber die Vertrautheit mit ihm bringt mich dazu, ihn trotzdem um Rat zu fragen.

Coen seufzt und streckt seinen Ellbogen aus. »Ja, J. Du bist ein Meisterwerk.«

Ich schlängele mich um ihn herum. »Du siehst auch ziemlich gut aus, Co.«

Er blickt auf mich herab, seine blauen Augen schauen in meine Seele. »Ich werde dich heute Abend nicht belästigen, aber sieh zu, dass du dort bleibst, wo ich dich sehen kann. Nimm keine Drinks von jemandem an, den du nicht kennst. Eigentlich, streiche das! Nimm nur Getränke direkt vom Barkeeper, und unter keinen Umständen gehst du mit jemand anderem als mir.«

Und einfach so ist die Stimmung ruiniert. Coen schaltet zurück in den Bodyguardmodus, einen Schalter, den er so leicht umlegen kann und der mich daran erinnert, dass ich für ihn nur ein Job bin. Ein Ziel, um ihre Sicherheit zu gewährleisten.

Ein Türsteher öffnet uns die Tür, und wir betreten den lärmenden Raum.

Ich ziehe mich von ihm zurück. »Alles klar!« Ich gehe ein paar Schritte und suche die Menge nach der schönen Blondine ab, nach der ich suche, nicht nach der, mit der ich gekommen bin. Cora winkt mir zu, um meine Aufmerksamkeit zu erregen, und ein Grinsen breitet sich auf ihrem Gesicht aus. Ich gehe weiter auf sie zu und fühle mich schon leichter, weil ich etwas Abstand zwischen mich und Coen gebracht habe.

»Alter, als du sagtest, wir sollen uns *schick* machen, hast du das wirklich ernst gemeint, oder?« Cora hält mich auf Armeslänge und studiert mein Outfit. »Du bist echt superheiß, J.«

Ich lache. »Danke. Für dich würde eine Lesbe werden.«

»Das ist so schön.« Sie streicht über die Halsketten, die auf meiner Brust liegen. »Sind das Diamantohrringe?« Ihre Augen werden groß. »Hast du im Lotto gewonnen und vergessen, es mir zu sagen?« Coras Finger fährt neben mein Gesicht, um mein Haar aus dem Weg zu schieben, damit sie sich alles ansehen kann. Ihre Berührung gleitet über den mit Make-up bedeckten Fleck an meinem Kinn. »Was ist das?« Die überschäumende Stimmung verfliegt. »Was ist passiert?«

Ich klemme mir die Clutch unter den Arm. »Das ist nicht schlimm. Mir geht's gut.« Ich gestikuliere in Richtung der Bar. »Willst du was trinken? Ich zahle.«

»Okay, im Ernst. Was zum Teufel ist hier los?« Sie folgt mir zu dem übervollen Tresen.

Die Barkeeperin kommt sofort herüber, was ich nicht ganz gewohnt bin. Sie stellt zwei mit einer goldenen Flüssigkeit gefüllte Gläser vor uns hin.

»Die habe ich nicht bestellt«, sage ich ihr.

Sie zeigt mit dem Daumen in eine Richtung. »Die sind von dem hübschen Jungen. Er sagte, deine Rechnung geht auf ihn. Kann ich dir noch etwas bringen?«

Ich schaue in die Richtung, in die sie gezeigt hat, und sehe Coen dort stehen, sein Glas in der Luft auf mich gerichtet. Ich starre ihn an und er grinst.

»Hübsch ist untertrieben«, sagt Cora. Sie hebt ihren Arm und gibt ihm ein Zeichen, sich zu uns zu setzen.

»Nein, warte!« Aber es ist zu spät, er ist schon auf dem Weg.

Coen steht dicht hinter mir, seine Finger ruhen auf meinem Rücken. »Gibt es ein Problem, meine Damen?«

»Überhaupt nicht«, meldet sich Cora zu Wort. »Aber es ist bei uns Tradition, den Abend mit einem Schnaps zu beginnen. Ich dachte, vielleicht möchtest du dich uns anschließen.« Sie wendet sich an die Barkeeperin. »Drei von euren billigsten Tequilas, bitte.«

Coen rümpft die Nase. »Komm schon, das können wir doch besser.«

»Nein, je billiger, desto besser«, korrigiert ihn Cora.

Ich neige meinen Kopf. »Man darf sich nicht mit der Tradition anlegen, Co. Das bringt Unglück.«

Cora verteilt die Shots an jeden von uns. »Worauf sollen wir anstoßen?«

»Wie wäre es mit Sehnsucht?«, schlägt Coen vor.

Das Seil zieht sich enger um mein Herz.

»Damit kann ich mich umgehen.« Cora hält ihres in die Luft. »Auf die Sehnsucht.«

Ich seufze und nehme Augenkontakt mit ihr auf, dann stoße ich mit ihr an und unsere Gläser klirren aneinander. »Auf die Sehnsucht.« Ich kippe den Inhalt hinunter und genieße die Wärme, die sich mir über die Brust legt, in der Hoffnung, dass sie sich schnell festsetzt und mich davon befreit, so verdammt angespannt zu sein.

»Ich lasse euch beide in Ruhe.« Coen stellt sein leeres Glas auf den Tresen. »Viel Spaß, aber nicht zu viel.« Er drückt mir leicht die Taille und verschwindet dann in der Menge.

»Okay, also.« Cora schnappt sich die beiden Drinks, die wir ursprünglich bekommen haben, und lehnt sich an mich. »Erzähl mir alles!«

Ich folge ihr von der Bar weg zu einem schmutzigen, aber leeren Hochtisch, der uns ein wenig Schutz vor der tobenden Menge bietet.

Sie schaut erst auf die Tanzfläche und dann auf mich. »Spuck's aus!«

»Ähm, nun, wo soll ich anfangen?« Dass ich entführt und gefoltert wurde, kurz nachdem ich sie letzte Woche verlassen habe? Dass ich einen Mann erstochen habe, mit dem Leben davongekommen bin, nur um am nächsten Tag gefeuert und aus meinem Haus geworfen zu werden. Dass ein schöner Ritter in tätowierter Rüstung mir angeboten hat, bei ihm und seinen beiden Mitbewohnern zu wohnen, für die ich alle auf die eine oder andere Weise romantische Gefühle hege. Schon seit Langem und seit Kurzem. Und sie sind alle in der Mafia, was bedeutet, dass sie mir alles bieten können, was ich brauchen oder wollen könnte, und dass sie das auch wirklich zu wollen scheinen. Oh, und ich habe zugestimmt, bei ihnen zu bleiben und ihren Schutz für die nächsten drei Wochen im Austausch für zehntausend Dollar zu akzeptieren.

Keine große Sache. Außerdem befinden sie sich derzeit in einem Krieg, falls das noch erwähnt werden sollte.

»Was ist mit dem heißen Typen da drüben? Er ist doch mit Magnus befreundet, oder? War er nicht bei ihm zu Hause?« Cora wartet ungeduldig darauf, dass ich ihr jedes Detail erzähle, das ich bereit bin, ihr zu ersparen.

Ich nippe an meinem Bourbon und suche die Menge nach seinem dümmlichen, gut aussehenden Gesicht ab. »Ja. Sie sind Mitbewohner.«

»Das ist verrückt. Alle drei unter demselben Dach.«

»Eigentlich vier«, füge ich hinzu.

Sie streckt die Hand aus und ergreift meinen Unterarm. »Warte, da ist noch ein Typ? Das wird ja immer besser.«

Ich lache. »Nein, ich meinte mich.«

»Du lebst auch dort?« Cora legt dieselbe Hand auf ihre Brust. »Du weißt, was für ein verdammtes Glück du hast, oder? Die Leute schreiben Bücher über diesen Scheiß.«

»Was, auf keinen Fall?« Ich weiche ihrer Frage ungewollt aus.

»Ähm, ja klar. Es nennt sich Reverse Harem, googel es! Ganz im Ernst. Die beste Schweinerei, die man für Geld kaufen kann. Auch jedes andere Genre. Willst du etwas Alien-Liebe? Die gibt's. Vampire? Jawohl. Wie wär's mit ein bisschen Werwolf-Action? Gibt's auch. Und natürlich gibt es auch Biker-Gangs und die Mafia.«

Ich halte mir die Hand vor den Mund, um das Getränk zurückzuhalten, das ich fast ausspucke. Ich schlucke die Flüssigkeit hinunter und huste ein wenig. »Entschuldigung, falscher Hals.«

»Bist du okay?«

Ich nicke, meine Augen tränen ein wenig.

»Bald wirst du dich verlieben, jemand wird fast sterben, und dann lebst du glücklich bis ans Ende deiner Tage. Streue einen kleinen Konflikt ein, damit der Leser die Seite umblättert.«

Toll, ich lebe in einem Mafia-Reverse-Harem-Buch. Kann ich vorspulen und sehen, wie es endet?

»Du bist die Schlimmste.«

Cora reibt sich das Kinn. »Ich hoffe, ich bin nicht diejenige, die gebissen wird. Ich bin die unbedeutende Nebenfigur in dieser Geschichte.«

»Von wegen bedeutungslos.«

Sie lächelt. »Du hast recht, ich habe wirklich die Energie einer Hauptfigur. Ich werde wahrscheinlich ein eigenes Spin-off bekommen.«

»Ein Mädchen kann träumen.«

»Warte, du hast das Thema gewechselt. Erkläre mir, wie du es geschafft hast, bei ihnen einzuziehen, seit ich dich das letzte Mal gesehen habe?«

Ich möchte alles beichten. All die kleinen und großen Details, die zu diesem Abend geführt haben, aber viele davon sind nicht meine Geheimnisse, die ich erzählen könnte, und es wäre unfair von mir, mit den sensiblen Einzelheiten ihres komplizierten Lebens so sorglos umzugehen. »Nun, wenn du dich erinnerst, ich hatte Geldprobleme.« Ich greife in die lederne Clutch. »Apropos.« Ich ziehe ein paar der Scheine heraus und schiebe sie über den Tisch. »Hier. Ich bin dir wirklich dankbar, dass du mir geholfen hast.«

»Hey, wozu sind Freunde da?« Cora blickt auf das Geld hinunter. »Das ist aber mehr, als du mir schuldest.«

»Betrachte es als Zinsen und als meinen mageren Versuch, dich für all den Alkohol zu entschädigen, den du in letzter Zeit geliefert hast.«

Sie lacht und hält ihr Glas hoch. »Nochmal: Wozu sind

Freunde da?« Cora leert ihr Glas und verzieht das Gesicht. »Zurück zu deiner Geschichte.«

»Richtig, also. Ich hatte einen ziemlich seltsamen Tag. Ich wurde von der Pizzeria gefeuert, in der ich gearbeitet habe. Der Kerl war ein echtes Arschloch.« Gelinde gesagt. »Ich habe Magnus zufällig getroffen, und er hat mir angeboten, mich nach Hause zu fahren. Und als ich dort ankam, hatten Carter und Heather mein Zeug auf den kleinen Treppenabsatz geworfen und die verdammten Schlösser ausgewechselt.«

»Verdammt, J, das ist heftig.« Sie fährt sich mit dem Finger über das Kinn. »Was ist passiert?«

»Dummer Unfall. Ich habe Sachen getragen und eine Stufe verfehlt. Ich habe mich im Gesicht geschnitten und mir die Knie geprellt. Jedenfalls wollte Magnus gerade gehen, als er mich fallen sah, und weil er so lieb ist, hat er darauf bestanden, dass ich bei ihnen bleibe, bis alles wieder in Ordnung ist.«

Cora verengt ihren Blick und wippt langsam mit dem Kopf auf und ab. »Du bist jetzt ein richtiges Sugar Baby.«

»Bin ich nicht.« Ich grinse und kippe den Rest meines Bourbons hinunter, der mir von meiner dunklen Vergangenheit spendiert wurde.

»J, ich liebe dich und so, aber du vergisst was. Du trägst von Kopf bis Fuß nur Designerklamotten und diese Ohrringe ...« Sie studiert weiter mein Aussehen. »Warte, was hast du gesagt, womit sie ihren Lebensunterhalt verdienen?«

»Ich weiß nicht, Security oder so.« War es nicht das, was Coen mir gesagt hatte, bevor ich die Wahrheit kannte?

Cora hebt beide Hände, um Anführungszeichen zu verwenden. »Security. Okay.« Sie zuckt mit den Schultern. »Wie auch immer. Wenn meine beste Freundin glücklich und gesund ist, ist das alles, was zählt. Der reiche Teil ist nur ein Vorteil.«

Ich kann nicht weiter darüber reden, wenn ich nicht riskieren will, Details preiszugeben, die ich nicht preisgeben sollte. »Willst du tanzen?«

Cora legt beide Handflächen auf die Seite ihres Gesichts und quietscht. »Wirklich?« Sofort packt sie mich und zerrt mich in Richtung der sich stetig bewegenden Gruppe von Menschen. »Ich lasse nicht zu, dass du deine Meinung änderst.«

Die Musik wird lauter, je näher wir kommen, und die Temperatur steigt unter den Stroboskoplichtern.

Ich richte meinen Blick auf die Stelle, an der Coen stand, aber ich kann ihn nicht ausmachen. Nicht, dass ich vorhätte, ihm zu gehorchen, aber er hat mir gesagt, ich solle in seinem Blickfeld bleiben. Sicherlich hat er nicht erwartet, dass ich die ganze Nacht an einem Ort bleibe.

Cora schlängelt uns durch die schwankenden Körper und weiter in die Mitte des Bodens. Sie entdeckt eine Lücke und platziert uns genau dort. Sie dreht mich im Kreis, lässt mich los und schlingt ihre Hände in den Nacken und ins Haar, wobei ihre Hüften sofort einen Groove mit dem Lied finden. Ihr heidegraues Croptop hat einen tiefen Ausschnitt und zieht die Aufmerksamkeit fast aller Menschen in der Umgebung auf sich, die etwas für Frauen übrig haben. Zwischen meinem knappen Kleid und ihrem hoch taillierten, kurzen schwarzen Rock ziehen wir die Aufmerksamkeit der Leute auf uns, sobald wir die Tanzfläche betreten.

Cora strahlt, ihr strahlend weißes Lächeln leuchtet vor Glück.

Ein gut aussehender Mann nähert sich ihr von hinten, sein Körper schwankt mit dem ihren im Takt.

Eine süße, kleine, lockige Brünette stellt sich vor mich, ergreift meine Hände und legt sie auf ihre Schultern. Wir beenden das Lied, und sowohl das Mädchen als auch der Kerl flattern davon und verschwinden aus dem Blickfeld.

Cora lacht und tanzt weiter, was das Zeug hält.

Zwei weitere Männer kommen näher, die noch attraktiver sind als die letzten. Der eine hat dunkelbraune Haut, ein zum Sterben schönes Kinn und wunderschöne grüne Augen. Der andere hat feuerrotes Haar und jede Menge Sommersprossen. Sie umkreisen uns abwechselnd, ihre Hände umschließen unsere Hüften und tanzen mit uns. Sie bleiben länger bei uns als unsere letzten Partner.

Jedes Mal, wenn ich mich umdrehe, suche ich die Menge nach Coen ab, aber ich entdecke ihn nicht ein einziges Mal. Es sollte mir egal sein, und doch kann ich nicht anders, als mich zu fragen, was er tut, mit wem er spricht, ob er allein unglücklich ist. Beobachtet er mich? Ist er wütend wegen der sexy Männer, die mir ihre Aufmerksamkeit schenken?

Jemand umklammert mein Handgelenk und zieht mich zu sich.

Mein Blick hebt sich und fällt auf den Mann, den ich gesucht habe. »Co. Was zum Teufel?«

»Wir müssen reden.« Er zieht mich weiter an sich, sein Gesichtsausdruck ist unleserlich, da er immer mürrisch ist.

Jetzt? Von all den verdammten Gelegenheiten, die er hatte, entscheidet er sich, genau jetzt zu kommunizieren?

Ich drehe mich zu Cora und den Jungs um. »Ich bin gleich wieder da«, rufe ich ihnen zu, denn ich habe keine andere Wahl. Coen zerrt mich praktisch weg.

Wir drängeln uns durch die Menge, und Coen schert sich einen Dreck um die Schultern, mit denen er zusammenstößt, und um die Leute, die er nicht beachtet. Er führt mich den Gang entlang, der mit Toiletten beschriftet ist, vorbei an den wenigen Pärchen, die den Raum säumen und rummachen. Ganz am Ende des schwach beleuchteten Ganges bleibt er stehen.

»J.« Sein Blick ist hart und streng. Er ergreift meine Hand, dreht mich zu sich und drückt mich mit seinem Körper gegen die Wand. Eine Hand knallt neben meinem Kopf auf die Oberfläche, die andere schwebt knapp neben meinem Gesicht. »Glaubst du, das ist ein Spiel?«

Ich blinzle und versuche, zu verstehen, was er damit meint. »Nein. Und du?«

Coens Blick folgt meinem, er blickt hektisch hin und her. Seine Kiefer sind fester als alles, was ich bisher gesehen habe, was seinen hübschen Zähnen nicht guttun kann.

Die Leute schenken uns keine Beachtung, wenn sie vorbeigehen, wahrscheinlich weil sie betrunken sind oder annehmen, dass wir ein weiteres Duo sind, das versucht, ein wenig Privatsphäre zu bekommen.

»Hast du eine Ahnung, was du mir da antust?« Coens Nasenlöcher blähen sich auf.

»Da du nicht mit mir reden willst, nein, Co, habe ich nicht. Willst du mich verdammt noch mal aufklären?«

Sein Atem streift meine Haut, eine Mischung aus Bourbon und Minze. »Ich werde nicht zulassen, dass du deinen Arsch hier zur Schau stellst und dich respektlos verhältst, indem du dich von irgendeinem Mann anfassen lässt.«

»Ich habe Bedürfnisse, Coen, Sehnsüchte, von denen du nicht weißt.« Ich mache einen Schritt, aber er stößt mich zurück.

Er legt seine Handfläche seitlich an meine Wange, seine Berührung ist warm und elektrisch.

Ich kann ihm nicht so nahe sein. Nicht, wenn ich eine Chance haben will, meine Entschlossenheit zu bewahren.

Coen fährt mit dem Daumen über meine Unterlippe, seine Finger legen sich um den Ansatz meines Kinns und meines Halses.

»Was machst du da?« Mein Körper wird bei jeder seiner Bewegungen lebendig. Die unbestreitbare Chemie ist immer noch da, trotz unserer Abneigung gegeneinander.

Er fährt fort, den Bereich zwischen meinem Schlüsselbein und meinen fast entblößten Brüsten zu erkunden. »Was ich schon vor Jahren tun wollte.«

Ich habe keinen Willen mehr, ihn zum Aufhören zu bewegen, denn das ist das Letzte, was ich wirklich will. Er war der erste Mensch, nach dem ich mich jemals gesehnt habe, und dieses Verlangen ging nie weg, egal wie sehr ich versuche, es mit jemand anderem als ihm aus meinen Gedanken zu ficken.

Coen bahnt sich seinen Weg über meine Taille und zum unteren Teil meines Kleides, wobei er seinen Körper so bewegt, dass er jedem, der einen Blick in unsere Richtung werfen könnte, die Sicht versperrt. Seine wachsende Härte drückt gegen mein Bein. Er schlängelt seine Hand nach oben und lässt sie über mein Höschen gleiten. »Sag mir, ich soll aufhören!«

Ich atme aus und beiße mir auf die Unterlippe, mein Körper sehnt sich nach mehr. Ich beobachte seinen Mund, denselben, den ich schon eine Million Mal geküsst habe.

Er starrt mich an, seine Augen flehen, als würden sie mich inständig bitten, dem, was als Nächstes passieren wird, ein Ende zu setzen. Denn was, wenn es kein Zurück mehr gibt, sobald wir diese Box öffnen? Es ist mehr als ein Jahrzehnt her, und doch sehne ich mich nach ihm, als wäre überhaupt keine Zeit vergangen.

Mein Körper bewegt sich auf ihn zu und drängt sich noch ein wenig weiter vor.

Er versteht, schiebt seine Finger unter den Saum meines Höschens und lässt sie hineingleiten. Coens Schwanz pocht gegen mich, als er meine begierige Nässe spürt. Er drückt einen Finger auf meine schmerzende Klitoris und schiebt ihn weiter, bis er direkt an meinem Loch anliegt.

Ich pulsiere, meine Muschi wartet ungeduldig darauf, dass er in mich eindringt.

»Letzte Chance«, sagt er zu mir, bewegt seine Faust von der Wand auf meine Schädelbasis und verheddert sie in meinem Haar.

Ich verdrehe die Augen angesichts der Lust, die er mir bereits mit minimalem Aufwand bereitet. »Küss mich, bevor ich meine Meinung ändere.«

Coen bringt sein Gesicht näher und lässt es neben meinem

schweben. »Ich habe dich vermisst«, murmelt er und schließt endlich die Lücke zwischen uns.

Seine Lippen sind so, wie ich sie in Erinnerung habe, nur dass die Leidenschaft größer geworden ist, als ob sie sich danach sehnen würden, all die verlorene Zeit auszulöschen. Eine endlose Entschuldigung in einem Kuss. Unsere Zungen machen sich wieder vertraut – zwei alte Liebende, die endlich wieder vereint sind.

Ich keuche, als er seinen Finger in mich hineinschiebt, zuerst langsam, aber dann schiebt er einen weiteren hinein und füllt mich noch ein bisschen mehr.

Wir knutschen weiter, ohne uns um jemanden zu kümmern, der Zeuge dieses unanständigen öffentlichen Aktes werden könnte. Das Einzige, woran ich denke, ist die Linderung dieses metaphorischen Juckreizes, der mich schon so lange plagt.

Er wippt mit dem Handballen und schiebt seine Finger weiter hinein, indem er sie hin und her bewegt.

Ich drücke mich an ihn, um ihm ein stilles Zeichen zu geben, dass er weitermachen soll, hebe mein Bein und schlinge es um seins, damit wir beide einen besseren Winkel haben. Ich umklammere seine Taille und ziehe ihn zu mir heran, denn ich will unbedingt, dass er mir näher ist. Wenn es doch nur eine Möglichkeit gäbe, in diesem Flur zu ficken, ohne eine große Szene zu verursachen.

Coen füllt mich mit einem dritten Finger und drückt mit seiner Handfläche auf meine Klitoris.

Ich grabe meine Finger in ihn und verkneife mir ein Stöhnen, denn mein Orgasmus ist bereits nahe.

Auch er ist sich dessen bewusst und bewegt sich auf genau die richtige Weise, um mich auf diesem dekadenten Weg zur Explosion zu halten. Seine Zunge dringt tiefer in meinen Mund ein, meine in seine, und der Rausch, den wir ausgelöst haben, gerät mit jeder Sekunde mehr außer Kontrolle.

Coen umklammert mein Haar, zieht daran und küsst mich noch intensiver.

Ich komme in diesem dunklen Korridor, meine Muschi umklammert ihn und pulsiert, während betrunkene Leute vorbeigehen. Ich beiße mit etwas zu viel Druck auf seine Lippe und wimmere, als das Vergnügen der ganzen Erfahrung über mich hereinbricht.

Er zieht sich vorsichtig unter meinem Kleid hervor und löst sich von unserem heißen Kuss. Coen führt seine Finger zum Mund, lässt sie hineingleiten und saugt daran, sein blauer Blick durchdringt mich. »Du wirst in dieser Bar nicht mit einem anderen Mann flirten. Hast du mich verstanden?«

Wenn ich nicht auf dieser Welle reiten würde, würde ich protestieren, aber wenn ich sehe, wie er mich schmeckt, wie sich das bisschen Blut, das ich von seiner Lippe gesaugt habe, mit meiner Lust vermischt, kann ich nicht widersprechen.

Schließlich habe ich ja sowieso bekommen, was ich wollte – über meinen Ungehorsam können wir später streiten.

Ich erlaube ihm, zu denken, dass er die Kontrolle hat.

KAPITEL NEUNZEHN – JUNE

*I*ch wurde gerade in der Öffentlichkeit gefingert, und
es hat mir gefallen.

Vielleicht ist es der Alkohol, der durch meine Adern fließt,
oder das Verlangen nach Coen, das ich seit unserem ersten Kuss
als Kinder verspüre, aber das Adrenalin, das mich durchströmt,
sorgt dafür, dass ich mich lebendiger fühle als je zuvor. Irgendetwas ist verlockend an der Klippe der Gefahr, auf der wir
tanzen, und es bringt mich dazu, meine Zehen noch weiter in
die andere Seite zu tauchen, vielleicht zu sehen, wie viel Risiko
ich tatsächlich eingehen kann.

Coen holt sein Handy aus der Tasche – Dominics Kontakt
leuchtet auf dem Display. Er drückt die grüne Taste und hält es
an sein Ohr. »Ja?« Coen lässt seinen Blick zu mir schweifen.
»Ihr geht es gut.« Er zwinkert und grinst, aber das Lächeln hält
nur eine Sekunde, bevor Dom weiterredet. »Natürlich. Ist er
schon unterwegs?« Er hält inne. »Richtig, das werde ich.«

»Wer ist auf dem Weg?«, frage ich ihn, ohne mich darum zu
kümmern, dass es mich wahrscheinlich nichts angeht.

»Ein … Mitarbeiter.«

»Simon?«

»Nein. Er weiß es besser.«

Ich atme aus und weiß nicht genau, warum ich den Atem angehalten habe. Die Jungs haben deutlich gemacht, dass Simon ihr Rivale ist – eine Bedrohung –, der Mann, der möglicherweise für das, was mir passiert ist, verantwortlich ist. Es ist eine natürliche Reaktion, innerlich zusammenzuzucken bei dem Gedanken, dass er einfach aus heiterem Himmel auftaucht.

»Ist alles in Ordnung?« Ich beobachte, wie sich sein Gesicht verhärtet und er wieder zu dem kalten und distanzierten Mann von vorhin wird. Der roboterhafte Coen, frei von allen Emotionen außer Wut, im Gegensatz zu dem sanften und süßen Jungen, den ich aus meiner Kindheit kenne.

»Das wird es. Dafür werde ich sorgen.« Coen wendet sich wieder ganz mir zu. »Nur weil ich abgelenkt sein werde, heißt das nicht, dass ich nicht zuschauen werde. Wenn du tanzen willst, ist das in Ordnung, aber sei vorsichtig, wen du dazu einlädst. Unterschätze nicht, dass ich einem Fremden die Kehle durchschneiden werde, wenn er dich anfasst. Es ist mir egal, wer es sieht.«

Und irgendwie glaube ich ihm, obwohl es nicht mit dem Coen übereinstimmt, den ich einst kannte, denn keiner von uns beiden ist mehr diese Person von vor langer Zeit.

»Alles klar.« Ich richte die Halsketten an meiner Brust aus.

Coen hebt meine weggeworfene Clutch vom Boden auf. Ich habe gar nicht gemerkt, dass ich sie während unserer hitzigen gemeinsamen Zeit fallen gelassen hatte. Ich habe mich mehr auf seine Lippen, seine Berührung, seine Finger, die in meine Muschi hinein- und wieder herausgleiten, konzentriert.

Er reicht sie mir und lässt seine Handfläche in der Schwebe, damit ich sie nehmen kann.

Ich halte mich daran fest und lasse mich von ihm durch den Flur führen, vorbei an den Toiletten und wieder hinaus in das tosende Nachtleben. Die Musik scheint lauter zu sein als vorher, die Menge hat sich leicht verdoppelt, während wir beschäftigt waren.

Coen zeigt auf die Blondine, die mit einem anderen Mädchen mit dem Hintern wackelt. »Deine Freundin ist dort.« Er führt meine Fingerknöchel an seine Lippen, küsst sie sanft und lässt mich los, um zu ihr zu gehen.

Er geht weg, und ein seltsamer Abgrund füllt mich mit der wachsenden Entfernung. Mit ihm setzt das Bedauern ein, das mich daran erinnert, dass ich es möglicherweise versaut habe, als ich zuließ, dass wir diese Grenze überschritten. Ich wollte es, er wollte es, aber sind wir zu weit gegangen? Haben wir eine Wunde wieder aufgerissen, die sich nicht schließen lässt? Etwas, das uns beide wegen unserer komplizierten Vergangenheit und unserer ungelösten Gefühle füreinander zu Fall bringen wird?

Cora sieht mich und winkt mit dem Arm, um meine Aufmerksamkeit zu erregen.

Ich werde die möglichen Folgen meiner wenigen Minuten Vergnügens hinter mir lassen und mir ein anderes Mal Gedanken darüber machen. Der heutige Abend ist dazu da, mit meiner Freundin Spaß zu haben.

Ich schiebe mich zu ihr, gehe um die vielen sich bewegenden Körper herum und geselle mich zu ihr auf die Tanzfläche. Ich lehne mich dicht an sie heran. »Willst du etwas trinken?« Ich könnte eine Minute brauchen, um zu Atem zu kommen und etwas Alkohol, um mich zu betäuben.

»Ähm, ja.« Cora hält sich an meinem Ellbogen fest und nimmt mich mit.

Ich gehe mit ihr und bin dankbar, dass ich mich inzwischen an diese Schuhe gewöhnt habe. Sonst wäre ich vielleicht mit dem Gesicht nach vorn umgekippt oder hätte mir den Knöchel verstaucht. Ich tue so, als wären sie eine Verlängerung meines Körpers, ganz nach dem Motto: Tu so, als ob du es schaffst. Ich weigere mich, mich wegen ein paar Zentimetern schlecht aussehen zu lassen.

Cora zieht mich an ihre Seite. »War der Loverboy sauer?«

»Was?« Ich schaue zu ihr. »Oh, Co? Wann ist er denn nicht sauer?«

»So einer, also?« Cora quetscht sich an der Bar auf einen Platz.

Die Barkeeperin sieht uns direkt an und hält einen Finger hoch. Sie stellt den Drink fertig, an dem sie gerade arbeitet, und kommt zu uns. »Was darf ich euch bringen?«

Ein paar Leute weiter werfen uns ein paar nicht so nette Worte zu und schütteln den Kopf. Ich kann es ihnen nicht verdenken, denn sie warten schon länger als wir. Coen muss seinen Einfluss geltend gemacht haben, um uns eine prompte Bedienung zu gewährleisten.

»Können wir vier Washington Apple Shots und zwei Flókis vom Fass bekommen?«

Cora lächelt und drückt meine Hand, die Erregung über die neue Alkoholquelle durchströmt sie.

»Was ist mit den Jungs passiert?«, frage ich sie, als die Barkeeperin beginnt, unsere Drinks zuzubereiten.

»Ich glaube, dein Mann hat sie verscheucht.« Sie zuckt mit den Schultern. »So etwas passiert.«

»Er ist nicht mein Mann.« Und doch suche ich die Menge nach ihm ab.

Er lehnt in der Ecke an der Wand, die Arme verschränkt, und starrt mich direkt an. Er stößt sich ab, unterbricht den Blickkontakt mit mir und schüttelt die Hand eines Mannes, der sich nähert. Sie tauschen Höflichkeiten aus und Coen deutet mit einer Geste auf einen Tisch, an den sie sich setzen.

»Ohh, wer ist das?« Cora schließt sich mir an und beobachtet die beiden, ihre Aufmerksamkeit gilt dem Mann mit Coen.

»Ich weiß es nicht.«

Ziemlich groß, mit weichen Zügen, einem Hauch von Rot in seinem hellen Haar. Er folgt dem Weg, den Coen eingeschlagen hat, und richtet seinen Blick kurz auf mich, bevor er sich Cora widmet. Er scheint jung zu sein, zu jung, um in dieser Branche tätig zu sein.

»OMG, habe ich den an der Angel?« Cora stößt mich mit ihrem Ellbogen an und fährt fort, Coens Mitarbeiter mit den Augen zu ficken.

»Miller«, sagt Coen, aber ich kann nicht verstehen, was er weiter sagt.

»Sein Name ist Miller«, sage ich zu Cora, als sie aufhört zu starren.

Ihre Wangen erröten und sie dreht sich weg.

»J«, sie hält sich an mir fest, »willst du uns nicht vorstellen?«

»Dich vorstellen? Ich kenne diesen Mann nicht einmal, Cor.« Ich greife nach den Drinks, die die Barkeeperin für uns bereitstellt. Ich reiche Cora einen und behalte den anderen.

»Bitte?« Cora schiebt ihre Unterlippe vor.

»Lass sie ihr Geschäft machen, und wenn sie noch da sind, wenn wir mit denen hier fertig sind, werde ich es in Betracht ziehen.«

Sie nimmt ihr Schnapsglas. »Abgemacht.« Sie kippt es hinter und leert es, ohne eine Miene zu verziehen. Das Mädchen ist auf einer Mission.

Ich schlucke meinen auch und stelle das leere Glas auf den Tresen. Ich nehme ihr den anderen Shot und ihr Bier ab und nehme mein eigenes. »Danke«, sage ich der Barkeeperin, als wir gehen und Platz machen für alle, die noch etwas bestellen wollen. Ich entdecke einen anderen leeren, aber schmutziges Hochtisch und mache mich auf den Weg dorthin.

»Hör mal, J., ich weiß, du kannst gut mit Männern umgehen, aber du hast in letzter Zeit einen ziemlich guten Griff getan.« Cora wirft ihr Haar über die Schulter. »An welchen Teufel hast du deine Seele verkauft, denn ich bin bereit, meine auch einzutauschen.«

»Nur Glück.« Ich nippe an meinem Bier und mustere die

Menge. »Genug von mir. Wie war deine Woche? Wie ist der Test gelaufen?«

Cora atmet dramatisch aus. »Dumm. Superdumm. Ich meine, ich hab's wahrscheinlich ganz gut gemacht, aber ich schwöre, es kam nichts aus dem Studienführer dran. Das sollte illegal sein.«

»Eine tolle Verarschungstaktik.«

»Das kannst du laut sagen. Ich habe das Ding drei Tage lang durchsucht.« Ihr Blick bleibt an etwas auf der anderen Seite des Raumes hängen. »Coens Freund ist superheiß.«

Ich schiebe ihr das Schnapsglas zu. »Sie sind Geschäftspartner, Cor. Ich weiß nicht, ob sie sich darüber hinaus kennen.« Und ich bin mir nicht sicher, ob sie überhaupt auf der gleichen Seite des Krieges stehen, den sie kämpfen. Es wäre unverantwortlich von mir, Cora zu erlauben, sich mit jemandem aus dieser Branche einzulassen.

Aber wenn sie es täte, dann müsste ich nichts vor ihr verbergen und könnte ihr die Wahrheit darüber sagen, was mir tatsächlich passiert ist. Das wäre zwar egoistisch, aber ich müsste sie nicht anlügen.

»Du wirst es aber herausfinden, oder?« Sie nimmt das Glas und führt es an ihre Lippen, während sie darauf wartet, dass ich dasselbe tue.

»Für dich, ja.« Ich werde herausfinden, wer dieser Miller ist, und sehen, ob er gut genug für meine Freundin ist. Coen beschützt mich, und ich habe keinen Zweifel, dass er mir sagen würde, wenn Miller eine Bedrohung für Cora darstellen würde.

»Sonst musst du lernen, wie man teilt.« Cora kippt ihren Shot hinter und greift sofort nach ihrem Bier, um nachzuspülen. »Ich fange an, es zu spüren, du auch?«

Der Alkohol wärmt meine Brust und setzt sich in meinem Bauch fest, sodass sich eine Restwärme in meinem Körper ausbreitet. Ich erwarte, dass meine Sicht verschwimmt oder meine Sprache undeutlich wird, aber stattdessen bin ich nur leicht angeheitert, und eine allgemeine Zufriedenheit durchströmt mich. »Nicht wirklich.«

Coras Augen weiten sich und sie fährt sich mit der Hand über den Mund. »Ständeralarm. Sieh jetzt nicht hin, aber Damon ist auf dem Weg hierher.« Sie wendet ihren Blick ab und kratzt sich am Hals, als hätte sie seine Ankunft nicht unverhohlen angekündigt. Man kann mit Sicherheit sagen, dass der Rausch bei ihr stärker wirkt als bei mir.

Ich nehme beiläufig mein Glas in die Hand und hoffe, dass ihr betrunkener Zustand sie dazu bringt, Dinge zu sehen, die nicht da sind.

Eine Hand auf meinem Rücken sagt mir etwas anderes. »Schön, dich hier zu sehen.« Der Typ, der Damon ähnlich sieht, stellt sich zwischen mich und Cora. Seine schwarze Jacke schmiegt sich an seine Schultern, das enge Hemd an seine Brust. Die dunklen Augenbrauen verstärken seinen Blick und unterstreichen den Bad-Boy-Look, den er ausstrahlen will. Er hat etwas gefährlich Verführerisches an sich, das ich nicht recht einordnen kann. Er scannt mein Gesicht, sein Blick fällt auf meine Augenbrauen, meine Lippen, mein Kinn. All die Stellen, an denen ich mich bemüht habe, das teure Make-up aufzutragen, das mir einer der Jungs, mit denen ich zusammenlebe, geschenkt hat. »Was ist passiert?«

Ich merke, wie sich seine Kiefer anspannen, eine ziemlich seltsame Reaktion bei einem Fremden.

Seine letzten Worte, die er zu mir gesprochen hat, gehen mir durch den Kopf. *Du wirst mein sein.*

»Was zum Teufel glaubst du, was du da tust?« Coen kommt aus dem Nichts und stößt Damon von mir weg. Er baut sich vor mir auf, als ob dieser Typ eine Bedrohung wäre.

»Co.« Ich strecke meine Hand aus und lege sie auf seine Schulter. »Alles ist gut.« Ich trete um ihn herum. »Ihr kennt euch?«

Damon grinst und verschränkt die Arme. »Ja, Co, wir haben uns nur unterhalten.«

»Einen Scheiß hast du.« Coen führt seine Hand zu seinem Rücken und greift nach seiner Waffe, von der ich bis jetzt nicht wusste, dass sie dort ist.

»Hey!« Ich springe auf und halte ihn auf. »Das ist weder der richtige Zeitpunkt noch der richtige Ort.«

Cora nippt an ihrem Bier und beobachtet, wie sich das Drama entwickelt. Ein paar andere Leute haben sich umgedreht, um zu gaffen, aber sobald sie merken, dass nichts Aufregendes passiert, schauen sie wieder weg.

Damon meldet sich zu Wort. »Du solltest wirklich besser auf sie aufpassen, es sei denn, du möchtest, dass jemand anderer für dich einspringt und es für dich tut.«

»Ich sollte dich gleich hier töten, weil du daran beteiligt warst.« Coen formt seine Hände zu Fäusten, eine Wut wie keine andere verzehrt ihn.

Damon legt den Kopf schief. »Warte, du denkst, ich habe etwas damit zu tun?« Er zeigt auf mich.

»Ich dachte, du wärst gefallen«, mischt sich Cora ein.

Ich schüttle den Kopf und flehe sie im Stillen an, sich da rauszuhalten. Mein Spürsinn sagt mir, dass dies nicht der richtige Zeitpunkt ist, wenn sie sich einmischt. Das Letzte, was ich will, ist, dass Cora ins Kreuzfeuer gerät.

»Kann mir jemand sagen, was hier los ist?« Ich wende mich an die beiden Jungs.

»Ich glaube, wir hatten noch nicht das Vergnügen.« Damon wendet sich an Cora. »Simon, Simon Beckett, und du bist?«

Mein Herz bleibt stehen. Mein Mund bleibt offen stehen. Ohne darüber nachzudenken, mache ich einen Schritt zurück, und in mir schrillen alle Alarmglocken für Kampf oder Flucht. Meine Brust zieht sich zusammen und für eine Sekunde vergesse ich zu atmen. All das wird mir bewusst, als ich sehe, wie sich ihre Hände berühren.

»Ich bin Cora.« Sie ahnt nichts von der Drohung, die ihre Hand hält. »Hat dir schon mal jemand gesagt, dass du eine verblüffende Ähnlichkeit mit Damon Salvatore hast?«

Simon dreht seinen Kopf zu mir. »Bekommt der am Ende nicht das Mädchen?«

Coen stürmt nach vorn. »So wahr mir Gott helfe!«

Simon wirft die Hände in die Luft. »Aber, aber. Vergiss nicht, wie viel Straffreiheit wir an Orten wie diesem haben.«

»Ja, Schatz.« Ich setze meine beste Mutterstimme auf. »Hey. Wann hast du das letzte Mal gepinkelt? Musst du auf die Toilette?«

Sie blinzelt mich an und nickt. »Ja, eigentlich schon.« Ihre Worte lallen ein wenig. »Gute Idee. Willst du mitkommen?«

»Ich treffe dich da drin, okay?« Alles, um sie von den bösen Männern in ihrer unmittelbaren Nähe wegzubringen.

»Okay.« Cora läuft ohne weiteres Zureden los. Ihre volle Blase macht die Arbeit für mich.

Sobald sie außer Hörweite ist, wende ich mich an Simon. »Du hältst sie da raus!«

Coen streckt seinen Arm vor mir aus. »Überlass mir das!«

Simon lacht. »Für welche Art Mann hältst du mich?« Er schnippt mit dem Daumen in Richtung der Stelle, an der Cora verschwunden war. »Denkst du, ich würde Blondie etwas antun?«

»Das traue ich dir zu«, sage ich, obwohl ich den Mund halten soll.

Simon fährt sich mit den Fingern über den Mund. »Ich bin beleidigt. Du kennst mich doch kaum, *June*.«

»Sag bloß nicht ihren Namen!« Coen ballt weiter seine Faust.

»Ich weiß genug. Oder wie nennst du das?« Ich zeige auf mein Gesicht. »Das macht dich zu einem kranken Arschloch.«

Simon lässt seine vorgetäuschte Verletztenrolle fallen. »Ich hatte nichts damit zu tun. Ich schwöre es bei meinem Leben.«

»Es war einer deiner Männer«, fügt Coen hinzu. »Er behauptet, der Befehl kam von dir.«

Simon tritt näher. »Vielleicht sehe ich dasselbe in ihr wie du, aber ich würde so etwas nie tun.«

Auch Coen überbrückt die Lücke. »Eines Tages wirst du unvorsichtig sein, und dann werde ich da sein und dir eine Kugel verpassen.« Er drückt seinen Finger in Simons Stirn.

»Wer war das?« Simon schlägt Coens Hand weg. »Wer hat dir das angetan? Sag mir seinen Namen!«

»Ich weiß es nicht.« Denn ich weiß es wirklich nicht. Und wenn ich ehrlich bin, glaube, ich, er weiß es auch nicht.

»Vincent«, sagt Coen mit zusammengebissenen Zähnen.

Simon wendet sich an Coen. »Bist du dir sicher?«

»Todsicher!«

»Ich werde der Sache auf den Grund gehen.« Simon reibt sich den Nacken. »Ich werde ihn morgen bei Einbruch der Dunkelheit abliefern. Gib mir sechsunddreißig Stunden Waffenstillstand.«

Was zum Teufel ist hier los?

»Warum?« Coen stellt die Frage, die mir durch den Kopf geht.

»Weil ich dieses Arschloch genauso tot sehen will wie du.« Simon streckt seine Hand aus. »Anderthalb Tage?«

Ich zucke zusammen, als Coen in seine Tasche greift.

Er holt sein Telefon heraus und drückt auf Dominics Kontakt. Es klingelt einmal und die Verbindung wird hergestellt. »Sechsunddreißig Stunden Waffenstillstand, der jetzt in Kraft treten. Ich erkläre es später. Beckett ist tabu, gib es weiter!« Coen legt auf und starrt Simon an. »Ruf ihn an!«

Simon tut, was ihm gesagt wird, und macht das Gleiche wie Coen. Die beiden schütteln sich die Hände, und ich mache mich darauf gefasst, dass die Welt implodieren wird.

»Oh, was habe ich verpasst?«, fragt Cora, als sie zu uns stolpert.

Zum zweiten Mal heute Abend bin ich unsicher, wo ich anfangen soll. Sie verlangt Informationen, die ich ihr nicht geben kann. Zum Glück ist sie aber zu betrunken, um sich darüber Gedanken zu machen.

»Ich wollte dir gerade einen Uber bestellen«, sage ich ihr. »Es ist schon spät.«

Cora schmollt und greift nach ihrem Bier. »Was? Es ist kaum …« Sie greift zwischen ihre Brüste. »Scheiße, ich glaube, ich habe mein Handy im Bad vergessen. Gleich wieder da.« Sie taumelt dorthin zurück, woher sie gekommen ist.

Coen legt den Kopf schief und starrt Simon an. »Wenn du auch nur daran denkst, diese Vereinbarung zu brechen, werde ich dich fesseln und dir so langsam wie möglich jeden Zentimeter deiner Haut abziehen, bis du mich anflehst, dich zu töten.«

Simon tätschelt Coens Arm. »Ich erwarte nichts anderes von dir, Hayes.« Er geht um ihn herum und streicht mit dem Finger über mein Kinn. »Mach dir keine Sorgen, Schatz! Wir werden der Sache auf den Grund gehen.«

Er schlendert an uns vorbei und durch die Menge aus der Bar und lässt mich mit mehr Fragen zurück, als ich Antworten habe.

Coen sieht mich langsam an. »J, bitte sag mir, dass du und Beckett nicht …«

Ich schüttle den Kopf, weil ich nicht will, dass er die Wahrheit erfährt. »Nein, absolut nicht.«

»Du legst dich mit den falschen Männern an, June.« Er fährt sich mit beiden Händen über den Nacken und durch das Haar. »Es ist schon gefährlich genug, dass du dich mit Dom, Bryant und mir abgibst … aber Simon. Ich werde es nicht zulassen. Die Jungs werden es auch nicht. Eher bringen sie dich und ihn um, bevor sie das zulassen.« Seine vertrauten babyblauen Augen starren mich an. »Ich habe das nie für dich gewollt. Nichts davon. Und jetzt bist du hier und wirst direkt in die Schlangengrube geworfen.«

»Hey.« Ich nehme seine Hände in meine. »Ich habe es allein so weit gebracht, vertrau mir ein bisschen!«

Um mich mache ich mir sowieso keine Sorgen. Simon hat deutlich gemacht, dass er mir nichts Böses will. Und solange ich mich von ihm fernhalte, werden es die anderen auch nicht tun. Aber Coen, er ist verloren, eine Dunkelheit hat seine Seele verzehrt, und es ist nur eine Frage der Zeit, bis jeder Rest von Menschlichkeit endgültig verschwunden ist. Ein mysteriöser Killer ist hinter mir her, und vier Männer tun alles, um ihn aufzuspüren und sein Leben zu beenden, aber wer kümmert sich um sie? Wer schützt sie vor dem, was sie bereit sind, für ihre Rache zu tun?

Coen kämpft offensichtlich mit einer Fülle von Dingen, die ich noch nicht entdeckt habe.

Magnus hungert nach Aufmerksamkeit und sehnt sich nach Gesellschaft.

Und Dom tut so, als sei er der Zuneigung und des Verständnisses nicht würdig.

Sie sind alle auf ihre eigene Art und Weise kaputt und keiner von ihnen ist in der Lage, selbst damit umzugehen.

Jeder von ihnen ist gestresst, steht unter einem irrsinnigen Druck, ständig darauf zu achten, was in ihrem Job vor sich geht, denn wenn sie nicht aufpassen, könnte es das Ende von allem bedeuten. Ihr Leben, ihr Lebensunterhalt, alles, wofür sie gearbeitet haben.

Ich fühle mich auf seltsame Weise verpflichtet, ihnen zu helfen, ihre Situation zu meistern, denn ob ich es zugeben will oder nicht, sie sind mir nicht egal, und selbst wenn ich sie auf die Palme bringe, halten sie an mir fest, beschützen mich und sorgen für mich. Sie boten mir Unterschlupf, während ich nirgendwohin kann. Sie haben mir mehr gegeben, als ich verdiene, und verlangen so gut wie nichts als Gegenleistung für ihre

Großzügigkeit. Ich habe mich ihnen widersetzt, ihren Wünschen getrotzt, und doch sind sie ungeachtet ihrer rücksichtslosen und brutalen Art edel und freundlich.

Das heißt nicht, dass ich für immer bei ihnen bleiben muss, aber die Zeit, die mir noch bleibt, möchte ich sinnvoll nutzen und alles tun, um ihnen etwas mehr zu bieten als das, was ich zwischen meinen Beinen habe. Schließlich kann ich nicht einfach gehen, bevor der Krieg zu Ende ist.

KAPITEL ZWANZIG – DOMINIC

»*D*u hast mir einiges zu erklären.« Ich halte mich an der Kante der Arbeitsplatte fest. »Sollte sie hier sein?«

»Hör mal, dieses ganze Gerede über mich, als wäre ich nicht im Raum, muss aufhören.« June verschränkt die Arme vor der Brust, was ihr Dekolleté noch mehr betont.

Eine Ablenkung, die ich im Moment nicht zulassen kann.

»Kannst du dich wenigstens vorher umziehen?«

Sie lässt ihre Hände zur Seite fallen und schaut nach unten. »Was ist falsch an dem, was ich trage?«

Bryant spricht für alle Männer im Raum. »J, Prinzessin … komm schon! Du bist ein wandelnder Ständermagnet.« Er deutet auf seine Leistengegend. »Ich habe einen.« Dann auf mich. »Dom auch.« Er blickt zu Hayes. »Wir alle drei, es ist ein verdammtes Würstchenfest hier drin.«

Er hat nicht unrecht.

»Dann zieh dein Shirt aus«, sagt June zu Bryant.

»Äh, was?«

June zieht ihr Kleid nach oben und über den Kopf und lässt den leichten Stoff zu Boden fallen, sodass sie nur noch ihr Höschen und ihre hohen Schuhe trägt. »Dein Shirt.« Sie hält ihm die Hand hin und wartet, dass er tut, was sie verlangt. »Was? Es ist ja nicht so, als ob ihr nicht alle schon was mit mir hattet, es ergibt keinen Sinn, dass wir uns schüchtern geben.«

»Bryant, Shirt, jetzt!«, befehle ich. Denn wenn ich mir dieses Spektakel weiter ansehe, werde ich sie über den Tresen beugen, ihr Höschen zur Seite schieben und sie vor den Augen der beiden ficken, ohne mich um etwas anderes zu kümmern, als ihre Muschi um meinen Schwanz zu spüren.

Bryant zieht sich das weiße Shirt über den Kopf und wirft es ihr zu, sodass er oben ohne ist und sein Oberkörper nur noch von einem Meer aus Tattoos bedeckt ist.

»Besser?«, fragt sie, sobald sein Shirt locker an ihrem Körper hängt.

Irgendwie ist es das nicht. Ihre Brustwarzen zeichnen sich durch den weißen Stoff ab und geben ihr ein völlig neues, aufreizendes Aussehen. Sie ist einfach in allem, was sie anzieht, sexy.

»Nicht wirklich.« Bryant geht zur Couch hinüber und holt die Decke. Er geht zu June und legt sie ihr um die Schultern. »Hier! Versuch, nicht so heiß zu sein, damit wir uns konzentrieren können.«

»Weißt du, es gibt eine einfache Lösung für dieses Problem.« June lehnt sich gegen den Tresen mir gegenüber.

Ich erkenne sofort, worauf sie hinaus will. »June. Bitte! Heb dir das für einen anderen Tag auf!«

Sie grinst und zieht die Augenbrauen hoch. »Aber es ist eine Option!?« June wiegt ihren Kopf mit einem selbstgefälligen Gesichtsausdruck auf und ab. »Interessant.«

»Reden wir darüber, wovon ich glaube, dass wir reden?« Bryant bleibt der Mund offen stehen. »Weil ich *so* down bin.«

»Leute«, wirft Hayes ein. »Konzentriert euch, verdammt noch mal!«

»Richtig. Gruppensex ist auf Eis gelegt.« Bryant macht ein imaginäres Häkchen in die Luft.

June zieht die Decke fester um sich herum. »Ich habe Simon heute Abend getroffen. Nun, ich habe ihn schon einmal getroffen, wusste aber nicht, wer er war. Wie auch immer, dieser Teil ist irrelevant. Heute Abend hat er verdammt deutlich gemacht, dass er mit dem, was mir passiert ist, nichts zu tun hat. Er schien genauso sauer zu sein, wie ihr es seid. Also haben wir uns darauf geeinigt, dass wir uns für eine kurze Zeit nicht gegenseitig umbringen, und Simon hat gesagt, er würde den Verantwortlichen finden.«

Ich reibe mir die Schläfe. »Wie? Warum? Ich …«

Hayes meldet sich zu Wort. »Er hat sich zu uns geschlichen, als ich mich mit Miller getroffen habe. Er muss bemerkt haben, dass ich beschäftigt war.«

So viel dazu, dass der Sicherheitschef die Dinge im Griff hat.

»Ich bin wirklich überrascht, dass du ihn nicht gleich umgebracht hast.« Bryant lehnt sich auf seinem Stuhl zurück. »Ich hätte es getan.«

Hayes schlägt Bryants Schuhe vom Tisch. »Nein, das hättest du verdammt noch mal nicht.«

Bryant zuckt mit den Schultern. »Das werden wir wohl nie erfahren.«

»Er hatte es vor«, mischt sich June ein. »Ich habe ihn aufgehalten.«

Keiner hält Hayes davon ab, jemanden zu töten. Das ist eine unmögliche Aufgabe. Und doch hat June es irgendwie geschafft, was nur noch mehr beweist, welche Macht sie über uns hat. Die ganze Situation hätte sich niemals ereignen dürfen, aber sie hat ein paar wichtige Punkte ans Licht gebracht.

Laut June und Hayes war Beckett nicht involviert. Wenn das der Fall ist, wer war es dann? Wie konnte June jemanden dazu provozieren, das zu tun, was sie ihr angetan hat? Und wieso? Das ergibt überhaupt keinen Sinn, es sei denn, er arbeitet für jemand anderen. Beckett und ich haben um den Thron gekämpft, aber andere Fraktionen haben versucht, uns beide zu überwältigen. Das kann doch nicht möglich sein, oder? Ich hatte den Eindruck, dass wir beide zusammen die anderen Bedrohungen ausgeschaltet haben. Könnten einige von ihnen durch die Maschen geschlüpft sein?

»Hallo.« June wedelt mit der Hand vor meinem Gesicht. »Bist du da?«

Ich blinzle sie an und fange ihr Handgelenk mit meinem Griff. »Ja. Hör auf damit!«

Ihre weiche Haut ist warm, einladend und wirkt Wunder, wenn es darum geht, meine Aufmerksamkeit völlig in Anspruch zu nehmen. Mein Schwanz pocht in meiner maßgeschneiderten Anzughose und erinnert mich daran, wie sehr er dieses atemberaubende Geschöpf vor mir nehmen möchte.

»Worüber denkst du nach?« June hebt eine Augenbraue.

»Strategische Überlegungen«, lüge ich.

Sie wirft einen Blick auf meine Hand, die immer noch ihren Arm umklammert. »Genau.«

Bryant räuspert sich. »Ich könnte die sexuelle Spannung buchstäblich mit einem Messer schneiden.«

Ich schaue zu ihm. »Ich könnte dich mit einem Messer schneiden.«

Er wirft seine tätowierten Arme in die Luft. »Ich stelle nur das Offensichtliche fest.«

»Ihr seid alle verdammt schrecklich. Können wir uns fünf verdammte Minuten konzentrieren?« Hayes schlägt seine Handfläche auf den Tresen.

Ich lasse Junes Handgelenk los und bedaure sofort den Abstand zwischen ihrer Haut und meiner. Ich verdränge jeden Gedanken daran, ihre Enge mit meinem Schwanz weit zu dehnen, und konzentriere mich auf das Dringendste.

»Beckett behauptet, er werde den Verantwortlichen finden und ihn bis morgen Abend ausliefern.« Hayes fährt fort, über das Geschäft zu sprechen. »Ich habe den Namen Vincent genannt, und er hat so getan, als wüsste er bereits, wer der Täter ist und wie er ihn finden kann. Das macht ihn meiner Meinung nach nur noch schuldiger. Warum sonst sollte er ihn auf einem Silbertablett servieren?«

June verlagert ihr Gewicht und klemmt ihre Unterlippe zwischen die Zähne. »Nun, das könnte meine Schuld sein.«

»Was?« Bei diesem Wort entweicht mir ein leichtes Knurren.

»Er …« Sie reibt sich den Nacken. »Ich glaube, er *mag* mich.«

Meine Kiefer spannen sich an, und ich versuche, mich zu beruhigen, indem ich tief einatme. Trotz meiner Bemühungen entspannt mich das nicht im Geringsten. »Nein!«

»Ich habe es dir gesagt«, fügt Hayes hinzu.

»Was hast du ihr gesagt?«

»Dass du das nicht gutheißen wirst.« Hayes verschränkt die Arme.

»Gutheißen? Ist das dein verdammter Ernst?« Ich schließe die kleine Lücke zu June, während meine große Gestalt sie überragt. Ich starre sie an und ertappe mich dabei, wie ich mit meiner Hand ihren Arm hinauffahre, ihren Nacken umschließe und ihr Kinn zu mir neige. »Niemals. Ich wiederhole, niemals wirst du mit dem Gedanken spielen, mit Simon Beckett zusammen zu sein, hast du mich verstanden?« Ich ziehe meinen Griff fester und warte auf ihre Bestätigung.

Statt der Angst, die ich von ihr erwarte, zeichnet sich etwas anderes in ihren Zügen ab. June beobachtet mich unter ihren Wimpern hindurch, ihre Wangen verziehen sich zu einem Grinsen. »Fester!«, haucht sie und leckt sich über die Lippen.

Meine Erektion verrät mich, drückt sich durch meine Hose und gegen ihr Bein.

Wie kann ich derjenige sein, der sie körperlich dominiert, und doch hat sie die volle Kontrolle? In all meinen Jahren habe ich noch nie jemanden getroffen, der diese Art von Macht über mich hatte. Normalerweise ducken sich Frauen vor meiner dunklen Seite, aber bei June ist es so, als ob sie mit ihrer übereinstimme und sie zum Vorschein bringt. Eine tödliche Kombination, die ohne Zweifel katastrophal enden wird. Wir sind beide wütende Feuer, die in einem Benzin der Begierde übergossen werden, das uns bis auf den Grund niederbrennen wird.

»Ich muss los.« Hayes drückt eine Taste auf seinem Telefon und trennt die Verbindung zu einem Anruf, den ich nicht einmal mitbekommen habe. »Es gab einen Einbruch in einem unserer Gebäude. Ich kümmere mich darum, wenn ich hier nicht gebraucht werde.«

»Willst du wirklich die Show verpassen? Es wird gleich gut werden«, sagt Bryant von seinem Platz aus, von dem aus er mich und June sehen kann.

June löst sich aus meiner Umklammerung und wendet sich Hayes zu, während er zur Tür geht. »Ich wüsste etwas Nützliches, das du tun könntest, Co.« Sie lässt die Decke fallen, die sie um ihre Schultern gewickelt hat.

Hayes blickt zu ihr zurück. »Vielleicht ein anderes Mal, J.« Er setzt seinen Weg fort, schnappt sich einen Schlüsselbund und verschwindet in der Garage, während wir drei zurückbleiben.

»Wie du schon sagtest.« June greift nach unten, hält meine Hand fest und legt sie zurück in ihren Hals.

Oh, sie weiß genau, was sie tut, und es macht ihr Spaß, mich zu testen.

Ich gleite mit dem Daumen an ihrem Kinn entlang und greife in ihren Nacken.

»Bestrafst du mich jetzt dafür, dass ich ein böses Mädchen war?« Junes wilde Augen bohren sich in mich und verstärken ihre sarkastischen Sticheleien.

»Hör auf zu reden!«, sage ich und verschwende keine weitere Sekunde damit, meinen Mund auf ihren zu pressen. Ich teile ihre Lippen mit meiner Zunge und streichle sie besitzergreifend. Ich fordere sie ein, will, dass sie versteht, dass sie außerhalb dieses Hauses niemandem gehört. Sicher, ich teile sie mit Hayes und Bryant, aber wenn sie auch nur eine Sekunde glaubt, dass sie mit jemand anderem zusammen sein kann, dann irrt sie sich. Ich werde mit Freuden jeden umbringen, der versucht, diese Grenze zu verwischen.

Ich löse mich nur kurz von Junes üppigen Lippen, als ich bemerke, dass Bryant auf uns zukommt.

Er nähert sich ihr von hinten und greift nach dem Saum des Hemdes, das er ihr geliehen hat, und zieht es hoch und über ihren Kopf.

Sie dreht sich aus meinem Griff und wendet sich Bryant zu. Ihre Fingerspitzen streifen seine Brust und legen sich um seinen Nacken, sie zieht ihn zu sich herunter und presst ihre Lippen auf seine.

Er stöhnt in ihren Mund und zieht ihren fast nackten Körper zu sich heran.

Ich gehe in die Knie und ziehe ihr das Höschen über den Hintern. Es landet neben dem letzten, was sie trägt, den hohen Schuhen, die ich persönlich für sie ausgesucht habe.

Ich genieße die Berührung ihrer Haut, lasse meine schwieligen Hände an ihren Schenkeln hinaufgleiten und schiebe ihre Arschbacken auseinander. Ich hinterlasse eine Spur von Küssen und streiche mit meiner Zunge über ihre nassen Falten.

June wölbt sich mir entgegen, ihr Körper lädt mich ein und bettelt um mehr. Ich möchte aufhören, die Zeit verlangsamen und sie wieder und wieder befriedigen, aber sie muss wissen und verstehen, wem sie gehört.

Ich stehe auf, knöpfe meine Hose auf und greife hinein, um meinen Schwanz zu befreien. »Meins!« Ich reibe die Kuppe an ihr und sie lehnt sich gegen mich, während sie ihre Hand an Bryants Schaft auf und ab gleiten lässt, ihr Mund ist immer noch an seinem.

Seine Handflächen massieren ihre Brüste. Er sieht die Frau, die ihn befriedigt, nicht an.

Ich umfasse ihre Taille, richte mich auf und stoße mit etwas Kraft in sie hinein.

June stößt ein Wimmern aus und Bryant zieht sich zurück, Blut klebt an seiner Lippe. Seine Zunge fährt heraus und streicht über die rote Stelle. Er grinst und schmilzt für einen weiteren heißen Kuss wieder mit ihr zusammen.

Ich stoße wieder in sie hinein, ohne darauf zu achten, wie viel von ihr ich ausfülle. Jeder einzelne Zentimeter von ihr muss begreifen, wie ernst es mir ist.

»Scheiße!«, murmelt sie gegen Bryant. June greift zwischen ihre Beine, ihre Finger streifen ihre Nässe und spüren, wie mein Schwanz in sie hinein und aus ihr heraus stößt. Sie nimmt dieselbe Hand und mit ihrer Feuchtigkeit und streichelt Bryant weiter.

June wiegt ihren Körper an meinem und passt sich meiner Intensität in einer Weise an, die mich einfach umhaut.

Ich schiebe meinen Schwanz tiefer und ändere das Tempo.

Sie greift um sich und legt ihre Hand auf meinen Bauch. »Stopp!«

Sofort, ohne einen weiteren Gedanken, bleibt mein Körper völlig stehen. Habe ich ihr wehgetan? War es zu viel? War das alles mehr, als sie sich vorgestellt hatte? Hat sie endlich das Ausmaß der Situation erkannt?

»Was ist los?«, fragt Bryant zuerst.

June lässt mich aus ihr gleiten und macht einen Schritt zur Seite. Sie lässt sich auf den Schafsfellteppich sinken, der nur wenige Meter entfernt liegt. »Nichts.« Sie spreizt ihre Beine und dreht sich auf alle viere, leckt sich die Lippen und grinst. »Ich mache es mir nur bequemer.«

Bryant nimmt wieder seinen Platz vor ihr ein, nur dass er jetzt auch auf Knien ist.

Sie hält ihn mit einer Hand fest und fährt mit ihrer Zunge an seiner Länge entlang, was seine Erektion mit voller Wucht zurückbringt. June wirbelt ihren Mund über seine Kuppe, bevor sie ihn in sich gleiten lässt.

Bryant nimmt ihr tiefschwarzes Haar in seine Hände und streicht es ihr aus dem Gesicht. Seine Fäuste führen ihren Kopf tiefer und tiefer, bis sie fast an ihm erstickt.

Ich hocke mich zwischen ihre Beine und nehme mir einen Moment Zeit, um sie zuerst zu schmecken. Das ist für mich, nicht für sie. Ich lecke an ihrer triefenden Lust und lasse meinen Finger über ihren pochenden Kitzler gleiten. Ich gönne ihr nicht die Genugtuung, zu lange zu verweilen. Es braucht nicht viel, um sie in den Wahnsinn zu treiben, und im Moment weigere ich mich, ihr das zu geben.

Als ich nicht weitermache, stöhnt sie und legt ihre Hand auf ihre Klitoris. Anstatt ihr zu erlauben, sich selbst zu befriedigen, packe ich ihre Arme und halte sie mit meiner linken Hand hinter ihrem Rücken fest. Sie murmelt gegen Bryants Schwanz, aber er fährt fort, sie mit der Kontrolle, die er über sie hat, zu ficken.

Ich stoße in sie hinein und fülle sie noch einmal mit jedem Zentimeter von mir. Mein Bedürfnis nach Erlösung entspricht dem ihren mit jedem kräftigen Schub, den ich in sie führe.

Ihr Körper entspannt sich und spannt sich gleichzeitig an, sie schiebt ihre Beine weiter auseinander, damit ich sie besser ficken kann. June stößt ihren Arsch gegen mich und ihr Mund öffnet sich weiter, um mehr von Bryant aufzunehmen.

Bryant rollt mit den Augen und sein Griff um ihr Haar wird fester. »Mein Gott, Prinzessin!«

June stöhnt und würgt, aber wir fahren fort, ihre hübschen kleinen Löcher im Tandem zu verwüsten. Ihr Körper ist hungrig nach mehr.

Ich nehme meinen Daumen in den Mund, befeuchte ihn und lege ihn sanft auf ihren festen Hintern.

Bryant stöhnt ein letztes Mal auf und explodiert in ihr. Er

zieht sich zurück und streichelt jede Unze seines Orgasmus in ihren Mund und auf ihr Gesicht.

Sie verschlingt ihn gierig und spannt sich um meinen Schaft an.

Ich lasse ihre Hände los und ziehe mich aus ihr, drehe sie zur Seite und auf ihren Rücken. Ich bringe meine Härte dorthin zurück, wohin sie gehört und halte ihre Hände über ihrem Kopf fest, während ich sie langsam und hart ficke. »Niemand sonst, June.« Ich stoße in sie hinein. »Hörst du mich?«

Sie leckt sich die Reste von Bryants Saft von der Unterlippe. »Ich höre dich.«

»Aber schwörst du es?«

Sie starrt mich fragend an, als wolle sie herausfinden, wie ernst es mir ist. Vielleicht fragt sie sich, ob ihr Handeln Konsequenzen haben wird, wenn sie sich entscheidet zu lügen. Ihr Inneres spannt sich an, ihr Orgasmus steht kurz bevor, genau an dem Punkt, an dem ich ihn halten will, wenn sie nicht einlenkt.

Wie ein letztes Puzzlestück, das an seinem Platz einrastet, spitzt sie ihre Lippen und murmelt: »Ich schwöre.«

»Braves Mädchen!«, seufze ich, und ein Gewicht fällt von meinen Schultern, während sie sich mir unterwirft. Ich lehne mich weiter zu ihr, mein Körper liegt genau richtig, um sich genau an der Stelle an ihr zu reiben, an der sie mich braucht.

Ihr Griff um meine Hände wird fester, ihre Nägel graben sich in meine Haut und vermischen sich mit dem Vergnügen ihrer pulsierenden Pussy mit meinem Schwanz, der tief in ihr vergraben ist. Ich gönne ihr das Vergnügen der Erlösung und genieße den Schrei, der sie bei ihrem Höhepunkt verlässt.

Ihr Körper zittert immer noch und sie blinzelt zu mir auf. »Ich will, dass du in meinem Mund fertig wirst.«

Wie kann ich ein solches Angebot ablehnen?

Ich lasse ihre Hände los und sie stützt sich auf ihre Ellbogen, während ich meinen schmerzenden Schwanz aus ihr ziehe. Bryant, der uns intensiv beobachtet, streichelt seinen Schwanz.

June bewegt sich elegant, ihr Hintern ragt jetzt in Richtung Bryant, und ihre Hand und ihr Mund finden mich.

Bryant lässt seinen Schwanz aus der Hand fallen und nimmt die gleiche Position ein wie sie, um sein Gesicht direkt in ihre Süße zu drücken.

Sie stöhnt, als sie mich in ihren kleinen Griff nimmt und die Kuppe meines Schafts zwischen ihre Lippen schiebt. Ihre Zunge gleitet an der Unterseite entlang, während sie den Ansatz fest umfasst und Daumen und Zeigefinger in einer perfekten Bewegung bewegt, um mir ein gesteigertes Gefühl der Lust zu bereiten.

Obwohl ich weiß, dass ich jeden Moment kommen könnte, halte ich mich zurück und lasse Bryant sie der Vergessenheit näher bringen. Es dauert nicht lange, bis ihr schweres Atmen und ihr hungriger Mund mich darauf aufmerksam machen, dass sie fast so weit ist.

Ich verflechte meine Finger in ihrem Haar und komme in ihrem Mund zum Orgasmus, sodass sie jeden Tropfen von mir schluckt, während sie unter Bryants Lippen ebenfalls zum Höhepunkt kommt.

Ich dachte, ich hätte mehr Kontrolle über sie, dass ihr Aufenthalt hier nichts ändern würde. Aber hier sind wir und ficken auf dem Teppich in der Mitte des Raumes.

Hoffen wir, dass wir damit so weit befriedigt sind, dass wir unsere Aufmerksamkeit auf dringende Angelegenheiten richten können – den Krieg, in dem wir uns befinden.

Der Anspruch auf den Thron ist jetzt, da ihr Leben davon abhängt, umso dringlicher.

Wenn Beckett glaubt, dass er eine Chance hat, mit June zusammen zu sein, muss er erst an mir vorbeikommen.

Es steht irgendwie mehr auf dem Spiel als je zuvor.

KAPITEL EINUNDZWANZIG –
MAGNUS

»*D*u kommst nicht mit.« Hayes verschränkt die Arme vor der Brust, als würde das June irgendwie davon überzeugen, ihre Meinung zu ändern.

»Du kannst mich nicht aufhalten.« Auch sie verschränkt ihre Arme und streckt ihre Hüfte vor.

»Ja, das wird nicht passieren«, fügt Dominic hinzu.

Ich zucke zusammen, als sie in meine Richtung blickt. »Schau mich nicht an!«

»Was soll's? Ich bin keine Gefangene.« June schnappt sich Hayes' Telefon vom Tresen und hält es ihm vor die Nase, bevor er begreifen kann, was sie da tut. Das Ding entsperrt sich per Gesichtserkennung und sie drückt ein paar Tasten, während sie sich zurückzieht.

»J, gib mir mein Handy!« Hayes folgt ihr.

»Nein, Co.« Mit einer weiteren Fingerbewegung hält sie das Gerät an ihr Ohr.

Hayes entreißt es ihr und trennt die Verbindung. »Bist du verrückt?« Gleich darauf klingelt das Handy. Hayes seufzt und drückt einen Knopf. »Tut mir leid, Beckett, die Tasche hat dich angerufen. Wir sind gleich da.« Er legt auf und steckt es in seine Tasche, außerhalb ihrer Reichweite.

June atmet ein und atmet langsam aus. »Okay. Ich werde euch zwei Möglichkeiten geben. Entweder gehe ich mit euch, oder ich warte, bis ihr weg seid, und folge euch dann, was angesichts der Umstände riskant ist. Die Entscheidung liegt bei euch. Es macht mir nichts aus, wenn ihr es lieber auf die harte Tour erledigen wollt.«

Ich gehe zu ihr und lege meinen Arm um ihre Schulter. »Ich stimme für den einfachen Weg.«

»Das ist keine verdammte Demokratie.« Dominic starrt mich an, und wenn Blicke töten könnten, wäre ich brutal gestorben.

»Vielleicht sollte es das sein.« June packt mich an der Taille und zieht mich näher zu sich heran. »Zwei gegen zwei.«

»Hör zu!«, füge ich hinzu. »Ich hasse den Kerl genauso wie du, aber ich habe das Gefühl, dass er ihr nicht wehtun wird. Ich meine, er ist verdammt besessen von ihr.« Ich schaue auf das süße Füchslein hinunter. »Kannst du ihm das verübeln?«

»Und du hast noch ungefähr zwölf Stunden Zeit lang Waffenstillstand.« June behauptet sich weiterhin vor zwei der tödlichsten Männer, die mir je begegnet sind. »Ich verzeihe euch nicht, wenn ihr mich nicht gehen lasst.«

Ihre letzte Aussage schneidet wie ein Messer, obwohl sie nicht an mich gerichtet ist. Der Gedanke, mich nicht mehr mit ihr zu verstehen, genügt, um mein Herz schmerzen zu lassen. Wie zum Teufel Hayes täglich damit umgeht, ist mir schleierhaft.

»Gott weiß, wie sehr du nachtragend bist«, murmelt Hayes.

»Oh!« June legt den Kopf schief. »Darum geht es? Jetzt? Also gut. Dann lass uns das klären!« Sie tippt ihm auf die Schulter. »Komm schon, sag mir, was du wirklich denkst, Coen. Erzähl der ganzen Gruppe, wie du einen Haufen leerer Versprechungen gemacht hast und abgehauen bist, wie ein verdammter Feigling. Du hast dir nicht die Mühe gemacht, anzurufen, dich zu melden, ein Mann zu sein und vielleicht einfach zuzugeben, dass du verdammt noch mal weitergemacht hast? Ich hätte wissen müssen, dass du mich betrügen, dass du mich ohne einen zweiten Gedanken verlassen würdest.« June schüttelt den Kopf. »Du wusstest, was das für mich bedeutet. Verlassen zu werden. Und du hast es trotzdem getan. War ich dir jemals wichtig, verdammt noch mal?« Ihre Stimme wird leiser. »War ich ein Scherz für dich? Eine Aufgabe?«

Ich wusste, dass es schlimm war zwischen ihnen, aber mir war nicht klar, wie tief die Wunde ist, bis ich den Schmerz in jedem von Junes Worten spüren kann. Sie ist stolz darauf, dass sie sich abschottet und niemanden an sich heranlässt, sie so zu sehen, wie sie wirklich ist. Sie war beschädigt, als sie und Hayes zusammenkamen, aber er war der einzige Mensch, den sie an sich heranließ. Sie vertraute ihm und er tat das Unaussprechliche. Das Unverzeihliche.

»Es ist nicht seine Schuld.« Dominic fährt sich mit der Hand durch das Haar. »Wenn du auf jemanden wütend sein willst, lass es an mir aus! Nicht an ihm.«

»Wovon redest du?« June stellt die Frage, die in meinem Kopf aufpoppte.

»Halt dich da raus, Dom!«, bellt Hayes. »Das hat nichts mit dir zu tun.«

»Es hat alles mit mir zu tun. Sie verdient die Wahrheit.«

»Jemand sollte besser anfangen zu reden.« June hält sich an der Kante des Tresens fest.

Dominic sieht sie direkt an. »Es ist meine Schuld. Ich bin der Grund dafür, dass er nie zu dir zurückgekommen ist.«

June lässt ihre Aufmerksamkeit von Dom zu Hayes wandern. »Co?«

Zum ersten Mal überhaupt, zumindest während ich Zeuge bin, treten Tränen in Hayes' strahlend blaue Augen. »Ich dachte, ich würde dich beschützen, J.«

Die Entschuldigung dafür, dass er sie zurückgelassen hat, ist die selbstloseste von allen. June denkt, dass ihre erste Liebe sie verlassen hat, weil sie ihm egal war, aber in Wirklichkeit hat er es getan, um sie vor diesem gefährlichen Leben zu retten, dem er nie entkommen würde. Er hat sie in die Vergangenheit geschickt, damit sie nicht in Gefahr gerät. Kein Wunder, dass er so verdammt wütend auf uns war, weil wir sie unvorsichtigerweise da mit reingezogen haben.

Hayes hält seinen Blick auf June gerichtet, sein Ton ist leise. »Ich habe nie aufgehört, dich zu lieben. Nicht eine Sekunde lang.«

June wischt sich eine Träne weg, die ihre Wange hinunterläuft. »Ich, ähm, denke, wir sollten später darüber reden.« Sie schnieft und gewinnt ihre Fassung zurück. »Es hat nichts mit heute Abend zu tun. Und wenn einer von euch beiden sich jemals verzeihen will ...« Sie deutet auf Hayes und Dominic. »Werdet ihr mir nicht mehr im Weg stehen.«

»Okay.« Hayes nickt und akzeptiert, dass er vielleicht, nur vielleicht, eine Chance hat, wieder ihre Gunst zu gewinnen.

Dominic fährt den Geländewagen, während Hayes auf dem Beifahrersitz sitzt. June und ich sitzen schweigend hinten.

Ich beobachte sie, während sie ausdruckslos aus dem Fenster auf die vorbeiziehende Landschaft starrt. Ich kann nicht genau sagen, was sie denkt oder fühlt, ein Tornado von Gefühlen und Gedanken, der sie wahrscheinlich mit jeder Sekunde verwüstet. Ich kann mir nur vorstellen, welche Qualen sie durchmacht, wenn sie etwas so Erschütterndes über ihre Vergangenheit und ihre Gegenwart herausfindet, die miteinander kollidieren und ihr Leben durcheinanderbringen.

Ich will nicht zu weit gehen, aber meine Seele bittet, sie zu verstehen, da zu sein, wenn sie mich braucht. Wir kennen uns noch nicht lange, und doch gibt es diese unbestreitbare Verbindung zwischen uns, ein unsichtbarer Faden, der unsere Schicksale miteinander verbindet. Es ist ein verdammtes Klischee, das ist mir völlig klar. Dennoch bin ich überzeugt, dass sich unsere Wege aus einem bestimmten Grund gekreuzt haben, dass wir füreinander bestimmt sind. In ihrer Nähe bin ich gleichermaßen stark und verletzlich, und wenn ich mich nicht irre, spürt sie das auch. Nicht nur mit mir, sondern mit uns allen dreien. Ich hätte nie gedacht, dass jemand wie June mich finden würde. Ich hatte mich mit meinem Schicksal von bedeutungslosen One-Night-Stands und oberflächlichen Gesprächen abgefunden. Ich habe sie nie kommen sehen, und als ich sie zum ersten Mal sah, war es, als ob sich der Himmel öffnete und buchstäblich ein Engel in mein Leben trat.

Ein wunderschönes, zerbrochenes Exemplar.

Sie ist keine Jungfrau in Nöten. Nein. June ist ein wandelndes Rätsel aus Schönheit und Stärke und einer dunklen Weiblichkeit, die nur sie ausstrahlen kann. Sie ist durch ihre Vergangenheit abgehärtet. Sie ist zurückhaltend. Sie ist klug. Sie ist gefährlich. Sie hat alles, was sie jemals verletzt hat, absorbiert und sich in die härteste Frau verwandelt, die ich je gekannt habe. Sie stürzt sich nicht in die Gefahr, weil sie dumm ist, sondern weil sie alles überwinden kann, was die Welt ihr vorsetzt.

Sie wird auf jeden Fall unsere Rettung oder unser Untergang sein. Auf jeden Fall das eine oder das andere.

Ist ihr klar, dass die drei Männer in diesem Fahrzeug buchstäblich alles für sie tun würden, was in ihrer Macht steht? Ihr alles geben, was sie sich nur wünschen kann. Ihr jeden Wunsch erfüllen und trotzdem nie davor zurückschrecken, noch mehr für sie tun zu wollen, um zu beweisen, wie viel sie ihnen bedeutet?

»Wir sind da.« Dominic blickt uns im Rückspiegel an.

June packt den Griff und zerrt noch fester daran, als er sich nicht rührt. »Was soll der Scheiß, lasst mich raus!«

Hayes dreht sich zu uns um. »June. Ich bitte dich, unsere Differenzen für die nächste Stunde oder so beiseitezulegen.«

Seine Stimme ist ruhig und kalkuliert, als würde er über die Detonation einer scharfen Bombe sprechen. »Unsere oberste Priorität ist es, dass wir alle unverletzt hier rauskommen, und das können wir nicht, wenn du aus dem Auto springst, während es noch fährt.«

Sie atmet aus und lehnt sich auf dem Sitz zurück. »Gut. Wie lautet der Plan?«

Hayes fährt fort. »Ich werde zuerst aussteigen und die Umgebung abchecken. Dann, und erst dann, wenn ich mich vergewissert habe, dass es sicher ist, kannst du kommen.«

»Und du erwartest von mir, dass ich dir vertraue, dass du zurückkommst?«

Autsch! Die Ohrfeige traf sogar mich.

»Das wird er.« Dominic stellt den Motor ab und sieht Hayes an. »Und jetzt los!«

»Das sagst du«, erwidert June.

Dominic macht sich nicht die Mühe, den Köder zu schlucken, denn er weiß, dass es besser ist, kein Öl in dieses Feuer zu gießen. Dom lässt sich von niemandem einschüchtern, aber dieses kalkulierte Risiko ist mehr, als er im Moment eingehen möchte. Ich kann es ihm nicht verdenken. Der Gedanke, dass June aus der Haut fahren und etwas tun könnte, das sie verletzt, oder dass sie möglicherweise beschließt, dass sie genug hat und uns für immer verlässt, ist das, was auch mich auf Eierschalen laufen lässt. Sie kann wütend auf die beiden sein, aber wenn sich ihr Groll auch gegen mich wendet, hat sie vielleicht keinen Grund mehr, bei uns zu bleiben.

Es ist offensichtlich, dass sie nicht wegen des Geldes oder der finanziellen Sicherheit, die wir bieten, bei uns ist. June ist einfallsreich, und wenn ich nicht eingeschritten wäre, hätte sie zweifellos einen anderen Weg gefunden, um mit dem wenigen, das sie hat, zu überleben. An männlichen Verehrern mangelt es ihr auch nicht. Jeder Mann an der Westküste schaut zweimal hin, wenn sie vorbeiläuft. Vielleicht ist es die Sicherheit, die wir bieten … die Geborgenheit. Aber das kann nicht sein, denn June hat es irgendwie geschafft, sich aus den Fängen einer Bedrohung zu manövrieren und mit dem Leben davonzukommen. Was nur die Tatsache unterstreicht, dass sie mit Dingen umgehen kann, mit denen die meisten Menschen nicht umgehen können. Ein weiterer Beweis dafür, dass sie vielleicht, nur vielleicht, diese tödliche Welt, in der wir leben, überstehen kann.

June braucht niemanden.

Aber was, wenn es das doch ist? Was ist, wenn June *uns* will?

Trotz ihrer Vergangenheit mit Hayes und ihrer gegenwärtigen Wut auf Dominic hat sie tief im Inneren Gefühle für sie, für mich, für uns.

Wäre sie hier, wenn sie es nicht hätte?

Hayes klopft an das Fenster und reißt mich aus meinen schweren Gedanken.

June angelt sofort nach dem Griff, aber ich halte sie auf.

»Hey!«, sage ich mit meiner sanftesten und freundlichsten Stimme überhaupt.

»Versuche nicht, mich aufzuhalten!«

Ich schüttle den Kopf. »Das tue ich nicht. Ich wollte dir nur sagen, dass du es mir jederzeit sagen kannst, wenn du verschwinden willst. Ich bin für dich da.«

Das Einzige, was sie noch nie von jemandem bekommen hat – Beständigkeit. Jemanden, der tatsächlich für sie da ist, egal was passiert.

»Oh!« Sie blinzelt mich ein paar Mal an. »Danke!«

Mein Gesicht verzieht sich zu einem Grinsen. »Natürlich, Prinzessin.«

»Ich werde dir in den Arsch treten.« June kichert leise und die Anspannung in ihren Schultern löst sich für einen Moment.

»Führe mich nicht in Versuchung.«

Wir springen beide aus dem Geländewagen und gehen zu Dominic und Hayes. Die beiden unterhalten sich, halten aber inne, als wir uns nähern. Ein weiterer Grund für June, sich aufzuregen. Können diese Idioten noch dümmer sein? Bin ich der Einzige, der glaubt, dass der Schlüssel zu dieser ganzen Sache mit June darin besteht, sie einzubeziehen und ihr nicht das Gefühl zu geben, ausgestoßen zu sein? Warum sollte jemand in der Nähe bleiben wollen, wenn er so behandelt wird?

Ich denke, wenn sie sich nicht zusammenreißen können, werde ich ihr meine Liebe gestehen, und wir könnten weglaufen – nur sie und ich.

»Was ist so lustig?«, fragt Hayes, als ich ein Lachen ausstoße, von dem ich nicht wusste, dass es hörbar war.

Oh, ich stelle mir gerade ein Traumleben vor, in dem June und ich glücklich bis ans Ende unserer Tage leben. Etwas, das aus einer Vielzahl von Gründen niemals möglich sein wird.

»Ich habe an dieses Katzen-Meme gedacht, das ich vorhin gesehen habe.«

»Konzentrier dich auf das Spiel, Bryant!« Dominic wendet sich an Hayes. »Sag ihnen, was du mir gesagt hast.«

Hayes blickt zwischen uns dreien hin und her. »Die Umgebung ist sauber. Beckett und der verdächtige Mann sind drinnen.« Seine Kiefer spannen sich an, bevor er fortfährt: »Er hat darum gebeten, ein paar Minuten mit June allein zu sein.«

Mir wird im übertragenen Sinne der Boden unter den Füßen weggezogen. Mein Herz klopft wild in meiner Brust. Die Vorstellung, nicht da zu sein, sie nicht im Auge zu haben, um ihre Sicherheit zu gewährleisten, macht mich fast fertig. Doch dann kommt mir eine Idee, eine, die ihm gibt, was er will, und gleichzeitig ein gewisses Maß an Kontrolle bewahrt. »Hast du dein Handy dabei?«

June durchwühlt ihre Taschen und steht mit leeren Händen da. »Nein, ich dachte nicht, dass ich es brauchen würde. Warum?«

Ich zeige auf die beiden anderen. »Hat einer von euch eins?« Ich ziehe meins heraus und entriegele den Bildschirm. Ich nehme Dominics aus der Hand und werfe einen Blick in Richtung des Gebäudes, in dem Beckett gerade mit einem bald toten Mann herumhängt.

»Was machst du da?«, fragt June.

Der Rest unserer kleinen Gruppe unterwirft sich dem Plan, in den ich sie noch nicht eingeweiht habe.

»Gib mir eine Sekunde!« Ich drücke die Videochat-Taste an meinem Gerät und verbinde es mit dem von Dom. Ich drücke die Stummschalttaste auf meiner Seite und betrachte June von Kopf bis Fuß. »Dreh dich um!«

Ihre Vordertaschen sind klein, zu klein. Frauenkleidung ist dumm. Wenn sie größere Taschen hätten, müssten sie vielleicht keine Handtaschen tragen oder mit fünfzehn Dingen in ihren zierlichen Händen jonglieren.

Ich streiche ihr mit der Hand über den Hintern und schiebe das Handy in ihre Gesäßtasche, sodass der Teil mit der Kamera für die Außenwelt sichtbar bleibt. Ich hätte lieber einen anderen Blickwinkel, aber so können wir alles hören, was passiert, und haben den Vorteil, dass wir eingreifen können, wenn Beckett gegen die Waffenruhe verstößt und etwas anstellt. June wurde zwar nicht unbedingt in die Regeln aufgenommen, aber es ist klar, dass es Konsequenzen haben wird, wenn er ihr etwas antut.

»Hast du meinen Arsch abgetastet?« June schaut über ihre Schulter zu mir.

»Niemals, Prinzessin.«

Das Geräusch hallt durch das Telefon in meiner Hand und bestätigt, dass es funktionieren wird.

»Wir brauchen ein Safeword für den Fall, dass du uns brauchst.« Ich verdränge die sexuellen Gedanken, die mir in den Sinn kommen.

»Ich kann mit Simon umgehen. Findet ihr nicht, dass ihr überreagiert?«

Ist June immer noch nicht klar, wie gefährlich die Männer in ihrem Leben sind? Oder ist es ihr einfach egal?

Dominic räuspert sich. »June. Da drinnen sitzt ein Mann, der an einen Stuhl gefesselt ist und darauf wartet, dass einer der Jungs, die vor dir stehen, ihn umbringt. Ich versichere dir, dass es uns große Befriedigung verschaffen wird, sein Leben zu beenden. Es wird nicht das erste und nicht das letzte Mal sein, dass wir es tun. Der Typ, der ihn hergebracht hat, ist nicht anders als wir. Er ist ein skrupelloser, gefährlicher, egoistischer Krimineller, der wenig Rücksicht auf den menschlichen Anstand nimmt. Er mag auf dich fixiert sein, aber wenn du auch nur eine Sekunde glaubst, dass das mit einer unschuldigen Schwärmerei vergleichbar ist, liegst du falsch. Männer wie wir sind besitzergreifend. Wenn wir etwas sehen, das wir wollen, nehmen wir es uns. Wenn wir es nicht haben können, kann es niemand anderes haben. Beckett ist da keine Ausnahme.« Er richtet seinen intensiven Blick auf sie. »Verstehst du das?«

June nickt langsam. »Ja, ich …«

Dominic fügt hinzu: »Vergiss nicht, dass Beckett der Feind ist. Er wird seine Gerissenheit und seinen Charme einsetzen, um dich vom Gegenteil zu überzeugen. Du kannst ihm nicht trauen.«

»Und warum sollte ich einem von euch trauen?«

»Tu's nicht.« Dominic packt June an der Schulter. »Es ist besser so.«

June studiert sein verhärtetes Gesicht und ich wünschte, ich könnte tief in ihre Gedanken eintauchen. Jede Sekunde, die sie mit uns verbringt, ist eine weitere, in der sie die Wahrheit darüber erfährt, wie brutal wir sein können. Wie wir es gewesen sind. Wie wir auch in Zukunft sein werden. Diesem Leben kann man nicht entfliehen. Die Dinge, die wir getan haben – die schiere Anzahl von Menschen, die wir gefoltert, getötet und dem Tod überlassen haben. Alles im Namen der Aufrechterhaltung unseres Rufs, damit das

Geschäft an erster Stelle unserer Prioritäten steht. Der Grund, warum wir immer noch stehen, während so viele andere gefallen sind, ist, dass wir tun, was nötig ist, um an der Spitze zu bleiben.

Wir sind gefürchtet, wir sind mächtig, wir sind tödlich.

June hat erst einen Vorgeschmack darauf bekommen, was es bedeutet, mit uns zusammen zu sein, und doch hat sie sich angesichts des Unbekannten nicht einmal gescheut. Sie ist entweder eine Närrin oder die perfekte Ergänzung zu unserem chaotischen Desaster.

»Sind wir hier fertig, oder versuchst du weiterhin, mir ›Angst einzujagen‹?« June benutzt ihre Finger, um ihre letzten Worte in Anführungszeichen zu setzen.

Ich beiße mir auf die Unterlippe, um das Grinsen zu verbergen, das die immense Befriedigung verraten würde, die mich durchströmt. Ich finde es verdammt gut, wie sie jeden von uns herausfordert und sich weigert, ein Schaf zu sein, das blindlings zur Schlachtbank geführt wird.

»Ananas«, verkündet Hayes wie aus dem Nichts. »Das Safeword.«

June fährt mit ihrer Handfläche über Hayes' Gesicht. »Niedlich.« Ohne einen weiteren Blick geht sie weg und verschwindet in dem alten, verlassenen Lagerhaus, das genauso aussieht wie die unzähligen anderen in der Umgebung.

Weit genug von der Stadtgrenze entfernt, damit die Leute die Schmerzensschreie der Gefolterten nicht mitbekommen. Wir sorgen dafür, dass die örtliche Polizei ihre Taschen füllt, und sie bleibt uns vom Hals. Letzten Endes hat jeder seinen Preis, wenn er den Mund hält. Und zu unserem Glück haben wir reichlich Geld, um diejenigen zu schmieren, die wir brauchen.

»Du weißt wirklich, wie man einen Mann warten lässt.« Simon Beckett.

»Was soll ich sagen, ich bin eine vielbeschäftigte Frau.« June geht weiter durch das Gebäude, die Tür fällt hinter ihr zu. Sie bleibt stehen, ihr Körper spannt sich leicht an.

Meine Fingerspitzen werden weiß von dem Griff um das Telefon in meiner Hand. Dominic und Hayes blicken über meine Schulter und beobachten den minimalen Ausschnitt des Gebäudes, den wir betrachten können.

Becketts Schritte nähern sich June, sein Schatten wirft sich auf sie. »Ist er es? Der Mann, der dich verletzt hat?«

June holt tief Luft und atmet aus. »Mmh.«

»Ich bin froh, dass ich ihn für dich finden konnte.« Beckett hält inne. »Etwas, wozu die Männer, mit denen du deine Zeit verbringst, offensichtlich nicht in der Lage waren.« Er nähert sich ihr weiter. »Weißt du … ich könnte dir alles geben, was du willst.«

June bleibt stehen und wehrt sich nicht gegen seinen Vorstoß.

Wir alle drei sind angespannt und warten darauf, dass es endlich vorbei ist. Dass die Uhr die Sekunden herunterzählt und er endlich zum Punkt kommt, warum er sie allein sehen wollte.

»Warum hast du mich gebeten, ohne sie zu kommen?« June stellt die Frage, die wir alle denken.

»Zwei Gründe in Wirklichkeit.« Die Lautstärke seiner Stimme verändert sich, als würde er seine Position wechseln. »Erstens, um die Genugtuung auf deinem Gesicht zu sehen, wenn du diesen Mann gefesselt und für dich bereit vor dir siehst. Das ist definitiv etwas, das ich nicht mit ihnen teilen wollte.«

»Und der andere?«

Beckett senkt seinen Tonfall. »Nun, du, natürlich. Du wirst streng bewacht. Sie begleiten dich sogar zur Arbeit. Und du warst in letzter Zeit nicht in deiner Wohnung, was einen Mann zu der Annahme veranlassen könnte, dass du mit ihnen zusammengezogen bist. Das lässt mir nur wenig Möglichkeiten, dich zu sehen. Natürlich könnte ich mich auf deine wöchentlichen Frauenabende konzentrieren.«

Der kranke Wichser stellt ihr nach. Aber wundert mich das überhaupt? In dieser Hinsicht sind wir uns ähnlich.

»Hier bin ich. Was willst du?«

O June, frag einen Mann wie Beckett niemals so etwas Gewichtiges wie das.

Hayes flüstert: »Wir müssen da rein.«

»Lass ihn spielen. Sie hat alles unter Kontrolle«, versichere ich ihm.

Ganz zu schweigen davon, dass Beckett ihr nichts antun wird, nicht heute. Er will dasselbe Vergnügen wie wir alle. Er will den Mann, der June verletzt hat, leiden sehen.

Beckett fährt fort. »Ich möchte dich vor die Wahl stellen. Es ist eigentlich ganz einfach.«

»Ja?« June tut so, als wäre sie neugierig.

»Bleib bei mir!«

June lacht. »Du weißt, dass das nie passieren wird.«

»Ich weiß es nicht. Ich kann ziemlich überzeugend sein.«

»Wie kommst du darauf, dass ich dich jemals wählen würde?«

»Entweder mich oder den Tod.«

June weicht nicht zurück, stattdessen geht sie auf ihn zu. »Dann bring mich verdammt noch mal um!«

In dieser Sekunde stürmen wir drei durch die Tür und betreten das Gebäude.

Beckett weicht vorsichtig zurück und wirft die Hände in die Luft. »Immer mit der Ruhe, Kumpels! Der Waffenstillstand ist noch intakt.«

June dreht sich zu uns um. »Ernsthaft? Mir geht es gut.«

Ich schätze, Junes Definition von *gut* ist, einem Psychopathen zu sagen, dass sie lieber sterben würde, als mit ihm zusammen zu sein. Keine große Sache, völlig normal. Ohne den

Waffenstillstand und den Durst nach Rache wäre sie wahrscheinlich schon tot.

Dem selbstgefälligen Blick in Becketts dummem Gesicht nach zu urteilen, würde ich sagen, dass sie gerade eine ultimative Herausforderung in seinem Kopf aktiviert hat. Eine Aufgabe, mit der er den Rest seiner Tage verbringen wird, bis er sie endlich für sich beansprucht.

Ist ihm nicht klar, dass June eine unbezähmbare Frau ist? Selbst wenn sie sich nicht für Dom, Hayes oder mich interessieren würde, bezweifle ich, dass sie sich jemals mit diesem Trottel zufriedengeben würde. Simon Beckett könnte nie Manns genug für eine Frau wie June sein, geschweige denn für die Füchsin, die sie ist. Das wird ihn aber nicht davon abhalten, es zu versuchen.

Hayes stellt sich vor June, sein Körper ist wie ein Schutzschild, das die von Beckett ausgehenden Deppenstrahlen abblockt.

»Bist du sicher, dass es dir gut geht?«, frage ich sie und lege meine Hand auf ihren Rücken. Ich lasse sie nach unten gleiten und klicke auf die Taste an der Seite von Doms Handy, um den Bildschirm auszuschalten.

Sie nickt und beobachtet Dominic, während er sich dem an den Stuhl gefesselten Mann nähert. Eine einzelne Glühbirne baumelt in der Luft und beleuchtet den ekelhaften, bewusstlosen Drecksack.

June sollte gehen, sie sollte sich ins Auto setzen und darauf warten, dass wir das tun, was wir am besten können. Sie sollte nicht sehen, was passieren wird, denn es könnte sie dazu bringen, ihre Meinung über uns zu ändern, wenn sie sieht, wie gnadenlos wir sind.

»Liebes, du willst vielleicht nicht sehen, was als Nächstes passiert.« Beckett geht auf June zu, aber Hayes versperrt ihm den Weg.

»Sag mir nicht, was ich tun soll!« Sie geht dorthin, wo Dom

steht, und betrachtet das kleine Tuch auf dem Boden mit ein paar glänzenden, scharfen Gegenständen. Sie kniet sich hin und streicht mit den Fingerspitzen darüber, um das Springmesser an dessen Ende zu ergreifen.

Ihr Atem stockt, ich bin mir nicht sicher, ob die anderen das bemerken.

Ist das die Waffe, die er bei ihr benutzt hat? Die Waffe, die die zarte Haut ihres Kiefers durchtrennt hat. Dieselbe, die sie in seinen Oberschenkel stach, bevor sie aus seiner Gefangenschaft floh?

Ich sehne mich danach, ihn aus ihrem Griff zu reißen und ihn immer wieder zu filetieren, während er um Gnade bettelt und dann endlose Schnitte mit der Klinge erduldet, bis er durch meine Hände verblutet. Ein Tod, der niemals gerecht genug wäre für das, was er ihr angetan hat.

Beckett macht ein paar Schritte auf sie zu. »Ich kann ihn wecken, wenn du willst.«

Ein Knurren verlässt Dominics Brust, etwas, von dem ich nicht sicher bin, ob er es beabsichtigt hat. Seine Besessenheit ist zu diesem Zeitpunkt fast animalisch. Er streckt seine Hand aus. »Gib mir das!«

»Liebend gern.« Beckett legt Dom ein kleines weißes Päckchen in die Hand.

»Was ist das?«, fragt June.

Dominic klemmt das Ding zwischen seine Finger und hält es dem gefangenen Mann unter die Nase.

Der Typ reißt den Kopf zurück, seine Augen sind weit aufgerissen, sein Mund schnappt nach Luft. »Scheiße!« Er blinzelt ein paar Mal und lässt seinen Blick durch den Raum schweifen, wobei sein Blick auf June und dann auf Dominic verweilt. »Das ist nicht gut.« Er befeuchtet seine trockenen und rissigen Lippen und entspannt sich auf seinem Stuhl.

June erhebt sich, das Messer in der kleinen Hand haltend.

Dominic stellt sich ihr in den Weg, um sie daran zu hindern, noch näherzukommen. »Noch nicht.«

Ich eile zu ihr und hoffe, dass ich sie ein wenig beruhigt, weil ich die einzige Person im Raum bin, auf die sie nicht sauer ist. Dieser Mann hat es verdient, aber zuerst möchte Dominic ihn befragen.

»Es ist sinnlos«, meldet sich Beckett zu Wort. »Ich habe Vincent schon bearbeitet. Er spuckt nichts aus.«

Dom neigt seinen Kopf zu Beckett. »Praktisch, wenn er von dir kommt.«

»Dann mach mal!« Beckett deutet Dom an, weiterzumachen.

»Oh, wie süß. Du denkst, ich arbeite für Beckett.« Vincent lacht. »Während ihr beide ein erbärmliches Katz-und-Maus-Spiel spielt, wisst ihr nicht, was hier draußen wirklich vor sich geht.«

Dominic kniet sich dorthin, wo June war, und nimmt den Griff eines Messers von dem Stoff, der auf dem Betonboden liegt. Er richtet es leicht auf Vincents Oberschenkel. »Welches war es, dieses? Das andere? Egal.« Dominic stößt die scharfe Klinge durch die Jeans des Mannes in den fleischigen Teil seines Oberschenkels.

Vincent schreit, und es tut meiner Seele gut zu wissen, dass er Schmerzen hat. »Verdammter Mistkerl!«

»Für wen arbeitest du?« Langsam zieht Dominic das gezackte Ding aus seinem Bein und legt es auf das andere.

»Als ob ich dir das verraten würde.« Vincent wimmert und spuckt Dominic an.

Dominic weicht nicht zurück. Er schlägt mit der Faust zu und rammt das Messer in das Bein des Mannes.

Ich schaue June von der Seite an, ein unleserlicher Ausdruck liegt auf ihrem schönen Gesicht.

»Schafft sie hier raus!« Dominic macht sich nicht die Mühe, sich umzudrehen.

»Nein.« June erwacht zum Leben und schreitet im Kreis umher.

Dominic steht auf, das blutige Messer noch in der Hand, und wischt sich das Gesicht am Ärmel ab. Seine Kiefer spannen sich an, bevor er June ansieht. »Das wirst du nicht mit ansehen wollen.«

June berührt ihn sanft an der Schulter und stößt ihn zur Seite. »Erlaubst du?«

Vincent lacht laut durch seinen Schmerz hindurch. »Das kann ja heiter werden. Ein *Mädchen* zu schicken, um den Job eines Mannes zu machen.«

June ist nicht nur irgendein Mädchen. Sie ist verdammt knallhart. Und dieser verdammte Idiot hat keine Ahnung, was auf ihn zukommt. Um ehrlich zu sein, keiner von uns weiß wirklich, wozu June fähig ist. Wird sie ihm schnell ein Ende bereiten? Wird sie entscheiden, dass es zu viel ist und ihn von einem von uns erledigen lassen? Wird sie tun, was jeder vernünftige Mensch tun würde? Die Polizei rufen und das System seine Arbeit machen lassen?

Ich beobachte jede ihrer Bewegungen, mein Herz bleibt ruhig, während ich mich auf das vorbereite, was als Nächstes passieren wird.

Vorsichtig hebt June ihre Hand mit dem Messer in Richtung des Mannes.

Vincent blickt auf die Klinge hinunter und dann zu ihr hoch. Er reißt den Kopf nach vorn und beißt in die Luft, um sie aus dem Konzept zu bringen.

Genau wie Dominic rührt sich June nicht von der Stelle. Sie kommt mit der Klinge näher und fährt mit ihr über die Wange des Mannes. Zuerst ist es nur ein kleiner Kratzer, aber sie treibt das Ding tiefer und malt eine rote Spur über sein Kinn. Ihr Körper entspannt sich, fast so, als hätte sie das schon einmal in einem anderen Leben getan.

»Verdammte Schlampe!«, platzt Vincent heraus und reißt

seinen Kopf von ihr weg.

June schnalzt mit der Zunge und fährt mit der Klinge über die andere Seite seines Gesichts. Diesmal etwas langsamer, aber immer noch effektiv. »Jemand soll ihn für mich halten.«

Als die anderen drei nicht reagieren, eile ich herbei, um mich an Vincents Kopf festzuhalten und ihn so gut es geht zu sichern. Jetzt kann ich ihr Gesicht beobachten, während sie sich in sein Fleisch schneidet.

Er zappelt unter meinen Händen. »Was zum Teufel, du lässt diese Schlampe das tun?«

»Halt die Klappe, es sei denn, du willst, dass ich dir die Zunge herausschneide«, sage ich.

June sticht ihm das Ding in die Stirn und schneidet eine Art Muster, das ich von hinten nicht sehen kann. Nicht, dass es mich interessiert. Die Genugtuung, dies so hautnah mitzuerleben, reicht aus, um meinen Schwanz in meiner Hose pochen zu lassen. Was für ein krankes Arschloch bin ich eigentlich, dass es mich anmacht, meinem Mädchen dabei zuzusehen, wie sie jemandem körperlichen Schaden zufügt, der es verdient hat?

»Shirt.« Sie richtet das Messer auf seine Brust.

Diesmal ist es Dominic, der aufsteht, den Kragen des Oberteils des Mannes aufreißt und die dicke, haarige Widerlichkeit darunter freilegt.

Blut tropft auf seine Haut.

»Meinst du, ich könnte ihm das Herz herausschneiden?« June wiegt die Hüften und taxiert das Potenzial vor ihr.

Beckett nähert sich. »Ich werde es für dich tun.«

»W-was? Nein. Ihr seid doch völlig verrückt.« Vincent windet sich, um sich zu befreien.

»Was habe ich gesagt?« Ich greife in sein Haar und hebe seinen Kopf an, damit er mich ansieht. »Jetzt verlierst du die Fähigkeit zu sprechen.« Ich lasse ihn mit einem Schubs nach vorn los und gehe zu Dom und June. »Hat jemand eine Zange?«

Beckett hält seinen Finger hoch. »Warte!« Er geht zu einer

nahe gelegenen Werkbank und kramt in einer kleinen Tasche. »Hier!« Er holt eine rostige Zange heraus, die ihre Aufgabe erfüllen wird. Als er zurückkommt, fragt er: »Erlaubst du mir, die Ehre zu haben?«

Ich schaue zu June und bemerke, dass Hayes allein dasteht, mit einem Ausdruck völliger Überraschung im Gesicht. Steht er unter Schock? Ich hätte ihn nie für jemanden gehalten, der vor Blutvergießen zurückschreckt, vor allem, weil das ja genau sein Ding ist, aber jetzt, während June dabei ist, muss es ihn umhauen, wie selbstverständlich sie sich an diesen Lebensstil angepasst hat. Für mich ist es auch ein bisschen überwältigend, aber ich reite auf dieser Welle der Euphorie, solange sie anhält.

Hayes räuspert sich, um Junes Aufmerksamkeit zu erregen. »Er wird eine Menge Blut verlieren, wenn du ihm die Zunge herausschneidest.«

»Das ist nicht dein Ernst.« Vincent wehrt sich weiter, obwohl er an seinen Todesstuhl gefesselt ist. »Ich habe dich kaum berührt. Du hast dich klar ausgedrückt.«

June dreht sich wieder zu ihm um. »Und was, wenn ich nicht hätte fliehen können? Was hättest du dann getan? Hättest du mich weiter wie einen Kürbis geschnitzt? Wärst du so weit gegangen, mich zu vergewaltigen? Vulgäre Dinge mit meinem Leichnam anzustellen? Die Möglichkeiten sind endlos, nicht wahr? Wer kann schon sagen, wann du aufgehört hättest? Wenn es heute Abend nicht aufhört, wann dann? Welche anderen unschuldigen Menschen hast du verletzt, weil niemand daran gedacht hat, dich zur Strecke zu bringen?«

»Ich … ich bin nicht anders als sie.« Vincent wirft einen kurzen Blick auf die Jungs im Raum und dann auf June. »Als du.«

»Vielleicht.« June stimmt zu. »Aber das ist nicht der Grund, warum wir hier sind. Nein. Das ist dein Werk. Du bist ein kranker und verdrehter Mann, und diese Welt wird ein viel besserer Ort sein, wenn du keinen Atemzug mehr tust.«

Sein Mund bleibt ungläubig offen stehen.

June schaut über ihre Schulter zu mir. »Tu es!«

Ich nicke Beckett zu, der nach vorn geht, Vincents Kinn aufreißt und seine Zunge mit der Zange festhält. Er zieht sie aus seinem Mund, während Vincent sich windet.

Dominic drückt mir das Messer in die Hand, und ich verschwende keine Zeit damit, das dicke, fleischige Ding abzuschneiden und es von der Stelle zu trennen, an der es mindestens vierzig Jahre verbracht hat. Ich ziehe die Klinge hin und her, um mich den Weg hindurchzuschneiden. Mit einem letzten Ruck von Beckett und einem gurgelnden Schrei fällt das Stück Fleisch auf den Boden, und in Vincents Mund sammelt sich Blut, das auf seinen entblößten Bauch fließt und seinen Schoß bedeckt.

Tränen kullern über die Wangen des Mannes, entweder von den Schmerzen oder von der Erkenntnis, dass er sich mit der falschen Frau angelegt hat. June allein ist schon verrucht genug, aber wenn wir vier Männer dazukommen, ist das ein Albtraum, den er sich nie hätte vorstellen können.

»Erledige ihn!«, sagt Hayes zu ihr.

June gleitet hinter den Mann und nimmt eine Handvoll seines Haars in die Hand. Sie lässt ihren Blick kurz zu jedem von uns wandern und bleibt zuletzt bei mir stehen.

Braucht sie meine Zustimmung?

Ich nicke und erwarte halb, dass sie zögert, dass sie verarbeitet, was sie getan hat, und zu der Erkenntnis kommt, dass wir sie verdorben haben. Dass sie aufhört und von hier wegläuft, um so weit wie möglich von den Verrückten in diesem Raum wegzukommen.

Stattdessen bestätigt sie weiterhin, wie gut sie in diesen Wahnsinn passt.

June hebt Vincents Kopf und schneidet ihm mit einer letzten Bewegung die Klinge quer durch den Hals, sodass er von einer Seite zur anderen aufgeschnitten wird. Blut strömt heraus, ein wenig davon spritzt ihr ins Gesicht. Ihre purpurrot getränkte Hand hält das Messer immer noch fest, als würde sie es niemals loslassen.

Ist das der Moment, in dem die Erkenntnis eintritt? Wird ihr das Ausmaß ihrer Taten bewusst? Oder ist dies vielleicht die Entwicklung von June, die ein neues Kapitel in ihrem Leben aufschlägt?

Ich spürte es vom ersten Moment an, als ich sie sah. Die Dunkelheit, die Qualen, der Durst nach mehr. Sie hat diese Sanftheit an sich, die man mit Schwäche verwechseln könnte.

June ist nicht schwach, sie ist kein Schaf, sie ist der Wolf, der sich tarnt und im Handumdrehen zuschlägt. Die Kraft, die niemand hat kommen sehen.

Sie ist nicht zerbrechlich wie eine Blume oder ein Schmetterling. Nein, June ist zerbrechlich wie eine Bombe. Explosiv. Mächtig. Fähig, alles zu zerstören, was sie ins Visier nimmt. Tödlich. Wie die vier Männer, die hier stehen und voller Ehrfurcht wissen, wie stark sie ist.

»Das war …« Beckett spricht zuerst. »Heiß.«

Er scheint den Rest von uns aus unserem Stumpfsinn zu reißen und zum Handeln zu bewegen.

Dominic zeigt auf Hayes. »Waffen, jetzt! Ich werde den Anruf tätigen.« Er zieht das Taschentuch aus der Tasche seines Jacketts, das ordentlich gefaltet auf der Werkbank liegt, und gibt es mir. »Mach sie sauber!«

Beckett kommt auf uns zu. »Was kann ich tun?«

»Halt die Klappe, das wäre nützlich.« Dominic greift nach seinem Handy, aber es steckt immer noch in Junes Gesäßtasche.

Ich nehme es ihr ab und werfe es ihm zu. Ich wende meine Aufmerksamkeit June zu und betrachte ihr blutverschmiertes Gesicht. »Bist du okay?«

Sie entreißt mir den Stoff mit der einen freien Hand und wischt sich über die Wangen. »Mir geht's gut.«

Wenn ich es nicht besser wüsste, würde ich annehmen, dass

June einen Unfall mit einem Küchenmixer hatte oder etwas viel Unschuldigeres als den Zorn, mit dem sie gerade über den toten Mann neben ihr gekommen ist. Aber ich weiß es besser. Sie hat einen Mann getötet. Sicher, das ist etwas, das wir vielleicht auf die leichte Schulter nehmen würden, aber für June war es das erste Mal. Sollte sie nicht in Panik geraten oder abschalten oder etwas anderes zeigen als ihre Verärgerung darüber, dass ich sie frage, ob es ihr gut geht?

»Es ist erledigt, ein Team ist auf dem Weg.« Dominic legt sein Handy weg und kommt näher. Jede seiner Bewegungen ist mit einer gewissen Besorgnis verbunden.

Hayes wirft alle Waffen auf einen Haufen und geht zögernd zu June hinüber. Er betrachtet das Springmesser, das sie immer noch in der Hand hält. »J …«

»Oh, richtig.« Sie streckt ihren Arm aus. »Hier!«

»Sollen wir über den Elefanten im Zimmer sprechen?« Beckett steckt die Daumen in die Taschen und tippt mit dem Fuß auf den Boden.

»Der Waffenstillstand steht«, bestätigt Dominic. »Wir sind Männer, die ihr Wort halten.«

Beckett schüttelt den Kopf. »Nein, das nicht. Ich beziehe mich auf diesen traurigen Scheißkerl.« Er zeigt auf den toten Kerl. »Der hat weder für mich noch für euch gearbeitet.«

»Komm auf den Punkt, Beckett!«

June spricht das Offensichtliche aus. »Jemand anderes versucht, euch gegeneinander auszuspielen, und ihr seid zu sehr auf den anderen konzentriert, um den Machtwechsel zu bemerken und die Kontrolle zu erlangen.«

Beckett grinst und Dominic klappt die Kiefer zusammen.

Dom neigt seinen Kopf in Richtung June. »Seit wann bist du Expertin für diese Art von Dingen?«

Sie zuckt mit den Schultern. »Ich bin Wirtschaftsstudentin, das ist keine Raketenwissenschaft.«

Beckett lacht. »Und dazu noch eine temperamentvolle.«

»Hör verdammt noch mal auf, sie anzustarren.« Hayes stellt sich zwischen June und Beckett und tut das, was Dom und ich beide tun wollen: Sie von diesem Arschloch fernhalten.

Ich schwenke meinen Körper, um auch ihm die Sicht zu versperren.

»Ihr seid alle ein Haufen Kinder.« June seufzt und wischt ihre Hände an Dominics Taschentuch ab.

Wir haben ihr geholfen, einen Mann zu ermorden, weil er sie verletzt hat, und irgendwie verhalten wir uns kindisch? Hat sie völlig den Bezug zu dem verloren, was gerade passiert ist?

»Ich genieße es, dir unter die Haut zu gehen.« Beckett reckt seinen Hals, um June zu sehen. »Aber wenn man bedenkt, dass wir alle ein Interesse an dieser mörderischen Füchsin haben, halte ich es für das Beste, wenn wir unsere Differenzen vorerst beiseitelegen.«

Dominic schiebt seine Arme vorsichtig in seine Jacke. »Was schlägst du vor?«

Erwägt er es ernsthaft? Hat er den Verstand verloren? Hat seine Besessenheit von June ihn so sehr verwirrt, dass er tatsächlich in Erwägung zieht, sich mit dem verdammten Simon Beckett zu verbünden?

»Eine Verlängerung unseres Waffenstillstandes, während wir das Gesindel unter Kontrolle bringen.«

»Und ihr wollt zusammenarbeiten, um das zu erreichen?«

Beckett nickt. »Ich denke, es wäre klug, die Ressourcen abzuziehen, ja. Eliminiert das Ziel schnell, damit wir uns wieder auf die eigentliche Aufgabe konzentrieren können, nämlich uns gegenseitig zu beschießen.«

Das ist keine Entscheidung, die man im Eifer des Gefechts trifft. Das ist etwas, das wir als Gruppe besprechen sollten, ohne dass der hinterhältige kleine Scheißer dabei ist. Hayes und ich wissen das, deshalb halten wir den Mund und geben Beckett nicht die Genugtuung einer Reaktion.

»Wir brauchen ein oder zwei Augenblicke.« Dominic gesellt

sich zu mir und Hayes, wo wir June vor Beckett abschirmen.

»Natürlich.« Beckett schaut auf seine Uhr. »Allerdings tickt die Uhr. Meldet euch, bevor unser Waffenstillstand abläuft, wenn ihr die Vereinbarung verlängern und eine Strategie entwickeln wollt.«

»Wir bleiben in Kontakt.« Dominic neigt seinen Kopf zu dem Chaos, das June angerichtet hat. »Meinst du, du schaffst das?«

»Ach, das? Das ist doch nichts. Wer kommt denn da?«

»Drew und seine Jungs.«

»Perfekt.«

Eine Sache, die unsere Aufräumtrupps nicht tun, ist, sich für eine Seite zu entscheiden. Sie sind für die gesamte Organisation da, unabhängig von ihrer Zugehörigkeit, stellen keine Fragen und spielen nicht den Mittelsmann. Wenn sie bezahlt werden, ist ihnen der politische Kram scheißegal. Denn egal, wer gewinnt, am Ende des Tages wird es immer Blutvergießen geben, was für sie Arbeitsplatzsicherheit bedeutet. Es wäre dumm von ihnen, jemanden zu bevorzugen, wenn sich die Machtverhältnisse so leicht ändern können.

Ich lege meine Hand auf Junes Rücken und führe sie hinter die breiten Schultern von Hayes und Dominic. »Bringen wir dich hier raus, Prinzessin.«

Trotz unserer Bemühungen, sie abzuschirmen, findet Beckett immer noch eine Lücke. »Mein Angebot steht noch.« Er zwinkert ihr zu und sieht zu, wie wir sie aus dem alten, verstaubten Lagerhaus führen, in dem schon viele Männer vor dieser Nacht gestorben sind.

Vincent war nicht der erste, und er wird nicht der letzte sein.

Während ich ihren scheinbar normalen Gesichtsausdruck betrachte, der mit den Überresten des Blutes eines anderen Menschen bedeckt ist, kann ich nicht anders als mich zu fragen, ob er der letzte von June sein wird.

KAPITEL ZWEIUNDZWANZIG – JUNE

*I*ch wusste nicht, dass es so einfach ist, einen Mann zu töten.

Jeder dieser Typen starrt mich an, als würde ich jeden Moment zusammenbrechen. Dass mein Geist zerbrechen wird und ich eine Art Zusammenbruch erleide. Wenn überhaupt, dann fühle ich mich gestärkt, weil ich dieses Leben beendet habe. Ich habe ihn dazu gebracht, dass er mich fürchtet, dass er sich wünscht, er hätte mich nie angerührt. Und dann habe ich dafür gesorgt, dass er keine Chance hat, jemals wieder das Tageslicht zu erblicken. Ich habe die Macht zurückgewonnen, die er über mich zu haben glaubte, und ich habe jede Sekunde davon genossen.

Macht mich das zu einem Monster?

Und wenn ja, ändert es etwas daran, was diese Männer für mich empfinden?

Spielt das eine oder andere eine Rolle? Ist das nicht alles nur ein Mittel zum Zweck? Ein vorübergehender sicherer Hafen, während sie ihren Thron beanspruchen und Simon für immer von der Bildfläche verschwinden lassen?

»Hört verdammt noch mal auf, mich so anzuschauen«, sage ich ihnen.

Wir stehen um den Küchentisch in ihrem riesigen Haus, einem Ort, an dem wir uns oft treffen. Jeder von uns hat einen gewissen Abstand zueinander und tauscht einen Blick mit dem anderen. Coen begegnet meinem Blick nicht, fast so, als würde er sich für mich schämen, Angst haben, mir in die Augen zu sehen und zu bestätigen, dass ich dieselbe Frau aus dem Lagerhaus bin.

»Du bist voller Blut, Prinzessin.« Magnus streckt seine Hand aus und legt sie auf meine. »Warum wäschst du dich nicht?«

»Das verstehe ich nicht. Das ist doch *normal* für dich.« Ich ziehe an meinem gesprenkelten Tank-Top. »Du tust so, als hätte ich einen Schwanz oder so.«

»Wir … verarbeiten.« Magnus seufzt und drückt mich an sich.

»Ihr wollt euer kleines Treffen ohne mich abhalten.« Ich ziehe meinen Arm weg und verschränke ihn mit dem anderen vor der Brust. »Warum? Damit ihr darüber reden könnt, wie sehr ihr euch vor mir ekelt?«

Dominic wendet seine Aufmerksamkeit mir zu. »Erinnerst du dich an unsere erste Begegnung?«

»Das tue ich tatsächlich, warum ist das hier anders?« Ob er den Kerl umgebracht hat oder nicht, weiß ich bis heute nicht, aber dieses kleine Detail ist im Großen und Ganzen unerheblich.

»Du verstehst es nicht, J.« Hayes behält den Tresen im Visier. »Wir wollten das nicht für dich.« Er sieht langsam auf. »Was wir sind, wer wir sind, das wollen wir nicht für dich.«

»Simon hat es ganz sicher nichts ausgemacht.« Ich beiße mir auf die Innenseite meiner Wange, weil ich genau weiß, dass ich das nicht hätte sagen sollen. Es war ein leiser, verletzender Schlag, um sie zum Verstehen zu bringen.

Dominic hält sich an der Kante des Steins fest: »So wahr mir

Gott helfe, wenn du auch nur denkst ...« Er erhebt sich von seinem Platz und bleibt direkt vor mir stehen. Er packt mein Kinn und zieht es zu sich hoch. »Glaubst du, das ist eine Art Spiel?«

Ich lecke mir die Unterlippe. »Und du?«

Ich spiele mit dem verdammten Feuer, indem ich ihn auf diese Weise verspotte. Es ist gefährlich, aber es ist der einzige Weg, wie ich sie dazu bringen kann, auf irgendeine andere Weise zu reagieren als mit leeren Blicken.

Magnus schiebt seine Unterarme zwischen Dom und mich, um uns zu trennen. »Okay, okay. Atmet tief durch! Alle beide.« Er schiebt mich ein wenig weiter weg. »Wie wär's, wenn wir jetzt alle mal ein bisschen ehrlich sind? Hm? Ich fange an.« Er wirft einen Blick auf Dom und dann auf mich. »Was heute Abend passiert ist, war ... unerwartet, aber nicht völlig überraschend. Können wir uns alle darauf einigen?« Er wartet nicht darauf, dass jemand antwortet. »Ich denke, wir können mit Sicherheit sagen, dass wir wussten, dass June eine dunkle Seite hat, deren Schatten uns vielleicht ein wenig zu bekannt vorkommt. Das ist wahrscheinlich der Grund, warum wir alle schockiert sind, denn wir hätten nicht gedacht, dass wir jemals jemanden finden würden, der so verrückt ist wie wir. Oder auch nur annähernd.« Magnus hält inne und streckt mir seine Hand entgegen. »Nichts für ungut, Prinzessin.«

Ich zucke mit den Schultern. »Schon gut.«

Magnus fährt fort und konzentriert sich auf Coen. »Du kennst sie am längsten, das verstehe ich. Du wolltest sie beschützen. Das wollen wir alle. Aber hast du jemals in Betracht gezogen, dass sie vielleicht, nur vielleicht, verdammt noch mal mit sich selbst klarkommen kann?«

Endlich hat es jemand verstanden.

Coen begegnet meinem Blick, seine Kiefer krampfen sich zusammen, und seine Augenbrauen berühren sich fast, der

Schmerz ist in jedem Zentimeter seines Ausdrucks zu erkennen. »Ich wollte das nicht für dich, J.«

»Du entscheidest nicht über mein Schicksal, Co.« Ich wende mich an Dominic. »Keiner von euch tut das. Je eher ihr das akzeptiert, desto besser. Ich werde hier nicht zu einem Bürger zweiter Klasse werden. Nicht, wenn ich gut allein zurechtkomme. Wenn ihr wollt, dass ich bleibe, müsst ihr mich gleichwertig behandeln.«

»Du denkst daran zu gehen?« Dominics verhärtetes Äußeres wird weicher, als hätte ich gerade sein Hündchen getreten.

Ich möchte die Hand ausstrecken, die Sorgen aus seinem Gesicht streichen und meinen kleinen Körper an seine starke Brust drücken. Zu sehen, dass ein so brutaler Mann diese Seite von sich zeigt, lässt mein kaltes, schwarzes Herz höher schlagen. »Soll ich?«

»Nein, natürlich nicht. Du bist hier sicherer, bei mir.« Er atmet aus. »Bei uns.«

»Ist das alles, worum es hier geht? Um meine Sicherheit? Fühlst du dich verpflichtet, mich zu beschützen?«

Dominic streicht sich mit der Hand über seinen Bart. »Siehst du wirklich nicht, was du uns antust, June? Wir kümmern uns um nichts anderes als um unsere Arbeit. Wir sind nicht die Wohlfahrt. Das ist keine verdammte Verpflichtung aus Schuldgefühlen, sondern weil wir uns verdammt noch mal um dich sorgen.«

Ich werfe ihm einen strengen Blick zu. »Du ... sorgst dich? So wie du dich um deine teuren Anzüge und deinen edlen Bourbon sorgst?«

Dominic grunzt und schaut zu Magnus. »Kannst du mir hier helfen, um Himmels willen?«

Magnus grinst. »Ich glaube, was er sagen will, ist, dass wir alle in dich verliebt sind.«

Mir bleibt der Mund offen stehen, mein Herz rast noch

mehr als eben, als ich dem Mann die Kehle von einem Ohr zum anderen aufgeschlitzt habe. »Ähm, was?«

»Bryant, was zum Teufel?« Dominic streicht sich mit den Fingern durch das Haar.

»J ... Ich ...« Coen beginnt zu sprechen, wird aber durch das Klingeln des Telefons in Dominics Tasche unterbrochen.

Dom zieht es heraus, sein kalter, harter Gesichtsausdruck kehrt zurück. »Sschh!«

Wer könnte Dom anrufen und ihn dazu bringen, so zu reagieren?

»Winnie, hallo. Ist alles in Ordnung?«, fragt Dominic in den Lautsprecher. Er stellt das Ding auf den Tresen und blickt Coen und Magnus ernst an.

Magnus lehnt sich dicht an mich heran und flüstert mir ins Ohr. »Sag kein Wort, Prinzessin!«

Die Frau räuspert sich. »Aber ja, natürlich. Ihr wisst, dass ich die Nachtstunden für meine Geschäfte bevorzuge.« Sie wirkt förmlich, manierlich, als hätte sie die Verantwortung für etwas.

»Nun gut. Wie kann ich helfen?«

»Eigentlich will ich mich kurzfassen, aber ich wollte dich persönlich anrufen, um dich zu informieren, bevor du es von jemand anderem hörst.« Der Lautsprecher wird gedämpft, als hätte sie ihn auf das andere Ohr umgestellt. »In drei Tagen wird es eine Versammlung geben, auf der ich eine endgültige Entscheidung über die Nachfolge treffen werde. Ich muss mich um einige dringende Familienangelegenheiten außerhalb der Stadt kümmern, du musst also entschuldigen, dass ich mich beeilen muss.«

»Das ist verständlich. Gibt es irgendetwas, bei dem ich behilflich sein kann?«

»Nein, ich fürchte, mir sind die Hände gebunden, aber ich weiß die Rücksichtnahme zu schätzen.« Sie hält inne. »Dominic?«

»Ja?«

»Du warst immer mein Favorit, aber du musst wissen, dass ich nicht die Einzige im Rat bin. Diese Entscheidung könnte leicht in alle Richtungen beeinflusst werden. Du musst ein überzeugendes Argument vorbringen, wenn du die Herrschaft an dich reißen willst. Die Ehefrauen unterhalten alle Parteien.«

Die Ehefrauen? Was zum Teufel soll das bedeuten?

»Danke für die Vorwarnung. Bitte lass mich wissen, wenn ich weiterhelfen kann.«

Die Frau seufzt. »Ich melde mich bald mit den Einzelheiten.« Die Verbindung wird unterbrochen und der Raum wird still.

»Kann mir das jemand erklären?« Ich durchbreche die Stille. »Und warum kam mir ihre Stimme so bekannt vor? Wer war das?«

»Das war …« Magnus klettert auf einen Hocker in der Nähe und stützt seine tätowierten Arme auf den Tresen. »Winnie Sharp. Die Frau unseres verstorbenen Anführers. Diejenige, die über unser Schicksal entscheidet.«

Winnie Sharp? »Moment. Meinst du *Gwyneth* Sharp?« Die Teile des Puzzles fügen sich zusammen.

»Du kennst sie?« Magnus zieht eine Augenbraue hoch.

»So ähnlich, ja. Sie wohnt drüben in Pinehurst, richtig?«

Alle Jungs drehen sich um und starren mich an.

»Ich verstehe das als ein Ja?« Ich kratze an meinem Arm, ein bisschen getrocknetes Blut blättert ab und schiebt sich unter meinen Fingernagel. Vielleicht sollte ich duschen und diese menschlichen Überreste von mir abwaschen.

»Wie?« Dominic stellt die Frage, die sicher jedem von ihnen im Kopf herumgeht.

»Du vergisst, dass ich in fast allen Imbissbuden hier gearbeitet habe. Ich habe schon ein Dutzend Mal Essen zu ihr geliefert.« Ich nicke vor mich hin. »Ich war mir sicher, dass ich ihre Stimme von irgendwoher kenne.« Als sie nichts sagen, fahre ich fort. »Supernette Frau. Sie betet mich an. Eine echte

Girl-Power-Frau.« In dem Moment dämmert es mir. »Lass mich zu der Veranstaltung gehen, von der sie gesprochen hat.«

»Was?«, platzt es aus Dominic heraus.

»Nein«, bestimmt Coen zur gleichen Zeit.

»Ja, das ist genial. Keiner würde das je kommen sehen«, erkläre ich ihnen. »Ein Rat voller Frauen, und ihre Anführerin liebt mich bereits. Das ist ein todsicherer Weg, um sie dazu zu bringen, für dich zu stimmen.«

»Da hat sie einen guten Punkt getroffen«, fügt Magnus in meinem Namen hinzu. »Und zwar einen verdammt guten.«

»Auf gar keinen Fall.« Coen knackt mit den Fingerknöcheln.

»Du brauchst einen Vorteil gegenüber Simon, habe ich recht?«

Dominic atmet aus und nickt.

»Voilà, du hast mich. Was kann da schon schiefgehen?«

Berühmte letzte Worte?

Coen lehnt sich gegen den Tresen hinter ihm und verschränkt die Arme vor der Brust. »Abgesehen davon, dass du eine Zielscheibe auf der Stirn trägst, weil du dich mit uns eingelassen hast? Mir fallen da ein paar Dinge ein, die alle zu einer Gefahr für dein Leben führen.«

»Ich bin mir ziemlich sicher, dass ich heute Abend jemanden vor deinen und Simons Augen ermordet habe.«

»Ich weiß nicht.« Dominic reibt sich das Kinn.

»Verlängere den Waffenstillstand mit Simon. Werdet eure Konkurrenten los, nutzt die Gelegenheit, um ein Druckmittel gegen ihn zu finden, und nehmt mich zu der Veranstaltung mit. Ihr drei seid zuverlässig, Simon nicht, und ein weibliches Puzzleteil ist das, was euch allen fehlt.«

Worauf lasse ich mich da ein? Warum bin ich so versessen darauf, dass sie mir erlauben, sie zu begleiten? Was, wenn ich falschliege? Was, wenn sie nur ein Haufen versnobter Arschlöcher sind, die sich einen Dreck um mich scheren? Was, wenn ich meine Karten völlig falsch deute und uns zum

Scheitern verurteile? Warum ist es mir wichtig, dass sie den Thron für sich beanspruchen? Wie ist es möglich, dass die Machtdynamik, mit der sie mich beanspruchen, nun in eine Besitzergreifung meinerseits verwandelt? Der Gedanke, dass sie verlieren könnten, und das gegen einen so arroganten Scheißer wie Simon, reicht aus, um mich dazu zu bringen, jede Rolle zu spielen, die ich brauche, um sicherzustellen, dass sie gewinnen.

Auch wenn ich dadurch eine Zielscheibe auf dem Rücken habe. Eine, der ich nie entkommen werde.

Für sie würde ich alles tun.

So viel schulde ich ihnen zumindest, nach allem, was sie für mich getan haben. Wenn ich ihnen dabei helfe, sind wir quitt, und ich kann gehen, ohne das Gefühl zu haben, dass ich ihnen etwas dafür schulde, dass sie mich vor dem Shitstorm gerettet haben, der mein Leben regelmäßig verschlingt.

In drei Tagen werde ich meine beste schauspielerische Leistung aller Zeiten abliefern und alle beeindrucken, die davon überzeugt werden müssen, dass meine Männer es verdienen, diesen Krieg zu gewinnen.

»Du weißt nicht, worauf du dich da einlässt, June.« Dominic starrt mir in die Augen und fordert mich auf, den Ernst der Lage zu erkennen.

So wie damals, als er schweigend im Bad stand, blutverschmiert, nachdem er den Mann, der mich bedroht hat, verprügelte, und ich, statt wie die meisten anderen Frauen aus der Tür zu rennen, aufstand, meine Lippen auf seine presste und die Gefahr umarmte, als wäre sie ein alter Freund.

Etwas regt sich in meiner Brust, dasselbe Gefühl wie in jener Nacht, in der ich mich entschied, direkt in seine Dunkelheit zu gehen, anstatt davor zurückzuschrecken.

»Ich will mich beweisen.«

»Du musst nichts beweisen, Prinzessin.« Magnus ist der Einzige, der glaubt, dass ich das durchziehen kann.

»Für sie schon.« Ich neige meinen Kopf in Richtung Dominic und Coen.

Sie sind zu sehr damit beschäftigt, mich zu beschützen, als mir zu helfen, diese Welt, in die ich geschubst wurde, zu akzeptieren. Wenn sie erwarten, dass ich überlebe, sollten sie mir dann nicht beibringen, wie ich überlebe, anstatt mich in Angst zu verkriechen?

»J ... kann ich dich einen Moment allein sprechen?« Coen überrascht mich mit seiner Offenheit. Normalerweise tut er alles, was in seiner Macht steht, um mir aus dem Weg zu gehen, außer, als er mich im Club gefingert hat. Das war definitiv unerwartet.

»Ähm, sicher. Ja.«

Magnus steht auf und küsst meine Schläfe. »Gute Nacht, Prinzessin!«

»Nacht.« Ich stelle einen kurzen Augenkontakt mit Dom her, bevor ich Coen aus dem Zimmer folge.

Er führt mich die Treppe hinauf und in mein Schlafzimmer und hält erst an, als er mein privates Badezimmer erreicht. Er schnappt sich einen Waschlappen aus dem Schrank und sagt: »Ich kann dich nicht länger so ansehen.« Coen befeuchtet ihn unter dem Wasserhahn und nähert sich mir vorsichtig. Er tupft ihn auf meine Wange, feuchtet das Blut an und wischt es weg.

Ich zeige auf die Dusche. »Du weißt, dass es da drinnen einfacher wäre.«

Coen nickt. »Ja. Du hast recht. Ich werde ...« Er lässt den Lappen auf den Tresen fallen und wendet sich zum Gehen.

Ich ergreife seinen Unterarm. »Co?« Ich sollte ihn gehen lassen, ihn diesen Raum verlassen lassen und nicht die Frage stellen, die mir auf der Zunge liegt. Nichts, was er sagen könnte, könnte den Schaden, den er angerichtet hat, auslöschen. Er hat mich verraten. Er ist gegangen. Er hat genau das getan, was mir das Herz aus der Brust gerissen und einen irreparablen Schaden verursacht hat, der mich zu dem Menschen gemacht hat, der ich heute bin.

»Hm?« Seine blauen Augen bohren sich in meine, und es ist, als würde ich mich in all die Jahre zurückversetzen, als ich mich das erste Mal in ihn verliebt habe. Eine Million Erinnerungen schwirren durch meinen Kopf und erinnern mich an eine viel einfachere, glücklichere Zeit in unserem Leben. Als nur er und ich gegen die Welt kämpften. Ein Teenager-Traum, von dem ich nie dachte, dass er enden würde.

»Ist es wahr?« Meine Stimme ist kaum ein Flüstern.

Coen dreht sich zu mir, sein Körper überragt den meinen. »Ist was wahr?«

Ich schlucke, weil ich mich in seiner Gegenwart plötzlich so klein fühle. Als würde ich zu dem Mädchen schrumpfen, das ich einmal war, das auf dem Dach einer Pizzeria stand und sein Herz dem traurigen Jungen schenkte, der ihr oft missverstandenes Wesen verstand. »Irgendetwas davon? Alles davon?« Ich blicke zwischen diesen hellblauen Augen hindurch. »Wolltest du zurückkommen?«

Coen seufzt und streicht mir das Haar aus dem Gesicht. »Mehr als alles andere auf der Welt.«

Mein Herz zieht sich zusammen. Der Schmerz über seine Abwesenheit schwillt an und explodiert, stille Tränen, die ich viel zu lange zurückgehalten habe, rollen über meine Wangen. Ich will nicht weinen. Nicht hier. Nicht in diesem Moment. Aber es ist ein Wasserfall, den ich nicht kontrollieren kann. Ein Damm, der unter dem immensen Druck bricht, der dadurch entsteht, dass ich viel stärker bin, als es mir lieb ist.

»J ...« Coen streicht sie mit seinen Daumen weg und zieht mich an seine Brust. »Es tut mir so leid. Ich wollte dir nie wehtun. Ich schwöre es.« Er streicht mir mit der Hand über den Kopf und versucht, die Tränen zu unterdrücken.

Ich halte ihn fest und atme seinen vertrauten Geruch ein. Er hat sich im Laufe der Zeit verändert, aber das erdige Aroma würde ich immer noch überall erkennen. Ich lege den Kopf schief und schaue zu ihm auf. »Küss mich!« Ich bin inzwischen voller Rotz und Blut, aber der Wunsch, seine Lippen auf meinen zu spüren, ist übermächtig.

Er kommt dem Wunsch nach und zögert nur den Bruchteil einer Sekunde, bevor er meine Lippen sanft streichelt. Am Anfang ist er sanft, aber das Feuer brennt heller, je länger wir uns berühren. Ich lehne mich gegen ihn, und er sich gegen mich. Unsere Körper geben sich nicht mit dem Abstand zwischen ihnen zufrieden, egal wie klein er ist. Seine Zunge dringt in meinen Mund ein, tanzt an meiner entlang und verwickelt sich mit ihr. Es ist Jahre her und doch erinnern sie sich aneinander, als wäre es gestern gewesen. Ich fahre mit meinen Händen unter sein Shirt und streiche mit den Fingern über die Muskeln, die seinen Körper durchziehen. Meine jugendliche Anziehungskraft ist nichts im Vergleich zu dem Feuer, das ich jetzt für ihn in mir trage. Ich greife den Saum seines Oberteils und ziehe es ihm über den Kopf, unsere Lippen trennen sich für den kurzen Moment, um ihn von dem Ding zu befreien. »Ich will dich, Co«, hauche ich ihm entgegen.

Coen schlingt seinen Arm um meine Taille und hebt mich in die Luft, wobei er meine Beine um seinen Oberkörper führt. »Ich *brauche* dich, J.«

Mit jedem Kuss, jeder zarten und leidenschaftlichen Bewegung spüre ich, wie verzweifelt er versucht, mich zu verstehen, mir die Antwort auf all die Fragen zu geben, die mich seit dem Tag, an dem er gegangen ist, verfolgen.

»Du bist es, June. Du warst es schon immer.« Coen stößt meinen Körper gegen die Glaswand zur Dusche. Er greift hinein und dreht den Wasserhahn auf, das Wasser läuft in Kaskaden herunter, ein schöner Soundtrack für unseren hitzigen Moment.

Aber ist das alles, was es sein wird? Ein flüchtiger Moment? Ein Vorgeschmack auf das, was wir verpasst haben und woran wir niemals festhalten können? Ich hatte nicht vor, hierzubleiben, wenn ich ihnen helfe, diesen Krieg zu gewinnen, aber wie kann ich diejenige sein, die ihn nach all der Zeit verlässt? Wie könnte ich einem von ihnen Lebewohl sagen, wenn ich endlich das Gefühl habe, mein Zuhause gefunden zu haben?

Er stellt mich sanft auf den gefliesten Boden und Dampf erfüllt das große Badezimmer, während Coen und ich unsere Kleidung ablegen. Wir lassen unsere Augen nicht voneinander, und sobald wir vollständig entkleidet sind, küssen wir uns wieder.

Seine Erektion drückt gegen meinen Bauch und er hebt mich wieder in die Luft.

Ich umklammere seinen Nacken, schließe meine Beine um ihn und streichle mit meiner freien Hand seine Länge.

Coen führt uns in die Dusche, das Wasser fließt über unsere begierigen Körper. Die Temperatur brennt anfangs auf meiner Haut, aber sie gewöhnt sich schnell daran. Das Wasser ist schmutzig von der Erinnerung daran, was ich heute Nacht getan habe. Den Mann, den ich ohne zu zögern getötet habe. Ich hatte keine Reue, keine Schuldgefühle, keine Zweifel, ihn zu töten.

Coen stellt mich auf den Duschboden und greift nach dem Luffaschwamm, der dort hängt. Er pumpt etwas Seife darauf und schäumt den Schwamm ein. »Hier!« Nachdenklich hält er meine Hand fest und schrubbt jeden meiner Arme, bis kein Blut mehr zu sehen ist. Er gleitet über meine Brust und meinen Hals, geht tiefer und kniet sich hin, um auch meine Beine zu reinigen. »So, das ist besser.«

Ich lege meine Handflächen seitlich an seinen Kopf und ziehe ihn zu mir hoch. Es ist spät, und ich kann mich nicht entscheiden, ob ich erschöpft bin oder einen Adrenalinrausch von dem habe, was heute Abend passiert ist. So oder so, ich will das, was mir schon vor langer Zeit hätte gehören sollen.

Er löst sich und sieht mir in die Augen. »Bist du sicher?«

Ich ziehe ihn näher zu mir und murmle gegen seine Lippen. »Keine Zweifel.«

Bin ich verletzt? Ja. Brennt die Wunde, weil Coen mich vor all den Jahren verlassen hat, als wäre es gestern gewesen? Sicher. Aber hilft das Wissen um die Wahrheit dabei, das Band zu kitten, das vielleicht doch nie zerbrochen ist? Auf jeden Fall.

Coen erwidert meinen Kuss mit sanftem, zärtlichem Verlangen. Er fährt mit seinen Fingern an meinem Hals entlang und in mein feuchtes Haar. Coen ergreift meine Hüfte und drückt mich mit dem Rücken gegen die kalte Kachelwand. Sein Schwanz drückt gegen mich, und ich greife hinunter und streichle ihn, ein leises Stöhnen entweicht ihm. Er trennt meine Beine mit seinem Knie und positioniert sich zwischen ihnen.

Ich gebe mich ihm voll und ganz hin und wölbe meinen Körper, um einen besseren Winkel zu bekommen. Coen dringt langsam in mich ein, während das heiße Wasser auf uns niederprasselt. Trotz all der Jahre, die wir getrennt voneinander verbracht haben, ist unsere Chemie irgendwie völlig intakt, wenn nicht sogar noch mehr als in meiner Erinnerung. Zeit und Raum hatten nie eine Chance gegen uns.

»Ich liebe dich, June, ich habe nie aufgehört, dich zu lieben«, murmelt Coen, während er in mich eindringt. Seine Zunge tanzt mit meiner, und es ist, als wäre ausnahmsweise einmal alles in Ordnung auf der Welt.

Nur könnte das nicht weiter von der Wahrheit entfernt sein. Aber im Moment werde ich so tun, als ob.

KAPITEL DREIUNDZWANZIG –
JUNE

*B*in ich verrückt, weil mich die Tatsache, dass ich Sex mit Coen hatte, mehr umhaut als die Tatsache, dass ich einen Mann getötet habe?

Es ist drei Tage her, und doch ertappe ich mich immer wieder dabei, dass ich mit den Fingern über die Stellen an meinem Körper fahre, die seine Lippen berührt haben. An meinem Hals. Direkt unter meinem Ohr. An meinem Schlüsselbein. Sogar meinem Mundwinkel. Weich, zart, aber voll von brennendem Verlangen, das ich längst vergessen glaubte.

Ich hatte offiziell mit jedem Mitglied dieses Hauses Sex, und irgendwie sind sie alle damit einverstanden. Oder sie tun zumindest so. Ich habe verdammt deutlich gemacht, dass ich mich nicht zwischen ihnen entscheiden werde, und obwohl ich dachte, dass das verdammt unvernünftig ist, haben sie kein Wort darüber verloren. Es ist wirklich seltsam. Wenn ich Simon erwähne, fahren alle drei fast aus der Haut und schimpfen, dass sie ihn am liebsten in Stücke reißen würden, aber ich kann offen mit jedem von ihnen schlafen, ohne dass sie mit der Wimper zucken.

Wie konnte es dazu kommen, dass ich früher mit

niemandem länger als nur eine Nacht die Laken zerwühlen wollte, und nun schlafe ich mit dreien ... ich wiederhole: nicht mit einem, nicht mit zweien, nein, mit drei Männern?

Und wenn ich ehrlich zu mir selbst bin, bin ich gar nicht sauer darüber.

Der Gedanke, sich mit einem Mann länger einzulassen, ist unattraktiv. Ich würde sogar sagen, die Vorstellung ist erdrückend. Aber bei Dominic, Coen und Magnus bringt jeder etwas anderes mit, was die anderen nicht mitbringen. Dominic ist ein brutaler Kerl mit einer dominanten Seite. Ganz passend zu seinem Namen. Er ist aber auch ein Softie, aber nur für mich, und das macht mich absolut wild. Magnus ist ein böser Junge wie aus dem Bilderbuch mit den dazugehörigen Tattoos. Er hat das süßeste Herz und glaubt viel mehr an mich, als die anderen es tun. Sein Aussehen und sein Auftreten sind das genaue Gegenteil von Coen, was witzig ist, denn Coen ist angeblich dieser große, harte Kerl, ein skrupelloser Killer, und doch sieht er aus wie ein typischer Surferboy, gemischt mit einem Abercrombie-Model.

Sie sind beschädigt, eine Dunkelheit verzehrt ihre Seelen auf die gleiche, aber irgendwie völlig einzigartige Weise. Es ist vertraut. Bequem. Und entzündet eine Verbindung zwischen uns, wie ich sie noch nie erlebt habe.

Jeder von ihnen behandelt mich anders, fickt sogar anders, was für ein konstantes und abgerundetes Niveau der Befriedigung sorgt.

Bin ich gierig, weil ich mich nicht für einen einzigen entscheiden kann? Ist es unfair von mir, sie alle am Haken zu haben und nicht zwischen ihnen zu wählen?

Was hat Cora an dem Abend in der Bar erwähnt? Umgekehrter Harem. Polyamorie. Gibt es das wirklich? Wäre das etwas, das für diese seltsame Situation, in der ich mich mit drei unglaublichen Männern befinde, machbar wäre?

»Prinzessin.« Magnus schnippt vor mir mit den Fingern.

»Bist du da?«

Ich blinzle und nicke. »Ja, tut mir leid, ich …«

»Hattest du einen Sextagtraum?« Magnus lässt sich neben mir aufs Bett plumpsen. »Weil … das könnte ich arrangieren.«

»Du weißt ja nicht einmal, wovon ich geträumt habe.« Ich stoße neckisch mit meinem Fuß gegen sein Bein.

Er ergreift ihn und zieht ihn über seine Taille. Magnus senkt die Stimme und zieht die Augenbrauen hoch, was eine verdammt verführerische Ausstrahlung hat. »Es gibt nichts, was ich nicht für dich tun würde.«

Und irgendwie traue ich ihm zu, dass er die absolute Wahrheit sagt.

»Was?« Magnus zieht mich noch näher zu sich heran und presst seine Lippen auf mein Ohr. »Du glaubst mir nicht?« Im Handumdrehen dreht er mich um, sein mit Tinte bedeckter Körper liegt auf mir und drückt mich in die Matratze. Sein durchtrainierter Oberkörper bettelt darum, dass ich die Hand ausstrecke und mit den Fingerspitzen über seine nackte Haut streiche. Ich kann nicht anders, als ihn anzustarren und seine Schönheit zu bewundern. Instinktiv beiße ich mir auf die Unterlippe, während mir endlose Ideen durch den Kopf gehen, was ich mit ihm anstellen möchte.

Ein Klopfen ertönt am Rahmen meiner Zimmertür. Jemand räuspert sich.

»Hey.« Dominic.

Magnus rollt dramatisch mit den Augen und lässt sich neben mir auf das Bett fallen. »Äh. Du ruinierst den Augenblick.«

»Die Tatsache, dass du dich noch nicht daran gewöhnt hast, ist deine Schuld, nicht meine.« Dominic kommt herein, die Hand ausgestreckt, an seinem Finger baumelt ein Kleiderbügel, an dem ein schwarzes Kleid hängt.

»Was ist das?« Ich rutsche vom Bett und stehe auf, um es zu betrachten.

»Wenn du darauf bestehst, heute Abend dabei zu sein, musst

du dich entsprechend anziehen.«

»Ist das ...« Ich berühre sanft den schwarzen Stoff.
»Armani?« Ein ähnliches Kleid habe ich vor einiger Zeit in
einem dieser Wartezimmermagazine gesehen, in denen man
gedankenlos blättert, während man sich fragt, ob der Termin
jemals pünktlich beginnen wird.

Dominic spottet. »Beleidige mich nicht, June.«

»Ist Armani unter deinen Ansprüchen?« Ich blicke zu
ihm auf.

»Du musst es nicht tragen, wenn du nicht willst.« Dominic
macht eine Pause, bevor er fortfährt. »Aber du kannst nicht
mitkommen, wenn du es nicht trägst.«

»Ein Ultimatum, das sieht dir ähnlich.«

Magnus stützt sich auf seine Ellbogen. »Keine Sorge, du bist
nicht die Einzige, bei der er darauf besteht, sich hübsch zu
machen. Hayes und ich haben beide neue Anzüge bekommen.«

Ich schiebe meine Unterlippe vor. »Ich will auch einen
Anzug.«

Dominic schüttelt den Kopf. »Gut. Dann eben das nächste
Mal. Ich werfe das einfach weg.«

Ich halte seinen Arm fest, als er sich abwenden will. »Ich
ziehe dich nur auf. Es ist verdammt großartig, machst du Witze?
Gib her!« Ich wackle mit den Fingern, um ihm zu signalisieren,
dass er es mir geben soll.

»Brauchst du noch etwas?« Dominic verschränkt die Arme
hinter sich, bereit, seine Arbeit zu leisten, wo immer er kann.

Sind es die Nerven? Die Ereignisse des heutigen Abends
entpuppen sich in ihm schließlich als ängstliche Nervosität, um
die Zeit bis zur Urteilsverkündung zu überbrücken. Ich hätte
früher erkennen müssen, wie ... *menschlich* er ist. Natürlich ist
er besorgt. Das Schicksal seiner gesamten Zukunft hängt von
einem Raum voller Frauen ab, die leicht einen inkompetenten,
beschissenen Jungen zum neuen Leiter ihrer Organisation
wählen könnten. Wenn ich nur Gwyneth überzeugen kann,

dann kann sie vielleicht auch die anderen überzeugen. Eine Frau in der Nähe zu haben, könnte den Jungs den nötigen Vorsprung verschaffen, um die Oberhand über Simon und seine New-Age-Methoden zu gewinnen.

In den letzten Tagen haben sich die Männer zusammengetan und ihre anderen Bedrohungen ausgeschaltet, sodass sich der Wettbewerb nur noch auf Simon und Dominic beschränkt. Zwei skrupellose Männer, die sich in jeder Hinsicht stark unterscheiden, außer dass sie dasselbe Ziel verfolgen – den Anspruch auf den Thron. Und, na ja, auch mich einzufordern. Ich bin mir nicht sicher, ob jemand die Macht hat, den letzten Teil zu erreichen.

Was das Gewinnen dieses Krieges angeht, so habe ich nie darüber nachgedacht, was passieren würde, wenn er verliert. Würden sie ihn verbannen? Würden sie ihm seinen Titel nehmen, sein Vermögen, alles, wofür er sein ganzes Leben lang gearbeitet hat? Was geschieht mit Coen und Magnus? Würden sie alle ihre eigenen Wege gehen? Sich andere Jobs suchen? Wer zum Teufel würde sie einstellen, wenn ihr Lebenslauf hauptsächlich aus illegalen Aktivitäten besteht? Wenn Simon die totale Kontrolle erlangt, müssen diese drei dann für ihn arbeiten? Sich ihm beugen und seine Schlampe sein?

Oder würde man sie für überflüssig halten und töten, um jede potenzielle Bedrohung auszuschalten, die sie für Simon darstellen könnten, wenn er seine neue Karriere vorantreibt?

Das kann ich nicht zulassen. Nichts von alledem. Es gibt zu viele Variablen, wenn sie verlieren. Die einzige Möglichkeit ist, sicherzustellen, dass Dominic seine Position als der furchtlose Anführer beibehält. Und da er bereits alles gegeben hat, muss ich diejenige sein, die sich ein Ave-Maria aus dem Arsch zieht und herausfindet, wie man seinen Sieg sichern kann.

Ich werde alles tun, was nötig ist, denn ich kann es nicht ertragen, dass einer dieser drei Männer nicht das bekommt, was er verdient.

Schließlich bin ich verpflichtet, in diesem Haus zu leben, bis die Schlacht vorbei ist. Wenn ich frei sein will, muss ich auch sie befreien.

»Nein, ich brauche nichts«, sage ich schließlich zu Dominic. Ich wähle einen sanfteren, freundlicheren Ton. »Trotzdem danke!« Ich hätte ihn nicht wegen des Kleides aufziehen sollen. Es war eine aufmerksame Geste, auch wenn sie seinem dominanten Kontrollsinn entsprang.

Er will, dass ich gut aussehe, und das ergibt durchaus Sinn, wenn man bedenkt, dass ich der Bauer bin, der benutzt wird, um die anderen schachmatt zu setzen. Ich habe meinen Körper und meinen Geist schon für viele Dinge eingesetzt, aber heute Abend werden meine Fähigkeiten eine ganz neue Ebene erreichen. Was, wenn ich versage?

***

Vorsichtig gehe ich die Treppe hinunter und halte mich am Geländer fest, um nicht zu fallen. Ich bin schon unzählige Male in High Heels gelaufen, aber ich war noch nie so entschlossen, nicht umzufallen. Ich möchte wenigstens aus dem Haus gehen und dieses wunderschöne Kleid vorführen, bevor ich falle und es ruiniere. Ich atme tief durch und biege um die Ecke, schlucke meine Nervosität hinunter und setze mein Pokerface auf. Ich werde mir meine Nervosität nicht anmerken lassen, vor niemandem.

Mein Motto für heute lautet: *Tu so als ob, bis du es schaffst!*, denn das ist möglicherweise das Einzige, was mir hilft, den Überblick zu behalten. Vor ein paar Monaten war zwar mir bewusst, dass dubiose Geschäfte existierten, aber nie hätte ich mir vorstellen können, dass ich zu einer der Veranstaltungen mitgehen würde, auf der ein Führungswechsel beschlossen würde. Geschweige denn am Arm des Mannes, der hoffentlich die Führung übernehmen wird.

Ich bin überfordert, und wenn ich mir das anmerken lasse, werden mich alle als das schwache Glied ansehen und nicht als die seltene treibende Kraft, die ich zu sein habe. Ich werde nicht die Schwachstelle sein, die ihnen die Sache vermiest.

»Heilige Scheiße!« Magnus ist der Erste, der spricht, als ich auftauche.

»Ja?« Ich gehe weiter auf sie zu, ein verschmitztes Grinsen im Gesicht und einen Fuß vor den anderen setzend. Die Schnüre an den goldenen Absätzen, die sich um meinen Knöchel wickeln, bilden den perfekten Kontrast zu dem tiefschwarzen Kleid, das ich heute Abend tragen darf. Schlitze auf beiden Seiten lassen den Streifen dunklen Stoffes zwischen meinen Beinen schwingen, der meine Beine bei jedem Schritt zur Geltung bringt. Da die Schlitze so verdammt hoch über meine Oberschenkel gehen, habe ich keine Möglichkeit, Unterwäsche zu tragen.

Das Kleid passt wie angegossen. Dominic hat sich selbst übertroffen, denn er hat es offensichtlich geschafft, ein Kleid auszusuchen, das sich nahtlos an meinen Körper schmiegt. Ich würde es ihm nicht verübeln, wenn er seine besonderen Fähigkeiten genutzt hat, meine nackte Figur zu begutachten und meine Maße zu schätzen, während wir gefickt haben.

Ich nehme jeden von ihnen in Augenschein und weiß nicht, wen ich zuerst ansehen soll. Alle drei gut aussehenden Männer starren mich an, ihre Körper sind in maßgeschneiderte Designeranzüge gekleidet. Passend zueinander, aber mit ihren eigenen individuellen Verzierungen. Sie sind verdammt atemberaubend, ein Anblick, von dem ich nicht glauben kann, dass ich ihn in den letzten Wochen erleben durfte.

Mein Herz stottert in meiner Brust, ein Gefühl, das ich noch nie zuvor gespürt habe. Nicht einmal mit Coen vor all diesen Jahren. Sicher, ich habe ihn damals geliebt, aber das … das ist etwas ganz anderes.

Jetzt ist es mehr … es ist vollständig. Und zum ersten Mal in meinem Leben möchte ich nicht davor weglaufen.

Was zum Teufel ist mit mir los? Ich werde weich. Ich muss meinen Kopf wieder ins Spiel bringen und mich auf meine Aufgabe konzentrieren – ihnen zu helfen, diesen Krieg zu gewinnen.

Dominic lässt eine schwarze Filzschachtel vom Tresen gleiten, öffnet sie und hält sie mir hin. »Du hast doch nicht gedacht, dass ich dir erlaube, diese Kaufhaus-Ohrringe zu tragen, oder?«

Aber er belässt es nicht bei Ohrringen. Neben den massiven Goldreifen gibt es eine passende Halskette und ein Armband. Ich halte die Luft an, weil jedes einzelne Stück einfach umwerfend ist. Sicherlich handgefertigt und wahrscheinlich teurer, als ich es mir vorstellen kann. Woran hat er nicht gedacht? An diesem Punkt würde es mich nicht wundern, wenn Dominic zu dem ganzen Ensemble auch noch ein Diadem herausholen würde.

»Wann hattest du denn Zeit, das alles zu besorgen?« Ich blicke von den Schmuckstücken zu ihm auf.

Die Falten neben seinen Augen werden tiefer, und ich würde wetten, dass sich unter seinem Bart seine Wangen röten. »Ich habe meine Wege.«

»Das habt ihr alle drei, nicht wahr?« Diese drei sind zu allem fähig, egal, wie extrem es ist. Mit einem Mord davonkommen, das perfekte Kleid und den perfekten Schmuck auszusuchen, umwerfende Orgasmen … was auch immer, sie liefern es.

»Darf ich?« Coen macht eine Bewegung in Richtung der Schachtel und wartet auf Dominics Nicken, bevor er hineingreift und vorsichtig die lange, zarte Kette herausnimmt.

Ich streiche mein Haar zur Seite und mache ihm Platz, damit er die Kette um meinen Hals legen kann. Ein Teil davon schmiegt sich an mich wie ein Halsband, während der zarte Anhänger ein paar Zentimeter unterhalb meines Schlüsselbeins liegt. Ein längeres, baumelndes Stück löst sich und findet seinen

Platz zwischen meinen Brüsten, wo es den tiefen Ausschnitt mühelos ergänzt. Ein Schauer läuft mir über den Rücken, als Coens Fingerspitzen über meine Haut streichen, während er das Band festhält.

Magnus zupft das Armband ohne Dominics Zustimmung heraus, da er offensichtlich nicht von dieser Interaktion ausgeschlossen werden möchte. »Du siehst toll aus, Prinzessin.«

Ich rolle mit den Augen. »Hast du immer noch nicht genug von der Prinzessinnen-Sache?«

Magnus grinst. »Niemals. Obwohl du heute Abend eher zur Königin taugst.«

»Bist du dir sicher, dass du das willst, J?« Coen streicht mit dem Knöchel seines Zeigefingers über meinen Arm.

Es ist nicht so, dass ich jetzt einen Rückzieher machen könnte, selbst wenn ich es nicht wäre. Sicherlich könnte es für sie entscheidend sein, meine Hilfe zu nutzen, aber sie hatten von Anfang an geplant, es ohne mich zu tun. Meine Angst, sie im Stich zu lassen, überwiegt bei Weitem die Angst, einer kriminellen Organisation gegenüberzutreten. Macht mich das zu einer Närrin? Mehr als wahrscheinlich. Ist mir das wichtig? Nicht wirklich. Was habe ich schon zu verlieren? Abgesehen von Cora sind diese Jungs, die vor mir stehen, das Wichtigste in meinem Leben geworden. Ich würde alles tun, um ihnen den Sieg zu sichern, egal, wie gefährlich und möglicherweise idiotisch es ist.

Ich würde lügen, wenn ich sage, dass ich mir keine Sorgen mache, was passiert, wenn sie gewinnen. Was wird das für uns bedeuten? Für mich? Werden sie mich nicht mehr brauchen oder sich verpflichtet fühlen, mich unter ihrem Schutz zu halten? Werde ich beiseitegeschoben werden? Ein verbrauchter Bauer in einem nicht enden wollenden Schachspiel. Aber das sollte keine Rolle spielen. Mein Ziel ist es, ihnen zum Erfolg zu verhelfen, alles andere ist unwichtig im Vergleich zu der größeren Aufgabe, die vor mir liegt.

Vor all dem bin ich gut ohne sie ausgekommen, ich werde es auch danach schaffen. Ich kann mit den Konsequenzen leben, wenn ich weiß, dass ich mein Bestes getan habe, um in dieser monumentalen Schlacht zu helfen.

Ich beruhige und konzentriere mich darauf, was kommen wird, und atme tief durch. »Lasst es uns tun!«

*D*ominic streckt seine Hand aus, um mir aus dem abgedunkelten Auto zu helfen, in dem wir angekommen sind. »Denke daran, dies ist eine Waffenstillstandszone. Auf diesem Gelände wird es weder Gewalt noch Blutvergießen geben.«

Ich werfe einen Blick auf die dunkel getönten Scheiben, die uns vom Fahrer trennen. »Muss ihm jemand Trinkgeld geben oder so?«

»Er steht auf der Gehaltsliste, Prinzessin.« Magnus springt auf der anderen Seite heraus und steht blitzschnell neben Dominic, ebenfalls mit ausgestreckter Hand.

Ich lege meine Hände in ihre Hände und stehe in der mit Ziegelsteinen gepflasterten Auffahrt. Mein Blick streift das massive Gebäude hinter den beiden und dann die zahlreichen Menschen, die aus den anderen Fahrzeugen um uns herum aussteigen. Ich schlucke den Reflex hinunter, mich einschüchtern zu lassen, und nehme meine Tu-so-als-ob-Anmut an. Ich weigere mich, mich von diesen Menschen aufgrund ihres Status in dieser kaltblütigen Welt einschüchtern zu lassen und weniger wert zu fühlen.

Ich bin überfordert, aber das müssen sie nicht wissen.

Coen lässt sich Zeit, sich zu uns zu gesellen, und sein Blick tastet auch alle anderen um uns herum ab. In diesem Moment fällt mir ein, dass er der Sicherheitschef ist und hier in seinem Element ist und das tut, was er am besten kann.

Nachdem ich mein Kleid zurechtgerückt und mich orientiert habe, lege ich meine Hand in Dominics angebotene Armbeuge und erlaube ihm, unser Tempo zu bestimmen.

Er hat es nicht eilig, aber er geht zielstrebig und mit einer Intensität, die die Menschen innehalten und staunen lässt.

Ich werfe einen Blick über meine Schulter auf Magnus und Coen, die die Nachhut bilden, was nur noch mehr unterstreicht, wie knallhart wir aussehen müssen. Stolz schwillt in meiner Brust an. Diese Männer haben mich ausgewählt, heute Abend hier zu sein, nicht irgendeine andere Frau. Es hätte jede sein können, aber ich bin es. Ich bin entweder dumm oder habe Glück, auf jeden Fall das eine oder das andere. Das werde ich entscheiden, wenn alles gesagt und getan ist.

»Bist du okay?«, murmelt Dominic zu mir.

»Mhm.« Ich werde von potenziell mörderischen Fremden angestarrt, was kann sich ein Mädchen mehr wünschen?

»Wenn du weiter mit dem Arsch wackelst ...«, flüstert Magnus hinter mir.

Coen unterbricht ihn. »Bryant, nicht die Zeit und nicht der Ort.«

Ich verberge ein Lächeln, das sich bei ihrem scheinbar ständigen Geplänkel einschleicht. Oder, na ja, wenn Magnus in unpassenden Momenten pervers ist und Co ihn anschnauzt. Wenn es nicht Coen ist, dann ist es Dom, der Magnus sagt, er soll ihn in der Hose lassen. So oder so, ich liebe die Dynamik zwischen den dreien, ganz gleich, wie ernst oder unbeschwert sie wird.

Wir nähern uns einem ziemlich großen Eingang, an dem zahlreiche Männer Wache stehen. Ich bemerke die kleinen durchsichtigen Ohrstöpsel, die sie tragen, und ihre passende schwarze Kleidung. Ein Mann, der wie alle anderen aussieht, nickt dem Paar vor uns zustimmend zu.

»Mr. Adler«, sagt der namenlose Mann, der uns am nächsten steht.

Dominic neigt nur leicht den Kopf.

Ist das der Nachname von Dom? Ich habe wohl nie darauf geachtet, dass sie die Nachnamen von Magnus und Coen verwenden, aber den von Dom.

»Ihr Gast kennt die Hausordnung?« Der Mann erwidert meinen Blick nicht.

»Ja«, ist alles, was Dom antwortet.

»Sie können eintreten.«

Zwei der Männer halten uns die großen, überdimensionalen Doppeltüren auf.

Die Luft ist dick mit teurem Leder und einer Fülle anderer dekadenter Düfte. Reichhaltiger Tabak, die feinsten Parfüms und etwas, das an Apfelkuchen erinnert. Ein bisschen übertrieben, wenn ihr mich fragt. Aber wer bin ich schon, dass ich in dieser Villa voller Leute, die viel mehr drauf haben als ich, darüber urteilen kann? Ich bin hier ein Niemand. Meine Meinung zählt nicht.

Viele Köpfe drehen sich zu uns, manche verweilen länger als andere. Es ist fast so, als wären die Leute überrascht, dass Dominic ein Date mitgebracht hat.

Die Anzahl der Männer übersteigt die der Frauen um das Doppelte, und jeder von ihnen trägt irgendeine Art von überteuertem Anzug oder Kleid. Angesichts der luxuriösen Fahrzeuge, in denen alle anreisten, und ihrer Kleidung kann ich mir nur vorstellen, wie viel Geld die Anwesenden heute Abend ausgegeben haben.

Ein paar ältere Frauen fallen mir auf. Sie plaudern miteinander und starren uns direkt an, als wir weiter durch das riesige Foyer gehen. Eine von ihnen reißt sich los und kommt direkt auf uns zu. Erst als sie bis auf einen Meter an mich herangekommen ist, erkenne ich, wer sie ist.

Gwyneth Sharp.

Ich behalte die Nerven und setze jedes Quäntchen schauspielerisches Können ein, das ich habe. Ich muss mich ihr gegenüber beweisen, um mir ihre Stimme zu sichern, und ich muss schlau genug sein, um sie dazu zu bringen, auch die anderen zu überzeugen.

»Oh!« Sie lächelt freundlich. »Du siehst so gut aus wie immer. Das wundert mich überhaupt nicht.« Winnie neigt den Kopf und sieht Magnus und Hayes hinter mir an.

»Winnie, es ist schön, dich zu sehen.« Dominic lässt mich los, um der älteren Frau einen Kuss auf die Wange zu geben.

Ich rechne in meinem Kopf und schätze, dass sie wahrscheinlich näher an Doms Alter ist als ich. Aber sich die beiden zusammen vorzustellen, erscheint mir noch viel abwegiger.

»Und wen haben wir denn hier?« Sie starrt mich weiter an.

»Winnie, das ist June.«

Winnie verengt ihren Blick. »June …« Es klingt mehr wie eine Frage als alles andere. »Dein Gesicht kommt mir so bekannt vor.«

»Croissants, getoastet, Geflügelsalat mit Weintrauben als Beilage.« Ich sage die letzte Bestellung auf, die ich ihr geliefert habe.

Eine imaginäre Glühbirne flackert über ihrem Kopf auf. Ihre Wangen blähen sich auf. »Richtig. Ich wusste doch, dass ich dich von irgendwoher kenne.« Sie greift nach mir und zieht meine Hände zu sich heran. »Komm! Wir haben viel zu besprechen.«

Heilige Scheiße, jetzt schon? Ich hätte nicht gedacht, dass sie mich gleich zur Seite nehmen würde, wenn überhaupt. Ich dachte, ich müsste hier und da subtile Andeutungen machen. Ich hätte nicht gedacht, dass sie mich bei der erstbesten Gelegenheit wegzerren würde und mir überhaupt keine Zeit lässt, während meine drei Jungs auf mich aufpassen, damit ich nicht ins Fettnäpfchen trete.

Aber gibt es einen besseren Zeitpunkt?

Ich bemerke, wie starr jeder meiner Männer auf ihre Beharrlichkeit reagiert, mich von ihnen zu trennen. Es geht nicht um meine Sicherheit, sie haben mir klargemacht, dass mir hier nichts passieren wird – nicht, solange es die Regeln gibt, die das hier zur gewaltfreien Zone machen. Abgesehen von einem Waffenstillstand, wie dem, den sie mit Simon geschlossen haben, ist dieses riesige Haus einer der wenigen Orte, an dem sich all diese Feinde versammeln können, ohne befürchten zu müssen, dass man ihnen die Kehle aufschlitzt.

Winnie zeigt in einen Raum, der direkt an das Foyer anschließt. »Trinkt etwas, entspannt euch! Ich werde mich gut um sie kümmern.«

Dominic steht da, ohne viel Gefühl zu zeigen. Er kann vor all diesen wachsamen Blicken nicht aus der Rolle fallen.

Magnus zwinkert mir zu – eine stumme Geste, die mir sagt, dass ich es schaffe.

Coen sucht die Menge nach einer Bedrohung ab, obwohl mir gesagt wurde, dass es keine geben würde. Sein Blick verweilt auf einem Punkt und ich folge ihm, bis ich Simon sehe, der am Geländer einer großen gewölbten Treppe lehnt, die in einen, wie ich mir vorstellen kann, wunderschön dekorierten zweiten Stock führt. Alles an diesem Ort schreit: *Ich habe zu viel Geld und weiß nicht, was ich damit tun soll.*

Das passt, wenn man bedenkt, für welche Dinge Dom sein Geld verprasst hat, ohne sich darum zu kümmern. Vor allem für mich. An einem Abend legte er zehntausend Dollar beim Abendessen auf den Tisch und ließ sie neben meinem Teller fallen, als wäre das überhaupt keine große Sache. Für jemanden, der so pleite ist wie ich, ist das eine lebensverändernde Menge Geld.

Winnie, ein seltsamer Name, da ich sie kaum kenne, zieht mich weiter durch das weitläufige Foyer und einen langen Flur hinunter. Sie führt mich in einen abgeschlossenen Raum und lässt die Tür hinter uns zufallen. Der Lärm der Menschenmenge verstummt sofort. Sind das schalldichte Wände?

Der neue Raum ist eindeutig ein Büro, mit einem großen dunklen Holzschreibtisch auf der einen Seite und raumhohen

Regalen mit Büchern auf der anderen Seite. Eine Terrassentür führt in einen abgedunkelten Bereich, den ich von meinem Platz in der Nähe des Eingangs aus nicht ganz erkennen kann.

»Komme herein!« Winnie gleitet zu einer gut bestückten Bar hinüber, die der im Wohnzimmer des Hauses ähnelt, in dem ich gerade wohne. »Darf ich dir einen Drink anbieten? Bourbon, Whiskey, Rum, Wodka … wähle deinen Favoriten!«

Ich räuspere mich und gehe ein paar vorsichtige Schritte auf sie zu. »Bourbon, bitte. Einen Schluck.«

Sie zieht eine Augenbraue hoch und wirft mir einen Blick zu. »War das schon immer deine Wahl oder haben dich die Jungs bekehrt?«

»Ich mag Bourbon schon immer.« Allerdings wusste ich nicht, was mir fehlte, bis ich ein paar der Marken probierte, die sie häufig verwenden.

»Eine Frau mit gutem Geschmack.« Sie reicht mir ein Glas mit zwei Fingern goldener Flüssigkeit und streckt mir das Glas entgegen. »Worauf sollen wir anstoßen?«

»Wie wäre es mit einem Neuanfang?« Denn hat sie nicht vor, mit diesem Leben Schluss zu machen, sobald jemand anderer die Kontrolle übernimmt? Eine Art seltsamer Ruhestand, wenn man bedenkt, dass ihr verstorbener Mann diese kriminelle Organisation nicht mehr leitet.

»Auf neue Anfänge, mögen sie die Opfer wert sein!« Winnie hält Augenkontakt mit mir, während wir unsere Gläser aneinanderstoßen. Ich traue mich nicht, den alten Aberglauben darüber zu erwähnen, was passieren würde, wenn man sich nicht in die Augen sieht. Ich bin mir nicht sicher, ob sie den Witz verstehen würde, dass sie möglicherweise sieben Jahre lang schlechten Sex haben würde.

Ich führe das dickwandige Glas an meine Lippen und atme die köstliche Wärme des Bourbons ein. Ich nehme einen Schluck und warte, bis sie den nächsten Schritt macht. »Danke, das ist wunderbar.«

Winnie setzt sich auf die Plüschcouch und klopft mit der Hand auf den Platz neben ihr. »Jetzt, da wir Mädchen unter uns sind, können wir uns unterhalten.«

Bevor ich mich setze, schaue ich mich kurz im Raum um. Ich könnte mich sofort darauf stürzen, wie würdig Dominic ist, den Thron zu beanspruchen, aber ich beschließe, mich zurückzuhalten und abzuwarten, wie sie das Gespräch weiterführt.

»Das ist ein ziemlich exquisites Kleid, das du heute Abend trägst.« Sie greift nach vorn und streift mit ihren Fingern über den Stoff. Diese Frau weiß definitiv nicht, was ein persönlicher Raum ist.

Ich schaue auf ihre gealterten Hände hinunter. »Da widerspreche ich nicht. Es ist wunderschön.«

»Es steht dir ausgezeichnet.« Winnie stellt ihr Glas auf den kleinen Tisch an der Seite der Couch. »Ich habe ein ähnliches Modell bei einer Armani-Show gesehen.«

Ich blinzle zu ihr auf und lächle. »Ich glaube, ich weiß, welches du meinst.«

»Guter Bourbon, Designer-Kleider. Die Männer, mit denen du dich umgibst.«

»Ich verdanke ihnen dieses Outfit. Besonders Dominic.«

Winnie lächelt. »Er hat ein Auge für Details, nicht wahr?« Sie hält inne. »Aber das wusstest du ja schon.«

Eine Eröffnung, mit der ich arbeiten kann, auch wenn es sehr danach aussieht, als wolle sie mich ködern. »Dominic hat ausgefeilte Fähigkeiten, das steht fest. Ich wage zu behaupten, dass sie sogar selten sind.«

»Oh, June!« Winnie entspannt sich auf ihrem Sitz und schaut mich an. »Du musst mich nicht davon überzeugen. Ich kenne Dominic, seit er ein Junge war. Er hatte schon immer ein Händchen dafür, aus jeder Situation als Sieger hervorzugehen, egal was passiert. Einfallsreich ... etwas, das in diesem Beruf sehr nützlich ist.

Sag mir, wie hast du es geschafft, dass er dich heute Abend

mitgebracht hat? In all den Jahren, in denen ich diese Veranstaltungen organisiert habe, hat Dominic nicht ein einziges Mal eine Begleitung mitgebracht.«

Ich denke über die Frage nach und entscheide, welchen Weg ich einschlagen soll. Ich wähle einen authentischen Ansatz – Ehrlichkeit. »Ich habe darauf bestanden.«

Winnie schnaubt. »Eine Frau, die den furchtlosen, skrupellosen Dominic Adler im Griff hat. Interessant.«

Wieder sein Nachname. Irgendwie macht ihn das in meinen Augen noch sexier.

»Ist das ein schwieriges Unterfangen?«, frage ich sie, neugierig, ob ich dieses Gesprächsthema zu meinem Vorteil nutzen kann.

Sie atmet tief ein. »In der Tat, ja. Es ist immer eine interessante Aufgabe, einen der Männer hier heute Abend zu zähmen. Es gibt natürlich einige der leichteren Ziele, aber es braucht eine besondere Art von Frau, um die Dinge zu ertragen, die in unserer Welt passieren. Nicht nur das, sondern auch ihr Interesse sie zu halten, ist eine Herausforderung für sich. Mit Reichtum, wie wir ihn erleben, könnte jeder von uns alles haben, was er will, wen er will. Etwas zu finden, das es wert ist, festgehalten zu werden, das ist für uns selten.«

»Ich dachte, ich hätte viele Paare gesehen, als ich hier ankam.«

Sie schüttelt den Kopf. »Die meisten von ihnen wahren nur den Schein. Nicht viele werden diese Beziehungen langfristig aufrechterhalten. Sobald die Frauen erkennen, wie gefährlich es ist, verschwinden sie entweder oder sterben. Die wenigsten halten so lange durch wie ich, was mich zu der Frage führt, ob du vorhast zu bleiben.«

Was könnte der Grund für ihre Frage sein? Weil sie neugierig ist, welche Rolle ich spielen werde? Ob ich Dominics Fähigkeit schwäche, zu führen. Oder vielleicht, weil sie sich um Dom sorgt und nicht sehen will, wie ich ihn ausnutze?

»Ich habe keine Angst.«

»Das habe ich nicht gesagt.« Winnie fährt mit dem Finger an ihrem Kinn entlang und zeigt dann auf mich. »Das sieht frisch aus. Wie ist das passiert?«

Ich wende meinen Blick ab und denke an die Nacht, in der ich entführt und von einem Mann gefangen gehalten wurde, der ein Messer schwang und drohte, mich wie einen Kürbis zu zerschneiden. Derselbe Mann, den ich gefoltert und getötet habe und dessen Blut ich ohne zu zögern vergossen habe.

»Das?« Ich berühre die gefurchte Narbe. »Das ist nichts.«

»Und das wird es sein … im Vergleich zu dem, was du möglicherweise ertragen musst, wenn du bleibst.«

»Willst du mich vom Gegenteil überzeugen?«

Winnie greift nach ihrem Glas. »Nein.« Sie nippt an der Flüssigkeit und stellt das Glas wieder auf den Tisch. »Ich warne dich nur vor den Risiken, die der Umgang mit Männern wie Dominic mit sich bringt. Er kann nur sehr wenig tun, um dich zu schützen.«

»Ich komme allein zurecht.«

»Daran zweifle ich nicht.« Winnies Wangen verziehen sich. »Wenn man bedenkt, dass du mit drei rücksichtslosen Männern schläfst.«

Meine Lippen trennen sich, ich weiß nicht, was ich zu ihrer unverhohlenen Aufforderung sagen soll.

Winnie kichert, weil sie mich überrumpelt hat. »Oh, das ist doch offensichtlich. So wie die drei sich verkrampft haben, als ich dich von ihnen entführt habe. Ich bin mir nicht sicher, wen von ihnen es am schlimmsten getroffen hat.« Als ich nichts sage, fährt sie fort. »Ich bin fasziniert, wirklich. Wie sie alle auf dich abfahren und anscheinend kein Problem damit haben. Und ich meine, jedem das Seine.« Sie hält ihre Hände hoch. »Heutzutage können die Leute tun, was sie wollen.« Sie senkt ihre Stimme. »Wenn du irgendeine andere Frau wärst, die heute Abend hierherkommt, hätte ich dich nicht zur Seite genommen. Aber wenn ich sehe, wie sie dich beobachten, und wie ich deine Anwesenheit in der Vergangenheit persönlich gespürt habe … du hast etwas an dir, June. Etwas, das ich nicht genau benennen kann. Du bringst etwas anderes in ihnen zum Vorschein, als hättest du eine Schicht der drei aufgedeckt, die ich nicht für möglich gehalten hätte. Du könntest sehr wohl ihre Geheimwaffe sein, aber es ist auch möglich, dass du ihr Kryptonit bist.«

Was ist daraus geworden, dass ich hergekommen bin, um die Frau aktiv zu beeinflussen? Diese Frau dominiert das Gespräch und schafft es, mich mit ihrer Offenheit zu schockieren. Ich muss mich zusammenreißen und zeigen, dass ich von Nutzen sein kann, dass ich nicht der Untergang der Männer sein werde.

Ich erinnere mich an die Frage, der ich vorhin ausgewichen bin. »Du fragtest mich vorhin, ob ich vorhabe, zu bleiben.«

»Mmhm.« Winnie wartet, bis ich fortfahre.

Ich war mir die ganze Zeit über sicher, dass ich ihnen auf jeden Fall helfen würde, ihren Krieg zu gewinnen, und dass ich dann gehen würde. Ich würde nicht bei ihnen bleiben. Das ist nicht mein Ding. Es liegt nicht in meiner DNA, mich an eine Person oder Situation zu binden. Mein beruflicher Werdegang und meine Beziehungen sprechen Bände über meine Unfähigkeit, länger als nötig zu verweilen. Ich bin mir nicht sicher, ob es Selbstsabotage ist, die als Bewältigungsmechanismus getarnt ist, um mich selbst zu schützen, oder ich nie etwas gefunden habe, für das es sich zu bleiben lohnt. Aber das ist nicht das, was sie im Moment hören will. Sie sucht nach der Bestätigung, dass ich nirgendwohin gehen werde. Ich bin mir nicht sicher, ob das in ihren Augen eine gute oder schlechte Sache ist.

»Ich werde bleiben.« Belüge ich sie oder mich selbst? Bin ich in der Lage, Wurzeln zu schlagen?

Der Gedanke, ohne die Männer zu sein, überwiegt irgendwie schmerzhaft jeden Wunsch, wegzulaufen.

»June, das letzte Mal, als ich dich gesehen habe, hast du Essen für ein mittelmäßiges Restaurant ausgeliefert. Jetzt trägst du ein zwanzigtausend Dollar teures Kleid und Schmuck im Wert von Hunderttausenden von Dollar. Eine drastische Veränderung, wenn ich das so sagen darf.«

»Es geht nicht ums Geld, falls du das meinst. Ich habe das alles nicht gewollt.« Ich werfe einen Blick auf die aufwändige Kleidung, die offensichtlich niemanden täuscht. Ich passe nicht hierher und das ist ganz offensichtlich.

»Was ist es dann? Tu mir den Gefallen!«

»Ich ...« Mehr will ich nicht sagen. Ich kenne sie kaum. Dann erinnere ich mich, warum ich hier bin. »Ich sorge mich. Um jeden Einzelnen von ihnen. Aus vielen verschiedenen Gründen. Ich fühle mich bei ihnen sicher, aber nicht so, wie du vielleicht denkst.« Ich schüttle den Kopf. »Sie verstehen mich.« Ich blicke in die Ferne. »Ich hatte nie wirklich viel. Ich habe nie viel gebraucht, wenn ich ehrlich bin.« Ich atme aus. »Ich hatte nie wirklich ein Zuhause, eine Konstante. Mit ihnen habe ich das. Nicht ihr buchstäbliches Haus, aber mit ihnen, wenn das überhaupt Sinn ergibt.«

Winnie nickt. »Das tut es.«

Ich schlucke. »Ich glaube, einmal in meinem Leben ist es so, als würde ich in den Spiegel schauen, wenn ich sie ansehe. Ich sehe in jedem von ihnen dunkle Teile von mir, aber mit dieser Dunkelheit bringen sie mein Licht zum Vorschein. Und wenn ich mich nicht täusche, tue ich dasselbe für sie. Es ist nicht einseitig. Sie mögen denken, dass sie mich beschützen, dass ich eine Belastung bin, aber wer kümmert sich um sie? Wer hat ihr Bestes im Sinn? Sie sind ständig damit beschäftigt, Probleme zu lösen und Unordnung zu beseitigen, sie sind immer nervös und müssen zehn Schritte vorausdenken. Außer ihnen selbst gibt es niemanden, der auf sie aufpasst. Nicht eine einzige Person, die all das für sie tun würde.«

Winnie kippt das Getränk herunter, von dem ich nicht

bemerkt habe, dass sie es genommen hat. Sie beobachtet mich aufmerksam. »Und du sagst, *du* könntest das sein?«

Ich wollte nie, dass so etwas passiert. Ich dachte, Dominic wäre eine zufällige Begegnung auf der Toilette in der beschissenen Kneipe, in der ich arbeitete. Ich dachte, Magnus wäre ein Fremder, mit dem ich eine glorreiche Nacht verbringen würde. Und Coen ... ich dachte, ich hätte ihn schon vor Langem verloren. Wenn mir jemand vor sechs Monaten gesagt hätte, dass Co und ich uns über den Weg laufen würden und ich mich auch in Magnus' und Doms Leben verheddern würde, hätte ich ihm niemals geglaubt.

Und doch bin ich hier, bereit, mich auf die gefährlichste Art und Weise zu exponieren, um sicherzustellen, dass sie bekommen, was sie verdienen. Denn wenn ich es nicht bin, wer soll es dann für sie tun?

»Ja, ohne Zweifel.« Ich hebe mein Getränk, um den Rest des Inhalts in meinen Mund zu leeren.

Ein Klopfen ertönt an der Tür, eine Sekunde später geht sie auf und eine der Frauen von vorhin kommt herein. »Winnie, wir sind bereit für dich. Dom ist so weit.«

»Ich bin gleich da.« Sie steht auf und glättet die Falten in ihrem Hosenanzug.

»Es geht schon los?« Mein Herzschlag beschleunigt sich.

»Ah, ja, meine Liebe. Wir dachten, es wäre besser, sich zuerst mit den Bewerbern zu treffen, so können wir bei einem Abendessen und Getränken beraten und vor dem Dessert eine endgültige Entscheidung treffen.«

Werde ich die Möglichkeit haben, mit meinen Männern zu sprechen, bevor sie in den Einsatz gehen? Um ihnen zu sagen, wie sehr ich an sie glaube und wie stolz ich auf alles bin, was sie bereits erreicht haben. Dass ich auf jeden Fall hier sein werde, egal, ob sie gewinnen oder verlieren. Es sind nicht ihre teuren Bourbons oder schicken Anzüge, die meine Aufmerksamkeit erregen, es sind ihre Seelen, die mich rufen und mir sagen, dass wir uns der Dunkelheit nicht allein stellen müssen.

Winnie kippt auch den Rest ihres Getränks hinunter. »Ich denke, du weißt, was zu tun ist.« Sie verweilt eine lange Sekunde in der Nähe ihres Schreibtisches, als wolle sie, dass ich etwas Tieferes in ihren Worten verstehe.

Ich versuche verzweifelt, herauszufinden, was sie meint, und schlage innerlich auf mich ein, um den Hinweis zu entschlüsseln. Vielleicht ist es gar nichts, und ich greife nur nach Strohhalmen, weil ich das Treffen mit ihr so verpfuscht habe.

Ich habe versagt. Ich habe verdammt noch mal massiv versagt. Ich sollte sie überzeugen, und alles, was ich tat, war, um meine Worte herumzustolpern und unsicher zu werden, ob ich die Situation unter Kontrolle hatte.

»June?« Winnie geht auf die Tür zu, durch die wir gekommen sind. »Wir haben uns in der Vergangenheit kurz unterhalten, während einer deiner Lieferungen. Ich erinnere mich, dass du erwähnt hast, dass du Wirtschaft studierst.«

Ich habe Wirtschaft studiert. Jetzt bin ich nur noch ein Studienabbrecher, aber das braucht sie nicht zu wissen. »Ein paar Prüfungen vor dem Abschluss, ja.«

Winnie zeigt mit dem Finger auf mich. »Sie lehren zwar nicht gerade unsere Art von Beruf, aber diese Fähigkeiten werden sich als nützlich erweisen.« Sie zwinkert. »Hab keine Angst, sie zu benutzen.« Winnie verschwindet aus der Tür und lässt mich allein in ihrem Büro zurück.

Ich atme tief ein und beruhige die Nerven, die mich zu zerstören drohen.

»Reiß dich zusammen, June!«, sage ich leise, während ich mich an dem kunstvoll geschnitzten Holztisch abstütze.

Als ich die Augen öffne, fällt mein Blick auf eine Kiste, die nur wenige Zentimeter von mir entfernt steht. Ich blinzle ein paar Mal und gehe näher heran, wobei ich einen Blick auf die Stelle werfe, an der Winnie nur Sekunden zuvor verschwunden ist. War es das, was sie mir zeigen wollte? Mir sagen? Nein, das kann nicht sein. Diese Villa ist eine gewaltfreie Zone, warum sollte sie mich auf die Waffe aufmerksam machen, die hier offen herumliegt? Ist das ein Test? Eine Art Spiel, mit dem sie herausfinden will, wie weit ich bereit bin zu gehen? Und wenn ja, woher weiß ich, welche Entscheidung die richtige ist? Man hat mich mehrfach auf die Unantastbarkeit der Regeln hingewiesen, es wäre geradezu respektlos und dumm von mir, sie zu missachten, nicht wahr?

Wann habe ich mich jemals an die Regeln gehalten?

Vorsichtig drücke ich meine Finger gegen den Verschluss und kippe den Deckel. Ich lasse ihn vorsichtig auf den Tisch fallen, ohne ein Geräusch zu machen, und behalte dabei den Dolch im Auge. Ich greife hinein und ziehe ihn heraus, irgendwie fühle ich mich schon mächtiger, wenn ich ihn in der Hand halte.

Der Griff ist dunkelblau und könnte sogar mit Schwarz verwechselt werden. Am Ende befindet sich ein rundes, goldenes Abzeichen. Aber dort, wo der Griff auf die Klinge trifft, befindet sich ein kleiner Totenkopf, in der gleichen Farbe, nur ein bisschen glänzender. Ich fahre mit dem Finger an der Waffe entlang und stelle fest, wie scharf sie ist. Ich drehe das Ende an der Spitze meines Zeigefingers und schon erscheint ein kleiner Blutstropfen. Das ganze Ding ist nicht länger als zehn Zentimeter, kann aber eine Menge Schaden anrichten.

Die Tür ist immer noch angelehnt, und die Geräusche von draußen werden lauter. Anstatt das Ding wieder dahin zu legen, wo ich es gefunden habe, drehe ich es in meiner Hand, sodass es an meinem Arm anliegt und nicht gesehen werden kann.

Ich halte meinen Arm dicht an meiner Seite, vorsichtig, um keine Aufmerksamkeit darauf zu lenken, und erst recht, um mir nicht den Unterarm aufzuschneiden. Ich schleiche mich aus dem Raum und fange sofort Coens Blick auf, der sich mit einem Mann unterhält, der mir noch nicht vorgestellt worden ist. Ich drehe mich um, tauche in einen anderen Raum voller Menschen ein und scanne die Menge nach der Person, die ich zu finden versuche.

Es gibt nur zwei Personen auf dieser Party, die den Ausgang des Abends beeinflussen können, und ich werde alles in meiner Macht Stehende tun, um sicherzustellen, dass meine Männer auf der Gewinnerseite stehen.

Dominic stößt mich mit den Schultern an. »Bist du okay?«

Ich nicke und zwinge mich zu einem Lächeln. »Ja. Und du?«

»Ein bisschen stickig hier drin.« Sein Blick schweift umher und landet wieder bei mir. »Ich wurde gerufen. Wir sehen uns dann später, okay?«

Eine Million Gedanken gehen mir durch den Kopf. Die unzähligen Dinge, die ich ihm sagen möchte. Ich speichere sie ab und hebe sie für später auf, weil ich weiß, dass wir noch viel Zeit haben, all die unausgesprochenen Dinge zwischen uns zu sagen. Ich greife mit meiner freien Hand nach seiner Schulter und sage ihm genau das, was er jetzt hören muss. »Du schaffst das.«

Wie auch immer, er wird fair und anständig gewinnen oder ich werde dafür sorgen, dass es so ist.

Dom beugt sich vor und streicht mir mit den Lippen über die Wange. »Danke, June.« Er lässt mich mit seiner Berührung auf meiner Haut zurück, ein Gefühl, das überwältigender ist als das des kalten Messers, das ich immer noch in der Hand halte.

Ich gehe weiter durch die Räume, ohne dass alle etwas von dem kleinen, dunkelhaarigen Mädchen ahnen, das eine Waffe trägt, mit der man ihnen allen die Kehlen durchschneiden könnte. Für sie bin ich nur ein weiteres hübsches Gesicht, das ein viel zu teures Kleid trägt und mit den drei tödlichsten Männern hier schläft. Sie ahnen nicht, dass wir deshalb so gut zusammenpassen, weil ich perfekt zu ihnen passe.

Ich erkenne mein Ziel vor mir, und sein Blick bleibt an meinem hängen. Er ist von einer Gruppe seiner Männer verschiedener Größe und Statur umgeben. Er bricht sein Gespräch abrupt ab, hebt die Hand, um ihnen zu signalisieren, dass sie still sein sollen, und lässt sie stehen, um auf mich zuzukommen. Ich wusste, dass es einfach sein würde. Als würde man einem Kind Süßigkeiten wegnehmen.

Ich drehe mich auf dem Absatz um und gleite aus dem Raum, um eine Ecke und an einen ruhigeren Platz. Die Leute kommen und gehen immer noch, aber nicht so wie die Menschenmassen da draußen. Hier kann ich reden, und er kann zuhören.

»Du konntest nicht wegbleiben, nicht wahr …« Er folgt mir genau dorthin, wo ich ihn haben will, aber als er den Raum betritt, ziehe ich das Messer, halte es ihm an den Hals und drücke ihn mit dem Rücken gegen die Wand.

»Simon.«

»June.« Ein böses Grinsen zeichnet sich auf seinem Gesicht ab.

Ich drücke den Dolch weiter in die Haut, um ihm zu zeigen, wie ernst es mir ist.

»So ein Vorspiel gefällt mir.« Er hält seine Arme an den Seiten.

Ich lecke mir die Lippen und gleite mit dem Messer über die Stelle, an der sich sein Herz befindet. »Erinnerst du dich an das eine Mal, als du mir gesagt hast … wie war das noch gleich … ich könnte dich oder den Tod wählen?«

»Ja.« Seine wilden grünen Augen starren in meine. »Du hast Zweifel, nicht wahr?«

»Ganz und gar nicht.« Ich stabilisiere meinen Fuß. Wessen verdammte Idee war es, dass ich Stilettos trage?

»Oh?«

»Ich würde dir gern ein ähnliches Angebot machen. Tritt zurück oder stirb!«

Simon legt den Kopf schief. »Das kann doch nicht dein

Ernst sein.« Er blickt in die Richtung, aus der wir gekommen sind. »Haben sie dich dazu angestiftet?«

Ich stoße die Klinge durch die taillierte Jacke, die er trägt. Sie dringt mit Leichtigkeit hindurch. »Sieht es aus, als würde ich scherzen?« Ich fahre fort, bis die Spitze seine Haut durchdringt.

Er unterdrückt ein Zucken und presst seine Kiefer zusammen. »Du weißt, dass ich das nicht kann.«

»Dann habe ich keine andere Wahl.« Ich schiebe die Klinge noch ein wenig weiter.

Simon starrt mich an, sieht mir tief in die Augen. »Tu, was du tun musst!« Es ist, als würde er dieses Schicksal akzeptieren, weil ein Rückzug nicht infrage kommt.

Und weil ich mich weigere, die Möglichkeit einer Niederlage zu akzeptieren, stemme ich mein Gewicht gegen den Griff und stoße die Klinge in seine Brust.

Erst ein Lichtblitz und ein lautes Knacken lassen mich innehalten.

Simons Gesichtsausdruck wechselt zu Verwirrung, und ich nehme an, dass er dem meinen entspricht.

Schmerz durchzuckt meinen Körper, aber das ergibt keinen Sinn. Ich war diejenige, die Simon erstochen hat. Wie kann es sein, dass ich Schmerzen habe?

Ich senke den Blick und den Dolch und frage mich, wie das Blut aus meiner Brust fließen kann und nicht aus seiner?

Simon greift nach vorn, und während ich erwarte, dass er mir die Waffe abnimmt, drückt er seine Handfläche auf die Stelle, die rot leuchtet. »June. Fuck. June.«

Meine Beine lassen mich im Stich und knicken unter meinem Körper ein.

Simon mildert den Schlag und hält mich fest, während ich zu Boden sinke und den Teppich ruiniere, auf den ich wohl blute. »Nein, nein. Halte durch! Das wird schon wieder.« Echte Besorgnis umspielt seine Züge, noch so etwas, das nicht zusammenpasst. »Hilfe!«, ruft er. »Jemand muss helfen.«

Eben noch hatte ich einen Dolch auf sein Herz gesetzt, und jetzt versucht er, mich am Verbluten zu hindern. Ich schließe die Augen gegen meinen Willen, Schwindel überkommt mich, Dunkelheit zieht mich in den Bann.

»Bleib bei mir, June! Komm schon!« Simon drückt mich an seine Brust.

Ich huste, der Geschmack von Eisen füllt meinen Mund. Das kann nicht gut sein. Jeder Atemzug ist mühsam und schwieriger als der letzte, als ob nur noch eine begrenzte Menge Luft in meinen Lungen ist und nicht mehr genug zum Überleben übrig ist.

Ich will nicht so sterben. Hier. In seinen Armen. In den Armen des Mannes, der sterben sollte. Er. Nicht ich. Aber so ist das nun mal mit dem Schicksal, man hat keine Kontrolle über das, was das Miststück vorhat. Und für mich ist es das hier. Sterben ohne die drei Männer, die ich mehr als alles andere auf der Welt liebe, und mit dem Mann, der ihnen möglicherweise alles nehmen könnte.

Und ich mit ihm.

»Bitte, ich tue alles!« Simon streicht mir das Haar aus dem Gesicht. »June.«

»Versprich mir …« Ich kann die blutgetränkten Worte kaum aussprechen.

»Egal was, bleib einfach bei mir!«

»Tritt zurück!« Ich huste wieder. Wenn ich heute Nacht sterben soll, muss ich sicherstellen, dass ich mit einem Kampf untergehe und alles tue, was ich kann, um Dominic den Sieg zu sichern.

»Ich gebe auf, hörst du?« Simon drückt fester auf meine Brust. »June, ich gebe verdammt noch mal auf. Jetzt bleib bei mir, okay? Sie können den Thron haben, du verrückte Frau, stirb mir nicht deswegen weg!«

»Geh mir aus dem Weg!«, knurrt Dominic.

Ein dumpfer Schlag gegen die Wand, Leute fluchen, und der

Wind bläst gegen meine Haut.

»Was hast du getan?« Dominics Stimme kommt näher.

»J ...« Coen lässt sich neben mir auf den Boden fallen.

»Ich werde dich verdammt noch mal umbringen«, sagt Dominic zu dem, von dem ich annehme, dass er Simon ist.

»Hör auf, bitte!«, schreit Magnus irgendwo zwischen ihnen. »Er ist wahrscheinlich das Einzige, was sie am Leben hält. Seht ihr?«

Ich versuche, meine Augen zu öffnen, um zu sehen, wovon Magnus spricht, aber alles ist schwer, dunkel, zu viel für mich, um es zu kontrollieren. Die Welt dreht sich und Hitze und Kälte wechseln sich in meinem Körper ab. Mein Verstand konzentriert sich nur auf eine Sache – die Worte, die Simon gesagt hat. Er gibt auf. Und wenn sein Wort etwas zählt, hat Dominic offiziell gewonnen, was bedeutet, dass mein Job hier heute Abend erledigt ist. Es ist nicht unbedingt so gelaufen wie geplant, aber das Endergebnis ist das Gleiche.

Mit dieser überwältigenden Erleichterung verliere ich die letzte Kraft, die ich noch habe, um mich festzuhalten, und meine ganze Welt wird schwarz. Ich tue alles, was ich kann, um mich wachzurütteln, um noch ein wenig länger zu bleiben, aber der Drang, in die Dunkelheit zu gehen, ist viel zu stark.

»Ich ...« Ich möchte ihnen sagen, wie viel sie mir bedeuten. Mich dafür entschuldigen, dass ich so lange gebraucht habe, um das zu erkennen. Ich möchte ihnen zu ihrem Sieg gratulieren und sie alle ein letztes Mal küssen. Ich würde mich sogar mit einer Umarmung oder einem einfachen Händedruck zum Abschied zufriedengeben. Jede Geste, die ihnen zu verstehen gibt, dass ich nicht wollte, dass es so endet – dass sie im Schoß ihres Feindes verbluten.

Stattdessen tauche ich tief in den Abgrund ein, der mich mit offenen Armen empfängt.

Zum ersten Mal in meinem Leben möchte ich nicht gehen, aber ich habe keine andere Wahl, als zu gehen.

KAPITEL VIERUNDZWANZIG – COEN

Ich erhebe mich, Junes Blut klebt an meinen Händen. Eine Wut, wie ich sie noch nie gefühlt habe, überkommt mich.

Ich habe einen Tunnelblick und denke nur noch daran, alles und jeden auszuschalten, der für das Geschehene verantwortlich sein könnte.

Ich entdecke einen glänzenden und scharfen Gegenstand am Fuße von Junes Körper, schnappe ihn mir vom Boden und mache mich an die Arbeit, die ich am besten kann. Ich schwinge meinen Arm und schneide einem Mann sofort die Kehle durch, sodass noch mehr Blut spritzt und den Gang füllt.

Schreie ertönen, Menschen flüchten, aber ich habe mein nächstes Ziel im Visier und sie werden nicht entkommen.

Der Typ fällt rückwärts gegen die Wand, lässt seine Waffe fallen und wirft die Hände in die Luft. »Alter, das war ich nicht. Ich habe nicht …«

Aber es ist mir egal, dass er es nicht war, der June erschossen hat. Er könnte es gewesen sein, und allein dafür muss er sterben.

Ich stoße den Dolch in seine Kehle und ziehe ihn heraus.

Seine Augen weiten sich, dann fällt er zu Boden und umklammert die Stelle, die rot leuchtet. Ich drehe mich um und kümmere mich nicht um die anhaltenden dumpfen Schreie. Ein Arm greift nach mir, aber ich wehre ihn ab. Ich schnappe mir die weggeworfene Pistole des Mannes und feuere zwei Schüsse auf einen anderen Kerl ab, der ein bisschen zu schuldbewusst aussieht. Einen in die Brust, den anderen in die Mitte seiner Stirn.

»Wer war das?«, schreie ich. Die Stimme klingt fremd und ungewohnt. »Wer hat sie erschossen?« Ich scanne die Menge. Frauen ducken sich und einige fallen auf die Knie, schwarze Tränen laufen über ihre Wangen. Einige Männer bleiben stehen, ein paar von ihnen nutzen ihren Körper, um ihre Verabredungen zu schützen. Andere sind feige und verstecken sich zwischen ihren Beinen. Verdammt erbärmlich.

Ich gebe einen Scheißdreck auf irgendeinen von ihnen. Von mir aus können sie alle verbrennen. Es gibt nur eine Person in diesem Haus, für die mein Herz schlägt, und sie verblutet gerade in Simon Becketts Schoß.

»Coen. Nimm die Waffe runter!« Winnie Sharp. »Du machst eine ohnehin schon schlechte Situation noch schlimmer.«

Ich drehe mich der Stimme zu. »Jemand sollte mir besser sagen, wer sie erschossen hat, oder ich werde jede Person hier drin umbringen, bis ich sicher bin, dass er tot ist.« Mein Kopf pocht und mein Herz klopft wie wild, eine überwältigende Hilflosigkeit ergreift von mir Besitz.

Ich habe sie gerade erst zurückbekommen, und jetzt werde ich sie wieder verlieren, wegen dieser gefährlichen Welt, in die ich sie nie hineinziehen wollte. Das ist der Grund, warum ich mich von ihr ferngehalten habe, weil ich nicht wollte, dass sie verletzt wird. Ich wollte nicht, dass dieser Lebensstil sie verdirbt und schädigt, geschweige denn, dass sie vorzeitig von dieser Erde verschwindet. June hat etwas viel Besseres verdient, als so zu sterben – in einem Raum voller sadistischer Krim-

ineller, die sich einen Dreck um den menschlichen Anstand
scheren. Ihnen geht es nur um die Macht, die lukrativen
Gehaltsschecks und die üppigen Existenzen. Sie werden nicht
leben, wenn June es nicht tut. Keiner von uns wird das. Und ich
sorge dafür, dass kein einziger Mensch überlebt, wenn June
heute Nacht stirbt.

Ich feuere einen weiteren Schuss auf einen Mann ab, der in
der Nähe steht und seine Hand so hält, dass er die Waffe in der
anderen verbergen kann. Hat er geglaubt, er könnte das vor mir
verbergen? Meine Sinne sind geschärft, und trotz seiner
Bemühungen hätte er das nie vor mir verbergen können.

Sein Körper knallt auf den Hartholzboden.

Winnie blinzelt an mir vorbei, ein Zeichen, dass sie alt und
weise genug ist, um zu wissen, dass sie sich nicht verraten sollte.

Ich gehe in die Knie, drehe mich um, richte meine Waffe
hinter mich und gebe zwei Schüsse in die Brust des Mannes ab,
der sich mir genähert hat. Schnell senke ich die Waffe und
feuere einen weiteren Schuss auf seine Partner. Der Boden ist
mit Leichen übersät und erinnert mich an die Zeit, als ich mir
den Weg in die Freiheit ertötete. Zumindest dachte ich, dass ich
das tun würde. Ich wusste nicht, dass ich mich mit jedem Leben,
das ich auslöschte, auf ein Leben voller Elend einstellte. Ich
tötete ohne Gnade und brach schließlich auf dem kalten, harten
Beton des Gebäudes zusammen, wobei das Blut meine Kleidung
durchtränkte. Ich weiß nicht, wie lange ich dort lag, bis
Dominic mich gefunden hatte und mir sagte, dass es kein
Zurück mehr gab. Ich konnte entweder sterben oder die Rolle
annehmen, die mir zugedacht war.

Ich war zu feige, um den einfachen Ausweg zu wählen und
meine Seele für den Rest der Zeit einem mörderischen
Psychopathen zu überlassen. Ich habe June in der Vergangenheit gelassen, um sie zu beschützen. Und sieh sie dir jetzt an!
Meine Bemühungen waren umsonst. Die unendliche Qual, sie
zu verlassen, hat mich jeden Tag gequält, aber das ist nichts im

Vergleich zu den Qualen, die ich in diesem Augenblick empfinde. Das Wissen, dass ich sie die ganze Zeit über in meinem Leben hätte haben können, zerfrisst meine Seele. Wir haben Zeit verloren, die wir nie wieder zurückbekommen können, und jetzt werde ich sie für immer verlieren, weil Dominic und Bryant sie nicht einfach aus der Sache herauslassen konnten.

Ich sollte sie verdammt noch mal auch umbringen, weil sie sie in diesen Schlamassel hineingezogen haben, obwohl sie genau wussten, in welche Gefahr sie sie damit bringen würde.

Ich lasse mir zu viel Zeit mit meinen Gedanken und gerate leicht ins Stocken, als ich eine Bewegung in meinem Umfeld wahrnehme. Ich reagiere nicht schnell genug, und im nächsten Moment trifft mich etwas Stumpfes und Hartes seitlich am Kopf, reißt mir die Beine aus dem Leib und lässt mich fallen, wie all die Körper, die ich heute Abend zerstört habe. Meine Augenlider werden langsam und schwer, während ich gegen den Drang ankämpfe, wieder aufzustehen und denjenigen zu vernichten, der es geschafft hat, mich mit einem Schlag zu Boden zu bringen.

Trotz meiner Bemühungen wird meine Welt schwarz.

»Ihr könnt mich hier nicht festhalten.« Ich hämmere mit der Faust gegen die Metalltür. Das Geräusch hallt in dem kleinen Raum wider, in dem ich festgehalten werde. Es gibt keine Fenster, nur den einen Ausgang, durch den ich nach meiner Bewusstlosigkeit gebracht worden sein muss.

Warum ich noch lebe, ist mir schleierhaft.

Ich hätte auf der Stelle getötet werden sollen. Ich hätte niemals überleben dürfen, wenn ich auch nur einer einzigen Person in diesem Haus ein bisschen Schmerz zugefügt hätte. Das sind die Regeln, und sie sind verdammt klar und eindeutig.

Und doch bin ich hier, habe ein halbes Dutzend Menschen getötet und lebe noch, um die Geschichte zu erzählen. Obwohl ich in Anbetracht meiner Gefangenschaft sicher nicht glimpflich davonkommen werde.

Sie würden mir einen Gefallen tun, wenn sie das Protokoll befolgen und auch mein Leben beenden würden. Der Gedanke, in einer Welt ohne June zu leben, ist unerträglich, etwas, wozu ich nicht fähig bin. Es ist eine Sache, nicht mit ihr zusammen zu sein, aber trotzdem auf demselben Planeten wie sie zu leben. Es ist beschissen, das ist sicher, aber es ist erträglich, wenn man weiß, dass sie irgendwo da draußen ist, möglicherweise glücklich, gesund und sicher. Aber dass sie nicht mehr da ist, dass sie nicht mehr atmet und nicht mehr in denselben Nachthimmel schaut, diese Realität kann ich nicht akzeptieren. Ich wäre lieber tot.

June ist nicht nur meine erste Liebe, sie ist meine verdammte Seelenverwandte. Sie bringt das Beste und das Schlimmste in mir zum Vorschein und schafft es immer wieder, dass mein Herz gleichzeitig ein bisschen härter und langsamer schlägt. Sie ist eine seltene Mischung aus wagemutig und abenteuerlustig und hat eine versteckte weiche Seite, die sie nicht oft zeigt. Sie gaukelt jedem vor, dass es ihr egal ist und sie sich nicht kümmert, aber in Wirklichkeit ist sie einer der nettesten und selbstlosesten Menschen, die ich je getroffen habe. Ich habe persönlich miterlebt, wie sie bei zahlreichen Gelegenheiten einem Obdachlosen ihren letzten Dollar gegeben hat. Einmal durchwühlte sie die wenigen Kleidungsstücke, die sie besaß, um zu sehen, was sie für eine alte Dame entbehren konnte, die zwischen den Bäumen hinter einem Discounter lebte.

Nur wenige bemerken, dass sie es hasst, andere leiden zu sehen, und dass sie tut, was sie kann, um ihnen zu helfen, auch wenn sie es nicht für wichtig erachtet. Vielleicht liegt es daran, dass sie nie wirklich jemanden hatte, der sich um sie gekümmert hat. Anstatt zuzulassen, dass ihre Nöte sie verbittert und kalt werden lassen, hat sie diesen Beschützerinstinkt denen gegenüber, die ihr wichtig sind, entwickelt, den sie allerdings verbirgt.

June hat sich im Laufe der Jahre verändert, daran besteht kein Zweifel, aber sie ist immer noch dasselbe Mädchen, das mich bemitleidete, weil ich am Grabstein meiner Mutter weinte, als wir Kinder waren. Von diesem ersten Moment an wusste ich, dass June mein Herz für immer erobert hatte. Uns verband ein gemeinsames Trauma und das Gefühl, missverstanden zu werden, und ich kann mir nicht vorstellen, jemals wieder jemandem so nahezukommen. Es ist jetzt fast ein Jahrzehnt her, und ich habe nie wieder etwas gefühlt, das auch nur im Entferntesten mit dem Funken vergleichbar ist, den ich für June empfinde. Ich dachte, er wäre für immer erloschen, bis ich sie vor ein paar Monaten in dieser Bar sah, wo die Flamme wieder aufglühte und heller brannte als je zuvor.

Ich brauche Antworten, ich muss wissen, ob es ihr gut geht. Ob sie es geschafft hat. Oder ob die Dunkelheit in meiner Brust bedeutet, dass sie wirklich für immer fort ist.

Ich schlage wieder mit der Faust gegen die Tür und ziehe an der Klinke. »Du machst einen Fehler, wenn du mich hier festhältst.« Ich fahre mir mit den Fingern durch das Haar und atme verzweifelt aus. Ich scanne den Raum und suche nach einem Ausweg aus dieser Gefangenschaft.

Eine schmuddelige Doppelmatratze ist an die eine Wand gepresst und ein Eimer steht auf der gegenüberliegenden Seite. Es gibt weder eine Toilette noch ein Waschbecken, und das Bett hat nicht einmal ein Kissen, sondern nur eine schäbige Decke, die in der Mitte zusammengeknüllt ist.

Ich werfe einen Blick auf meinen Körper. Der maßgeschneiderte Anzug, den Dominic anfertigen ließ, klebt noch immer an meinem Körper, obwohl er jetzt mit den getrockneten Überresten derer, die ich getötet habe, besprenkelt ist. Das verkrustete dunkle Rot überzieht auch meine Hände, und wenn es einen Spiegel gäbe, würde ich zweifellos etwas davon auf meinem Gesicht finden.

Einiges davon ist Junes Blut. Mein süßes, gequältes Mädchen.

»Konzentrier dich, Co. Du schaffst das!«, sage ich mir, während ich versuche, meine unkontrollierten Gefühle unter Kontrolle zu bringen. »Alles hat eine Schwäche. Finde sie!«

Ich stecke meine Hände in die Taschen, drehe sie um und komme mit leeren Händen zurück. Ich bin meinen Geldbeutel und mein Handy los, was keine Überraschung ist. Ich taste alle meine versteckten Taschen ab, alle sind leer. Wer auch immer mich meiner Habseligkeiten beraubt hat, war gründlich, und das bringt mich dazu, eine weitere Person auf meine Abschussliste zu setzen. Jeder, der sich mir in den Weg stellt, um zu June zu gelangen, muss sterben.

Ich streiche mit den Händen über die Wand und suche nach Unebenheiten. Irgendwelche Brüche oder hohle Stellen, die mir bei meiner Flucht helfen könnten. Ich verbringe bestimmt eine halbe Stunde an der ersten Stelle und finde nichts, was mir helfen könnte.

Ich knöpfe meine Jacke auf und werfe sie auf den Beton. Dominic würde mich dafür ausschimpfen, aber ich bin sicher, ich stecke schon tief genug in der Scheiße, weil ich in einer Amnestiezone einen Amoklauf gestartet habe. Ich kremple meine Ärmel hoch und mache mich wieder an die Arbeit an der zweiten Wand, in der Hoffnung, dass sich etwas rührt.

Die Gedanken an June, die verblutend in Simons Armen liegt, gehen mir nicht mehr aus dem Kopf, und ich versuche mit aller Kraft, aufrechtzubleiben und nicht zusammenzubrechen. Mein Herz schmerzt, weil ich in ihren letzten Momenten nicht für sie da war. Meine Wut hatte mich gepackt und mein Körper wusste nur noch, wie er reagieren musste. Zu töten. Irgendwie das Zünglein an der Waage zu spielen und mich für das zu rächen, was geschehen war.

Als ich die zweite Wand abgesucht habe, erregt das Geräusch von Metall an der Tür meine Aufmerksamkeit. Ich eile hinüber, aber nicht schnell genug. Die Person hat es geschafft, einen kleinen Plastikbecher mit einer klaren Flüssigkeit hindurchzuschieben und ihn auf ein Tablett zu stellen, das aus der Tür herausragt.

»Scheiße!«, schreie ich, während ich mit der Hand nach der Tasse schnappe und sie quer durch den Raum fliegen lasse. Muss ich etwas zu trinken haben? Wahrscheinlich. Aber ich kann nicht sagen, ob sie das Wasser mit etwas versetzt haben, das mich betäubt oder vergiftet.

Ich greife nach dem Tablett und gebe mein Bestes, um es abzureißen. Wenn ich es abnehmen kann, kann ich damit vielleicht die Tür aufbrechen. Ich wackle hin und her und auf und ab, aber das blöde Ding rührt sich nicht von der Stelle. Wer auch immer es entworfen hat, hat daran gedacht, dass die gefangene Person versuchen könnte, es mit roher Gewalt zu entfernen und zu benutzen. Dieser Raum wurde sorgfältig geplant und gebaut – eine solide, uneinnehmbare Kammer.

»Wie lange wollt ihr mich hier festhalten?« Ich hämmere mit beiden Fäusten gegen die Tür. »Kann mir mal jemand sagen, ob es ihr gut geht?« Ich schlage fester zu. »Bitte!« Ich lege meine Stirn auf die kalte Oberfläche, meine schmerzenden Hände immer noch gegen das undurchdringliche Ding gepresst.

*U*nzählige Stunden vergehen, und die Zeit wird zu einem seltsamen, schwer fassbaren Konstrukt, das ich nicht mehr festhalten kann. Wenn die Erschöpfung zu groß wird, döse ich ein und schrecke wieder aus meinem Schlummer auf, und meine Albträume sind für meinen Geist kein besserer Zufluchtsort als meine wache Realität. Ich sehe rot, egal was passiert. Junes Blut, ihr sterbender Körper. Ich schließe meine

Augen und das Bild brennt sich in mein Gedächtnis ein. Ihr Ableben verfolgt mich in meinen Träumen. Ich erreiche sie nie rechtzeitig, ich renne immer, aber nie schnell genug. Sie stirbt tausend Tode, und ich bin nicht in der Lage, sie zu retten, egal, was ich tue.

Es ist mindestens ein Tag vergangen. Meine innere Uhr ist sich dessen sicher. Ich habe keine Ahnung, wie lange noch, aber wegen der Proteste, nichts zu essen oder zu trinken, was mir serviert wird, ermüdet mein Körper stark. Durch den immensen Stress und das Fehlen grundlegender menschlicher Bedürfnisse bin ich nicht mehr in der Lage, mein Bestes zu geben. Ich bin geschwächt, müde und wünsche mir, dass mich jemand einfach von meinem Elend erlöst. Ist das meine Strafe für das, was ich getan habe? Mich hier verrotten zu lassen, während ich nie die Wahrheit darüber erfahre, ob June lebt oder gestorben ist?

Es ist wirklich passend. Denn das ist das Schlimmste, was sie mir je hätten antun können, abgesehen davon, dass sie ihr wehtun, was sie bereits getan haben. Mir die Wahrheit über Junes Zustand vorzuenthalten, ist die ultimative Folter.

Jedes Mal, wenn die kleine Öffnung an der Tür knarrt, flehe ich verzweifelt die Person an, die mir die mickrigen Gaben bringt. Nicht ein einziges Mal antwortet mir jemand oder deutet an, was ihre Pläne mit mir sind. Keiner will mir etwas sagen. Ich versuche, durch den Spalt zu greifen, aber ein Brecheisen schlägt auf meine Hand ein. Ich konnte sie wegziehen, ohne größeren Schaden anzurichten, aber das Ding traf meinen Zeigefinger, brach den Knochen und hinterließ eine Wunde, die nicht aufhörte zu bluten, bis ich einen Teil meines Unterhemdes abriss und es um die Wunde band.

Es ist seltsam, wie gefühllos ich gegenüber dem Schmerz bin. Ich weiß, dass es wehtun sollte. Aber wenn man bereits von einer unbegreiflichen Qual verzehrt wird, ist es schwer, etwas anderes zu empfinden.

Ein Mechanismus ertönt vor der Tür, etwas, das ich in der ganzen Zeit, die ich hier drin bin, noch nicht gehört habe.

Ich erhebe mich vom Boden, stehe auf und mache meine Fäuste bereit für den Kampf, der mir bevorsteht. Ich komme auf die Füße, atme tief ein und schaue mich im Raum um, um etwas zu finden, mit dem ich meine Gegner besiegen kann. Ich schnappe mir meine Jacke vom Boden und greife sie an beiden Seiten, um sie zu einer Art Seil zu verdrehen. Es ist nicht viel, aber wenn ich es um die Kehle der Person schlinge, kann ich sie vielleicht damit erwürgen.

»Beeil dich!«, dringt eine dicke, vertraute Stimme in meinen engen Raum.

Meine Augen weiten sich und mein Griff um das Designerding lockert sich. Höre ich nicht richtig oder ist er das wirklich er?

»Hayes«, ruft mir eine andere Person durch den schmalen Spalt zu, der durch das Öffnen der Tür entstanden ist. Er stößt sie fester auf und tritt in den Raum.

Und zum ersten Mal in meinem Leben bin ich so verdammt dankbar, diesen tätowierten Idioten und den brutalen alten Mann zu sehen.

Meine trockenen Lippen trennen sich, und obwohl ich mich anstrenge, kommt meine Stimme nur brüchig heraus. »June?«

»Sie lebt.« Magnus nickt. »Sie ist am Leben.«

Ich klammere mich an meine Brust, der Wind ist aus mir herausgeschlagen. Seine wiederholten Worte bieten mir eine immense Erleichterung, die ich kaum verarbeiten kann. Ich falle auf die Knie, das Gewicht von allem bricht mit einem Mal auf mich ein. Tränen, die ich nicht kontrollieren kann, laufen mir über die Wangen. »Sie lebt«, wiederhole ich.

KAPITEL FÜNFUNDZWANZIG – JUNE

»Scheiße!«, das Wort verlässt meinen Mund ohne meine Zustimmung. Es folgt ein Stöhnen und mein mühsamer Versuch, meine schweren Augen zu öffnen.

»June.« Eine warme Hand legt sich fester um meine. »Du bist wach.«

Ich blinzle und werde ungeduldig, als sich mein Blick vom Nichts auf das helle Neonlicht über mir einstellt. »Dom.« Ich versuche, mich aufzusetzen, aber er hält mich sanft zurück.

»Sschh. Du bist okay. Nur nichts überstürzen.«

Ich zucke zusammen, schaue an mir herunter und entdecke den Verband, der meine Brust unter dem dünnen Krankenhauskittel umhüllt. »Was ist passiert?« Ich versuche, mich zu erinnern, was das alles verursacht hat, aber es ist alles verschwommen.

»Einer von Simons Männern hat auf dich geschossen. Du wurdest operiert, um den Schaden zu beheben.« Dominic schluckt und eine Seite von ihm, die ich noch nie gesehen habe, kommt zum Vorschein. »Wir waren nicht sicher, ob du es schaffen würdest.«

Ich atme schmerzhaft ein und entspanne mich auf dem Bett.

»Ich bin wie eine Kakerlake, so leicht kannst du mich nicht töten.«

Er zwingt ein falsches Lächeln auf. »Ich wüsste nicht, was ich getan hätte.«

Ich drücke sanft seine Hand. »Hey. Mir geht's gut, mach dir keine Sorgen um mich.« Ich scanne den Rest des Raumes und konzentriere mich wieder auf ihn. »Wo sind Magnus und Co?«

Dominics Kiefer spannt sich an. »Bryant holt dir was zum Anziehen, und Hayes …«

Meine Augen weiten sich, und mein Herzschlag beschleunigt sich sofort. »Nein …«

Dom schüttelt den Kopf. »Nein, er ist nicht tot. Obwohl er sich das wahrscheinlich wünscht.« Er hält inne. »Er wird bestraft.«

Sobald ich wieder zu Atem gekommen bin, verarbeite ich, was er gesagt hat. »Bestraft? Warum?«

»Hayes hat gegen die Hausordnung verstoßen. Ehrlich gesagt hat er Glück, dass er noch lebt. Jeder andere wäre auf der Stelle ermordet worden. Aber in Anbetracht der Umstände hat Winnie den Rat überzeugt, ihm ein wenig Nachsicht zu gewähren.« Dom reibt mit seinem Daumen über meine Handfläche. »Das Ergebnis seiner Verurteilung wird von deinem Zustand abhängen.«

»Was soll das bedeuten?« Was bedeutet das alles?

»Nun …« Dom setzt sich wieder auf seinen Stuhl, hält aber meine Hand fest. »Angesichts von Hayes' Fähigkeiten …«

Kann er nicht endlich mal zur Sache kommen?

»Wenn du gestorben wärst, wäre Hayes auch gestorben.«

»Was? Warum? Was hat das für einen Sinn?« Ich ziehe meinen freien Arm hoch und lege meine Handfläche auf meine Brust. Die Aufregung hilft nicht gegen das klaffende Loch in meiner Brust.

»June, bitte versuche, ruhig zu bleiben.« Dom blickt auf die Monitore. »Bei Hayes besteht Fluchtgefahr. Er ist gefährlich, und auch wenn das für dich eine Überraschung sein mag, für uns, die wir ihn kennen, ist es das nicht. Wenn dir etwas zustoßen würde, ich meine, dauerhaft, würde er alles tun, um dich zu rächen. Das hat er deutlich gemacht, als er in einer Amnestiezone offen geschossen und Unschuldige und Schuldige zur Strecke gebracht hat.«

Was hat Coen getan? Er ist Amok gelaufen und hat einen Haufen Leute umgebracht? Weil jemand auf mich geschossen hat? Es war meine Schuld. Ich bin diejenige, die Simon einen Dolch in die Brust stoßen wollte, weil er sich weigerte, aufzugeben. Sollte nicht ich diejenige sein, die bestraft wird? Nicht er.

»Warte!« Ich erinnere mich nur bruchstückhaft. »Wer hat gewonnen? Bitte sag es mir …«

Dominic seufzt. »Simon Beckett mag ein abscheulicher Mensch sein, aber er steht zu seinem Wort.«

»Tut er das?«

»Er hat eingewilligt. Dank dem, was auch immer du zu ihm gesagt hast, hat er mir und allen anderen klargemacht, dass er von seiner Position gegen mich zurücktritt.«

Ich bin zwar fast gestorben, aber ich habe es geschafft, ich habe es verdammt noch mal geschafft. Ich habe Simon Beckett dazu gebracht, seine Niederlage einzugestehen.

»Ich bin so stolz auf dich«, flüstere ich.

»Das habe ich mir mein ganzes Leben lang gewünscht.« Dom starrt auf unsere ineinander verschlungenen Hände. »Ich habe noch nie härter für etwas gearbeitet. Aber in dem Moment, als ich dich verbluten sah, hätte ich alles dafür gegeben, dass du noch einen weiteren Tag erlebst. Das sollst du wissen, June. Ich weiß nicht, was die Zukunft bringt, aber ich weigere mich zu ignorieren, was ich nicht mehr kontrollieren kann. Und vielleicht ist mir das erst in dem Moment so richtig bewusst geworden, als ich alles aufgegeben hätte, um dich vor diesem Albtraum zu retten. Oder vielleicht hat sich bestätigt, was ich bereits vermutet habe.« Er atmet aus und begegnet langsam meinem Blick. »So oder so, Tatsache ist, dass ich in dich verliebt bin.«

Ich bin fassungslos über seine Erklärung, obwohl ich genau dasselbe fühle.

Er fährt fort. »Ich erwarte nicht, dass du diese Gefühle erwiderst. Ich weiß, dass du und Hayes eine lange Geschichte habt, die weit über die Zeit hinausgeht, die wir zusammen verbracht haben. Und Bryant hat seine Absichten bereits deutlich gemacht. Ich würde dich nie zwingen, dich zwischen uns zu entscheiden, aber du sollst wissen, dass ich für dich da sein werde, egal welche Entscheidung du triffst. Ich muss ein Teil deines Lebens sein, egal wie groß oder klein.«

Ich öffne den Mund, um etwas zu sagen, werde aber unterbrochen, als sich die Tür öffnet und ein schöner tätowierter Mann hereinkommt.

Seine Augen leuchten auf, sobald er merkt, dass ich wach bin. »Prinzessin!« Magnus eilt auf die andere Seite zu mir herüber.

Ich werfe ihm einen strengen Blick zu. »Im Ernst, bist du immer noch so drauf?«

»Was? Das ist perfekt. Du bist wie eine Disney-Prinzessin, aber auf eine dunkle und verdrehte Art und Weise.« Er streicht mir das Haar von der Wange. »Wie fühlst du dich?«

Ich werfe Dom einen kurzen Blick zu. Ich hatte noch keine Gelegenheit, ihm mitzuteilen, dass ich mich auf keinen Fall zwischen den dreien entscheiden kann. Dass ich nur glücklich sein kann, wenn ich mit ihnen allen zusammen bin. Dass jeder von ihnen etwas anderes mitbringt und ich zum ersten Mal in meinem Leben keine Angst davor habe, nicht zu wissen, was die Zukunft bringt.

Mit diesen drei Männern zusammen zu sein, ist alles, was ich will, aber nicht wusste, dass ich es brauche.

Und jetzt, da ich sie probiert habe, kann ich mir ein Leben ohne sie nicht mehr vorstellen.

Ich hatte meine Zweifel daran, was passieren würde, wenn Dominic den Thron besteigt, aber er hat mir klargemacht, dass er mich an diesem nächsten Kapitel seines Lebens teilhaben lassen will. Und wenn ich raten müsste, dann wollen Magnus und Coen das auch.

»Nicht schlecht, wenn man bedenkt …« Ich versuche, mich wieder hochzuziehen, aber meine Arme geben ohne große Anstrengung nach. »Bewegt sich das Ding?«

»Ja, hier.« Magnus drückt einen Knopf auf der kleinen Fernbedienung an der Seite. »Ist das besser?«

»Sehr.« Allerdings fehlt noch eine Sache, damit ich mich vollständig fühle.

»Was ist los?« Dominic starrt mich an, als könne er meine Gedanken lesen.

»Holt Coen, bitte!«

»Natürlich.« Dominic lässt meine Hand los, steht auf und nimmt die Aufgabe, die ich ihm gestellt habe, ohne zu zögern an.

»Warte!« Ich strecke beide Arme nach ihm aus und sehne mich danach, dass seine Berührung bleibt.

Seine Entschlossenheit lässt nach und er beugt sich zu mir hinunter und umarmt mich so vorsichtig wie möglich. Er drückt seine Lippen auf meine Wange und atmet tief ein.

»Das beruht auf Gegenseitigkeit«, murmle ich ihm ins Ohr.

Er seufzt, die Anspannung in seinem Körper löst sich mit der ausgestoßenen Luft. »Ich werde ihn für dich zurückholen, versprochen.«

Das allein sagt mir, dass Dominic alles tun wird, um Coen aus der Hölle zu befreien, die er derzeit während seiner Bestrafung erlebt.

»Das ist … verdammt bezaubernd.« Magnus erlaubt Dom,

mich zu Ende zu umarmen, und drückt mir dann einen Kuss auf die Stirn.

Ein leichtes Klopfen rüttelt an der Tür.

Magnus ist zuerst da und gewährt der Person Einlass. Simon Beckett betritt mein nicht allzu großes Krankenhauszimmer. Etwas, das mich am Ende wahrscheinlich ein verdammtes Vermögen kosten wird. Einer der Gründe, warum ich nach dem damaligen Angriff nicht ins Krankenhaus gegangen bin, war, dass ich keine Versicherung hatte und mir die horrende Rechnung nicht leisten konnte, die sie mir zweifellos auferlegt hätten. Eine Schusswunde und eine Notoperation werden mich wahrscheinlich einen Arm und ein Bein kosten, aber das ist ein Problem für einen anderen Tag.

»Beckett.« Dominic stellt sich zwischen mich und den Neuankömmling.

»Dominic.« Simon nickt ihm zu und dann Magnus. »Bryant.« Er zeigt auf ihn und neigt den Kopf, um Dom zu betrachten. »Darf ich?«

Bittet er höflich um Zustimmung? Was zum Teufel habe ich verpasst, als ich damit beschäftigt war, fast zu sterben? Ich schätze, Simon hat zugestimmt. Heißt das, dass es keine seltsame Rivalität mehr gibt?

»Er ist in Ordnung, lasst ihn durch!« Ich ziehe meine steife Krankenhausdecke ein wenig höher und bedecke meine Brust mit meinem Kittel. »Magnus, du solltest mit Dom gehen und Co holen.«

»Dazu braucht es euch beide.« Simon tritt behutsam näher. »Ich bin mir ziemlich sicher, dass der Rat seinen Kopf will, um ein Exempel zu statuieren.«

»Ernsthaft?« Magnus starrt Simon an. »Du stresst sie nur noch mehr.«

»Mir geht es gut. Ich habe den kleinen roten Knopf für mehr Medikamente gedrückt und sie fangen an zu wirken. Es wird mir besser gehen, wenn du wieder da bist, also beeil dich!« Es ist keine Lüge. Ich fühle mich ein wenig benebelt, eine Wärme durchströmt mich und zerrt an meinen Augenlidern, um mich in den Schlaf zu tragen. Und der Gedanke, dass Dom alles tun wird, um Coen aus seiner Gefangenschaft zu befreien, beruhigt meine Seele.

Schon bald werde ich meine drei Männer an meiner Seite haben, und dann gibt es nichts, was wir nicht gemeinsam bewältigen können.

»Dein Telefon.« Dominic dreht sich zu mir um. »Es liegt neben dir, unter deiner Bettdecke. Ruf mich an, wenn du etwas brauchst. Okay?«

Ich nicke und lächle, so gut ich kann.

»Und du …« Dominic stupst Simon mit dem Finger in die Schulter. »Ich muss dir nicht sagen, was passiert, wenn du etwas abziehst.«

Magnus klopft Dom spielerisch auf den Rücken. »Er hat ihr praktisch das Leben gerettet; er wird nichts tun. Komm schon, du hast die Dame gehört. Du kannst Beckett ein anderes Mal hassen.« Auf dem Weg zur Tür wirft er noch einen Blick auf mich. »Ich liebe dich, Prinzessin.« Er verschwindet, bevor ich seine Worte überhaupt verarbeiten kann.

Wollte er das sagen? War es eine Kurzschlussreaktion? So oder so, meine Gefühle schwellen an und ich möchte es erwidern. Zu ihm. Zu Dominic. Zu Coen. Mit jeder Sekunde, die mein Herz schlägt, wächst meine Liebe zu ihnen. Wie konnte es dazu kommen, dass ich diese drei Worte nie zu jemandem sagen wollte und sie nun von den Dächern schreien möchte?

Simon setzt sich auf den Sitz, auf dem Dominic gesessen hatte, und schiebt ihn nach vorn. »Du hast uns alle erschreckt.«

»Das habe ich auch gehört.« Ich studiere sein Gesicht und vergleiche die Details mit dem, was Cora gesagt hat, dass er Damon Salvatore ähnelt.

Die gleiche ausgeprägte Kieferpartie, die dunklen Augenbrauen und die fesselnden Augen. Mit seiner Lederjacke und seinem verschlagenen Blick hat er einen Hauch von geheimnisvollem Bad Boy in sich. Er sieht gut aus, gelinde gesagt, aber nichts im Vergleich zu den drei Männern, die mich für alle anderen ruiniert haben.

Mein altes Ich hätte auf der Stelle mit Simon geschlafen. Hätte mich kopfüber in die Verlockungen seines durchdringenden Blicks und seines verführerischen Tons gestürzt. Ich hätte ihn verschlungen und wieder ausgespuckt, ohne mich um etwas zu kümmern. Aber jetzt? Alles, was ich sehe, wenn ich ihn ansehe, ist jemand, der den Männern, die mir am wichtigsten sind, fast alles weggenommen hat.

Die Schmerzmittel, die durch meine Infusion in meine Venen fließen, drohen mich wie eine warme Decke und ein süßes Schlaflied zu umhüllen.

Simon fährt sich mit der Hand durch sein braunes Haar und lehnt sich auf dem Stuhl zurück. »Ich weiß nicht, was es mit dir auf sich hat, aber du hast uns alle in deinen Bann gezogen.« Er verschränkt die Arme vor der Brust. »Ich bin nur derjenige, der außen vor bleibt.«

Ein Teil von mir hat Mitleid mit ihm. Jetzt, da ich die Verbindung, die ich zu jedem meiner Männer fühle, angenommen habe, ist es sicher schwer zu ertragen, am anderen Ende dieser Gefühle zu stehen und sie nicht erwidert zu bekommen. Es wäre ein Verrat an meinen Jungs, wenn ich auch nur daran denken würde, Simon in unseren Kreis aufzunehmen. Ich hatte das Glück, dass sie sich nicht dagegen gewehrt haben, mich mit den anderen zu teilen, und die Einführung eines Außenseiters wäre nur ein todsicherer Weg, um das ganze Arrangement zum Platzen zu bringen.

»Was hat Magnus gesagt?«, frage ich ihn.

Simon reibt sich die Schläfe. »Worüber?«

»Du hast mich gerettet?«

»Ja. Das. Ähm, na ja. Nachdem du versucht hast, mich zu

töten …« Er atmet ein und beugt sich vor. »Einer meiner Leute hat auf dich geschossen, und ich habe die Wunde so lange gedrückt, bis Hilfe kam. Du hast viel Blut verloren, aber es wäre viel schlimmer gewesen, wenn ich es nicht getan hätte. Du wärst wahrscheinlich gestorben.«

»Warum solltest du das tun?« Ich schüttle den Kopf. »Ich wollte dich abstechen.«

Simon lacht, aber der Humor trifft nicht seine Augen. »Das hast du tatsächlich.« Er hebt sein Hemd an und zeigt einen kleinen, genähten Bereich auf seiner Brust, genau dort, wo sein Herz sitzt.

Und ich würde es wieder tun, wenn das Ergebnis dasselbe wäre – Dominic gewinnt ihren Krieg.

»Sie hätten ihn sowieso gekrönt, weißt du. Ich hätte auf keinen Fall gegen Dominic gewonnen.« Simon klopft die Falten seines Oberteils aus. »Er hat natürlich viel mehr Erfahrung. Der Kerl ist um die sechzig.«

»Fünfzig, aber egal«, korrigiere ich ihn.

»So oder so, die ganze Sache war von langer Hand geplant. Er hat Winnie um den Finger gewickelt, so lange ich denken kann.«

»Es lag aber nicht nur an ihr, es gab noch andere im Rat.«

Simon nickt. »Das ist der Blickwinkel, den ich einnehmen wollte, aber ihr Einfluss ist am Ende immer noch stärker. Vor allem, wenn du zur Dynamik beiträgst. Sie verehrt dich bis über beide Ohren. Nicht, dass ich es ihr verdenken könnte.«

»Du hast meine Frage immer noch nicht beantwortet.« Ich blinzle langsam, während die Medizin weiter auf mich einwirkt.

»Ich konnte nicht nichts tun, June. Ich konnte nicht zusehen, wie du stirbst, nicht, als jeder Zentimeter in mir danach schrie, dich zu retten.« Simon blickt auf seine Hände und fährt mit den Daumen über die Fingerspitzen. »Da war so viel Blut.« Er senkt seine Stimme. »Gewalt ist mir nicht fremd, aber das … das war etwas ganz anderes.«

»Wenn du mich fragst ...« Ich lecke mir über die trockenen Lippen, meine Augen schließen sich ohne meine Zustimmung. »Ich danke dir.«

Simon greift vorsichtig nach vorn und tätschelt meine Hand. »Ich werde warten ... für immer, wenn es sein muss.«

*I*ch wache allein auf, das Licht im Zimmer ist gedämpft und keine Menschenseele in Sicht. Ich blinzle durch den Nebel und greife nach der Fernbedienung, um mein Bett wieder in die aufrechte Position zu bringen. Simon oder eine der Schwestern muss es heruntergelassen haben, als ich vorhin eingenickt bin.

Ich nippe an der Tasse mit Wasser, die auf dem Tisch steht, und richte mich etwas auf. Etwas Hartes erregt meine Aufmerksamkeit und ich hebe die Decke an, um mein Handy an der Stelle zu finden, an der Dominic es mir vorhin gezeigt hatte.

Ich habe sieben verpasste Anrufe von Cora und dreizehn Textnachrichten. Ich weiß, ich sollte auf den Knopf klicken und sie zurückrufen, aber was soll ich sagen?

Oh hey, beste Freundin, mein Fehler, dass ich nicht geantwortet habe, als du mich angerufen hast. Ich war gerade mit einem Haufen Krimineller bei dieser halbgeheimen Veranstaltung, bei der das Schicksal ihrer illegalen Organisation von einer Gruppe alter Damen entschieden wurde, die viel zu viel Geld haben. Außerdem habe ich einen Dolch in die Hand genommen und fast einen Mann getötet, dann wurde ich angeschossen und starb fast in den Armen des Mannes, während einer der Männer, in die ich verliebt bin, einen Amoklauf beging, um mich zu rächen. Keine große Sache. Ich habe eine Schusswunde in der Brust, und ich habe keine Ahnung, wie lange die Genesung dauern wird, geschweige denn, wie teuer meine Krankenhausrechnung ausfallen wird, aber mir geht es gut, wie geht es dir?

Ja, ich bezweifle, dass das sehr gut ankommen würde.

Ich überfliege ihre letzten Nachrichten und beschließe, trotzdem eine zu schicken.

Ich: Tut mir leid, dass ich nicht da war, superverkatert. Ich rufe dich morgen an.

Ich streue ein paar ausgewählte Emojis ein und drücke auf den Sendeknopf, in der Hoffnung, dass ich dadurch ein wenig davon verschont bleibe, eine total beschissene Freundin zu sein.

Ich wurde schließlich angeschossen, ich verdiene ein bisschen Nachsicht, oder?

Wenn überhaupt, dann verschafft mir das ein wenig Zeit, um mir zu überlegen, was ich ihr eigentlich sagen soll. Sie wird so oder so herausfinden, dass ich verletzt bin. Wir treffen uns einmal in der Woche, bis zum nächsten Mal werde ich auf keinen Fall geheilt sein, und es würde zu viel Misstrauen erwecken, wenn ich sie zu lange ignorieren würde, besonders jetzt, da sie weiß, dass die Jungs unsere Mädelsabende finanzieren.

Ich lege das Handy zur Seite, den Kopf zurück und atme tief ein, was mich ein wenig zusammenzucken lässt. Meine Hand wandert reflexartig zu meiner Brust, schwebt über der Stelle, an der ich fast verblutet wäre. Wenn Simon nicht gewesen wäre, wäre ich es. Aber ohne Simon wäre ich gar nicht erst in diese Situation geraten. Ich kann ihm keine Schuld geben – es war meine Entscheidung, ihn zu bedrohen. Ich wusste, dass es Konsequenzen haben würde, ich dachte nur nicht, dass ich erschossen werden würde.

Der Türknauf des Krankenhauszimmers wackelt und dreht sich. Ist es eine Schwester, die nach mir sehen will? Ist es jemand, der mich fertigmachen will?

Ich blinzle, um im schummrigen Licht besser sehen zu können. Magnus streckt seinen Kopf herein, bemerkt, dass ich wach bin, und öffnet die Tür noch weiter. »Sie ist wach.«

»Geh mir aus dem Weg!« Coen schiebt sich an ihm vorbei und trägt dasselbe Outfit wie neulich Abend.

Wie lange ist es her, ein, zwei, drei Tage? Ich habe keine Ahnung, wie lange ich nach meiner Operation außer Gefecht war.

Blut bedeckt ihn vom Kopf bis zu den Zehen, bespritzt sein Gesicht und klebt an seinen Händen. Um eine von ihnen ist etwas gewickelt, das sie möglicherweise schient. Auf seinen Wangen sind getrocknete Tränen und sein Haar ist ein einziges Durcheinander. Irgendwie ist er schöner als je zuvor. Sein blauer Blick sucht verzweifelt meinen Körper ab.

»J …« Er lässt sich neben dem Bett auf die Knie fallen, nimmt meine Hand in seine und drückt seine Lippen immer wieder auf meine Haut. Sein Schluchzen macht mich fertig, während neue Tränen über sein Gesicht laufen.

»Co, komm her!« Ich ziehe an ihm, obwohl ich so schwach bin.

Coen fügt sich und legt seinen Hintern neben mich, während er sich immer noch an meiner Handfläche festhält. »Ich dachte …«

»Sschh. Du hast falsch gedacht. Mir geht es gut.« Ich streichle sein Gesicht mit meiner freien Hand. »Was haben sie mit dir gemacht?« Ich sehe zu Dominic und Magnus hinüber, dann wieder zu Coen.

Er schluckt und küsst meine Finger. »Nichts, was das Wissen, dass es dir gut geht, nicht wiedergutmachen könnte.«

Ich ziehe ihn näher zu mir und drücke ihn so fest an mich, wie es meine Verletzungen zulassen. Ich streichle seinen Kopf und flüstere ihm ins Ohr: »Ich liebe dich, Coen.«

Er schnieft in meine Schulter und seufzt. »Du hast keine Ahnung, wie lange ich das schon hören will.«

»Es ist wahr«, sage ich ihm. Ich hebe meinen Kopf in Richtung Dominic und Magnus, die am Fußende meines Bettes stehen. »Ich liebe euch alle, mehr als alles andere.«

Dominic greift nach unten und drückt meinen Fuß, ein Ausdruck der Erleichterung huscht über sein Gesicht. Magnus grinst von einem Ohr zum anderen und kommt auf die Seite gegenüber von Coen. »Ich wusste, dass du dich in uns verlieben würdest.« Er beugt sich hinunter und drückt mir seine Lippen auf die Wange, dann greift er nach Coens Schulter, als wolle er ihn wissen lassen, dass er auch für ihn da ist.

Ich hätte nie gedacht, dass es möglich ist, sich in jemanden zu verlieben, und jetzt bin ich Hals über Kopf, im wahrsten Sinne des Wortes, unwiderruflich in diese drei Männer verliebt. Ich wäre fast für sie gestorben und würde alles sofort wieder tun, wenn sie mich je brauchen würden.

Ich denke, das ist die Sache mit der Liebe – man weiß es erst, wenn sie einen auf den Boden der Tatsachen zurückwirft und dazu führt, dass man alles, woran man bis dahin geglaubt hat, komplett umdenkt.

Wenn es das ist, was es bedeutet, endlich etwas zu haben, für das es sich zu kämpfen lohnt, dann werde ich diese Stadt niederbrennen und einen Krieg beginnen, um das, was wir haben, am Leben zu erhalten.

EPILOG – JUNE

»*B*ist du aufgeregt?« Cora sitzt mir gegenüber, das Kinn auf die Hand gelegt, den Ellbogen auf den Tisch gestützt.

Ich nippe an meinem Kaffee und zucke mit den Schultern. »Irgendwie schon.«

Sie greift nach mir. »Du machst deinen Abschluss, J, das ist eine große Leistung.«

Allerdings sechs Monate später, als ich es hätte tun sollen.

Ursprünglich hatte ich mir aus finanziellen Gründen eine Auszeit von der Uni genommen, aber als die Jungs herausfanden, dass ich so kurz vor dem Abschluss stand, bestanden sie darauf, dass ich den Stift zu Papier bringe und das auf meiner To-do-Liste abhake, bevor ich mich voll in die geschäftliche Seite ihres Lebens stürze. In gewisser Weise versuchten sie wohl, das Unvermeidliche hinauszuzögern, wenn ich mich ihnen bei ihren Unternehmungen anschließe – um das zu tun, wovon sie glauben, dass es mich schützt. Sie zahlten nicht nur meine Studiengebühren, sondern jeder von ihnen half mir abwechselnd beim Lernen, damit ich in all meinen verbleibenden Kursen eine fast perfekte Punktzahl erreichte.

Eine Leistung, die ich zum Glück vollbracht habe, ohne angeschossen zu werden und ein großes Verbrechen zu begehen. Zu meinem Glück nahm Simon mir den Versuch, ihn zu töten, nicht übel und konnte dem Rat überzeugend darlegen, dass ich ihn nicht verletzt habe und es in Wirklichkeit seine Männer waren, die mich zu Unrecht angeschossen haben. In Anbetracht der Umstände kam auch Coen ungeschoren davon, da er in meinem Namen in Notwehr gehandelt hatte. Seine Reaktion wurde als akzeptabel angesehen, obwohl er in dieser Nacht während seines Amoklaufs zahlreiche Menschen brutal ermordet hat. Akzeptabel ist in dieser Welt ein subjektiver Begriff.

»Ja.« Der Schmerz in meiner Brust bleibt, eine Verletzung, die wahrscheinlich Jahre dauern wird, bis ich mich wieder annähernd wie ich selbst fühle.

»Machen die Jungs irgendwas Besonderes für dich?« Cora nimmt einen Bissen von ihrem Bananen-Nuss-Muffin.

»Ich bin mir nicht sicher.« Ich halte inne. »Ich bezweifle es. Sie sind sehr beschäftigt mit der Arbeit.«

Die ganze Sache mit der Leitung eines kriminellen Unternehmens. In all diesen Dingen sind sie absolute Naturtalente. Die Dunkelheit passt gut zu ihnen.

Ich wechsle das Thema. »Was ist mit dir? Wie läuft es mit dem neuen Job?«

Cora lächelt und mir wird ganz warm ums Herz. »Wirklich toll. Ich liebe es so sehr. Sie haben mich beauftragt, die Inneneinrichtung des neuen Wohnkomplexes am anderen Ende der Stadt zu gestalten. Du weißt schon, wovon ich spreche? Er ist superedel, sehr exklusiv.«

»Verdammt, Cor, das klingt unglaublich.«

Sie nickt. »Minus Jenn, sie ist eine totale Schlampe.«

Ich trinke noch einen Schluck von Brams berühmtem Kaffee. »Was ist mit ihr los?«

Cora atmet dramatisch aus. »Für dieses Projekt mussten wir

also Portfolios einreichen, aber die Firma wollte eine Blindbewerbung, das heißt, es war nicht klar, wer den Auftrag bekommt, bis sie es bekannt gaben. Ich bin erst seit ein paar Monaten dort und Jenn ist seit drei Jahren dort. Ich kann sagen, dass sie sauer war, als ich den Job bekommen habe, und nicht sie.«

Ich neige den Kopf. »Aber du bist dann offensichtlich besser qualifiziert?«

»Genau.« Cora winkt, als jemand durch die Tür von *Bram's Diner* kommt. »Sie hat mich beschuldigt, das System zu betrügen.«

Magnus rutscht auf den Sitz neben mir und legt seinen Arm um meine Schulter. »Prinzessin!« Er drückt mir einen aggressiven Kuss auf die Schläfe und dreht sich zu Cora um. »Worüber reden wir?«

»Irgendeine Schlampe in Coras neuem Job«, erzähle ich ihm, während ich mich an seinen starken Körper lehne.

Ich habe mich immer noch nicht daran gewöhnt, in einer Beziehung zu sein, aber mit meinen drei Männern ist es wie eine zweite Natur.

»Ohh.« Magnus führt meinen Becher an seine Lippen. »Soll ich sie für dich töten?«

Ich drossle meine Reaktion und stoße ihm mit dem Ellbogen in die Rippen.

»Was?« Er sieht erst zu mir und dann zu Cora hinüber. »Das ließe sich einrichten.«

Cora bricht ein weiteres Stück von ihrem Muffin ab. »Ich liebe diese Art von Energie.« Sie schiebt sich den Bissen in den Mund.

»Apropos …« Magnus wirft einen Blick auf die Uhr an seinem Handgelenk. »Ich habe eine Überraschung für dich, deshalb muss ich dein kleines Treffen leider abkürzen.«

»Weißt du, ich werde gar nicht erst fragen, was diese beiden

Dinge miteinander zu tun haben.« Cora kaut weiter auf ihrem Essen herum.

»Es ist wahrscheinlich besser, wenn du es nicht tust.« Ich verdrehe bei Magnus die Augen und stupse ihn an.

Er ergreift meinen Finger, führt ihn zu seinen Lippen und küsst ihn sanft. »Du liebst mich.«

Cora meldet sich zu Wort: »Magnus, hey, wenn du schon Gefälligkeiten verteilst.«

O Scheiße, was will sie ihn denn fragen?

»Ich freue mich, dir helfen zu können, was kann ich für dich tun?« Er schenkt ihr seine Aufmerksamkeit, während er weiterhin meine Hand festhält.

»Ich habe June ungefähr zwölf Millionen Mal gefragt, aber ich hatte gehofft, Coens Freund Miller zu treffen. Ich glaube, June sagte, ihr wärt Geschäftspartner. Wir haben uns nie offiziell getroffen, aber ich glaube, wir hatten einen gemeinsamen Moment.«

Magnus spannt sich neben mir leicht an.

Scheiße! Ich wollte ihr schon lange sagen, dass Miller tabu ist, aber ich habe nicht den richtigen Zeitpunkt oder die richtige Art gefunden, ihr das zu sagen, ohne ihre Gefühle zu verletzen. Ich kann ihr ja nicht einfach die Wahrheit sagen, dass er einer der führenden Köpfe des Ostküstenmarktes ist und er mit dem alten Boss meiner Männer verfeindet ist. Zugegeben, der Kerl ist tot und hat nicht mehr das Sagen, aber das bringt trotzdem eine seltsame Dynamik mit sich und ist nichts, in das ich Cora hineinziehen würde. Er mag ein anständiger Mann sein, aber anständig reicht bei meiner besten Freundin nicht aus. Ich hatte vielleicht Glück mit den drei gefährlichen Typen in meinem Leben, aber ich bin aus derselben Dunkelheit gemacht. Cora ist sanft, sprudelnd, viel zu glücklich und freundlich. Die Welt, mit der ich jetzt zu tun habe, würde sie ganz verschlingen. Was für eine Freundin wäre ich, wenn ich sie dem aussetzen würde?

»Was das angeht …« Magnus trinkt mehr von meinem

Kaffee, als ob er sich eine Geschichte ausdenken würde. »Ich hätte größere Chancen bei ihm als du.«

Ich blinzle ihn an, weil ich den Blickwinkel, den er einnimmt, nicht ganz verstehe.

»Er ist … schwul?« Cora lässt ihre Frage in der Luft hängen.

Magnus nickt. »Ja. Superschwul. Der Kerl liebt Schwänze.«

»Oh!« Cora lässt die Schultern hängen. »Nun, das ist cool.«

»Ja. Er hat sich noch nicht geoutet, also könnte es ein heikles Thema sein, wenn du es ihm gegenüber ansprichst.«

Cora verschränkt die Arme. »Natürlich, nein, das ergibt Sinn.«

Magnus schaut wieder auf seine Uhr. »Hör zu, mach dir nichts draus. Viele andere Männer wären froh, wenn sie dich hätten.«

Cora blickt zu Magnus und dann zu mir auf. »Meinst du?«

Scheiße, ich habe mich nur deshalb geweigert, sie Miller vorzustellen, weil ich dachte, er sei nicht gut genug für sie.

»Auf jeden Fall«, versichere ich ihr. »Ohne jeden Zweifel.«

Das Lächeln kehrt in ihr Gesicht zurück, als Magnus nickt und mir zustimmt.

»Wohin gehen wir?«, frage ich Magnus, als wir vor *Bram's Diner* stehen.

»Es ist eine Überraschung, Prinzessin. Stichwort: Überraschung.« Er zieht mich näher an seinen Körper, während wir weiter den Bürgersteig entlang schlendern.

»Miller ist nicht schwul, oder?« Denn es war nicht zu leugnen, dass er Cora begutachtete, als die beiden sich das erste Mal sahen.

»Superhetero, aber das muss sie ja nicht wissen.« Magnus blickt hinter sich. »Er ist nicht so skrupellos wie wir, das steht fest. Trotzdem ist er in Dinge verwickelt, die für dieses süße Mädchen viel zu dubios sind.«

»Genau mein Gedanke.«

»Es war richtig, sie nicht zu verkuppeln.« Magnus lenkt mich auf die andere Straßenseite. »Es wäre anders, wenn du dich nicht um sie sorgen würdest, aber das tust du.«

Wir nähern uns einer dunklen Gasse, schlüpfen in den Schatten und gehen weiter, bis wir die Gestalt eines Mannes sehen.

Coen stößt sich von der Wand ab, als wir näher kommen, und kommt zu uns herüber. »Nur noch ein paar Minuten, mehr oder weniger.« Er streicht mir eine Haarsträhne hinters Ohr und sieht zu Magnus hinüber. »Dom sollte jeden Moment hier sein.«

Und wie ein Uhrwerk betritt der Rohling mit uns die Gasse.

»Kann mich jemand aufklären, was wir hier tun?«

Dom zwinkert mir zu und legt den Finger auf die Lippen, um mir zu signalisieren, dass ich still sein soll. Er deutet in die Richtung, aus der er gekommen ist, zu ein paar heruntergekommenen Gebäuden in diesem eher schäbigen Teil der Stadt.

Ich stecke die Hände in die Taschen und warte ungeduldig. Wissen sie denn nicht, dass ich Überraschungen hasse?

Jeder normale Mensch würde sich Sorgen machen, in eine seltsame Gasse geführt zu werden, und doch frage ich mich, was für einen Spaß diese Männer für mich auf Lager haben?

Magnus stupst mich am Arm und nickt mir zu, damit ich mich konzentriere.

Ich brauche eine Sekunde, um mich darauf einzustellen, aber dann sehe ich eine vertraute Gestalt vor mir.

Carter. Mein beschissener Ex-Mitbewohner, der mir das Leben zur Hölle gemacht hat, während ich mit ihm und dem Rest dieser Verlierer eine Wohnung teilen musste. Der erbärmliche Trottel, der mir das Geld für die Miete gestohlen hat, mich mehrmals angemacht hat, dem es egal war, als ich brutal zusammengeschlagen nach Hause kam, und der es geschafft hat, seine ebenso wertlose Freundin davon zu überzeugen, die Schlösser auszutauschen und mich rauszuschmeißen, nachdem ich ihnen bereits meinen Anteil an der Monatsmiete gegeben hatte.

Meine Kiefer krampfen sich zusammen, ebenso wie meine Fäuste. In dieser neuen Welt, in der ich lebe, fühle ich mich stärker als je zuvor, und der Gedanke, ihn vom Haken zu lassen, kommt für mich nicht infrage. Er hat lange genug ohne Konsequenzen für seine Taten gelebt, und das hört hier und jetzt auf.

Aber als ich einen Schritt nach vorn mache, hält mich Dominic auf, damit ich nicht noch weitergehe. »Warte einen Moment!«

Ich starre ihn an, und ein Teil von mir möchte sich aus seinem Griff befreien und direkt auf den verfickten Jungen in der Nähe zusteuern.

»Vertraue ihm, Prinzessin!«, flüstert Magnus mir ins Ohr.

Vor einem Jahr hätte ich nie jemandem außer mir oder vielleicht Cora vertraut, aber die Dinge haben sich geändert. Verdammt, alles hat sich geändert. Ich bin nicht länger eine Einzelgängerin, die sich weigert, sich mit einem Mann niederzulassen. Stattdessen bin ich mit drei rücksichtslosen Männern liiert, die mich als ihre Königin beanspruchen.

Und es gibt keinen Ort, an dem ich lieber wäre als an ihrer Seite.

Carter wendet uns den Rücken zu und kauert in einer Ecke eines alten Gebäudes auf der Treppe. Er fummelt an irgendetwas herum und tut sein Bestes, um sich vor der Außenwelt zu verbergen. Mit dem Gesicht zu uns drückt er sich den Daumen an die Nase und atmet mehrmals ein und aus, wobei sein Blick auf jeden gerichtet ist, der ihn beobachten könnte. Er schiebt seinen Finger in das Tütchen in seinem Griff, steckt es in den Mund und reibt damit an seinem Zahnfleisch.

Er lehnt sich gegen das Gebäude, legt den Kopf schräg und

stützt sich ab.

»Hat er gerade Kokain genommen?«, frage ich leise.

»Warte …!«

Carter sackt gegen die Wand, sein Körper sackt unter ihm weg. Er fällt hart auf seinen Hintern und stützt sich mit den Händen ab.

Ich unterdrücke ein Lachen, das unsere verborgene Position zu entlarven droht, und beobachte weiter, wie er sich in einen höllischen Rausch versetzt.

Eine Hand ruht sanft auf meinem Rücken, und als ich zur Seite schaue, rückt Magnus' starke Gestalt näher an mich heran. Ich lehne mich an ihn, aber mein Blick bleibt auf Carter haften. Wenn die Jungs sich die Mühe gemacht haben, mich hierherzubringen, dann muss es dafür einen Grund geben.

Carter zittert. Es beginnt langsam und wird dann immer heftiger, als hätte er einen Anfall. Moment, ist es das, was passiert? Reagiert er übel auf die Drogen? Oder ist es etwas Ernsteres – eine Überdosis?

Von meinem Platz auf der anderen Seite des Weges sehe ich noch immer, wie der Schaum aus seinem Mund quillt und sich ein Ausdruck des Schreckens auf seinem verhärteten Gesicht festsetzt.

Plötzlich wird sein Körper schlaff. Der ganze Vorgang dauert nur einen kurzen Moment, nicht lange genug, dass jemand vorbeikommen, ihn bemerken und möglicherweise Hilfe anbieten könnte. Wahrscheinlich kommt er deshalb an diesen Ort – weil er nicht erwischt werden will. Er wusste nicht, dass genau dieses Detail über Leben und Tod entscheiden würde. Für dieses traurige Arschloch hatten seine schlechten Entscheidungen das schlimmstmögliche Ergebnis zur Folge.

Und das beste für mich.

Eine warme Hand zerrt mich zurück, weiter weg von dem leblosen Körper und in den Schatten.

»Ist er …?« Ich blinzle, um meinen Blick auf den stillen

Mann zu richten, der sein Bestes getan hat, um mein Leben zu ruinieren.

»Ja.«

Eine Welle des Triumphs durchströmt mich. Es ist krank, dass ich so empfinde, das ist mir bewusst, aber Carter hat es verdient. Jeder Tag, an dem er weiteratmete, war mehr, als er verdient hatte.

Meine Männer führen mich zurück in die Richtung, aus der wir gekommen sind, und lassen Carter dort allein liegen, während seine Seele seinen Körper verlässt. Ein Tod, der immer noch nicht so grausam war, wie er es war.

»Woher wusstet ihr, dass er …?«

Coen ist der Erste, der sich zu Wort meldet. »Er ist berechenbar. Es war gar nicht so schwer, ein Muster zu finden.«

Überlass es dem Sicherheitschef, jeden Schritt von Carter zu durchschauen.

»Oder ihm gelinkten Stoff zu geben.« Dominic fährt mit der Hand über seinen aschblonden Bart.

»Ich muss sagen, das ist das aufmerksamste Geschenk, das ich je bekommen habe.« Ich schaue zwischen den beiden hin und her.

Magnus stupst mich an. »Warte einfach bis zu deinem Geburtstag!«

Eine Aussage, die mich normalerweise abgeschreckt und in die Flucht geschlagen hätte. Mit jemandem für die Zukunft zu planen, kam für mich nie infrage. Aber jetzt?

Jetzt wünsche ich mir nichts sehnlicher, als die mir noch verbleibenden Tage mit diesen drei Männern zu verbringen.

---

*D*u willst unbedingt herausfinden, was mit Simon passiert? … dann lies jetzt die Fortsetzung von Junes Geschichte in *Villain Era – Hemmungslos!*

EBENFALLS VON LUNA PIERCE:

Sinners and Angels Universe

Untamed Vixen – Zügellos (Eins)

Villain Era – Hemmungslos (Zwei)

ÜBER DEN AUTOR

Luna Pierce ist die Autorin düsterer zeitgenössischer und paranormaler Liebesromane. Sie liebt es, kaputte Charaktere zu erschaffen, denen man auf ihrer Reise, sich selbst zu finden und für das zu kämpfen, was sie lieben, unweigerlich verfällt. Ihre Geschichten sind für hoffnungslose Romantiker, die Spannung, Angst und Leidenschaft lieben.

Wenn sie nicht gerade schreibt, trinkt sie viel zu viel Kaffee, macht endlose To-do-Listen und verbringt Zeit mit ihrer Tochter und ihren Katzen in einer Kleinstadt in Ohio.

Tritt der exklusiven Lesergruppe bei: Luna Pierce's Gritty Romance Squad.

Melde dich für Lunas Newsletter an und erhalte Updates unter: https://www.lunapierce.com/subscribegerman

Wenn dir die Geschichte von June gefallen hat, hinterlasse bitte eine ehrliche Rezension auf Amazon, Goodreads, Tiktok und/oder BookBub.

Printed in Great Britain
by Amazon

52826078R00249